DU MÊME AUTEUR

Du monde entier

JONATHAN COE

LE CŒUR
DE L'ANGLETERRE

roman

Traduit de l'anglais
par Josée Kamoun

GALLIMARD

Titre original :

MIDDLE ENGLAND

© *Jonathan Coe, 2018.*
© *Éditions Gallimard, 2019, pour la traduction française.*

Pour Janine, Matilda et Madeline

PREMIÈRE PARTIE

LA JOYEUSE ANGLETERRE

Au cours des dernières décennies de ce siècle, se présenter comme « Britannique » a ouvert des perspectives inédites... Pouvaient se définir ainsi de nouveaux venus arrivés de l'étranger, et des gens comme moi qui trouvaient au terme un sympathique côté fourre-tout. Il recouvrait comme un nationalisme civique, dont les méandres avaient le charme d'un vieux fleuve qui aurait laissé loin en amont son potentiel dévastateur.

IAN JACK, *The Guardian*,
22 octobre 2016

1

Avril 2010

L'enterrement était achevé. La réception se dispersait. Benjamin décida qu'il était l'heure de partir.

« Papa, je crois que je vais bouger.

— Très bien, je viens avec toi », répondit Colin.

Ils se dirigèrent vers la porte du pub et s'éclipsèrent sans dire au revoir à personne. La rue du village était déserte, silencieuse au soleil tardif.

« On ne devrait pas s'en aller comme ça, tout de même, dit Benjamin en se retournant vers le pub d'un air perplexe.

— Et pourquoi ? J'ai parlé avec tous ceux avec qui je voulais parler. Allez, viens, conduis-moi à la voiture. »

Benjamin tendit le bras à son père qui s'y accrocha d'une poigne incertaine. Il tenait mieux sur ses jambes, de cette façon. Avec une lenteur indescriptible, ils prirent la direction du parking.

« Je ne veux pas rentrer chez moi, dit Colin. C'est au-dessus de mes forces, sans elle. Emmène-moi chez toi.

— Bien sûr », répondit Benjamin, le cœur sombrant dans sa poitrine. Le moment de quiétude qu'il s'était promis, solitude, méditation avec verre de cidre à la vieille table en fer forgé, murmure de la rivière qui ondulait son cours hors du temps, tout cela disparut en fumée dans le ciel de l'après-midi. Tant pis. Son devoir était auprès de son père aujourd'hui. « Tu veux passer la nuit chez moi ?

— Ah oui, je veux bien », acquiesça Colin, mais sans lui dire merci. C'était un mot qu'il ne disait guère, ces temps-ci.

*

La route était encombrée et ils mirent plus d'une heure et demie à arriver chez Benjamin. Au cœur même des Midlands, ils suivaient à peu près le cours de la Severn et traversèrent ainsi les villes de Bridgnorth, Alveley, Quatt, Much Wenlock et Cressage, itinéraire paisible et sans rien de saillant, uniquement ponctué par des stations-service, des pubs et des jardineries, avec des panneaux patrimoniaux marron qui trompaient la lassitude du voyageur en lui faisant miroiter des réserves naturelles, des gîtes historiques et des arboretums. L'entrée de chaque village était signalée par un panneau à son nom accompagné d'un feu clignotant qui indiquait à Benjamin la vitesse à laquelle il roulait et l'invitait à ralentir.

« Quel cauchemar, hein, ces radars qui te piègent ! dit Colin. Tu peux plus faire un mètre sans qu'ils t'extorquent de l'argent, ces enfoirés.

— Ça limite les accidents, il faut croire. »

Son père émit un grognement dubitatif.

Benjamin alluma le poste qui était comme d'habitude sur Radio 3. Coup de chance, il tomba sur le mouvement lent du trio pour piano de Fauré. Les contours mélancoliques et sans grandiloquence de la mélodie lui parurent non seulement accompagner parfaitement les souvenirs de sa mère qui se bousculaient dans sa tête, et sans doute dans celle de son père, mais aussi constituer un écho sonore aux virages amples de la route, et même aux verts éteints du paysage qu'elle traversait. Que cette musique soit typiquement française n'y changeait rien ; il y entendait un fond commun, un esprit partagé : il s'y sentait parfaitement chez lui.

« Éteins-moi ce boucan, tu veux bien, dit Colin. On pourrait pas écouter les infos ? »

Benjamin laissa le mouvement encore trente ou quarante secondes avant de passer sur Radio 4. C'était le programme de l'après-midi, qui les plongea aussitôt dans un monde familier où le politicien et le journaliste s'affrontaient en combat singulier. Dans une semaine, ce seraient les élections. Colin allait voter conservateur, comme il le faisait à chaque consultation en Grande-Bretagne depuis 1950. Quant à Benjamin, il était comme toujours indécis, à ceci près qu'il avait décidé de ne pas voter. Rien de ce qu'ils entendraient sans doute à la radio au cours de la semaine à venir ne risquait d'y changer quoi que ce soit. La grande affaire, ce jour-là, c'était que Gordon Brown, le Premier ministre sortant qui se représentait, s'était fait piéger au micro en parlant d'un de ses soutiens potentiels comme d'une « bonne femme bourrée de préjugés » – du pain bénit pour les médias.

« Le Premier ministre vient de montrer son vrai visage, disait un député conservateur avec une joie mauvaise. Toute personne qui exprime une inquiétude bien légitime ne peut être que bourrée de préjugés, selon lui. Voilà pourquoi on ne peut pas avoir de débat digne de ce nom sur l'immigration, dans ce pays.

— Mais n'est-il pas vrai que M. Cameron, votre chef de file, soit tout aussi réticent… »

Benjamin éteignit la radio sans explication. Pendant un moment, ils roulèrent en silence.

« Elle pouvait pas les sentir, les politiciens », dit Colin, laissant resurgir le cours de ses pensées souterraines sans avoir besoin de préciser de qui il parlait. Il s'exprimait à voix basse, une voix plombée par le regret et l'émotion contenue. « Elle pensait qu'il y en avait pas un pour racheter l'autre. Des filous, tous tant qu'ils sont, à tricher sur leurs dépenses, à pas déclarer leurs intérêts, à occuper une demi-douzaine de postes en plus du leur... »

Benjamin acquiesça, mais dans son souvenir, c'était plutôt Colin lui-même, et non sa femme aujourd'hui disparue, qui était obsédé par la vénalité des politiciens. C'était même un des rares sujets qui pouvaient délier la langue de ce taciturne ; d'ailleurs, peut-être y aurait-il intérêt à lui tendre la perche tout de suite pour lui épargner des pensées plus douloureuses. Mais Benjamin se révolta contre cette idée. Aujourd'hui, ils avaient dit adieu à sa mère et il ne voulait pas que le caractère sacré de la circonstance soit terni par une des diatribes de son père.

« Mais ce que j'ai toujours aimé chez Maman, lança-t-il pour faire diversion, c'est qu'elle n'était jamais amère quand elle disait ces choses-là. Tu vois, quand elle était contre quelque chose, elle n'éprouvait pas de colère, plutôt... de la tristesse.

— Oui, c'était une belle âme, approuva Colin. Il n'y avait pas meilleure personne. » Il n'en dit pas davantage mais au bout de quelques secondes, il tira un mouchoir crasseux de sa poche de pantalon et s'essuya les deux yeux, lentement, méticuleusement.

« Ça va te faire bizarre de te retrouver tout seul. Mais tu vas t'en sortir, j'en suis sûr. Sûr et certain. »

Colin regarda dans le vague : « Cinquante-cinq ans de vie commune...

— Je sais, Papa. Ça va être dur. Mais Lois sera tout près une bonne partie du temps. Et puis moi, je ne suis pas si loin non plus. »

Ils continuèrent à rouler.

*

Benjamin habitait un moulin aménagé sur les rives de la Severn, aux alentours d'un village au nord-est de Shrewsbury. On y accédait par une petite route où deux voitures n'auraient pu se croiser, sous un berceau d'arbres, entre des haies exubérantes. Il avait emménagé dans cet endroit improbable et reculé au début de l'année, la vente de son trois-pièces de Belsize Park ayant avantageusement couvert la transaction, avec une différence qui le mettrait à l'abri du besoin pendant des années. L'habitation était beaucoup trop grande pour un homme seul, mais enfin il n'était pas seul quand il l'avait achetée. Elle comportait six chambres, deux salons, une salle à manger et une vaste cuisine ouverte équipée, avec sa cuisinière Aga, ainsi qu'un bureau pourvu de généreuses fenêtres à petits carreaux donnant sur la rivière. Pour l'instant il y était très heureux, et avait fait taire les appréhensions de ses amis et de sa famille, tous convaincus au départ qu'il avait commis une bourde catastrophique.

La maison était hérissée de chicanes, d'angles perfides, d'escaliers raides et étroits. C'était bien le dernier endroit où amener son père de quatre-vingt-deux ans. Cependant, non sans mal, Benjamin aida Colin à sortir de la voiture, monter l'escalier jusqu'au salon, grimper la volée de marches suivante – plus courte mais qui tournait dangereusement à angle droit – pour traverser la cuisine, sortir par la porte de derrière et descendre enfin l'escalier métallique

17

menant à la terrasse. Il lui trouva un coussin, lui servit une lager et s'apprêtait à s'asseoir pour engager avec lui une conversation un peu artificielle au bord de l'eau lorsqu'il entendit une voiture s'arrêter devant la porte.

« Qui c'est, bon Dieu ? »

Colin, qui n'avait rien entendu, le regarda avec ébahissement.

Benjamin se leva d'un bond et retourna dans le séjour. Il ouvrit la fenêtre et regarda dans la cour, où il aperçut Lois et sa fille Sophie devant la porte, sur le point de frapper.

« Qu'est-ce que vous faites là ?

— J'essaie de t'appeler depuis une heure, dit sa sœur. Pourquoi tu as éteint ton portable, merde !

— Je l'ai éteint parce que je ne voulais pas qu'il sonne pendant un enterrement.

— On s'est fait un sang d'encre.

— Il ne fallait pas, je vais très bien.

— Pourquoi tu t'es sauvé comme ça ?

— J'avais besoin de prendre le large.

— Où est Papa ?

— Ici, avec moi.

— Tu aurais pu nous le dire !

— Je n'y ai pas pensé.

— Tu n'as dit au revoir à personne ?

— Non.

— Pas même à Doug ?

— Non.

— Il a fait la route depuis Londres…

— Je vais lui envoyer un SMS. »

Lois soupira. Son frère l'exaspérait parfois.

« Bon, tu nous ouvres et tu nous sers une tasse de thé, au moins ?

— D'accord. »

Il les précéda dans la maison et elles rejoignirent Colin sur la terrasse tandis qu'il restait à la cuisine faire du thé et verser un verre de vin blanc à Sophie. Il apporta les boissons sur un plateau, en posant prudemment les pieds sur les marches, ébloui qu'il était par le couchant.

« C'est délicieux, cet endroit, Ben, dit Lois.

— Ça doit être génial pour écrire, rêva Sophie. Je pourrais m'installer ici et travailler pendant des heures en écoutant la rivière.

— Je te l'ai déjà dit, viens quand tu veux et tu finiras ta thèse en un rien de temps. »

Sophie sourit.

« Ça y est, j'ai fini la semaine dernière.

— Waouh ! Félicitations.

— Elle n'a jamais compris ce que tu lui trouvais, à ce moulin, dit Colin. Et moi non plus. Quel trou perdu. »

Benjamin absorba le commentaire et n'estima pas qu'il appelait une réponse, à supposer qu'il en ait trouvé une.

« Bah, ça… » Il s'assit avec un petit soupir de lassitude et de satisfaction. Il allait boire sa première gorgée de thé lorsqu'une nouvelle voiture se fit entendre devant la maison.

« Bon Dieu… »

Cette fois encore, il alla jusqu'à la fenêtre du salon pour regarder dans la cour : la voiture était celle de Doug. Courbé en deux, postérieur au premier plan, celui-ci était en train de récupérer un ordinateur portable sur le siège arrière. Lorsqu'il se redressa, Benjamin fit une découverte : Doug avait le haut du crâne chauve ; il était en train de se déplumer de manière significative. Un instant, il en conçut une pointe de satisfaction mesquine, comme on en ressent envers un rival. Puis Doug le vit et cria :

« Pourquoi ton portable est éteint ? »

Sans répondre, Benjamin descendit lui ouvrir.

« Salut, lui dit-il, Sophie et Lois viennent d'arriver.

— Pourquoi tu es parti sans dire au revoir ?

— C'est comme au début du *Hobbit*, "Une réception inattendue". »

Doug l'écarta pour passer.

« D'accord, Bilbon, tu me laisses entrer ? »

Il grimpa les marches quatre à quatre en devançant Benjamin et, sous ses yeux ébahis, il se précipita dans la cuisine. Il n'était venu qu'une seule fois dans cette maison mais il semblait se repérer. Le temps que Benjamin le rattrape, il avait sorti l'ordinateur de sa pochette, s'était installé à la table et pianotait déjà sur le clavier.

« C'est quoi le mot de passe de ton wifi ?

— Je ne sais pas, il faut que je regarde le routeur.

— Dépêche-toi alors, s'il te plaît. » Comme Benjamin disparaissait dans le salon, il lui lança : « Au fait, très bien, ton discours.

— Merci.

— Enfin, je dis discours, non, éloge plutôt, appelle ça comme tu voudras. Ça a mis la larme à l'œil à pas mal de gens, c'est un fait.

— Bah, c'était le but, si on veut.

— Même Paul avait l'air ému. »

Au nom de son frère, Ben, qui était en train de griffonner le mot de passe, se figea. Au bout d'un instant, il revint d'un pas lent à la cuisine et posa le bout de papier à côté de l'ordinateur de Doug.

« Il a eu du culot de débarquer.

— À l'enterrement de sa mère, Ben ? C'était son droit. »

Au lieu de répondre, Benjamin prit un torchon pour essuyer les mugs.

« Tu lui as parlé ? s'enquit Doug.

— Six ans que je ne lui parle plus. Pourquoi veux-tu que je lui parle maintenant ?

— Il est parti de toute façon, il est rentré à Tokyo. Son avion décollait d'Heathrow à… »

Benjamin fit volte-face, rouge de colère. « J'en ai rien à foutre, Doug. Je veux plus entendre parler de lui, d'accord ?

— Très bien, pas de souci. » Penaud, Doug se remit à pianoter.

« Merci d'être venu aujourd'hui, au fait, dit Benjamin pour se montrer dans de meilleures dispositions. Ça m'a vraiment fait plaisir et Papa était très touché.

— Ça ne pouvait pas tomber plus mal, grogna Doug sans lever les yeux de l'écran. Quatre semaines que je suis Gordon au fil de sa campagne. Il se passe que dalle. Et putain, aujourd'hui ça tire dans tous les coins et je suis même pas là. Il faut que je sois bloqué dans un crématorium à Redditch… » Tout au martèlement de ses doigts sur les touches, il ne semblait pas réaliser la brutalité de ses paroles. « Et maintenant, ils veulent que je leur envoie un topo de mille mots avant dix-neuf heures alors que je n'en sais pas plus que ce que j'ai entendu à la radio en venant. »

Benjamin resta quelques instants penché au-dessus de lui avec un sentiment d'inutilité, puis il déclara : « Bon, écoute, je te laisse travailler. » Comme Doug ne répondait pas, il s'éloigna discrètement et passait la porte de la cuisine pour sortir sur la terrasse quand l'autre lui cria : « Ça te dérange pas que je reste dormir ? »

Pris de court, Benjamin hésita un instant puis accepta d'un signe de tête. « Pas du tout. »

*

Aucun des visiteurs assis sur la terrasse ce soir-là ne le saurait jamais car c'était une vérité dont il n'avait aucune intention de leur faire part, mais il avait acheté cette maison pour réaliser un fantasme. Bien des années auparavant, en mai 1979, alors que l'Angleterre, tout comme aujourd'hui, se trouvait à la veille d'élections cruciales, il était attablé au pub le Grapevine, à Birmingham, sur Paradise Place, et il rêvait son avenir. Il se figurait que la fille dont il était amoureux, Cicely Boyd, serait toujours avec lui des dizaines d'années plus tard, et qu'une fois mariés, à l'approche de la soixantaine, leurs enfants partis du foyer, ils vivraient ensemble dans un moulin aménagé du Shropshire, où il composerait de la musique et où elle écrirait de la poésie ; le soir, ils recevraient tous leurs amis pour des dîners magnifiques. *Nous donnerons des dîners inoubliables, les gens passeront chez nous des soirées dont ils garderont un souvenir cher à leur cœur.* Bien entendu, les choses ne s'étaient pas tout à fait déroulées ainsi. Après ce jour-là, il avait perdu Cicely de vue pendant des années. Mais ils avaient fini par se retrouver et par s'installer ensemble à Londres pour quelques années de misère, à vrai dire, tant Cicely était malade et difficile à vivre. C'est alors que, tentant le tout pour le tout pour sauver son fantasme, voulant à toute force reconquérir le passé en réalisant ce rêve d'avenir qui en était issu, il avait proposé de vendre leur appartement ; une partie de l'argent servirait à acheter cette maison, et une partie du reste à envoyer Cicely en Australie, où on disait qu'un médecin avait découvert un traitement miracle – très coûteux d'ailleurs – contre la sclérose en plaques. Et trois mois plus tard, une fois la maison achetée, alors qu'il s'employait à la meubler et la décorer, Cicely lui avait écrit d'Australie un mail porteur de deux nouvelles, une bonne et une mauvaise. La bonne nouvelle, c'était que son état s'améliorait au-delà de ses espérances, et la mauvaise qu'elle était tombée amoureuse du médecin et ne reviendrait finalement pas en Angleterre. Benjamin, s'étonnant beaucoup lui-même, s'était alors versé un grand verre de whisky, l'avait descendu, et puis il avait ri comme un fou suicidaire pendant vingt bonnes minutes, après quoi il s'était remis à peindre sa moulure sans plus jamais penser à Cicely. Et c'est ainsi qu'à cinquante ans, il vivait en solo dans un immense moulin transformé en habitation et découvrait avec une stupéfaction discrète qu'il n'avait jamais été aussi heureux.

Il était content que Lois et Sophie soient là ce soir, même si sa sœur était partie à sa recherche, furieuse. Il savait que l'irritabilité de son père n'était qu'un masque dissimulant la mélancolie dans laquelle il allait s'enfoncer au fil des heures. Il pouvait compter sur Lois et Sophie pour faire au mieux la part des choses entre les exigences du deuil (Sheila était partie six semaines seulement après qu'on lui avait diagnostiqué un cancer du foie) et les histoires de famille plus joyeuses à évoquer : dîners aussi rares que mémorables lancés sur un coup de tête dans les années soixante-dix avec une débauche de victuailles, de boissons et de fringues branchées qui défiait l'imagination aujourd'hui ; vacances calamiteuses dans le nord du pays de Galles, sur fond de bêlements plaintifs dans les champs et crépitement sans trêve de la pluie sur le toit de la caravane ; vacances plus aventureuses dans les années quatre-vingt, où Colin et Sheila étaient partis voir de vieux amis au Danemark en emmenant Sophie encore en bas âge car ils étaient gagas de leur unique petite-fille. Sophie parla de la gentillesse de sa grand-mère, qui se rappelait toujours les plats préférés de tout le monde, s'intéressait aux gens, se souvenait du nom de ses amies, et posait des questions pertinentes sur elles. Elle avait été semblable à elle-même jusqu'à la fin. Là-dessus, Colin paraissant désemparé et malheureux, Benjamin frappa dans ses mains en disant : « Bon, il y a des amateurs pour un plat de pâtes ? », et passa à la cuisine préparer des *penne* (des *penne*, parce qu'il était hors de question que son père enroule quoi que ce soit autour de sa fourchette) et faire chauffer son *arrabiata* maison – il avait eu tout loisir de s'entraîner aux fourneaux ces temps-ci. Lorsqu'il apporta les pâtes sur la terrasse, la fraîcheur tombait et le soleil se couchait. Il tenta de persuader son père de prendre une quantité de *penne* raisonnable, à savoir un peu plus qu'un demi-bol ; il en retira cependant lorsque celui-ci lui dit qu'il lui en avait trop servi ; et puis il en remit parce que ça lui paraissait trop peu. Pour demander finalement : « Et comme ça, ça va aller ? », ajoutant, pour détendre l'atmosphère, « pas une penne de plus, pas une penne de moins ». Le jeu de mots était un clin d'œil dans la mesure où Jeffrey Archer, qui avait dit « pas un penny de plus, pas un penny de moins », était un des auteurs de chevet de son père. Mais visiblement, Colin ne comprit pas l'astuce et Doug fit remarquer que le singulier de *penne* devait être *penna*, non ? L'ambiance ainsi cassée ils achevèrent de dîner en silence, écoutant la rivière filer devant eux, le vent siffler dans les arbres, et Colin ingurgiter ses pâtes à grand bruit.

« Je vais le mettre au lit », chuchota Lois vers vingt et une heures : son père, qui avait bu deux whiskies, s'assoupissait tout doucement dans son fauteuil. Il lui fallut à peu près une demi-heure, que Doug employa à prendre connaissance des corrections des secrétaires de rédaction sur son article, et Benjamin à parler avec Sophie de sa thèse sur les représentations picturales des écrivains européens d'ascendance noire au XIXᵉ siècle, sujet dont il

24

ne savait pas grand-chose. Lorsque Lois les rejoignit, son visage était grave.

« Il est dans un sale état. Il ne va pas être facile à vivre, maintenant.

— Tu t'attendais à le voir danser la gigue ? dit Benjamin.

— Je sais bien. Mais écoute, Ben, ils ont vécu ensemble cinquante-cinq ans sans qu'il lève le petit doigt à la maison. Un demi-siècle, sans se faire cuire un œuf. »

Benjamin savait ce qu'elle pensait. Elle était convaincue qu'étant un homme, il trouverait le moyen de se défiler devant le problème de ce père désormais dépendant.

« J'irai le voir, insista-t-il. Deux fois par semaine, peut-être plus. Je lui ferai la cuisine, je l'emmènerai faire des courses.

— Ça fait du bien à entendre. Merci. Et moi aussi, de mon côté, je ferai tout mon possible.

— Eh bien voilà. On va s'en sortir d'une manière ou d'une autre. Bien sûr » – et là il avait conscience de s'aventurer en terrain glissant – « ce serait plus commode si tu venais plus souvent à Birmingham. »

Lois ne répondit rien.

« Auprès de ton mari, précisa-t-il.

— Je te rappelle que je travaille à York, répondit Lois, agacée, en buvant une gorgée de café froid.

— Je sais. Et donc tu pourrais rentrer tous les week-ends au lieu de… disons un sur trois ou quatre.

— Chris et moi, on vit de cette manière depuis des années et ça nous convient très bien. N'est-ce pas, Sophie ? »

Sa fille, au lieu de se rallier à sa cause, se borna à observer : « Moi je trouve ça bizarre.

— C'est gentil, merci. Tous les couples n'ont pas envie de vivre collés l'un à l'autre. Il me semble que toi et ton ami du moment ne vous empressez pas de vous installer ensemble.

25

— C'est parce qu'on s'est séparés.

— Quoi ? Mais quand ?

— Il y a trois jours. » Sophie se leva. « Allez viens, Maman, il est temps qu'on y aille. J'aimerais bien dire un mot à Papa avant de me coucher, contrairement à toi. Je te raconte tout dans la voiture. »

Benjamin sortit les raccompagner dans la cour, il embrassa sa sœur et garda longuement sa nièce dans ses bras.

« Ravi pour ta thèse, moins ravi pour ton ami.

— Je m'en remettrai, assura Sophie avec un pâle sourire.

— Donne-moi les clefs, dit Lois, tu as bu trois verres de vin.

— Pas vrai, répondit Sophie en les lui tendant tout de même.

— Tu roules trop vite, de toute façon. Je suis sûre qu'on s'est fait flasher en venant.

— Mais non, Maman. C'était le reflet du soleil dans un pare-brise.

— Admettons. » Lois se tourna vers son frère : « Je trouve qu'on lui a fait honneur, aujourd'hui. Ton discours était superbe. Tu sais tourner les phrases.

— Encore heureux, avec tout ce que j'ai écrit. »

Elle l'embrassa de nouveau. « Pour moi, tu es le meilleur écrivain non publié. Sans conteste. »

Ils s'étreignirent une fois de plus et elles claquèrent les portières. La voiture prit prudemment l'allée en marche arrière, Benjamin agitant la main dans la clarté des phares.

*

Il faisait encore assez doux, mais tout juste, pour laisser ouverte la fenêtre du salon. Benjamin adorait ce moment où, si la température le permettait, il restait là tout seul, parfois dans le noir, à écouter les bruits de la nuit, le cri d'une chouette effraie, le glapissement d'un renard en maraude et, par-dessus tout, le murmure intemporel et immuable de la Severn (qui venait d'arriver en Angleterre en ce point de sa course puisqu'elle avait franchi la frontière du pays de Galles à quelques kilomètres en amont). Ce soir, pourtant, c'était différent. Il avait de la compagnie, même si ni lui ni Doug n'était pressé d'engager la conversation. Amis depuis près de quarante ans, ils n'avaient guère de secrets l'un pour l'autre. Pour Benjamin du moins, il suffisait d'être là, de chaque côté de la cheminée, verres de Laphroaig en main, le temps que les émotions de cette journée retombent peu à peu et laissent place à la quiétude.

Ce fut pourtant lui qui rompit leur long silence.

« Content de ton papier ? »

La réponse de Doug le surprit par sa désinvolture.

« Oh, ça fera toujours l'affaire. Honnêtement, je me sens un peu illégitime, ces derniers temps. » Comme Benjamin semblait surpris, Doug se redressa et se lança dans des explications : « J'ai la nette impression que nous sommes à un carrefour. Le Labour est foutu, je le pense vraiment. La colère monte et personne ne sait que faire. Je l'ai entendue quand j'étais avec la caravane de campagne de Gordon ces derniers jours. Les gens voient qu'il y a des acteurs de la City qui ont quasiment foutu l'économie par terre il y a deux ans et qui n'en ont absolument pas payé les conséquences. Pas un n'est allé en prison, et aujourd'hui les voilà qui récupèrent leurs primes pendant que nous, le reste de la population, on nous invite à nous serrer la ceinture. Les salaires sont gelés, aucune sécurité de l'emploi, pas de plans retraite, les vacances en famille c'est fini, réparer la voiture c'est trop cher. Il y a quelques années, les gens avaient l'impression d'être riches. Aujourd'hui ils se sentent pauvres. »

Doug s'animait. Benjamin savait à quel point il aimait ce sujet ; aujourd'hui encore, après vingt-cinq ans de journalisme, rien ne l'excitait plus que les passes d'armes des partis politiques du pays. Cet enthousiasme le dépassait pour sa part, mais il savait entrer dans le jeu de son ami. «Je croyais que c'étaient les tories qui étaient détestés de tous, dit-il consciencieusement, à cause du scandale des dépenses, pour avoir prétendu déduire des impôts les prêts pour les résidences secondaires et tout ça...

— Les deux partis sont critiqués sur ce chapitre, et c'est bien le pire. Tout le monde est tellement cynique – "De toute façon, ils sont pires les uns que les autres". Voilà pourquoi le scrutin s'annonçait serré... jusqu'à aujourd'hui.

— Tu crois vraiment que ça va creuser l'écart ? Ce n'est jamais qu'une bourde, un dérapage.

— Il n'en faut pas plus par les temps qui courent ; tout est devenu si volatil.

— En somme, c'est une bonne période pour des gens comme toi. Vous avez de quoi écrire.

— Oui, sauf que je suis... très loin de tout ça, tu vois ? Ce ressentiment, cette sensation d'en baver, moi je ne les éprouve pas. Je ne suis que spectateur. Je vis dans un cocon, j'habite Chelsea, une maison qui vaut des millions. La famille de ma femme possède la moitié de la région de Londres. Je parle de ce que je ne connais pas. Et ça se voit dans ce que j'écris, forcément.

— Comment ça va, entre toi et Francesca, au fait ? dit Benjamin qui lui enviait naguère cette épouse riche et belle mais qui n'enviait plus rien à personne aujourd'hui.

— C'est merdique, répondit Doug, les yeux dans le

vague. On fait chambre à part maintenant. Heureusement qu'on en a pas mal, des chambres.

— Et les enfants, qu'est-ce qu'ils en pensent, ils vous l'ont dit ?

— J'aurais du mal à te dire ce que pense Ranulph. Il est trop obsédé par Minecraft pour parler avec son père. Et Corrie... »

Depuis quelque temps, lorsque Doug parlait de sa fille, il employait toujours son diminutif, Benjamin l'avait remarqué. Il détestait le prénom de Coriandre, choisi par sa femme, plus encore que l'infortunée elle-même avec ses douze ans. Et l'enfant ne répondait jamais à ce prénom, elle non plus. Qui le prononçait s'attirait un regard vitreux et un silence éloquent, comme s'il s'adressait à une inconnue invisible. « Bon, de son côté, poursuivit Doug, il reste peut-être un peu d'espoir. J'ai l'impression qu'elle commence à nous détester, Fran et moi, avec tout ce qu'on représente, ce qui serait tout de même excellent. Je fais tout ce que je peux pour encourager cette détestation. » Il se versa un autre whisky et ajouta : « Je l'ai emmenée à la vieille usine de Longbridge, il y a deux semaines. Je lui ai parlé de son grand-père et de ce qu'il y faisait. J'ai essayé de lui expliquer ce que c'est qu'un délégué syndical. Mais faire comprendre les politiques syndicales des années soixante-dix à une gamine de Chelsea qui fréquente une école privée, c'est sportif. Et puis, bon Dieu, il ne reste plus grand-chose de l'endroit.

— Je sais. Papa et moi, on va y faire un tour de temps en temps. »

La pensée que de longues années plus tôt leurs pères respectifs se trouvaient de part et d'autre du gouffre séparant les deux bords du monde industriel les fit sourire tous deux.

« Et toi ? Tu as l'air bien, je dois dire. Habiter un tableau de Constable te réussit, visiblement.

— Alors là, ça reste à voir. Je ne fais qu'arriver.

— Et ton histoire avec Cicely... tu en as pris ton parti ?

— Et comment ! C'est peu de le dire. » Il se pencha en avant : « Tu vois, Doug, pendant plus de trente ans, j'ai vécu pieds et poings liés dans cette obsession amoureuse. Et c'est fini. Je suis libre. Tu imagines l'effet que ça fait ?

— Certes, mais tu vas l'employer à quoi cette liberté ? Tu ne vas quand même pas passer tes journées à mitonner de la sauce tomate et écrire des poèmes sur les vaches ?

— Je ne sais pas... Il va falloir beaucoup s'occuper de Papa. Je vais assurer ma part, largement.

— Tu seras vite lassé de faire la navette avec Rednal.

— Eh bien... il pourrait peut-être venir vivre ici.

— Tu voudrais vraiment ? » Comme Benjamin ne répondait pas, Doug s'aperçut que son verre de whisky était vide. Il se leva non sans effort et annonça : « Je crois que je vais me coucher, moi. Il faut que je prenne la route de bonne heure demain matin si je veux être à Londres à neuf heures.

— Ok, Doug, tu connais le chemin, hein ? Je vais rester encore un peu. Pour laisser tout ça... décanter, disons.

— Je sais. C'est un coup dur de perdre un de ses parents. En fait, il n'y a pas grand-chose de plus dur. » Il mit la main sur l'épaule de Benjamin et dit avec émotion : « Bonne nuit, mon pote. Tu as assuré aujourd'hui.

— Merci », répondit Benjamin qui serra brièvement la main de son ami, sans se résoudre à l'appeler « mon pote », ce qui avait toujours été au-dessus de ses forces.

Seul dans le salon, il se versa un autre verre et alla s'asseoir sur la large corniche de bois de la baie vitrée. Il ouvrit la fenêtre un peu plus grand et laissa l'air frais l'envelopper.

La roue du moulin était hors d'usage depuis des années, et la rivière libre de toute entrave coulait régulière, sans agitation ni émoi, d'une bonne humeur inépuisable. La lune était levée ; des chauves-souris quadrillaient la toile de fond d'un ciel gris luminescent. Tout à coup, une tristesse écrasante s'abattit sur lui. Les réflexions qu'il s'était efforcé de refouler le jour durant sur la réalité de la mort de sa mère, la souffrance atroce des dernières semaines, il ne lui était plus possible de les tenir en respect. Une musique lui revenait et il comprit qu'il devait l'écouter. Il s'approcha de l'étagère où l'iPod reposait sur son support, prit l'appareil et se mit à faire défiler la liste des artistes. Apparemment, le dernier qu'il ait écouté était XTC. Il revint en arrière, dépassant Wilson Pickett et Vaughan Williams, Van der Graaf Generator, Stravinsky, Steve Swallow, Steely Dan, Stackridge et Soft Machine, avant d'arriver au nom qu'il cherchait, celui de Shirley Collins, la chanteuse folk du Sussex dont il avait commencé à collectionner les disques dans les années quatre-vingt. Il aimait tout ce qu'elle faisait mais, au cours des semaines passées, l'une de ses chansons avait pris un relief particulier. Il la sélectionna, appuya sur *play* et, au moment même où il reprenait sa place sur la corniche pour contempler la rivière au clair de lune, la voix puissante et austère de Collins, a cappella, ruissela du haut-parleur, chargée d'écho, et l'une des mélodies anglaises traditionnelles les plus envoûtantes et les plus mélancoliques jamais composées emplit la pièce.

Adieu vieille Angleterre, adieu
Adieu richesse sonnante et trébuchante
Si le monde s'était arrêté dans ma jeunesse
Je n'aurais jamais connu ces tristesses

31

Benjamin ferma les yeux et but une gorgée. Quelle journée fertile en souvenirs, retrouvailles, conversations sur le fil du rasoir. Emily, son ex-femme, avait assisté à l'enterrement avec ses deux enfants en bas âge et son mari, Andrew. Du Japon était arrivé son frère Paul, à qui il ne parlait plus. Il ne s'était même pas résolu à croiser son regard, ni pendant l'éloge de sa mère, ni pendant la réception qui avait suivi. Il y avait eu des oncles et des tantes, des amis oubliés et de lointains cousins. Il y avait eu Philip Chase, le plus fidèle de ses amis, depuis l'école King William, et puis il y avait eu l'apparition impromptue de Doug, et même une carte numérique envoyée par Cicely depuis l'Australie – il n'en attendait pas tant de sa part. Et surtout, il avait eu Lois à ses côtés, Lois d'une absolue fidélité à son frère, dont les yeux se voilaient de chagrin quand elle croyait qu'on ne la regardait pas. Lois dont les vingt-huit ans de mariage demeuraient une énigme, et dont le mari, si épris d'elle qu'il ne l'avait pas lâchée d'une semelle toute la journée, s'estimait heureux quand elle le gratifiait d'un regard…

Jadis j'ai bu des meilleurs fûts
De brandy et de rhum
Aujourd'hui je me contente d'un verre
D'eau claire, de ville en ville

La mélodie entraînait Benjamin à remonter le temps jusqu'aux deux dernières semaines de vie de sa mère pendant lesquelles elle n'était plus en état de parler, calée par des coussins sur son lit dans la vieille chambre où il était resté avec elle des heures d'affilée. Au début, il parlait, essayait de soutenir un monologue et puis au bout du compte, comprenant que c'était au-dessus de ses forces, il avait décidé de composer une playlist pour combler le silence entre eux. Il l'avait élaborée et mise en aléatoire, et le reste du temps, c'est-à-dire le temps qu'il restait à vivre à sa mère, il ne lui avait parlé que rarement, assis au bord du lit, sa main serrée dans la sienne ; ils écoutaient ainsi Ravel et Vaughan Williams, Finzi et Bach, la musique la plus apaisante qu'il ait trouvée, parce qu'il voulait qu'elle parte en beauté et comme il restait encore cinq cents morceaux sur la playlist, celui-là n'était pas sorti avant longtemps, presque le dernier jour…

> *Jadis je me régalais de bon pain*
> *Du bon pain de bonne farine*
> *Aujourd'hui je me contente de pain dur*
> *Et m'estime heureux d'en avoir*

… Son père et Lois étaient dans la maison, eux aussi, mais ils n'avaient pas la même endurance à l'immobilité ; ils entraient et sortaient de la chambre, il fallait qu'ils s'occupent au rez-de-chaussée, qu'ils fassent du thé, qu'ils préparent le déjeuner, alors que lui ne voyait aucun inconvénient à rester inactif ; il lui convenait très bien de rester assis là, ce qui convenait aussi très bien à sa mère. Il leur convenait de contempler par la fenêtre le ciel qui, dans son souvenir, était d'un gris sans fond, lourd, oppressant, une chape de ciel, un ciel de plomb, peut-être seulement typique de ce morne mois d'avril, à moins qu'il n'ait fallu y voir un effet du nuage de cendres volcaniques qui avait dérivé au-dessus de l'Europe depuis l'Islande et faisait les gros titres des journaux, fichant une pagaille noire dans les horaires d'avion. Et c'était au moment où il contemplait ce ciel-là, anormalement sombre en cette heure matinale, que la voix de Shirley Collins avait surgi de l'algorithme de l'iPod pour chanter la complainte d'infortunes anciennes…

Jadis je couchais sur un bon lit
Un bon lit de plumes douillettes
Aujourd'hui je me contente de paille propre
Pour me protéger du froid de la terre.

En prêtant attention aux paroles, cette fois Benjamin fit l'hypothèse qu'il s'agissait d'une ballade du XVIIIe ou du début du XIXe siècle, exprimant le malheur d'un prisonnier à la veille de la déportation. Mais les associations que le texte lui suggérait n'avaient rien à voir avec la paille humide des cachots infestés de rats. Ce qui lui venait à l'esprit c'était la colère que Doug disait avoir rencontrée au cours de la tournée, ce sentiment d'injustice larvé, cette rancœur contre une élite politico-financière qui avait volé les gens comme au coin d'un bois en toute impunité, cette rage froide d'une classe moyenne habituée au confort et à la prospérité qui voyait aujourd'hui l'une comme l'autre lui échapper. « Il y a quelques années, les gens avaient l'impression d'être riches, aujourd'hui ils se sentent pauvres... »

Autrefois je roulais en carrosse
Avec des domestiques pour me conduire
Aujourd'hui me voilà en prison claustré
Sans même la place de me retourner.

... Oui, il était possible de trouver du sens à ces mots, d'y lire le récit de la perte, perte de privilèges, dont l'écho traversait les siècles. Mais à vrai dire, ce qu'il y avait de beau dans cette ballade, ce qui atteignait Benjamin au plus profond de lui et lui déchirait le cœur, venait de la mélodie, de cette disposition des notes si authentique, si majestueuse, et comme... inéluctable ; une de ces mélodies qui, sitôt qu'on les entend, donnent l'impression qu'on les connaît depuis toujours. Sans doute était-ce pourquoi, au moment où la chanson s'achevait ce matin-là, et où Shirley Collins reprenait le premier couplet avec sa voix si mystérieusement anglaise au phrasé riche, une voix acérée comme le rayon de soleil qui fend l'eau violette de la rivière, oui, au moment où le premier couplet revenait, il se produisit quelque chose de bizarre : sa mère émit un son, le premier depuis des jours, alors que tout le monde tenait ses cordes vocales pour inutilisables ; elle essayait pourtant de dire quelque chose, du moins le crut-il un instant avant de réaliser que ce n'étaient pas des mots, pas des paroles, la voix était trop haute, l'intonation trop modulée quoique désespérément fausse par rapport à la mélodie du disque : en fait, sa mère essayait de chanter. Dans cette musique, quelque chose avait réveillé un lointain souvenir, et son charme invitait sa carcasse moribonde à exprimer une réaction archaïque et primaire. Alors comme le dernier couplet s'achevait, Benjamin sentit frissonner son échine au son de cette autre voix, incroyablement grêle, incroyablement faible, qui devait être celle de sa mère – il ne se rappelait pas l'avoir entendue chanter une seule fois de toute leur vie de famille – mais qui semblait en ce moment précis provenir d'une présence désincarnée dans la pièce, ange ou spectre préfigurant l'immatérialité où elle allait basculer...

Adieu vieille Angleterre, adieu
Adieu richesse sonnante et trébuchante
Si le monde s'était arrêté dans ma jeunesse
Je n'aurais jamais connu ces tristesses

La ballade était finie. La quiétude et le silence enveloppaient le salon ; dehors, l'obscurité planait sur la rivière.

Benjamin pleura, sans bruit d'abord, puis à gros sanglots convulsifs qui le secouaient tout entier, lui lacéraient les côtes et faisaient douloureusement tressauter les muscles peu sollicités de son ventre rebondi.

La crise passée, il resta sur la corniche en essayant de se mettre en condition pour aller se coucher. Ne ferait-il pas bien de jeter un coup d'œil à son père ? Sans aucun doute, le whisky et les émotions de la journée devaient l'avoir plongé dans un profond sommeil. Tout de même, il dormait mal, ces temps-ci ; c'était le cas depuis des mois sinon des années, depuis bien longtemps avant la maladie de sa femme. Il donnait l'impression de vivre en permanence dans une colère à basse tension qui perturbait ses nuits aussi bien que ses jours. Ce qu'il avait dit sur les radars aujourd'hui – « Tu peux plus faire un mètre sans qu'ils t'extorquent de l'argent, ces enfoirés » – en était l'illustration même. Il aurait été en peine de les désigner par leur nom, mais il ressentait leur présence arrogante et manipulatrice, et sa rancœur était amère. Comme l'avait dit Doug : « La colère monte, une vraie colère », même si les gens n'auraient pu expliquer pourquoi et contre qui.

Benjamin tendit enfin la main vers la fenêtre pour la fermer, et il regarda une dernière fois la rivière. Était-ce un effet de son imagination ? On aurait dit qu'elle était un peu plus haute, ce soir, et le courant un peu plus vif. Quand il avait acheté la maison, on lui avait souvent demandé s'il avait envisagé les risques d'inondation, question qu'il avait balayée d'un revers de main, n'empêche que le doute s'était insinué en lui. Il se plaisait à voir la rivière comme une amie. Une compagne facile à vivre dont il comprenait les comportements, avec laquelle il se sentait à l'aise. Se leurrait-il ? Et si elle devait un jour abandonner ses habitudes accommodantes et raisonnables ? Si, elle aussi, se mettait en colère sans crier gare ? Quelle forme prendrait sa colère ?

2

Octobre 2010

Sophie avait connu de nombreuses déceptions amoureuses avec les années. Sa première relation sérieuse, avec
Patrick, le fils de Philip Chase, n'avait pas survécu à l'université. Pendant son année de maîtrise à Bristol, elle avait
rencontré Sohan, bel étudiant en littérature anglaise d'ascendance sri-lankaise qu'elle considérait comme son âme
sœur. Seulement, il était gay. Tout récemment, il y avait eu
Jason, comme elle thésard à Courtauld, mais il l'avait trom-
pée avec sa directrice de thèse. Puis Bernard, qui lui avait
succédé, était tellement absorbé par ses recherches sur les
carnets de Sisley qu'elle avait mis discrètement fin à leur
liaison sans même qu'il s'en aperçoive. Les petits amis intel-
los, c'est terminé ! avait-elle décidé. Si elle devait retrouver
quelqu'un, et ce n'était pas une urgence, elle irait lancer
ses filets au-delà des eaux territoriales de la fac.
     Or voilà que par chance, l'occasion s'en était présentée.
Un collègue de Birmingham lui avait envoyé un mail l'invitant à candidater pour une bourse d'enseignement de deux
ans. Elle avait donc envoyé son dossier et elle l'avait obtenue. Si bien qu'en août 2010, elle avait bouclé ses valises,

quitté son minuscule studio de Muswell Hill pour prendre la M40 avec armes et bagages et revenir dans sa ville natale. Et, faute de mieux pour le moment, elle s'était installée chez son père.

À cette époque, Christopher Potter habitait le quartier de Hall Green, dans une rue résidentielle qui partait en diagonale de Stratford Road – mais à l'écart des cortèges de voitures ininterrompus se dirigeant vers le nord comme vers le sud. C'était une maison mitoyenne et il était prévu qu'il y vive avec sa femme, mais de fait il l'occupait seul. Pendant des années, la famille avait habité York, où Lois était bibliothécaire à l'université tandis que Christopher était avocat, spécialiste du droit des victimes. Au printemps 2008, leur fille unique habitant Londres, la santé des parents de Lois donnant des signes de déclin ainsi que celle de sa propre mère, Christopher avait proposé de retourner vivre à Birmingham. Lois avait accepté, avec gratitude croyait-il. Il avait donc demandé et obtenu sa mutation à la société des Midlands qui l'employait. Ils avaient vendu leur maison et acheté celle-ci. Et voilà qu'à la dernière minute Lois avait fait une déclaration fracassante : elle ne voulait plus quitter son poste, elle n'était pas convaincue que l'état de ses parents exige qu'elle se rapproche d'eux, et elle ne supportait pas l'idée de retourner dans la ville où, trente ans plus tôt, sa vie avait déraillé à la suite d'une tragédie qui la hantait encore. Elle allait rester à York et, dorénavant, ils se verraient le week-end.

Christopher avait accepté ces dispositions avec toute la bonne grâce dont il était capable et dans l'idée implicite mais jamais formulée qu'il s'agissait d'un arrangement provisoire. Cependant, la situation ne faisait pas son bonheur. Il n'aimait pas vivre seul et fut enchanté lorsque Sophie lui annonça qu'on l'embauchait, et lui demanda si elle pourrait emménager avec lui quelque temps.

De son côté, elle trouvait étrange et déphasant de rentrer chez son père. Elle avait vingt-sept ans et n'avait aucunement prévu de vivre encore au foyer parental. Elle qui avait très vite aimé le cosmopolitisme populeux, spontané et passablement autosatisfait de Londres n'était guère convaincue de trouver l'équivalent à Birmingham. Et si Christopher était affable et d'un abord facile, il régnait cependant un silence pesant dans la maison. Bientôt, elle sautait sur toutes les occasions de s'échapper, ne serait-ce qu'un jour ou deux, et s'il s'agissait d'une virée à Londres, c'était encore mieux.

Le jeudi 21 octobre, Sophie quitta le campus à quinze heures tapantes. Elle était d'excellente humeur, son séminaire sur les Romantiques russes avait rencontré un beau succès. Les étudiants l'adoraient visiblement déjà. Comme toujours, elle était venue en voiture : Colin, son grand-père, n'ayant plus d'assez bons yeux pour conduire, il lui avait fait cadeau de sa Toyota Yaris déclinante (l'époque où il achetait anglais par patriotisme était révolue depuis longtemps). Elle avait réservé sa place dans un train de l'après-midi pour Londres et, en l'occurrence par souci d'économie, elle avait choisi l'omnibus qui traversait les Chilterns avec terminus en gare de Marylebone. Elle se rendit donc à Solihull, où elle laissa sa voiture au parking. Elle s'était imaginé une flânerie paisible le long des artères dans une ville où, contrairement à la capitale, il était aisé de circuler en véhicule privé comme en transports en commun. C'était compter sans les encombrements, si bien qu'au bout d'à peu près une demi-heure à se traîner, elle avait compris qu'elle risquait de rater son train. Sur Streetsbrook Road, elle avait écrasé l'accélérateur, montant jusqu'à cinquante-huit à l'heure sur une voie limitée à cinquante, et s'était fait flasher par un radar au passage.

*

En descendant du train à Marylebone, elle s'aperçut qu'elle avait le temps d'aller à pied à son rendez-vous avec Sohan. Elle traversa Marylebone Road pour arriver sur Gloucester Place et prit par les petites rues peu fréquentées, avec leurs hautes demeures géorgiennes aux façades crème, jusqu'à Marylebone High Street. C'était un quartier plus animé, elle fut réduite à faire du surplace et contourner la foule des piétons de début de soirée. Entendre parler toutes les langues la ramena quelques années en arrière, quand Benjamin habitait encore Londres. Colin et Sheila étaient venus le voir, et ils étaient tous allés dans un restaurant italien de Piccadilly. « Je crois bien que j'ai pas entendu un seul mot d'anglais sur le trajet », avait déclaré Colin, et elle avait compris que ce qu'il déplorait était précisément ce qu'elle aimait le plus dans cette ville. Ce soir, elle avait déjà entendu du français, de l'italien, de l'allemand, du polonais, de l'ourdou, du bengali et quelques autres langues qu'elle n'identifiait pas. Elle n'était nullement gênée de ne pas comprendre la moitié de ce qui se disait ; cette Babel de voix contribuait à l'effet de brouillage euphorique ; elle était en harmonie avec la rumeur de la ville, le kaléidoscope de couleurs créé par les feux de circulation, les phares, les feux de position, les lampadaires et les vitrines ; la conscience que des millions de vies distinctes et inconnaissables se croisaient l'espace d'un instant quand tous ces gens quadrillaient les rues. Elle savourait ses réflexions en pressant le pas, car un coup d'œil sur l'écran de son portable venait de lui indiquer qu'elle arriverait à l'université avec quelques minutes de retard.

Sohan l'attendait déjà à une table du bar, dans le bâti-

41

ment Robson Fisher. Le lieu, petite enclave tamisée, était essentiellement fréquenté par les thésards et les professeurs. Il avait deux coupes de prosecco devant lui et en poussa une vers Sophie après l'avoir embrassée sur la joue.

« Tu as une petite mine, ma chérie. Ça doit être l'affreux climat du Nord.

— Birmingham, ce n'est pas le Nord.

— Bois quand même. Ça fait combien de temps que tu n'en as pas bu ? »

Sophie but une longue gorgée.

« Tu sais qu'on en trouve à Birmingham… depuis quoi… 2006 je dirais. Les célébrités sont là ?

— Je ne sais pas, mais si c'est le cas, elles sont au foyer des artistes.

— Tu ne devrais pas les rejoindre ?

— Dans un petit moment, il n'y a pas d'urgence. »

Sohan avait invité Sophie – principalement pour avoir son appui moral – à assister à un débat entre deux éminents romanciers, l'un anglais et l'autre français. L'Anglais, Lionel Hampshire, jouissait d'une certaine notoriété, du moins dans les milieux littéraires. Vingt ans plus tôt, il avait publié le livre qui lui avait valu le Booker Prize et assuré une réputation, *Twilight of Otters – Le crépuscule des loutres –*, mince volume d'autobiographie romancée qui avait su habilement prendre les vents dominants. Si rien de ce qu'il avait publié depuis n'avait connu le même succès (son dernier, bizarre incursion dans la science-fiction féministe, intitulé *Fallopia*, venait de se faire étriller par la presse), il n'en semblait pas outre mesure affecté : le prestige entourant ce prix littéraire précoce lui avait suffi pour maintenir sa carrière à flot, et il arborait la posture d'un homme convaincu de pouvoir se reposer sur ses lauriers en toute quiétude de longues années encore.

Quant à l'écrivain français, Philippe Aldebert pour ne pas le nommer, c'était un inconnu.

« Qui est-ce ? demanda Sophie.

— Ne t'inquiète pas, j'ai lu ce qu'il fallait. C'est une vraie star, outre-Manche. Prix Goncourt, prix Femina. Il a écrit une douzaine de romans dont deux seulement publiés en Angleterre – tu connais les Anglais, il ne manquerait plus qu'un illustre inconnu, étranger de surcroît, débarque au pays de Dickens et Shakespeare pour leur apprendre le métier !

— Tu as le trac ? »

L'événement était organisé conjointement par le département d'anglais et par celui de français. Sohan, un des plus jeunes membres du département d'anglais, n'était encore que chargé de cours. Mais le fait qu'il écrive dans le *New Statesman* et dans le supplément littéraire du *Times* le désignait comme étoile montante, si bien que le choix de ses collègues s'était tout naturellement porté sur lui pour animer ce débat qui s'adressait autant au grand public qu'aux étudiants.

« Un peu quand même. C'est ma troisième coupe.

— J'ai du mal à comprendre ton titre », dit Sophie en considérant le flyer sur la table, entre eux. Il annonçait en effet que le thème de discussion serait *Romancer sa vie, vivre son roman*. « Qu'est-ce que ça veut dire ?

— Qu'est-ce que ça veut dire ? Comment veux-tu que je le sache ? Je vais avoir en face de moi deux écrivains qui n'ont rien en commun, sinon un ego colossal. Il fallait bien que je propose un titre. Ils écrivent tous les deux des romans, ils parlent tous les deux, bon, on va dire de la vie. Je ne risquais pas de me tromper avec un titre pareil, non ?

— Dit comme ça...

— Écoute, ça va finir avant vingt et une heures, alors j'ai

réservé une table pour vingt et une heures trente. Rien que pour nous deux.

— Tu n'es pas censé dîner avec tout le monde ?

— Je trouverai un prétexte pour me défiler. C'est toi que j'ai envie de voir. Ça fait une éternité. Et puis tu es toute pâle. »

*

L'auditorium était presque plein : il devait y avoir pas loin de deux cents personnes, parmi lesquelles quelques étudiants mais les visages patients et pleins d'attente que Sophie voyait autour d'elle étaient ceux de gens ayant passé la cinquantaine, parfois depuis longtemps. En haut des gradins, elle dominait une mer de chevelures chenues et de crânes chauves.

Sur l'estrade, quatre intervenants avaient pris place, Sohan, les deux romanciers distingués et une professeure du département de français venue chuchoter les questions de Sohan en français à l'oreille de M. Aldebert, et traduire ses réponses en anglais au public. Le modérateur comme la traductrice étaient visiblement tendus, les deux auteurs affichaient au contraire une aisance réjouie. Après une interminable entrée en matière du vice-chancelier de l'université, on entra dans le vif du sujet.

À cause, peut-être, des interruptions de la traductrice ou de la tension nerveuse palpable de Sohan, la discussion s'engagea sans fluidité aucune. Les questions posées aux deux auteurs étaient alambiquées et verbeuses, leurs réponses s'apparentaient davantage à des tirades qu'à la conversation familière et fluide dont Sohan avait rêvé. Au bout d'un quart d'heure, pendant la dernière intervention substantielle de Lionel Hampshire qui discourait avantageusement sur la différence d'attitude des Français et des Britanniques vis-à-vis de la littérature, on vit Sohan se retrancher derrière ses pages de notes et les parcourir dans l'affolement. Quelques secondes plus tard, le téléphone de Sophie vibrait : il lui envoyait un SMS.

Au secours j'ai déjà épuisé mes questions. Je dis quoi maintenant ?

Elle jeta un coup d'œil furtif à droite et à gauche mais ses voisins ne semblaient pas avoir remarqué d'où émanait le message, ni même que message il y avait. Elle réfléchit un instant et répondit :

Demande à PA s'il est d'accord avec l'idée que les Français prennent les livres plus au sérieux.

La réponse de Sohan ne mit pas longtemps à arriver – un emoji pouce en l'air – et quelques secondes plus tard, après que Lionel Hampshire fut enfin parvenu au bout de son intervention, on entendit le modérateur poser cette question à M. Aldebert :

« Nous avons tendance à penser que vous êtes plus respectueux de la littérature que nous. S'agit-il seulement d'un cliché parmi tant d'autres que nous entretiendrions sur les Français ? J'aimerais connaître votre réaction. »

Après traduction de la question à son oreille, M. Aldebert marqua un temps et pinça les lèvres, manifestement en proie à des cogitations profondes. Il finit par proférer : « *Les stéréotypes peuvent nous apprendre beaucoup de choses. Qu'est-ce qu'un stéréotype, après tout, si ce n'est une remarque profonde dont la vérité essentielle s'est émoussée à force de répétition ? Si les Français vénèrent la littérature davantage que les Britanniques, c'est peut-être seulement le reflet de leur snobisme viscéral qui place l'art élitiste au-dessus de formes plus populaires. Les Français sont des gens intolérants, toujours prêts à critiquer les autres. Contrairement aux Britanniques, me semble-t-il*[1]. »

« Qu'est-ce qui vous fait dire ça ? » demanda Sohan, ce que la traductrice chuchota scrupuleusement.

« Eh bien, observons le monde politique. Chez nous, le Front national est soutenu par environ 25 % des Français. En France, quand on regarde les Britanniques, on est frappé de constater que, contrairement à d'autres pays européens, vous êtes épargnés par ce phénomène, le phénomène du parti populaire d'extrême droite. Vous avez le UKIP, bien sûr, mais d'après ce que je comprends, c'est un parti qui cible un seul problème et qui n'est pas pris au sérieux en tant que force politique. »

Sohan attendit qu'il développe cette idée et, comme rien ne venait, il se tourna vers Lionel Hampshire en désespoir de cause : « Un commentaire ?

— Voyez-vous, pontifia l'éminent romancier, je me méfie par principe de ces grandes généralisations sur le caractère national. Mais je pense cependant que Philippe vient de mettre le doigt sur quelque chose. Moi qui ne suis certes pas patriote à tous crins, loin s'en faut, ce que j'admire dans notre caractère britannique, et Philippe a raison, c'est notre amour de la modération. Notre amour immodéré de la modération, devrais-je dire. » Cette formule choc tomba comme un fruit mûr dans le silence révérencieux de l'auditoire, où elle suscita des ondes de rires. « Nous sommes une nation pragmatique, en politique. Les extrémismes, de droite comme de gauche, ne nous séduisent pas. Et puis, nous sommes fondamentalement tolérants. C'est pourquoi

---

1. Les mots ou phrases en italique suivis d'un astérisque sont en français dans le texte.

l'expérience multiculturelle a largement réussi chez nous, malgré un couac par-ci par-là. Je ne me risquerais pas à nous comparer aux Français sous ce rapport, bien sûr, mais à titre personnel, c'est bien ce que j'admire chez les Anglais, la modération et la tolérance.

— Quelles foutaises complaisantes », conclut Sohan. Mais hélas, il ne le dit pas sur scène.

*

« Tu trouves ? » demanda Sophie.

Ils étaient attablés au Gilbert Scott, à Saint-Pancras, et s'employaient à disséquer l'événement. Ils avaient choisi un restaurant cher : puisque désormais leurs rencontres seraient rares et éloignées dans le temps, il fallait faire de chacune une grande occasion. Sophie avait commandé un risotto aux petits pois et Sohan avait risqué le feuilleté crevettes-lapin, association a priori peu engageante mais qui se révélait être un coup de génie.

« Ces gens ne savent pas de quoi ils parlent. La tolérance, ben voyons. Tous les jours, tu te trouves face à des individus qui n'ont rien de tolérant, que ce soit une vendeuse ou un vendeur dans une boutique, ou un simple passant dans la rue. Ils ne te disent peut-être rien d'agressif mais tu le lis dans leurs yeux et dans toute leur attitude envers toi. Et ils voudraient bien parler. Oh oui, ils voudraient bien te lancer ces mots défendus, te dire de retourner dans ton pays de merde (celui qu'ils t'attribuent) mais ils savent que c'est impossible. Ils savent que c'est défendu. Alors non seulement ils te détestent, mais ils les détestent, eux aussi. Eux, ces gens sans visage qui les jugent, là-haut, qui décident de ce qu'ils ont le droit de dire et de ne pas dire à haute et intelligible voix. »

Sophie ne savait que répondre. Elle n'avait jamais entendu Sohan parler avec une telle franchise et une telle amertume sur cette question.

« À Birmingham… commença-t-elle d'une voix hésitante, les gens ont l'air de s'entendre… je ne sais pas, il y a des tas de gens de cultures diverses et…

— Toi c'est comme ça que tu vois les choses, forcément », conclut Sohan. Mais il avait attendu ce dîner avec impatience et voulait que l'humeur reste légère. Il changea donc de sujet en prenant son iPhone où il trouva une image Facebook qu'il fourra sous le nez de Sophie. « Tiens, lui dit-il, tu le trouves comment ? »

Sophie découvrit un jeune homme au visage cireux qui regardait l'objectif d'un œil inexpressif, avec en fond le capharnaüm de son bureau.

« Qui est-ce ?

— Un de mes étudiants de maîtrise.

— Et alors ?

— Il est célibataire. » Sophie le regarda, abasourdie.

« Eh bien, tu cherches quelqu'un, non ?

— Pas vraiment. Et puis, laisse tomber, on dirait un Harry Potter anorexique.

— Charmant », dit Sohan qui alla chercher une autre photo sur Google Images : « Bon, et lui ?

— Qui est-ce cette fois ?

— Un collègue. »

Elle le regarda de plus près.

« Pas de la première jeunesse, quand même.

— Je ne sais pas quel âge il a, je sais qu'il rédige sa thèse depuis dix-neuf ans et qu'il n'a toujours pas fini. »

Sophie regarda la photo d'encore plus près. « Il a des pellicules, dis-moi ?

— Sans doute seulement de la poussière sur l'écran.

48

Allez, quoi, j'ai partagé un bureau avec ce gars l'an dernier, il est très bien. C'est vrai qu'il a eu quelques petits problèmes d'hygiène personnelle, mais enfin… »

Elle lui repassa le téléphone. « Merci, mais sans façons. Fini les universitaires. J'en ai marre des lunettes cul de bouteille et des épaules voûtées. Mon prochain, ce sera un mec bien baraqué !»

Sohan eut un rire incrédule. « Un mec bien baraqué ?

— Un grand brun beau gosse. Avec un vrai métier.

— Et où tu comptes dénicher cet oiseau rare, là-haut ?

— Là-haut ? reprit Sophie, l'œil rieur.

— C'est là-haut, non ?

— Pour toi, tout ce qui est au nord de Clapham est là-haut.

— Donc j'ai une vision du monde londonocentrique ? Je n'y peux rien. Je suis né à Londres, c'est ma ville, et c'est le seul endroit où je passerai ma vie. Bristol n'était pour moi qu'une aberration passagère.

— Viens me voir à Birmingham, ça t'ouvrira les yeux.

— Pas tant que tu n'auras pas répondu à ma question, et dit comment sont les hommes.

— Pareils que partout ailleurs, évidemment.

— Ah bon ? J'aurais cru que les hommes des Midlands étaient plus petits ?

— Où es-tu allé chercher ça ?

— Je croyais que c'était l'origine des hobbits chez Tolkien. » Voyant Sophie éclater d'un rire affectueux mais moqueur, il s'enferra davantage. « Non, sérieux… la plupart des gens pensent que *Le seigneur des anneaux* parle de Birmingham en fait.

— Visiblement, il y a un rapport. Il y a un musée, aujourd'hui, sur les lieux dont on croit qu'il s'est inspiré, au bout de la rue où j'habite. Écoute, tu n'as qu'à venir voir de tes propres yeux. La ville est charmante.

« — Oh mais oui. Birmingham, terre de promesses amoureuses autant qu'érotiques. La prochaine fois que tu viens, je vous emmène dîner tous deux, toi et le hobbit de tes rêves. »

Sur ces paroles, il leur versa un dernier verre de vin et ils portèrent un toast à la Terre du Milieu et au Cœur de l'Angleterre.

3

Lorsque Doug reçut un mail du service de presse de Downing Street annonçant toute une fournée de nouvelles nominations, il alla faire un tour sur Google. Au sein du nouveau gouvernement de coalition, un nom avait attiré son attention, celui du sous-directeur adjoint de la communication, Nigel Ives. Il y avait un garçon qui s'appelait Ives dans son école. Timothy Ives. Ce n'était certes pas un patronyme rare mais il avait réveillé un lointain souvenir. Benjamin lui avait confié avoir accepté des années plus tôt et dans un moment de faiblesse l'invitation de Timothy Ives sur Facebook, moyennant quoi il avait découvert entre autres choses qu'il avait un fils... Ce fils ne s'appelait-il pas Nigel, justement ? Coïncidence de plus ? À tout hasard, Doug envoya un mail à Nigel, lequel lui répondit. Et quand ils se retrouvèrent de façon tout à fait officieuse dans le café le plus proche du métro Temple, le jeune homme lui dit d'entrée de jeu :

« Je crois que vous êtes un ancien camarade de classe de mon père.

— Timothy ? Au collège King William de Birmingham ? Dans les années soixante-dix ?

— C'est ça. Vous lui fichiez une peur bleue.

— Ah bon ?

— Mais il vous vénérait aussi.

— Ah bon ?

— Il était convaincu que vous n'aviez que du mépris pour lui.

— Ah bon ? » répéta Doug qui se rappelait que c'était parfaitement vrai. Timothy Ives était un petit avorton et les « grands » de l'école, Harding en tête, profitaient de lui sans vergogne, l'ayant plus ou moins réduit à l'état de factotum. « Mais comment va-t-il aujourd'hui ? Qu'est-ce qu'il fait ?

— Il est devenu proctologue, il réussit plutôt bien.

— Vous m'en direz tant.

— Je suis sûr que vous ne souffrez pas d'hémorroïdes, Douglas, mais si c'était le cas, mon père pourrait vous soulager.

— Je ne manquerai pas de m'en souvenir.

— Néanmoins, je suppose que ce n'est pas ce qui vous amène aujourd'hui.

— Je n'ai pas d'hémorroïdes, et ne suis pas venu vous en parler.

— Très bien.

— Non, ce qui m'occupe c'est que je voudrais émettre la possibilité que nous engagions une relation chaleureuse et doublement profitable, vous et moi. Si les tories et les libéraux-démocrates arrivent à former une coalition et à travailler ensemble, alors, qui sait… tous les espoirs nous sont permis.

— Tout à fait. C'est l'esprit du temps qui parle par votre voix, Douglas. Nous abordons une rupture complète avec le vieux système de l'alternance. Finis les antagonismes mesquins. Terrain d'entente et coopération, il n'y a que ça de vrai. La période est *très* excitante pour entrer en politique. »

52

Doug regardait Nigel en se demandant quel âge il pouvait avoir. Il sortait tout juste de l'université, à en juger par sa physionomie. Ses joues pâles et un peu roses paraissaient imberbes. Son costume sombre et sa cravate étaient chics mais impersonnels, comme sa raie sur le côté. Il avait une expression bienveillante et parlait sur un ton perpétuellement enthousiaste, tout en demeurant parfaitement impénétrable. Il ne devait pas avoir vingt-cinq ans.

« Mais quelle tournure les choses prennent-elles, au 10 ? demanda Doug. Vous avez deux partis très différents, là, avec des objectifs très différents. Comment voulez-vous que ça dure ! »

Nigel sourit. « Dave et Nick et d'ailleurs toute l'équipe ont le plus grand respect pour le commentateur que vous êtes, Douglas, mais on sait bien que votre boulot vous entraîne à jeter de l'huile sur le feu. Or vous n'allez pas trouver de feu chez nous. Dave et Nick ont leurs différences, bien sûr, mais en fin de compte, ce sont deux types ordinaires, réglos, qui veulent faire avancer les choses.

— Des types ordinaires, réglos ?

— Absolument.

— Des types ordinaires, que le pur hasard a fait fréquenter des écoles privées exorbitantes avant de se hisser au mât de cocagne dûment savonné de la politique.

— Absolument. Vous voyez tout ce qu'ils ont en commun ? C'était fameux, non, de les observer lors de leur première journée ensemble, dans la roseraie ? Ils s'amusaient comme des petits fous devant les caméras, ils riaient.

— Pas de fossé idéologique entre eux, donc ? »

Nigel fronça les sourcils un instant : « Bon, Dave est passé par Eton et Nick par Westminster. Ce sont deux mondes, j'en conviens. » Son visage s'éclaira cependant aussitôt : « Mais honnêtement, Douglas – je peux vous appeler Doug ?

— Bien sûr, pourquoi pas ?

— Honnêtement, Doug, il faut les entendre se charrier au cabinet.

— Les entendre… pardon ?

— Se charrier, se vanner.

— Se vanner ?

— Ils s'envoient des vannes, ils rient de bon cœur, ils se mettent en boîte. Croyez-moi, j'ai entendu toutes sortes de blagues, à la fac en particulier, mais là, on est dans l'excellence.

— Attendez, je voudrais être sûr d'avoir bien compris, vous parlez des discussions du cabinet ?

— Tout à fait.

— Alors il y a quelques jours, il y avait des milliers de jeunes gens dans les rues de Londres qui protestaient contre l'augmentation faramineuse des droits d'inscription à l'université, mesure que Nick Clegg avait promis de ne pas soutenir et qu'il soutient aujourd'hui, pendant ce temps-là le nouveau chancelier de l'Échiquier annonce des coupes massives dans la dépense publique, coupes qui vont affecter les familles à revenus moyens plutôt que les super-riches, et vous me dites qu'en gros ce qui est au principe de toutes ces réformes c'est… la franche rigolade ? »

Nigel hésita. Il paraissait s'inquiéter de la façon dont la remarque qu'il allait faire serait reçue.

« Ne le prenez pas mal, Doug, mais je pense qu'il s'agit d'une différence générationnelle. On est devant le fossé des générations. Vous, vos amis, mon père, vous avez reçu une certaine éducation. Vous avez grandi dans les antago-nismes de parti. Mais l'Angleterre a bougé depuis. Le vieux système est hors d'usage. Le 6 mai nous l'a bien montré. Le 6 mai, la Grande-Bretagne a dû choisir une nouvelle direc-tion et les gens se sont exprimés d'une seule voix catégorique. Leur message a été on ne peut plus clair. Ils ont dit : "On ne sait pas." » Il sourit aimablement devant le silence éberlué de Doug. « On ne sait pas », répéta-t-il avec un haussement d'épaules, mains ouvertes devant lui dans un geste d'impuissance. « Il y a deux ans, le monde a connu une crise financière terrible et personne ne sait comment s'en sortir. Personne ne sait comment aller de l'avant. C'est ce que j'appelle l'indécision radicale ; c'est le nouvel esprit du temps. Et Nick et Dave l'incarnent à la perfection. »

Doug acquiesça machinalement mais, au fond de lui, il aurait été incapable de dire si Nigel plaisantait – perplexité qui allait lui devenir familière avec les années.

4

Décembre 2010

Le courrier de la police de West Mercia atterrit sur le paillasson de Sophie un matin de la fin octobre. Les radars avaient photographié son véhicule sur Streetsbrook Road, roulant à cinquante-huit dans une zone limitée à cinquante. Elle avait le choix entre perdre trois points et suivre pour une somme de cent livres un stage de sensibilisation aux dangers de la vitesse, ce qu'elle préféra naturellement.

Elle était convoquée à deux heures de l'après-midi dans un immeuble de bureaux anonyme de Colmore Row, début décembre. À son arrivée, on lui indiqua le hall de réception, au neuvième étage, équipé de deux distributeurs de boissons gazeuses et de barres chocolatées, avec deux douzaines de sièges disposés en carré le long des murs. La plupart étaient déjà occupés lorsqu'elle entra. Il y avait là des hommes et des femmes de tous âges et de toutes couleurs. On bavardait à mi-voix, en plaisantant du bout des lèvres. L'ambiance lui rappelait l'école, où les garçons et les filles coupables d'une incartade quelconque attendaient devant le bureau du directeur qu'on leur signifie leur punition. Sophie préféra ne pas s'asseoir, elle s'approcha d'une des fenêtres crasseuses et regarda la ville, les galeries marchandes, les tours, les rues de vieilles maisons toutes semblables au loin, et plus loin encore, Spaghetti Junction, l'entrelacs de béton des échangeurs, le tout gris et flou sous une pâle lumière d'après-midi.

« Maintenant, si vous voulez bien me suivre, dit une voix masculine jeune et pleine d'énergie, nous allons prendre place et commencer. »

Sophie n'avait pas vu celui qui venait de parler. Elle suivit la file qui piétinait pour pénétrer dans la pièce voisine, agencée comme une salle de classe avec des bancs pour s'asseoir, des bureaux et un écran destiné aux présentations PowerPoint. La rampe de plafond dispensait un éclairage de commissariat. À un bout de la classe, un grand type bien bâti leur tournait le dos, occupé à disposer des papiers sur le bureau. Il se retourna vers eux.

« Bonjour tout le monde. Je m'appelle Ian et je vais être votre facilitateur pendant cette séance. Et voici ma collègue, Naheed. »

La porte du fond s'était ouverte, livrant passage à une femme au physique remarquable, presque aussi grande que Ian, tout juste la trentaine et déjà des fils gris dans ses cheveux frisés longs jusqu'aux épaules. Elle s'avançait entre deux rangées de bureaux. Elle marchait le corps légèrement en arrière, avec assurance, et salua en souriant ceux qui étaient assis de part et d'autre de la travée. Ses sourires étaient pleins de défi, combatifs. Son allure plut d'emblée à Sophie. Il fallait qu'elle ait des couilles, cette femme, pour venir au milieu d'une pièce majoritairement peuplée d'hommes, majoritairement blancs, leur faire des remontrances sur leurs fautes de conduite.

Ni l'un ni l'autre ne correspondait à l'idée qu'elle s'en était faite. Ian, très loin du pédagogue rassis et sévère qu'elle s'était figuré sans charité particulière, pouvait avoir entre trente-cinq et quarante ans ; il avait une carrure de rugbyman, un visage avenant et ouvert aux beaux traits réguliers, avec des cils d'une longueur fascinante. Ce fut par ce détail que Sophie se laissa distraire pendant qu'il se livrait à quelques remarques en préambule, mais elle se remit à suivre lorsqu'il demanda à chacun de raconter les circonstances de son infraction, et de plaider sa cause le cas échéant. Il écoutait attentivement chaque réponse avec un sérieux sans faille, contrairement à Naheed dont le sourire ne s'éteignait jamais tout à fait, et qui gardait toujours une petite lueur d'amusement dans le regard.

Les réponses elles-mêmes étaient intéressantes. En écoutant parler les autres, si divers par l'âge, la classe sociale, le genre, les origines ethniques et les histoires qu'ils racontaient, Sophie se rendit compte qu'un facteur commun les unissait : un sentiment d'injustice chevillé au corps. Qu'ils aient dépassé la vitesse autorisée pour arriver à l'heure à un rendez-vous urgent, pour emmener un cousin à l'hôpital, ou encore qu'ils aient acheté un plat chinois à emporter et aient voulu rentrer avant qu'il refroidisse, ou bien enfin qu'ils aient décidé en leur âme et conscience que cette limitation de vitesse insultait le bon sens et l'aient par conséquent ignorée, tous frémissaient d'indignation vertueuse – ils avaient été ciblés pour faire un exemple par des forces occultes malveillantes, ivres de leur propre pouvoir et bien décidées à l'accroître en compliquant la vie de citoyens lambda qui avaient pour seul tort de vaquer à leurs occupations quotidiennes. Ce sentiment pesait lourd dans la salle. Il y avait de la victimisation dans l'air.

Sophie était résolue à ne pas entrer dans ce jeu. Le hasard voulait qu'elle soit la dernière à présenter son cas et elle décida de résister à la tendance générale – on verrait bien.

Quelques secondes plus tard, l'attention de Ian se portait sur elle, et Naheed, au bout de la salle, l'invitait par son regard espiègle et curieux à partager son histoire avec eux ainsi qu'avec ses cocontrevenants.

« Il n'y a pas grand-chose à raconter. Je roulais à cinquante-huit dans une zone limitée à cinquante, c'est ce que le courrier dit. Voilà.

— Et pourquoi étiez-vous en excès de vitesse, d'après vous ? demanda Ian. Vous aviez une raison particulière ? »

Sophie hésita un instant. Elle répugnait à débiter l'explication évidente, à savoir qu'elle craignait de rater son train. Palpitant, dites donc ! Elle refusait de jouer les innocentes. Et en plus, elle venait de décider de frapper un grand coup pour que Ian la remarque.

« Huxley l'a exprimé mieux que personne à mon avis », répondit-elle hardiment.

Ian marqua son étonnement : « Qui ?

— Aldous Huxley, le romancier et philosophe. Celui qui a écrit *Le meilleur des mondes*. »

Manifestement, le nom n'évoquait toujours rien à l'instructeur. « D'accord, et qu'est-ce qu'il en a dit ?

— Il dit que ce qui se rapproche le plus d'une nouvelle drogue, dans notre société, c'est la vitesse. "La vitesse, me semble-t-il, procure le seul plaisir authentiquement moderne." »

Naheed et Ian, qui donnaient jusque-là l'impression d'en avoir entendu d'autres au cours des stages qu'ils avaient animés, échangèrent un coup d'œil pour décider lequel des deux allait traiter cet imprévu. Ils se comprenaient au quart de tour sans avoir besoin de dire un mot, Sophie en était impressionnée.

Ian s'approcha d'elle et s'assit au bord de son bureau.

« Alors comme ça, la vitesse est une drogue pour vous ? » demanda-t-il en souriant.

Elle acquiesça et lui rendit son sourire, convaincue qu'ils comprenaient très bien l'un comme l'autre qu'elle ne parlait pas sérieusement.

« Et vous faisiez du cinquante-huit à l'heure ? »

Elle acquiesça de nouveau. Il avait un sourire tout à fait désarmant.

« Bon, là on est très loin d'un shoot à l'héroïne quand même. Pour ça, il faudrait monter à cent trente, disons. »

Sophie ne répondit rien mais soutint son regard.

« Même pas l'équivalent de sniffer de la coke, qui reviendrait à quoi, rouler à cent, à quatre-vingt. » Comme elle ne disait toujours rien, il poursuivit : « Mais cinquante-huit au lieu de cinquante, ce serait plutôt comme de mettre deux cuillerées de café instantané dans sa tasse au lieu d'une. »

Chœur de petits rires dans la salle.

« Ce que mon collègue essaie de dire, je pense, glissa Naheed, c'est que la formule est jolie mais que vous cherchez peut-être seulement à faire l'intéressante. Il est plus probable que vous aviez un train à prendre, par exemple. »

Sophie, encore toute au plaisir de ce jeu de regards avec Ian et de leur contact amusé et appréciateur, ne saisit que la fin du commentaire. Elle remarqua toutefois que Naheed l'avait prononcé avec l'autorité tranquille qui caractérisait tout ce qu'elle disait. Ses connaissances et son expérience forçaient le respect, même si se faire chapitrer sur ce sujet par une femme, et une étrangère de surcroît, inspirait à certains messieurs une rancœur palpable. À côté de Sophie se trouvait ainsi un homme entre deux âges, costume d'homme d'affaires, visage buriné, crinière blanche, un air de souverain mépris à peine déguisé sur le visage. Il se nommait

Derek et il avait été flashé à quatre-vingt-cinq dans une zone limitée à soixante-cinq, parce que, selon ses dires, il connaissait cette portion de route « comme sa poche ». L'hostilité que lui inspirait Naheed semblait déjà s'étendre à Sophie, qui avait repoussé ses tentatives passablement lourdes pour la mettre dans la connivence de son humour.

En milieu d'après-midi, les stagiaires eurent droit à une pause-café – sans Ian et Naheed qui se retirèrent dans un espace privé –, après quoi ils furent divisés en deux groupes pour regarder des vidéos illustrant toutes sortes de scénarios susceptibles de survenir au volant, avec les dangers qu'ils comportaient. Sophie et Derek étaient dans le même groupe, celui animé par Naheed.

« Maintenant, dit celle-ci, regardez bien cette portion de rue en banlieue. » Elle avait opéré une capture d'écran et soulignait les détails avec une baguette. « Regardez la signalétique, regardez les obstacles possibles et les imprévus. Dites-moi à combien la vitesse est limitée et dites-moi quelle vitesse vous paraîtrait raisonnable pour ne pas prendre de risque dans ce cas précis. »

Après en avoir un peu discuté, le groupe identifia correctement la vitesse maximale autorisée, qui était de cinquante à l'heure (non sans de nombreuses réponses atypiques et délirantes). Mais lorsque Sophie voulut aller plus loin en suggérant qu'il serait prudent de ne pas dépasser les trente à l'heure, Derek soutint mordicus qu'une vitesse de cinquante était tout à fait adaptée.

« Non, je ne crois pas, répondit Naheed. Votre camarade a raison, en l'occurrence.

— Cette opinion n'engage que vous.

— Oui, en effet, et chacun a le droit d'avoir la sienne, ce qui ne veut pas dire qu'une opinion en vaille une autre. Qu'est-ce que vous faites dans la vie déjà, monsieur ?

— Je suis chef de secteur dans la vente. Je vends essentiellement des équipements sportifs.

— Bon. Eh bien en matière d'équipements sportifs, votre opinion est plus éclairée que la mienne. Mais en ce qui concerne la sécurité routière...

— Quarante ans que je conduis, l'interrompit-il, et jamais un accident. Alors je vois pas pourquoi j'aurais des leçons à recevoir de quelqu'un comme vous. »

Il y eut un temps, un palpitement, pendant lesquels Naheed accusa le coup de ces trois derniers mots, mais ce fut si bref qu'on s'en aperçut à peine, et elle répondit avec un calme imperturbable :

« Vous voyez ce panneau ? Oui, bien sûr, et vous savez qu'il signale une école. Vous voyez l'entrée de l'école ? Non, parce que ce van, qui est garé sur le trottoir de droite, va vous en masquer la vue jusqu'à ce que vous arriviez à son niveau. Alors ce qui risque de se passer, c'est qu'une petite fille débouche derrière, sans que vous la voyiez. À trente à l'heure vous allez la blesser grièvement mais à cinquante vous risquez de la tuer. Bien sûr, si vous roulez à cinquante dans cette portion de rue, vous allez gagner cinq secondes, à peu près. Alors l'équation la voilà : deux éléments à mettre en balance, cinq secondes de votre vie, la totalité de la sienne. Cinq secondes, contre toute une vie. » Elle marqua un temps, une lueur de malice s'attardait dans ses yeux et l'ombre d'un sourire aux commissures de ses lèvres. « Décision difficile ? Pas pour moi. Pour vous peut-être. »

À présent son sourire était un défi, une arme braquée sur Derek. Il la foudroya du regard mais ne répondit rien.

À l'issue du stage, Sophie se retrouva avec lui dans l'ascenseur. Il lui adressa un bref signe de tête pour manifester qu'il la reconnaissait puis détourna les yeux si bien qu'elle crut un instant qu'ils atteindraient le rez-de-chaussée en silence. Mais il déclara :

« Quatre heures de ma vie foutues en l'air, merde. » Sophie pesa sa réponse : « C'est toujours mieux qu'un retrait de points sur le permis, non ?

— Je sais pas. Je crois que je choisirai les points en moins la prochaine fois, au lieu de me laisser faire la morale par cette espèce de... »

Sophie ne répondit pas tout d'abord. Elle était simplement soulagée qu'il n'ait pas prononcé le mot. Elle attendit d'être sortie dans l'atmosphère hivernale de Colmore Row, avec les hordes d'employés de bureau qui se dirigeaient vers le métro et le bus, le flux et le reflux incessant de la circulation sous un ciel de fin d'après-midi noir comme à minuit, pour dire : « Je suis sûre que l'autre nous aurait raconté exactement la même chose, le gars, Ian. » Elle avait précisé son nom sans savoir pourquoi. C'était tout à fait superflu.

Derek rentrait vers une destination inconnue et en tout cas opposée à la sienne, mais il lui adressa ce mot de la fin : « Vous savez ce qu'on vient de voir, là ? Ce à quoi on a eu droit cet après-midi ? » Sans lui laisser le temps de répondre il enchaîna : « C'est le nouveau fascisme. » Avec un geste de la main pour prendre congé d'elle il déclara : « Bienvenue dans l'Angleterre de 2010. Bye-bye !

— Roulez prudemment », lui répondit-elle, et ils se tournèrent le dos car leurs chemins se séparaient.

*

Elle n'avait fait que quelques pas lorsqu'elle entra se réfugier dans un Starbucks, ayant décidé qu'un litre de café au lait ne serait pas de trop pour affronter les rigueurs

63

muettes d'une soirée comme les autres en compagnie de son père.

Moka en main, elle cherchait un siège lorsqu'elle aperçut Naheed, assise toute seule à une table le long de la vitrine. Elle gravita vers elle puis, ne voulant pas s'imposer, s'installa à une table libre toute proche. Mais Naheed l'avait vue, et lui adressa un petit signe de la main accompagné d'un signe de tête, où elle voulut voir une invite.

« Salut, dit Naheed comme Sophie prenait place en face d'elle. Je croyais que vous étiez déjà sur l'autoroute, en train de foncer à cent cinquante sur la file de gauche, histoire de vous faire plaisir. »

Sophie rit et répliqua : « Et moi j'aurais cru qu'il vous fallait quelque chose de plus raide que du café, après une séance pareille.

— Oh que non. Je rentre chez moi en voiture, et nous, on se doit d'être irréprochables.

— Bien sûr, dit Sophie qui se sentit toute bête.

— Et puis, cette séance, rien à dire, rien du tout. Dans l'ensemble, vous avez été un groupe poli et bien élevé.

— Je vous admire beaucoup. C'est vrai, j'enseigne un peu moi aussi, mais ce n'est pas la même chose… mes étudiants sont là par choix, et ils sont très désireux d'apprendre, pour la plupart.

— J'aime bien mon travail. Je fais quelque chose d'utile et je commence à me débrouiller, avec le temps. Même si c'est moi qui le dis.

— Tout à fait. J'ai beaucoup appris, aujourd'hui, et pourtant ce n'était pas ce à quoi je m'attendais. Je ne sais pas pourquoi, je me figurais avoir affaire à des policiers. »

Naheed sourit. « Non, ces stages ne sont pas organisés par la police. La plupart d'entre nous ont été moniteurs d'auto-école. Et vous, où est-ce que vous enseignez ?

— À l'université. L'histoire de l'art. Pas aussi utile, peut-être. Du moins, je ne crois pas que ce que j'enseigne puisse sauver beaucoup de vies.

— Il ne faut pas vous excuser de ce que vous faites. »

Le téléphone de Naheed vibra sur la table, elle lui jeta un coup d'œil, se demandant si elle allait lire le message, grand dilemme du savoir-vivre moderne.

« Je vous en prie, dit Sophie. On le fait tous. »

Naheed jeta un coup d'œil à l'écran. « Oh, c'est juste Ian. » Elle regarda le message : « Il me dit que j'ai fait du bon boulot aujourd'hui.

— C'est gentil de sa part.

— C'est un chic type. » Cédant à une impulsion, Naheed prit le téléphone et tapa une réponse, puis regarda Sophie avec cette lueur désormais familière dans le regard. « Vous voulez savoir ce que j'ai écrit ?

— Je ne voudrais pas être indiscrète.

— Je lui ai écrit que j'étais en train de boire un café avec la toxico de la vitesse. »

Sophie se mit à rire. « Ça y est, c'est mon surnom ?

— Pendant la pause-café, on passe toujours un moment à vous trouver des noms à tous. Normalement on devrait se concerter pour planifier la deuxième partie de la séance, mais bon… avec le temps on finit par être au point, quand même.

— Dites-moi quelques-uns des autres surnoms.

— Ce ne serait pas correct, je crois.

— Et Derek ? Le type qui vend des équipements sportifs ?

— Lui c'est M. Fâché. Pas très original, je sais, mais ça lui va comme un gant. D'ailleurs on a toujours un ou deux spécimens de ce genre. S'il y a une chose qu'on apprend dans ce boulot, c'est qu'il y a beaucoup de colère autour de nous.

— Vous êtes courageuse de monter au casse-pipe.

— Pas vraiment. Et la question raciale n'est pas toujours en cause de toute façon. Les gens aiment bien se mettre en colère à propos de tout et de rien. Bien souvent, le moindre prétexte est bon. Je les plains. Je pense que dans la plupart des cas… il ne se passe pas grand-chose dans leur vie. Sur le plan affectif je veux dire. Soit que leur couple se dessèche, ou qu'ils aient sombré dans la routine, je ne sais pas. En tout cas ils ne ressentent plus grand-chose. Aucune stimulation affective. Et on a tous besoin d'éprouver des émotions, non ? Alors quand quelque chose nous met en colère, au moins, on ressent quelque chose. Ça donne un petit coup de fouet émotionnel. »

Sophie acquiesça. L'idée se défendait. « Et vous ? Vous avez besoin de vous mettre en colère pour vous sentir vivante ?

— Moi j'ai de la chance. J'ai un gentil mari et deux enfants magnifiques. Ils me rendent ce service. Et vous ?

— Oh, euh… je suis un peu entre deux relations en ce moment », bredouilla Sophie au moment même où le téléphone de Naheed vibrait de nouveau.

Celle-ci regarda l'écran et déclara avec flegme : « Eh bien alors, voilà un message qui tombe à pic. » Elle leva les yeux. « C'est encore Ian, il me demande votre numéro de téléphone. »

De toute sa vie, Sophie n'avait jamais croisé un regard aussi perçant, ni un sourire aussi éloquent, comme en embuscade. Elle avait l'impression qu'elle allait se ratatiner sous leur pression conjuguée.

« Je le lui donne ? »

5

Benjamin avait une fois de plus pris la route de Shrewsbury à Rednal qui longeait la Severn et traversait les villes
de Cressage, Much Wenlock, Bridgnorth, Enville, Stourbridge et Hagley. Il faisait ces navettes au moins deux fois
par semaine depuis un an. Deux cents trajets, au bas mot.
Autant dire qu'il en connaissait désormais le moindre
virage, point de repère, rond-point, pub, Tesco Express, la
moindre station-service, jardinerie ou église reconvertie en
appartements. Il savait où il risquait de rencontrer la circulation la plus dense, il connaissait des itinéraires bis pour
éviter une série de feux particulièrement gênants. Ce n'était
guère nécessaire aujourd'hui, cependant. Les routes étaient
dégagées. Le coup de froid qui avait apporté la neige dans
ces contrées venait de reculer, cédant à des ciels nuageux
et des températures clémentes : un temps maussade, sans
relief particulier, assorti au trajet et à la circonstance. C'était
un samedi matin comme tous les autres. C'était Noël, jour
que Benjamin en était arrivé à détester cordialement.
    Il s'arrêta devant la maison de son père juste avant onze
heures. La maison où il avait grandi. La maison que ses
parents avaient achetée en 1955. Une maison indépendante en brique rouge, dotée d'une extension construite

au-dessus du garage au début des années soixante-dix. Il la connaissait si bien qu'il avait cessé de la voir, de faire attention à elle et, en somme, d'en savoir quoi que ce soit. Il aurait sans doute été en peine de la décrire par le menu à un étranger. Le seul détail qu'il remarqua ce matin-là, c'est que les plantes des jardinières, devant le séjour, avaient péri jusqu'à la dernière, et ce apparemment depuis des mois.

À l'intérieur, tout était raisonnablement propre et bien tenu, comme d'habitude. Il payait une femme de ménage qui venait une fois par semaine, le jeudi, car il ne comptait pas sur son père pour s'occuper de son intérieur. Sur l'égouttoir de l'évier reposaient une assiette solitaire, une fourchette et un couteau, un verre à bière et une poêle à frire. Depuis la mort de sa femme, Colin ne s'était jamais lancé dans une cuisine qui requière des ustensiles plus sophistiqués. Il se faisait revenir des tomates, qu'il mangeait sur un toast avec un œuf au plat, menu éventuellement agrémenté de quelques champignons les jours où il était d'humeur aventureuse. Les seules entorses à cet ordinaire survenaient lorsque Benjamin se mettait aux fourneaux pour lui ou l'invitait à l'extérieur. Aujourd'hui du moins, il aurait droit à une volaille rôtie pour déjeuner.

Il portait un pull jacquard comme ceux qu'affectionnaient les célébrités du golf et les présentateurs des programmes de journée à la télévision dans les années quatre-vingt. Lorsqu'il apparut au rez-de-chaussée après son dernier passage aux toilettes, il tenait un sachet en plastique avec toutes sortes de cadeaux emballés de sa main inexperte, seule concession à Noël pour autant que Benjamin pût en juger.

« Je croyais que tu allais acheter un sapin…

— C'est fait. Il est derrière, dans la cour. »

Par la fenêtre de la cuisine Benjamin vit l'arbre appuyé contre le mur de l'appentis, encore dans son filet de plastique.

« C'est de l'argent gaspillé ça.

— Je l'installerai demain.

— Demain ce sera trop tard. Et les ornements ? Maman en mettait toujours.

— Bah, j'ai eu la flemme de les descendre du grenier. L'an prochain, peut-être, quand je me sentirai un peu plus gaillard. Tu vas continuer à tout critiquer, ou bien on peut se mettre en route ? »

Benjamin jeta un coup d'œil à sa montre. Onze heures dix, ils avaient tout le temps de se rendre chez Lois.

« Et ton sac avec tes affaires de nuit ?

— J'ai changé d'avis. Tu peux me ramener ici après dîner. Je ne veux pas rester dormir chez ta sœur, c'est trop de dérangement. »

Benjamin soupira. Ce changement de programme le contrariait pour des raisons égoïstes.

« Mais alors il va falloir que je vienne dormir chez toi.

— Pourquoi ?

— Tu ne peux pas rester tout seul un soir de Noël.

— Pourquoi ? Je suis seul tous les autres soirs. Fais ce que tu as envie sans te préoccuper de moi. Je ne veux surtout pas être un poids pour toi. »

Dissiper cette crainte chronique de devenir un « poids » était une des choses vraiment pesantes dans la compagnie de son père. Mais il savait par expérience que discuter ne servait à rien. Il prit le sac de cadeaux et accompagna Colin à la voiture.

*

Lois et Christopher, Sophie, Benjamin et Colin étaient réunis autour de la table devant des monceaux de dinde et de légumes noyés dans la sauce ; ils avaient coiffé des couronnes en papier, le déjeuner menaçait de tourner à l'enterrement de première classe.

« On fait ça pour Papa, avait affirmé Lois à son frère dans la cuisine.

— Il n'y tient pas du tout. Ça ne sert à rien, tout ça.

— Merci, ça fait toujours plaisir. Tu es très positif. J'aurais aussi bien pu rester chez moi donc.

— Tu n'es pas chez toi ici ? Plus personne n'a l'air de le savoir à présent... »

Ils mangeaient dans un silence quasi total. Benjamin tenta de lire à haute voix quelques blagues des papillotes mais elles étaient pesantes et on les aurait crues tirées d'un film de Bergman particulièrement lugubre. La seule personne à avoir le sourire était Sophie, sauf que la cause n'en était pas ces plaisanteries mais un SMS.

« Qui est-ce ? demanda Lois dans son rôle de mère.

— Ian, il me souhaite joyeux Noël, c'est tout.

— Et il le passe où, lui ?

— Avec sa mère.

— C'est le nouveau petit ami », expliqua Christopher à son beau-père. Il articulait chaque mot et parlait fort, se figurant à tort que Colin était sourd.

« Tant mieux, répondit celui-ci. C'est pas trop tôt. Ça ne vous ferait pas de mal d'avoir des petits-enfants, vous deux. »

Sophie but une gorgée de vin et lui dit : « Tu ne crois pas que tu brûles un peu les étapes, Grand-père ? On n'est même pas en couple, on est sortis ensemble deux fois seulement.

— Il faudrait tout de même que quelqu'un poursuive la lignée, reprit Colin en mettant les pieds dans le plat. On ne peut pas dire que vous ayez fait des étincelles, les uns et les autres, sur ce chapitre.

— Épargne-nous ça, Papa, soupira Benjamin.

— On est cinq, autour de cette table. On s'arrête là ? C'est votre dernier mot ? Votre mère et moi, on a eu trois gosses. J'avais espéré qu'il y ait quelques petits Trotter de plus sur la planète aujourd'hui. »

Le silence qui suivit cette sortie fut plus inconfortable et profond que jamais. Chacun était au courant de quelque chose que Colin ignorait. À savoir que Benjamin avait une fille vivant en Californie, avec laquelle il était brouillé.

« Je suis sûre que Paul ne tardera pas à trouver quelqu'un à Tokyo, dit Lois. D'ici quelques années, il viendra te voir avec un bataillon d'adorables petits Eurasiens. »

Colin fronça les sourcils et attaqua ses choux de Bruxelles.

Après déjeuner, ils partirent tous en promenade, sauf lui qui s'écroula sur le canapé avec le *Radio Times* en se plaignant qu'il n'y avait rien à la télé.

« Pourquoi crois-tu que je t'ai acheté ça ? lui demanda Benjamin en agitant le cadeau qu'il lui avait offert, un DVD de Morecambe et Wise spécial Noël.

— Aucune envie de regarder des vieilleries !

— Oui mais bon, les nouveautés ne trouvent jamais grâce à tes yeux non plus. » Benjamin s'accroupit à côté de la télé et inséra le DVD. Un souvenir vif lui revint, ce Noël de 1977, trente-trois ans plus tôt, où lui et sa famille avaient regardé l'émission de fin d'année des deux humoristes attachés à la BBC. Ses grands-parents étaient là eux aussi et, en riant avec eux tous, Benjamin se rappelait avoir éprouvé un sentiment d'unité incroyable, le sentiment que la nation entière était brièvement, fugacement réunie dans la divine pratique du rire. « Vingt-sept millions de gens regardaient ça, rappela-t-il à son père.

— Parce qu'on n'avait que trois chaînes. » Lois était entrée dans la pièce, elle se tenait derrière lui. « Et puis, on n'avait rien d'autre à faire. Tu es prêt ? À ce train-là, il fera nuit avant qu'on décolle. »

Ils partirent se promener tous les quatre par les petites rues en voie d'assoupissement que seules quelques discrètes illuminations de Noël ou quelques guirlandes de lumière rendaient moins quelconques ce jour-là. Bientôt Benjamin se laissait distancer, perdu dans ses pensées, comme d'habitude. Sophie s'en aperçut et attendit qu'il la rattrape.

« Tout va bien ? demanda-t-elle.

— Ça va. » Il sourit et lui passa un bras autour de la taille un instant, en lui frottant gauchement le dos. « Et au fait, merci pour mon cadeau. Délicate attention.

— Tu ne l'apprécies pas vraiment, mon auteur... »

Elle lui avait offert l'exemplaire de *Fallopia* qu'elle avait acheté le soir de l'entretien de Sohan avec les deux écrivains célèbres, il était dédicacé « À Benjamin, avec mes meilleurs sentiments, Lionel Hampshire ».

« Euh, il s'est attiré des critiques mitigées... mais j'ai hâte de le lire. Tu l'as trouvé comment, en tant que personne ?

— Tout à fait comme tu l'imagines.

— Oh misère ! »

Ils étaient arrivés au musée Tolkien avec, derrière lui, le petit domaine agreste qu'on appelait depuis peu la Réserve naturelle de la Comté.

Benjamin regardait Lois et Christopher qui marchaient devant bras dessus bras dessous, ce qui leur donnait presque l'air d'un couple heureux. Il en voulait à sa sœur dont le sarcasme sur le peu de chaînes de télévision dans les années soixante-dix avait dégommé (à son insu sans doute) un des souvenirs d'enfance les plus chers à son cœur. La clef de voûte de son système de croyances demeurait qu'à l'époque de son enfance il y avait plus de cohésion, d'unité, de tendance au consensus en Angleterre. Tout s'était petit à petit délité avec le résultat des élections en 1979. Et le plaisir diffus que lui inspiraient les numéros d'humoristes d'alors en était la preuve. Mais bien sûr, rien de tout cela n'avait pu marquer Lois. Cette décennie avait été pour elle celle de la tragédie et de l'horreur. Il se dit qu'il ne fallait jamais l'oublier si on voulait faire la part des choses.

Le passé se rappela brutalement à leur attention quand ils rentrèrent, de toute façon. Colin avait laissé tomber Morecambe et Wise, il regardait les nouvelles de la BBC. Il avait l'air affligé. Lois s'assit à côté de lui pendant que Benjamin passait à la cuisine mettre la bouilloire en route.

« Ça va, Papa ? lui demanda-t-elle.

— C'est cette femme, dit-il d'une voix sans timbre, les yeux rivés à l'écran. Cette fille de Bristol. Celle qui a disparu la semaine dernière. Ils viennent de retrouver un corps. Ils ont pas dit que c'était le sien, pas encore, mais... qui voulez-vous que ce soit ? »

Lois ne fit pas de commentaire mais tout son corps se raidit. Christopher s'assit sur un bras du canapé et entoura son épaule toute nouée. Tel fut le tableau que Benjamin découvrit en entrant dans la pièce : sa sœur pétrifiée, entre deux hommes.

« Ce que ses parents doivent passer, dit Colin en regardant Christopher de ses yeux délavés, je sais exactement ce qu'ils ressentent. » Il serra le bras de sa fille avec une bouffée d'émotion violente. « Il y a des années, on a failli la perdre, tu sais. »

Benjamin leur jeta un regard, indécis, puis, réalisant qu'il n'avait aucun rôle à jouer dans cette scène, se retira. Comme il gagnait la cuisine en silence, il entendit son père répéter : « On a failli la perdre. »

6

Janvier 2011

Après l'amour, Sophie sombra dans un sommeil profond.
Et lorsqu'elle s'éveilla, ce fut très lentement, vers la fin de
la matinée, en découvrant tout d'abord la lumière grise qui
filtrait à travers les rideaux, puis ses membres fatigués et
agréablement endoloris et enfin la texture abrasive de la
joue pas encore rasée de Ian qu'il frottait contre la sienne
en l'embrassant.

« Bonjour, mon cœur. Je fais un saut dehors pour acheter deux ou trois bricoles.

— Hmm…

— Bien dormi ?

— Très bien.

— Je pensais prendre du bacon et des œufs.

— Quelle bonne idée !

— Des champignons, des tomates, du jus d'orange frais.

— Tu gâtes toujours tes petites amies comme ça ?

— Tu veux un journal du dimanche ?

— Pourquoi pas ?

— Le *Sunday Times,* ça t'ira ?

— Je préférerais l'*Observer.*

— Je prends les deux. »

Il s'écarta d'elle et, encore ensommeillée, elle tendit les bras pour les lui nouer autour du cou. Comme elle l'attirait à elle en réclamant encore un baiser, la couette glissa et leur rappela qu'elle était nue et lui tout habillé. Cette situation les excita tous deux, si bien qu'il s'écoula encore vingt minutes avant que Ian sorte en expédition ravitaillement.

Une fois qu'il fut parti, Sophie attendit encore quelques minutes dans la béatitude d'après coït avant de sortir du lit. Elle avisa un peignoir de bain blanc pendu à la porte de la chambre et, l'ayant enfilé, ouvrit les rideaux. Elle était rentrée avec Ian la veille, ou plutôt au petit matin, mais la tête embrumée par l'alcool, le cœur battant d'anticipation depuis qu'elle avait décidé de coucher avec lui pour la première fois, elle n'avait guère fait attention à l'endroit où il vivait. La vue qu'elle découvrait depuis la fenêtre ne lui était pas familière et elle mit un moment à s'orienter. Elle se trouvait apparemment dans une des résidences récentes implantées derrière Centenary Square. Elle voyait l'arrière de Barskerville House et le vaste chantier de la nouvelle Bibliothèque qui commençait à prendre forme. (Les travaux devaient faire un boucan assourdissant en semaine, songea-t-elle.) Il n'y avait pas âme qui vive dans les rues ce matin, sinon un homme qui promenait son chien sur une pelouse, et deux adolescents assis à chaque bout d'une balançoire, l'air désœuvré. La circulation bourdonnait en permanence quelque part, pas loin. C'était un dimanche typique de Birmingham. Pour tout le monde sauf pour elle.

Elle n'avait pas couché avec beaucoup d'hommes dans sa vie. Pour elle c'était un engagement autant qu'une aventure. La veille et ce matin, elle avait eu l'impression délicieuse de se risquer sur la pointe des pieds en territoire inconnu. Se trouver seule quelques minutes dans l'appartement de Ian était une prime. Jusque-là, au cours de trois conversations assez longues mais où c'était surtout elle qui avait parlé, il s'était débrouillé pour ne pas se livrer outre mesure. Voilà qu'elle tenait peut-être l'occasion de mieux le connaître.

Son premier mouvement, quand elle se trouvait chez quelqu'un, était toujours d'observer les livres. Réflexe d'universitaire gravé en elle et tout à fait irrépressible – mais qui ne la menait pas très loin pour l'heure. Elle savait déjà que Ian n'était pas, de son propre aveu, un « grand lecteur ». Elle savait aussi qu'elle lisait elle-même trop pour sa santé, accordait trop d'importance à la lecture, affligée d'une sorte de névrose obsessionnelle vis-à-vis de la littérature et de ses bienfaits moraux supposés. Malgré tout, ce qu'elle découvrait sur ses étagères était décevant. Une poignée d'autobiographies de sportifs, quelques livres de référence (essentiellement dans le domaine du sport eux aussi), des best-sellers des années précédentes, deux ou trois manuels de sécurité routière. Elle compta : quatorze livres en tout et pour tout. Il y avait à peu près le même nombre de DVD, surtout des James Bond et des Jason Bourne. Le lecteur était posé par terre, à côté d'un téléviseur grand écran et d'un appareil électronique bizarroïde doté de poignées qui pouvait être un sex-toy sophistiqué ou plus probablement, se dit-elle non sans soulagement, une console de jeux. Elle le prit et le retourna dans ses mains, animée d'une curiosité passagère devant cet objet singulier dont les fonctions lui demeuraient si mystérieuses. Il lui vint à l'esprit qu'aucun de ses petits amis précédents ne possédait ce genre de gadget.

Une table basse carrée occupait le centre de la pièce à vivre, constellée d'un certain nombre de taches d'eau et de café ; sur la planche de rangement du dessous, un magazine du nom de *Stuff*. Canapé et fauteuils venaient sans doute de chez Ikea ; en tout cas ils présentaient une nette ressemblance avec ceux de tous les appartements qu'elle avait loués elle-même. Pas une plante verte en vue, mais une grande reproduction encadrée des *Tournesols* de Van Gogh. Au fond du séjour se trouvait une cuisine à l'américaine.

Il n'y avait pas grand-chose dans le frigo sinon de la bière, du beurre, du fromage, du lait et un paquet de saucisses qui avait dépassé de huit jours sa date de péremption. Le freezer était vide, mis à part quelques glaçons et une boîte de Magnum – il en restait deux.

L'ensemble était décevant et ne lui apprenait presque rien de nouveau sur l'homme qu'elle était en train de choisir pour partenaire. Une incursion dans la salle de bains s'étant révélée moins fructueuse encore, elle renonça et mit la bouilloire en marche pour faire du café. En attendant que l'eau boue, elle alla récupérer *Stuff* et s'assit à la table de la cuisine pour le lire.

La couverture présentait une jeune brunette sexy qui tenait un iPad devant sa hanche avec une petite moue, les yeux fixés sur un point à mi-distance. Malgré la présence de cette tablette dans sa main, elle donnait l'impression de se préparer à passer la soirée en boîte plutôt qu'au bureau, car elle était vêtue d'une minirobe au ras des fesses, dont le haut à découpes transparentes dévoilait généreusement son décolleté et son ventre. En feuilletant le magazine, Sophie découvrit qu'il y avait là un thème photographique récurrent, et se vit introduite dans un étrange univers parallèle où la technologie de pointe était à l'usage exclusif de jeunes beautés qui ne se plaisaient à travailler, prendre des photos ou jouer à des jeux vidéo qu'en dessous chics et maillot de bain. La couverture promettait une présentation en avant-première de l'iPhone 5 (« Comment Apple va réinventer la roue avec le nouveau smartphone... une fois de plus »), un tour d'horizon de la « technologie révolutionnaire qui va changer l'avenir », un retour nostalgique sur les « 39 gadgets qui ont changé le monde – Starring Sky + Wii et dix ans d'iPod », et une rubrique « Comment créer votre propre FPS ». Faut-il le dire, Sophie n'avait pas la moindre idée du sens de ce sigle. Flan Peu Sucré ? Faire-Part Sophistiqué ? Elle se reporta à l'article en question et découvrit qu'il s'agissait de l'acronyme First Person Shooter, qui renvoyait à une sous-catégorie de jeux basés sur le tir en vision subjective. Une fois encore, sortir de sa zone de confort lui inspira un léger frisson transgressif et elle poursuivit sa lecture avec une fascination croissante tout en achoppant sur une terminologie qu'elle rencontrait pour la première fois, mégatexture, moteur de jeu, radiosité, latence. Elle s'était si bien absorbée dans l'article qu'elle eut un mouvement de contrariété quand la porte d'entrée s'ouvrit. Mais elle fut heureuse de revoir Ian, d'autant que dès qu'il l'aperçut, il s'arrêta net, ses courses à la main, et lança :

« Waouh !

— Waouh ?

— J'arrive pas à croire que c'est bien toi, j'arrive pas à croire que c'est toi, là, dans mon appartement. Tu es... incroyable ! »

Ce n'était pas un compliment de pure forme. Les cheveux encore ébouriffés, la peau rosie par leur dernière étreinte, le peignoir glissant sur ses épaules, Sophie semblait droit sortie des fantasmes masturbatoires des lecteurs de *Stuff*. Il ne manquait plus qu'elle caresse un Olympus PEN E-P3 (« avec son élégant boîtier en métal et son autofocus sans doute le plus rapide du monde ») ou s'extasie devant son BlackBerry Bold 9900 (avec écran tactile et clavier QWERTY, le tout boosté par le nouveau système d'exploitation BlackBerry 7OS ») pour que le tableau soit complet. Comment s'étonner du bonheur de Ian ? Il l'embrassa de nouveau, un long baiser tendre sur la bouche, auquel elle répondit avec une ardeur encore vive, avant qu'il ne s'écarte à regret et dise, sur le ton d'un homme incrédule devant le tour que la réalité a pris et qui marche dans un rêve éveillé :

« Allez viens, il faut qu'on mange. »

Pendant le repas, Sophie avoua la déception qu'elle venait d'éprouver en tentant de percer les mystères de son appartement.

« C'est vrai, quoi. Cultiver l'anonymat à ce point, ce ne serait pas pire si tu étais un agent du gouvernement voulant rester incognito. Tu n'éprouves jamais le besoin de personnaliser ton chez-toi ? Quelques plantes vertes, une touche de couleur ici ou là, d'autres affiches au mur ?

— Je sais ce que j'aimerais mettre au mur de ma chambre, répondit Ian qui fit le geste de cadrer une photo avec ses doigts. Une photo de toi comme tu es maintenant. L'ennui, c'est que je ne me lèverais plus le matin. »

Elle sourit, s'écarta un peu de lui et se drapa plus étroitement dans le peignoir.

Plus tard, s'étant recouchés, ils firent l'amour encore une fois et, après s'être reposés longtemps dans les bras l'un de l'autre, sortirent de leur torpeur et se mirent à lire les journaux ensemble dans une nudité devenue plus confortable qu'érotique. Assis côte à côte, pour le plus grand plaisir de Sophie, leurs corps se touchaient librement en plusieurs points : le haut de leurs bras collés l'un à l'autre, la courbe douce de sa hanche lovée contre celle de Ian, plus rectiligne et plus musclée, leurs pieds qui s'imbriquaient, son orteil à lui caressant sa cheville à elle. Tout cela semblait subtilement juste et inévitable, et la spontanéité avec laquelle leurs deux corps s'emboîtaient trouvait un écho dans leur conversation légère et détendue. En ce premier dimanche de l'année, les nouvelles graves n'abondaient pas dans la presse. On avait capturé et abattu un renard urbain géant à Maidstone, et le cliché montrait un gamin de sept ans en train de le tenir ou plutôt de tenter de le tenir à bout de bras – la bête était presque aussi grande que lui. Une étude réalisée aux Pays-Bas faisait ressortir que les femmes ayant adopté un régime riche en fruits et légumes avaient plus de chances de mettre au monde des filles. Trois cochons se seraient fait la belle dans les rues de Southampton et la police liait mystérieusement leur évasion d'une ferme du coin à la « détérioration des rapports » entre le couple de fermiers. Seule, Sophie n'aurait jamais pris la peine de lire la plupart de ces faits divers, mais elle trouvait amusant de les savourer avec Ian et de rire de la bizarrerie et de la sottise du monde tout en découvrant son humour à lui. L'humeur changea seulement – et encore, pas longtemps – lorsqu'il en vint à la disparition de Joanna Yeates, la jeune femme de Bristol dont on avait retrouvé le corps le jour de Noël.

« Je vois qu'ils ont relâché le type, dit-il en parcourant les deux premiers paragraphes, son propriétaire. Celui qu'ils avaient placé en garde à vue.

— Tant mieux.

— Comment ça, tant mieux ? Pourquoi ?

— Parce qu'ils n'avaient aucun élément pour le mettre en garde à vue au départ.

— Mouais… T'as vu l'allure qu'il a ? »

Il lui fit voir la photo de Christopher Jefferies, soixante-cinq ans, suspect que la police de Bristol avait interrogé

80

trois jours durant puis relâché sans rien retenir contre lui. Pas très classique dans sa mise, excentrique même, ce professeur de lettres amateur de poésie romantique qui se teignait parfois les cheveux en bleuté faisait un sujet idéal pour les journaux, d'emblée persuadés de sa culpabilité et qui avaient passé les derniers jours à en faire état tout en restant dans les limites de la loi.

« Ah oui ? Quelle allure ?

— Bah, il a l'air bizarre quand même. »

Sophie fut décontenancée. « Alors déjà, je ne lui trouve rien de particulièrement extravagant sur cette photo, et puis entre un excentrique et un meurtrier, il y a de la marge, non ? »

Ian lui jeta un coup d'œil et vit que ses joues rosissaient et que sa nuque s'était empourprée. Sans commentaire, il passa aussitôt à un autre article sur la même page. « Écoute ça : une enseigne de Lisbonne a promis de distribuer des fringues gratuites à ceux qui se présenteraient en sous-vêtements le premier jour des promos. »

Sophie se radoucit et sourit. Cette fois, elle lui prit le journal des mains et étudia la photo des clients qui grelottaient, attroupés devant la boutique en attendant l'ouverture.

« Joli petit cul, observa-t-elle en désignant l'un d'entre eux. Mais pas aussi joli que le tien. »

Là-dessus, elle mit le journal de côté et ils passèrent à d'autres occupations.

7

Février 2011

Non loin de la M54, entre Shrewsbury et Birmingham, un panneau signalait à l'instar d'un atout patrimonial de première importance l'une des attractions majeures du district et, à vrai dire, l'une de ses grandes gloires, la jardinerie Woodlands. Elle avait vu le jour en 1973, sous la forme d'une boutique aux dimensions modestes vendant plantes, pots de fleurs et sacs de compost. Aujourd'hui, près de quarante ans plus tard, elle avait fait florès et c'était un royaume, un formidable empire dont les sujets pouvaient se promener des heures durant, toute la journée si bon leur semblait, à travers une succession de comtés et de provinces où toutes les activités humaines étaient représentées, et toutes les fournitures qui leur étaient nécessaires, disponibles à l'achat. L'extérieur offrait un vaste panorama de plantes, arbustes, fougères, fleurs, lianes, cactées et végétaux de toute feuille qui, malgré ses impressionnantes dimensions et sa variété, correspondait en tout point à ce qu'on s'attend à trouver dans ce type d'établissement. C'était seulement en pénétrant dans la partie couverte que l'échelle des lieux et leur caractère encyclopédique apparaissaient. Le visiteur était plongé dans la sidération devant des hectares d'openfield où le mobilier de jardin se déployait à perte de vue. Non pas seulement des chaises et des tables, mais des salons qui n'auraient pas déparé une luxueuse maison de campagne, sans parler des bancs, canapés, rocking-chairs, loveuses, ottomanes, chesterfields, tables, tables d'appoint, tables basses et guéridons, bref de tout ce qui peut changer un bout de jardin en espace à vivre. Et même alors, à supposer qu'on ait fait le tour des énormes barbecues, plus élaborés et plus sophistiqués que les appareils en usage dans la plupart des cuisines, ainsi que de l'invraisemblable variété d'éclairages de jardin, rampes, projecteurs, guirlandes lumineuses, lampes à batteries solaires, clignotantes, loupiotes, même alors, on n'aurait fait qu'effleurer la surface des richesses de Woodlands. Il y avait un rayon mobilier de cuisine ; une animalerie qui vendait toute espèce, depuis les poissons rouges jusqu'aux lapins ; une boutique de vêtements où trônaient des articles de chez Barbour et autres bottes en caoutchouc parmi des étagères entières de chemises et de pantalons en polyester ; un colossal rayon hobbies et travaux manuels – peinture, broderie, couture et tricot, crochet, trains électriques, maquettes d'avions, tout ce que l'esprit humain peut concevoir pour animer les heures creuses de l'enfance et de la retraite ; une épicerie exhaustive proposant tout comestible, depuis le cheddar jusqu'au vin anglais ; un rayon CD (Frank Sinatra, Vera Lynn, Johnny Cash et autres vedettes d'antan) et DVD (films de guerre et comédies typiquement britanniques, westerns avec John Wayne et autres titres nostalgiques) ; un magasin de jouets doté d'une prodigieuse gamme de puzzles représentant des cours de ferme en des temps préindustriels, des Spitfire et des Hurricane en plein vol, des scènes de la vie villageoise de jadis, des voitures de collection, etc. Il y avait même une librairie, à tendance rétro elle aussi puisqu'on y trouvait, outre les myriades de livres incontournables sur le jardinage, un marché florissant d'ouvrages sur l'histoire locale. Parmi eux, de nombreux recueils de cartes postales en noir et blanc ou en sépia, intitulés *Images d'un Dudley d'autrefois*, *Chaddesley Corbett en images* ou encore *Le Bridgnorth du temps jadis*. Beaucoup portaient la marque d'une maison d'édition qui s'appelait Chase Historical.

Celui qui en était tout à la fois le fondateur, l'éditeur, le directeur de collections, le directeur marketing, le chargé de com et le directeur artistique, le bien nommé Philip Chase, était occupé à déguster un cappuccino dans le cœur battant – ou pour mieux dire l'estomac repu – de Woodlands, son restaurant. Là, où le *steak and ale pie* et le *fish and chips* à la panure de bière tenaient toujours la vedette malgré les tentatives régulières du chef pour donner à la carte une dimension plus internationale, des files d'attente s'accroissaient au fil de la journée, composées de clients grisonnants ou chenus, arrimés à leurs plateaux de bois, coulant des regards émoustillés vers le *lemon drizzle*, les scones et les confitures, ainsi que vers les théières de thé brun du Yorkshire, si roboratif. En ce premier jour des vacances de printemps, véritable week-end en semaine, le restaurant ne désemplissait pas et Philip s'en réjouissait car ces consommateurs formaient aussi sa clientèle, et ils seraient bientôt nombreux à se promener dans les rayons de la librairie, augurant de ventes confortables pour la journée. Il continua de savourer son cappuccino et regarda l'heure sur son téléphone. Il avait pris deux rendez-vous et l'heure du premier était déjà passée.

Le retardataire n'était autre que Benjamin qui se croyait en avance et tuait le temps à l'entrée du théâtre pour enfants. En effet, ce Xanadu des jardineries possédait même un théâtre, ou du moins un espace scénique, qui prenait toute sa valeur dans ces périodes de vacances scolaires où les parents étaient prêts à tout pour échapper à la corvée de distraire leur progéniture pendant une demi-heure. Plusieurs amuseurs du coin y trouvaient leur compte, eux qui d'ordinaire travaillaient surtout le week-end pour des anniversaires d'enfants. Ce matin-là, de onze heures à onze heures et demie, un public juvénile restreint mais surexcité se régalait des pitreries du Baron Brainbox, personnage imposant vêtu d'un costume de tweed des années trente avec une montre de gousset en or, une balle de ping-pong rouge sur le nez et un mortier bigarré en équilibre instable sur la tête. Benjamin regardait son numéro depuis une dizaine de minutes lorsqu'il dut s'avouer conquis. En fait, les enfants recevaient là une leçon de calcul, assaisonnée de jeux de mots déplorables, de tours de passe-passe et de grosse farce, le tout dénotant plus d'enthousiasme que de dextérité. C'était un numéro passablement chaotique, mais le Baron avait l'air de s'amuser à en juger par ses fous rires intempestifs qui se communiquaient à son jeune public. Il composait un personnage si aimable et si plaisant que Benjamin ne voyait guère comment ne pas le trouver sympathique. Il fut donc surpris d'entendre une voix grogner tout près de lui :

« Je peux pas le sentir ce connard. »

Il se retourna pour découvrir à côté de lui un individu en blouse blanche de médecin, avec des bottes en caoutchouc et un casque en cuir de pilote de la Seconde Guerre mondiale.

« Faut toujours qu'il allonge la sauce. Il déborde. Il empiète sur mon créneau en douce, ce salaud. »

Il y avait un tableau noir à l'entrée, avec le programme

de la journée inscrit à la craie. Le numéro prévu à onze heures trente s'intitulait « Dr Daredevil ». Il était onze heures trente-trois.

« Si je comprends bien, lança Benjamin, le Dr Daredevil c'est vous ?

— Et comment, bon Dieu ! Et ce salopard devrait avoir quitté la scène depuis cinq minutes. »

Au bruit de leurs voix, le Baron Brainbox tourna la tête vers eux et son front s'assombrit à la vue de son rival. Benjamin se dit que la situation sentait le roussi ; il n'avait aucune envie d'y être mêlé. Au moment de partir, il regarda une dernière fois l'amuseur charismatique entouré de son auditoire ravi et c'est là qu'il se produisit quelque chose d'étrange. Cette fois en effet, quand il vit que Benjamin le regardait, le visage du Baron manifesta vaguement qu'il le reconnaissait. On aurait dit qu'il allait sortir de son cercle et de son personnage pour s'avancer et l'accueillir comme un vieil ami. Mais sans lui en laisser le temps, le Docteur intervint. Il se rua dans l'espace scénique et incendia son concurrent incapable de finir à l'heure. Les deux clowns se querellaient aigrement sous les regards mi-perplexes, mi-amusés des enfants qui ne savaient pas trop si cette dispute faisait encore partie du spectacle. Benjamin jugea qu'il était grand temps de se retirer et, sans plus chercher à interpréter le changement de physionomie du Baron, il se dirigea tranquillement vers le restaurant.

« Où étais-tu passé ? lui lança Phil.

— Je ne suis pas en retard, si ?

— On avait dit onze heures.

— Ah bon ? »

Ils se retrouvaient là tous les mois depuis environ un an, c'est-à-dire depuis que Benjamin avait emménagé dans son moulin. Ils avaient choisi ce lieu simplement parce qu'il était à mi-chemin de leurs domiciles respectifs mais, coïncidence sympathique, l'enseigne Woodlands avait presque l'âge de leur amitié. Ils s'étaient connus à l'école d'élite King William, proche du centre-ville de Birmingham, qui avait pour tradition de former des élèves dont l'hymne disait « qu'ils faisaient sa grandeur et sa renommée dans le monde entier ». Ni Benjamin ni Philip, il faut le dire, n'avait encore véritablement tenu cette promesse. Contrairement à certains de leurs contemporains devenus capitaines d'industrie (tel l'odieux champion sportif Ronald Culpepper, qu'on disait posséder des mines de diamant en Afrique du Sud et peser cent millions de livres) ou encore membres éminents de la caste des commentateurs londoniens, tel leur ami Doug, ils se contentaient sans mal du charme discret de l'échec. Lorsque Philip avait vu sabrer sa rubrique pourtant déjà ancienne « En ville avec Philip Chase », vers le milieu des années 2000, il en avait été navré mais guère surpris. Ayant déjà repéré un créneau dans le marché des livres historiques de bonne tenue, il avait entrepris de fonder sa propre maison d'édition, écrit les trois premiers titres de sa main, et aujourd'hui, cinq ans plus tard, il en vivait décemment. Après un premier mariage qui s'était soldé par un divorce à l'amiable, il formait un couple bien établi avec sa deuxième épouse, Carol. Quant à Benjamin, il avait tiré le meilleur parti du marché immobilier à Londres, si bien qu'à cinquante ans seulement sa situation tenait de celle du retraité. S'il avait des projets d'avenir il les gardait pour lui, et on ne voyait pas ce qui aurait pu perturber sa tranquillité d'esprit : pas même la conscience d'avoir gâché les trente dernières années de sa vie dans une vaine obsession amoureuse, ni consumé des dizaines de milliers d'heures à travailler sur un projet littéraire et musical si ambitieux, si peu maniable et si mal conçu qu'il avait fini par comprendre lui-même qu'il ne trouverait jamais de conclusion et encore moins de public. Devant un tel gâchis affectif et intellectuel, d'autres se seraient effondrés, mais pas lui. Il était sorti du tunnel du trauma en clignant des yeux et s'accoutumait à la clarté des plaines bénignes de l'équanimité où il se contentait désormais de vagabonder sans but précis, tels les chalands typiques de la jardinerie venus tuer le temps deux ou trois heures au rayon du mobilier de jardin sans intention d'acheter quoi que ce soit.

« Bon, il ne nous reste plus que quelques minutes, dit Philip en regardant de nouveau son téléphone. J'ai rendez-vous avec un auteur potentiel à moins le quart.

— Il a l'air intéressant ? »

Philip avait une lettre devant lui sur la table. Il la déplia et la passa à Benjamin.

« Cartes postales du vieux Droitwich et du vieux Feckenham, si je comprends bien. Ça dit "collection unique".

— Voilà une offre qui ne se refuse pas. » Benjamin parcourut la lettre et sursauta devant une ou deux formules. « Ouh, il a l'air un peu dingue.

— Ils le sont tous. C'est très bien d'être dingue. Avec modération, comme tout le reste. Certains estiment que nous sommes un peuple de doux dingues.

— Sans doute », répondit Benjamin, qui repensa à la scène dont il venait d'être témoin au théâtre pour enfants. Parce que, enfin, qu'est-ce qui pouvait bien pousser un homme à se déguiser en Baron Brainbox et à gagner sa vie en faisant le pitre pour amuser les enfants ? Sans ces gens-là, ne vivrait-on pas dans un pays plus ennuyeux ?

L'auteur potentiel de Philip ne leur sembla pas particulièrement excentrique, en tout cas, lorsqu'il parut quelques minutes plus tard. Tout au plus paraissait-il vaguement perdu et mal à l'aise. Il avait une allure un peu débraillée avec ses cheveux gris en bataille, son anorak couvert de taches et ses yeux bleu délavé, circonspects derrière leurs lunettes à l'ancienne cerclées de métal. Il serra la main de Philip, se présenta sous le nom de Peter Stopes et désigna Benjamin d'un regard interrogateur.

« Voici mon ami Benjamin Trotter. Vous pouvez parler devant lui en toute confiance, expliqua Philip en s'apercevant qu'il empruntait la formule de Sherlock Holmes présentant le Dr Watson à un nouveau client dans le cabinet du 221B Baker Street.

— J'ai été un tantinet surpris du lieu de rendez-vous, répondit Peter en s'asseyant en face de lui, j'aurais cru que des conversations comme celle-ci avaient plutôt lieu entre les quatre murs de votre bureau. »

Le bureau de Philip, c'était la chambre de maître de sa maison de King's Heath et il ne jugea pas opportun de le préciser.

« Alors, Peter, voyons ce que vous m'apportez. Des cartes postales du vieux Droitwich, c'est ça ? Vous en avez sur vous ?

— Des cartes postales, oui, et surtout un texte d'accompagnement, dit Peter en soulignant ce point. Et, oui, je les ai sur moi, quelque part... »

Il se mit en devoir de fouiller dans ses poches, qui semblaient curieusement nombreuses. Enfin, au bout de trois ou quatre tentatives, il mit la main sur ce qu'il cherchait, une enveloppe en papier kraft éraflée, pliée en deux, d'où il réussit à extraire une demi-douzaine de cartes d'âge vénérable, elles-mêmes froissées et pliées. Il les étala avec soin en deux rangées sur la table, devant Philip.

« Ah oui, le Lido de Droitwich, dit celui-ci en prenant la première. Très joli. Ça a été pris dans les années quarante, je dirais.

— En 1947, oui.

— Et en voilà une très bonne du château Impney. Drôle d'édifice, sous nos latitudes. Construit par l'industriel John Corbett pour sa femme dans les années 1870 – elle était à moitié française.

— Absolument.

— Eh bien, elles sont très jolies, Peter, je dois dire. Vous en avez combien d'autres ?

— Combien d'autres ? Aucune. C'est tout ce que j'ai. » Philip en resta coi un instant.

« Mais… pour ce type d'ouvrage, il nous en faut au moins une centaine normalement.

— Normalement, oui. Mais le projet n'est pas de proposer un livre normal. C'est le texte qui fait tout ici, Philip. Le texte.

— Dans ces conditions, il vaudrait peut-être mieux que vous m'en disiez davantage », conclut Philip à contrecœur.

Peter jeta des coups d'œil inquiets à droite et à gauche.

« Il faudrait qu'on aille dans un coin plus discret, je crois.

— Pas facile, dans une jardinerie.

— La nécessité est mère de l'invention, je pense que je connais une solution. Suivez-moi. »

Il se leva et sortit du restaurant en se frayant passage dans la queue du déjeuner (car il faut croire qu'il n'est jamais trop tôt pour s'attabler devant une purée-saucisse ou un sandwich jambon-beurre-fromage-cornichons). Philip le suivit, non sans jeter un regard éberlué à Benjamin en lui lançant discrètement : « Ne te crois pas obligé de venir !

— Je ne raterais ça pour rien au monde. C'est encore plus réjouissant que le théâtre pour enfants. »

Ils comprirent bientôt où Peter les conduisait. Car au fond des magasins Woodlands, invisible depuis le parking, invisible même depuis la route, se cachait son enclave la plus secrète et pour beaucoup la plus précieuse, celle où étaient exposés les abris de jardin. Venaient d'abord les abris modestes tout juste assez grands pour loger une tondeuse, un souffleur de feuilles et une poignée d'outils, mais on arrivait bientôt aux vraies petites maisons, aux gloriettes, aux pavillons de jardin et à des structures à la fantaisie tarabiscotée empruntant leurs éléments à toutes les autres, des structures qui avaient vocation à exaucer le vœu le plus cher de l'homme marié britannique : un refuge où échapper à sa famille sans quitter le foyer pour autant.

Il y en avait ainsi vingt-cinq ou trente, formant comme un hameau avec ses rues et ses allées qui se croisaient entre les maisonnettes. C'était la partie la moins fréquentée de l'empire Woodlands, et ce jour-là, apparemment, Benjamin, Philip et le mystérieux auteur l'avaient pour eux tout seuls. Peter savait ce qu'il faisait.

Après avoir vérifié en quelques coups d'œil qu'ils n'avaient pas été suivis, il les fit entrer dans le deuxième abri. On était dans le bas de gamme des produits Woodlands : un cube de base, avec une seule petite fenêtre et un faîtage pas assez haut pour leur permettre de se tenir debout. D'ailleurs, ils eurent fort à faire pour s'y glisser tous trois. Ils s'y entassaient très inconfortablement depuis quelques secondes lorsque Benjamin déclara :

« Il va falloir trouver quelque chose de plus grand.

— Accordé », dit Peter.

Ils n'avaient pas la place de se tourner mais ils finirent par sortir à reculons l'un après l'autre et ils reprirent leur quête. L'abri suivant n'était guère plus spacieux.

« Je suis sûr qu'on peut trouver mieux, suggéra Philip une fois qu'ils s'y furent entassés.

— Bien sûr, répondit Peter, mais en fait j'ai l'intention d'acheter une cabane dans un avenir proche, et celle-ci me paraît pas mal. J'ai besoin d'un lieu pour écrire mes livres, vous comprenez. »

Philip et Benjamin jaugèrent l'abri du mieux qu'ils pouvaient dans le manque d'espace pour savoir s'il ferait office de bureau.

« Un peu petit, déclara Philip.

— Mais notre jardin est petit.

— Vous arriverez à y faire tenir une table, il me semble, dit Benjamin. À condition qu'elle ne soit pas encombrante, c'est jouable.

— Il me faut aussi un endroit pour ranger mes instruments. Ma femme n'aime pas les voir traîner dans la maison.

— Vos instruments ?

— De musique. Je dirige un petit ensemble local. On joue des airs traditionnels sur des instruments d'époque.

— Et vous jouez de quoi ? s'enquit Benjamin, qui redoutait la réponse.

— Du cromorne et de la sacqueboute.

— Cherchons plus grand alors », proposa Philip.

Ils finirent par choisir l'édifice le plus vaste, trois pièces avec chauffage central, eau courante chaude et froide, avec dans la pièce principale une grande table et un banc garni de coussins brodés qui étaient du meilleur goût. Ils s'y laissèrent tomber avec un soulagement certain.

Puis il y eut un long silence. Lorsque Peter parut enfin prêt à le rompre, les deux autres se rapprochèrent, présumant fort justement qu'il allait le faire à voix basse.

« Alors voilà, Philip, comme je vous l'ai dit, dans ce livre c'est le texte qui compte. Et je ne le dis pas à la légère. Il raconte une histoire que j'ai mise au jour personnellement, et qui, lorsqu'elle sera connue du public, changera son regard sur un des problèmes les plus cruciaux de notre temps. »

Il avait observé une pause pour que cette déclaration

fracassante fasse son chemin dans leur esprit lorsque Philip lui demanda :

« Mais alors pourquoi faire appel à moi ? Je ne suis qu'un tout petit éditeur...

— Certes. Mais les petits ruisseaux font les grandes rivières. D'ailleurs, je dois vous avouer que vous n'êtes pas le premier éditeur que je contacte. Ma proposition a déjà été considérée par de grandes maisons londoniennes. J'espère que vous n'en prendrez pas ombrage.

— Du tout. Vous en avez contacté combien avant moi ?

— Soixante-seize. »

Philip médita la réponse et spécula : « Des clichés du vieux Droitwich doivent paraître d'un intérêt un peu trop local, pour certains...

— Même si on y ajoute Feckenham, glissa Benjamin à sa rescousse.

— Les photos ne sont qu'un prétexte, je vous l'ai dit, c'est le texte qui compte. L'histoire. À présent, ce que je vais vous révéler » – il baissa encore la voix – « ne doit jamais sortir des murs de cet abri de jardin ».

Benjamin et Philip acquiescèrent solennellement.

« Je présume que vous avez remarqué le point commun entre ces clichés. Un point commun qui concerne les personnes représentées dessus. »

Tout à coup Philip comprit où ce discours voulait en venir.

« Allez-y, sortez-nous l'argument, dit-il d'une voix lasse.

— Ce qu'ils ont de commun ces gens, c'est que ce sont tous des Anglais de souche. Or mon livre a pour titre *Le plan Kalergi*, et il part du principe que si on prenait les mêmes photos aujourd'hui... »

Là-dessus, Peter Stopes leur servit sans plus attendre son idée abracadabrante. Il se trouvait que Philip, ayant fait des recherches sur ce type de convictions quelques années plus tôt, les connaissait déjà. Selon cette logique, les races blanches de l'Europe, croyaient certains, étaient en train de subir un génocide progressif. Elles étaient condamnées à une mort lente par la démographie, et le processus dans son entier était sorti du cerveau diabolique d'un aristocrate australien nommé Richard von Coudenhove-Kalergi, au début du xxe siècle. Le « plan Kalergi », comme certains se plaisaient à l'appeler, visait à créer un État paneuropéen, où, pour reprendre la formule de son œuvre *Praktischer Idealismus,* « l'homme à venir serait métissé. La race euro-négroïde de l'avenir, d'une physionomie semblable à celle des Égyptiens de l'Antiquité, remplacerait la diversité des peuples par la diversité des individus ». Et cet État paneuropéen génocidaire était bien évidemment déjà solidement établi, et tout à son œuvre démoniaque sous la forme de l'Union européenne, dont Kalergi n'était rien de moins que le père spirituel.

Quelques minutes plus tard, Benjamin et Philip retournaient à leurs voitures sous le crachin glacial de février, l'éditeur du Chase Historical ayant proprement envoyé bouler Peter Stopes et ses six cartes postales anciennes en des termes sans équivoque.

« Et... c'est une pure invention, son histoire ? s'enquit Benjamin.

— Oh non, Kalergi a bel et bien existé, et il est probablement le fondateur de l'Union européenne si on remonte vraiment aux sources. Mais ces gens déforment ses idées d'une manière inimaginable. J'ai peut-être été un peu naïf en parlant de doux dingues.

— Penses-tu ! dit Benjamin qui, arrivé le premier à sa voiture, farfouillait pour trouver ses clefs. On n'a pas eu de chance aujourd'hui, c'est tout. Les types comme lui ne sont pas légion.

94

— J'espère, bon Dieu. On se retrouve ailleurs la prochaine fois ?

— Non, j'aime bien cet endroit. » Benjamin attacha sa ceinture, ferma sa portière et baissa la glace de son côté. « C'est toujours une aventure, on ne sait jamais ce qu'on va trouver. Parfois c'est sympa, parfois c'est désagréable, et le plus souvent c'est tout ce qu'il y a de plus bizarre. Mais voilà, c'est l'Angleterre. Elle nous colle aux semelles. »

Il fit un signe de la main par la fenêtre en démarrant, tandis que Philip lui rendait son au revoir puis secouait la tête à regret derrière lui : il se demandait si Benjamin ne poussait pas l'équanimité un peu loin.

8

Avril 2011

Ian parlait beaucoup de sa mère. Il évoquait rarement
son père, qu'il avait perdu dans son adolescence, ou sa sœur
aînée, mariée, qui vivait en Écosse et semblait entretenir
peu de liens avec le reste de la famille, mais sa mère était
manifestement une présence importante dans sa vie. Elle
vivait seule, dans un petit village du côté de Stratford-upon-
Avon, et tous les dimanches il lui rendait visite. Sophie, qui
tendait à disséquer ses relations en général et celle-ci en
particulier – déterminée, oui, déterminée qu'elle était à ne
pas la laisser capoter –, ne savait trop s'il fallait s'attendrir
de cette proximité entre eux ou s'en alarmer. Il y avait là
une certaine logique, étant donné la nature attentionnée
et généreuse de Ian, mais était-il sain pour un homme de
trente-sept ans de voir sa mère aussi régulièrement et de
lui téléphoner aussi souvent ?

Bien entendu, il avait hâte que Sophie fasse sa connaissance, mais elle avait résisté des semaines durant. Il avait
fallu qu'ils franchissent une série d'étapes clefs – le premier
dîner avec Lois et Christopher (très réussi), la première
fois qu'ils s'étaient dit « Je t'aime » (dans un instant de

silence pendant un film particulièrement barbant qu'elle l'avait emmené voir à l'Electric), le jour où elle avait fini par emménager chez lui, avec des caisses et des caisses de livres qui allaient remplir les étagères vides – pour qu'elle accepte enfin. C'est ainsi qu'un beau dimanche matin d'avril les trouva en train de sortir de Birmingham par l'A3400 pour gagner la campagne sans prétention du Warwickshire, destination Kernel Magna, village natal de Ian qui y avait en outre passé une bonne partie de sa vie.

Sophie profitait du voyage, d'autant qu'elle aimait la façon dont il conduisait. Il y avait quelque chose d'excitant à observer un homme faire ce qu'il faisait si bien : sa vigilance constante mais détendue, sa courtoisie envers les autres conducteurs, l'impression qu'il maîtrisait avec aisance une machine complexe et réactive. Sans qu'elle sache pourquoi, l'envie lui prit de glisser une main le long de sa cuisse pour le distraire. Lorsqu'elle jugea qu'elle l'avait assez allumé de cette manière, et que la conversation se mit à languir, ils se livrèrent au petit jeu des initiales. C'était Ian qui en avait eu l'idée : il fallait prendre les trois dernières lettres d'une plaque d'immatriculation au passage d'une voiture dans leur champ visuel et en faire les initiales d'une formule.

« Allez, je commence, dit Ian qui lut à haute voix les lettres d'une Vauxhall Astra arrêtée devant eux à un embranchement. JXT, le Joli Xylophone de Tony. »

Sophie se mit à rire. C'était un passe-temps idiot, du genre qu'elle s'était toujours imaginé pratiquer avec ses enfants si elle devait en avoir – mais qui la changeait allègrement du sérieux mortel des conversations devant la machine à café de son département où le moindre rapport social pouvait devenir éprouvant. Et la capacité d'amusement de Ian était, comme si souvent, contagieuse.

97

« D'accord, répondit-elle, ZFH, le Zoo Fascine les Harpistes.

— BPL, lança Ian en voyant une Golf les doubler à toute allure : les Branleurs Préfèrent les Lesbiennes.

— TMV, Ta Magnifique Vésicule. »

Enfin, ils aperçurent un gros Range Rover qui sortait de l'allée de son garage en marche arrière.

« PMS – Post Mortem Structuralistes », dit Sophie au moment même où Ian trouvait Panda Mort qui Schlingue.

Ils éclatèrent de rire et puis, avant que Sophie n'ait le temps de méditer sur les différences de leurs suggestions, ils passèrent devant le panneau qui leur souhaitait la bienvenue, ainsi qu'aux autres conducteurs prudents, à Kernel Magna.

Ce n'était pas tout à fait le village de carte postale auquel Sophie s'attendait. Il n'aurait guère pu servir de modèle pour un de ces puzzles qui se vendaient comme des petits pains au rayon jouets de la jardinerie Woodlands. D'abord, en arrivant par le nord, on voyait surgir de part et d'autre de la route des lotissements composés de maisons neuves et sans caractère, construites en brique rougeâtre un peu trop près les unes des autres. Elles étaient plutôt plaisantes, mais Sophie ne s'imaginait pas vivre dedans.

« Celle-ci c'était la mienne, dit Ian qui en désigna une qu'elle ne parvint pas à repérer. J'y ai vécu presque deux ans », ajouta-t-il, à moitié pour lui-même.

La vitesse était limitée à quarante-cinq à l'heure, mais il ralentit sagement pour faire du quarante à peine et passa devant un bazar, un restaurant indien, une agence immobilière et un coiffeur, regroupés à quelques mètres les uns des autres.

« C'est tout, expliqua Ian. C'est tout ce qu'il reste du village aujourd'hui. Ça » – il désignait une grande bâtisse abandonnée sur sa droite – « c'était notre pub, seulement voilà, il a été racheté par une grande chaîne et comme il n'était pas rentable, ils l'ont fermé au bout de deux ans. C'est carrément mort aujourd'hui.

— Tu as encore des amis qui habitent ici ?

— Non, ils se sont tous barrés. Simon a été le dernier à partir. Il est à Wolverhampton maintenant. »

Sophie essayait de retenir le nom de tous ses amis. « C'est lequel déjà, Simon ? »

Ian lui lança un regard presque – mais pas tout à fait – réprobateur : « Mon meilleur ami. On était ensemble en primaire.

— Celui qui est entré dans la police ?

— C'est ça. Et voilà la maison de Maman. »

Il s'engagea dans l'allée et se gara devant un haut pavillon à trois étages qui devait dater des années trente. Une silhouette à cheveux blancs était déjà postée derrière la baie vitrée du séjour où elle guettait leur arrivée. La dame se leva et parut sur le perron avant même qu'ils soient sortis de la voiture. C'était une grande femme. Elle mesurait bien un mètre soixante-dix ou douze, évalua Sophie, et malgré son âge, son maintien était impeccable. Elle était puissante et se tenait le dos bien droit. Elle avait les yeux bleus, les dents en bon état et le regard perçant. Seul l'infime tremblement de la main qu'elle tendait à Sophie pouvait trahir ses soixante et onze ans. Une femme redoutable, de toute évidence, songea Sophie.

« Hmm, susurra la mère de Ian qui serra sa main dans les siennes tout en la toisant. Encore plus jolie qu'annoncé. Je m'appelle Helena, ma chère enfant. Entrez, je vous en prie. »

Elle les conduisit dans le séjour et leur servit du sherry – Sophie réalisa qu'elle en buvait pour la première fois.

« Tout de même, dit Helena une fois épuisées les questions-réponses sur leur trajet, je trouve que mon fils aurait pu m'amener son amie plus tôt. Je crois comprendre que vous vous êtes installée chez lui, ma chère enfant, c'est bien ça ? Il faut donc que cette... relation soit déjà très avancée. C'est ce qui s'appelle faire les choses à l'envers.

— À vrai dire, c'est entièrement de ma faute, plaida Sophie en jetant un regard inquiet à Ian. Il m'a invitée bien des fois avant aujourd'hui, mais ça ne s'est jamais fait. Le dimanche est un jour très... chargé, improvisa-t-elle en désespoir de cause.

— Vous allez à la messe ? demanda Helena avec une innocence meurtrière.

— Non, mais... »

Ian vint à son secours : « Je crois que je l'ai terrorisée en parlant de toi tout le temps, Maman.

— Quelle sottise ! Moi qui ne ferais pas de mal à une mouche, dit Helena en se levant. Allons, je m'en vais préparer le déjeuner.

— Je viens t'aider », dit Ian.

Toute seule dans le séjour, Sophie regarda autour d'elle les photos sur la cheminée et au mur. Des photos de famille, surtout. De Ian en écolier, âgé de douze ou treize ans, dans un cadre double avec une jeune fille qui pouvait avoir trois-quatre ans de plus : Lucy, de toute évidence. Plusieurs du défunt mari d'Helena ; une en noir et blanc le montrait en uniforme (service militaire ?) ; une jolie photo du couple, elle en maillot de bain, lui en short et chemisette ouverte, prise lors de lointaines vacances en famille à la mer (midi de la France peut-être ? années soixante ?). Et bien plus tard, celle qui trônait sur la cheminée, où il portait un costume et paraissait la cinquantaine, prise peu avant sa mort sans doute. Puis il y avait un cliché de Lucy à sa remise de diplôme (une toute petite photo en retrait sur une étagère à côté de la télévision), mais elle y était seule avec Helena et Ian adolescent. Tous ces cadres prenaient la poussière, remarqua Sophie.

Pour le déjeuner, Helena avait préparé du jambon à l'os avec une salade de pommes de terre tièdes. Ils ne le prirent pas à la salle à manger, qu'Helena jugeait trop sombre en cette saison, mais à la cuisine, que Sophie trouva bien sombre aussi.

« Ian me disait que vous vivez ici depuis plus de quarante ans, risqua-t-elle à un moment donné.

— C'est exact. Nous nous y sommes installés à la naissance de Lucy. Je ne crois pas que je vais déménager à présent, même si le village n'est plus ce qu'il était, tant s'en faut. Mon fils pourrait vous le dire, nous avions un boucher, un antiquaire, un quincaillier. Des affaires de famille tout ça, naturellement. C'était très différent à l'époque. La poste a fermé il doit y avoir cinq ans, ce qui nous a porté un coup terrible. Maintenant, quand je veux expédier un paquet, je dois prendre la voiture et aller jusqu'à Stratford, où c'est la croix et la bannière pour se garer. Et puis, bien sûr, il y avait Chez Thomas.

— Chez Thomas ? Qu'est-ce que c'était ?

— La boutique du village, mais une vraie ! On n'y vendait pas que de l'épicerie, il y avait aussi des jouets, de la papeterie, des livres, de tout.

— Ça remonte loin, Maman.

— Certains ont la mémoire longue.

— N'empêche, on a bien une supérette.

— Ce machin ? Ça n'a rien à voir. Pas la peine d'espérer faire la conversation avec une fille à la caisse. On ne sait jamais quelle langue elles parlent, pour commencer.

Et tiens, au fait, je t'ai dit un mot de ma nouvelle femme de ménage ? »

Ian fit non de la tête.

« Mon adorable femme de ménage, expliqua Helena à Sophie, qui travaillait chez nous depuis Dieu sait quand, a fini par prendre sa retraite et s'installer sur la côte, dans le Devon, je crois. Et voilà que l'agence m'a envoyé la nouvelle. Elle s'appelle Grete. Elle est de Vilnius, en Lituanie, vous vous rendez compte ! Incroyable !

— Ça n'a pas tellement d'importance, non, si elle sait faire le ménage ? glissa Ian. Elle parle bien anglais ?

— Son anglais est excellent, je dois dire. Mais elle a un accent prononcé et j'aimerais mieux qu'elle parle un peu plus fort.

— Elle a peut-être peur de toi. Elle ne serait pas la première, tu le sais... »

Jugeant que cette remarque visait en partie du moins Sophie, Helena se tourna vers son invitée et se radoucit. « Quoi qu'il en soit, ma chère enfant, parlez-moi de ce que vous faites à l'université. Mon fils me dit que vous êtes absolument incollable sur la peinture ancienne.

— Il exagère, répondit Sophie qui tiqua intérieurement. Comme tous les universitaires, je travaille dans un domaine très spécialisé. Ma thèse portait sur les portraits des écrivains européens noirs par leurs contemporains, au XIXᵉ siècle.

— Les Européens noirs ? Mais de qui parlez-vous, seigneur ?

— Eh bien d'Alexandre Pouchkine, par exemple, dont l'arrière-grand-père était africain, ou d'Alexandre Dumas, vous savez, l'auteur des *Trois Mousquetaires,* dont la grand-mère était esclave en Haïti.

— Bonté divine ! J'étais loin de m'en douter ! On en

apprend tous les jours ! s'exclama Helena sur un ton qui laissait penser qu'il y avait des choses qu'elle aurait préféré continuer à ignorer.

— J'ai donc examiné les portraits de ces personnalités pour voir de quelle manière chaque artiste avait fait état – ou pas, d'ailleurs – de leur ascendance noire.

— Passionnant, vraiment… quelqu'un veut du crumble à la rhubarbe ? »

Ayant ainsi proprement clos le chapitre, Helena entreprit de sortir l'entremets du four et de préparer de la crème anglaise. Après ce dessert, Ian (dont les visites chez sa mère comportaient presque toujours de menus travaux pour elle) monta au premier réparer le siège des toilettes qui s'était détaché. Pendant ce temps, Helena emmena Sophie à l'extérieur.

« Voyez-vous, je crois que c'est la première fois de l'année qu'il fait assez doux pour prendre le thé au jardin. »

Elles s'assirent sur un banc de fonte peint en blanc devant un parterre qui se parerait de vives couleurs dans quelques mois. Helena passa son bras dans le creux de celui de Sophie et la saisit avec une poigne terrifiante de décision et de férocité.

« Je suis ravie que mon fils vous ait trouvée. Ses deux dernières petites amies n'étaient pas convenables – même si on sait bien qu'une mère a toujours tendance à dire ça. J'aimerais tant qu'il ait une compagne stable, une compagne de vie. Pour ma part, je ressens cruellement le manque d'une telle présence à mes côtés, et pourtant – bonté divine – voilà plus de vingt ans que mon Graham chéri nous a quittés.

— Vous ne vous y attendiez pas ?

— Pas du tout. Crise cardiaque, à cinquante-deux ans. Il était dans la force de l'âge, il adorait sa femme et ses enfants, son métier…

— Qu'est-ce qu'il faisait ?

— Il travaillait aux studios Pebble Mills, de Birmingham. Il était régisseur. Un régisseur qui avait du galon, je dirais. Il adorait ce qu'il faisait. Il faisait de longs trajets en voiture tous les jours, mais ça ne le dérangeait pas. C'était un homme de la BBC jusqu'au bout des ongles. Je me demande ce qu'il penserait d'eux aujourd'hui... Lucy était à l'université quand c'est arrivé. Elle a gardé ses distances, ce qui était sa façon à elle de s'en sortir, j'en suis persuadée. Comment le lui reprocher ? Mais Ian et moi, nous avons connu les pires moments, ici, dans cette maison. C'est ce qui nous a rapprochés, sûrement...

— Vous n'avez pas... vous n'avez jamais retrouvé quelqu'un ? »

Helena se recula pour la regarder, avec un sourire de stupéfaction affectée. « L'idée ne m'a pas effleurée. Jamais. »

Elles se turent. L'endroit n'était pas bruyant. Une voiture de temps en temps, un chant d'oiseau. Pas bruyant, et pourtant, pas reposant, songea Sophie.

« C'est Graham qui a créé le jardin, reprit enfin Helena. Le parterre, ici, le plus proche, c'est celui des roses. Il faut que vous veniez dans quelques mois, en juillet. Ce sera une profusion ! Nous en avons de toutes sortes mais ma préférée, la plus jolie de toutes, c'est la rose de Damas, celle qu'on appelle York et Lancaster. C'est une fleur blanche, avec une touche de rose délicat sur certains pétales. Comme votre teint. » Elle regardait Sophie dans les yeux, et dans son regard indomptable de vieille femme, Sophie lut bien des choses : une supplique muette et éloquente – ne pas faire de mal à son fils ; et derrière, loin derrière mais tout aussi réelle, une menace – si elle lui faisait du mal, elle en paierait les conséquences. Tout ceci demeura dans le non-dit. Les seuls mots qu'elle prononça furent : « C'est ainsi que je vous vois, ma chère enfant. Comme une jolie rose. Une rose anglaise. »

Et Sophie, profondément déconcertée, ne put que baisser les yeux sur sa tasse, et boire une gorgée de thé avec précaution.

9

Août 2011

Dès que le taxi les eut déposés chez eux, Coriandre grimpa en trombe dans sa chambre. Elle se dirigea tout droit vers le tourne-disque sur sa coiffeuse en s'interdisant de regarder à droite ou à gauche pour ne pas voir le collage de photos placardées sur tous les murs, et elle mit la face B de son vinyle *Back to Black*. Alors seulement, lorsque le refrain déchirant et rebelle de « Tears Dry on their Own » emplit la pièce, elle osa regarder autour d'elle, cette galerie d'images qui célébrait une vivante avant leur départ en vacances, et s'était contre toute logique changée pendant leur absence en sanctuaire à une morte.

Il y avait des photos d'elle dans toutes les poses et toutes les circonstances : assise sur une machine dans une laverie automatique, en train de gratter une guitare Les Paul ; sur scène en short rouge moulant et blouson de cuir noir, la virgule caractéristique de son eye-liner épais au coin de la paupière ; debout face à son mari, Blake, les yeux dans les yeux, énamourés, lui en chapeau pork-pie, elle en robe légère à carreaux et soutien-gorge rouge ; une photo plus posée, assise, des ailes d'ange dans le dos, une mèche noire sur l'œil, un grain de beauté visible au-dessus de sa moue boudeuse ; une autre encore sur scène, en gilet court qui laissait se répandre ses seins sans effet érotique, ballerines aux pieds, grands anneaux aux oreilles, sa crinière en chignon banane maintenu par un foulard en soie avec le nom de Blake brodé dessus ; une autre affreuse, vers la fin, qui la montrait anorexique, au bout du rouleau, les joues creuses, les yeux hagards. Il y avait aussi une énorme affiche de sa collection de disques, ou d'une partie de celle-ci, avec des pochettes de 33 tours dans tous les sens ; des albums de Count Basie et Sarah Vaughan, Dinah Washington, Aretha Franklin, Diana Ross, Louis Armstrong, Sidney Bechet, Sammy Davis Jr. Coriandre parcourait avidement ces images pendant que l'album passait. Quand elle entendit la voix brute et ténue d'Amy dans « Some Unholy War », elle dut serrer les dents pour ne pas pleurer. Dans cette chanson il y avait des mots qui la prenaient toujours aux tripes et qui lui tordaient le cœur : « moi, toute seule, avec ma dignité et l'étui de cette guitare », mais aujourd'hui, savoir que la chanteuse était morte et qu'il n'y aurait plus de musique, plus de chansons, rendait leur écoute quasi insoutenable.

Quand ce fut fini, Coriandre se dit qu'elle venait de faire les premiers pas vers la reconquête de son identité après trois semaines de cauchemar en Toscane avec sa famille. C'était bon de retrouver sa chambre, de retrouver sa maison. C'était la seule chose qui lui plaisait dans cette maison, sa chambre, mais elle s'y sentait chez elle.

Coriandre avait quatorze ans. Elle habitait une demeure actuellement évaluée par les agents immobiliers du quartier à un peu plus de six millions de livres ; une demeure répartie sur cinq niveaux et nichée dans un recoin calme entre King's Road et Chelsea Embankment. Doug Anderton, son père, était un commentateur influent dans les médias nationaux, affichant une sensibilité de gauche. Sa mère, l'Hon. Francesca Gifford, était une ancienne mannequin qui, ayant trouvé la foi, était devenue un phare des circuits caritatifs, une égérie des dîners de bienfaisance où la place la moins chère coûtait dix mille livres. Coriandre détestait sa mère et s'était éloignée de son père. Elle ne se sentait rien de commun avec son frère Ranulph, ni avec ses demi-sœur et frère aînés, Siena et Hugo, qui étaient tous en Italie avec elle. Elle détestait son école privée d'Hammersmith, et le fait même de devoir fréquenter une école privée. Elle détestait Chelsea et le sud-ouest de Londres. Il y avait des moments où elle avait l'impression que la seule chose qu'elle aimait, et celle-là d'une passion farouche, était la voix d'Amy Winehouse. Et voilà qu'Amy était morte. Elle était morte quelques jours seulement après le début de leurs vacances, et jusqu'à présent Coriandre n'avait pas pu la pleurer.

Et maintenant ? Pas question de rester cloîtrée tout l'après-midi. Elle voulait sortir, voir ses amis, savoir ce qu'elle avait raté pendant ces semaines monotones sous le soleil de Toscane. Inutile de raconter à ses parents ce qu'elle avait l'intention de faire. Son père était déjà dans son bureau, à préparer un papier sur les émeutes, et sa mère était en bas, dans la salle à manger, elle ouvrait le courrier. Marisol, leur bonne philippine, était au premier étage où elle s'employait à défaire les valises et trier le linge sale : personne n'allait donc consulter les caméras de surveillance du système de sécurité. Quelques minutes plus tard, Coriandre sortait par la porte du jardin et descendait Flood Street vers les boutiques et la foule. Elle sortit son BlackBerry et, sans ralentir, sans même regarder où elle allait, elle envoya un bref message à son amie Grace. « On se voit au Starbucks dans 5 minutes ? » Mais Grace répondit aussitôt : « Deso, suis en Turquie. » Première nouvelle pour Coriandre qui avait échangé des SMS avec elle pas plus tard que la veille, mais enfin la famille de Grace partait souvent en virée impromptue à l'étranger. Elle alla donc toute seule au café, commanda un frappuccino et s'assit un moment à une table pour envoyer des messages à quelques autres amies. Deux d'entre elles se trouvaient au coin de la rue, où elles faisaient des achats chez Brandy Melville et elles lui proposèrent d'aller manger des yaourts glacés dans un lieu qui venait d'ouvrir sur Sloane Square. Mais l'idée ennuyait profondément Coriandre. Depuis quelque temps, d'ailleurs, le quartier l'ennuyait à mourir, avec l'éventail merdique de distractions qu'il offrait. Parfois, plus si souvent ces temps-ci il est vrai, son père essayait de la convaincre qu'elle avait bien de la chance d'habiter à deux pas de King's Road. Il se répandait en anecdotes sur les groupes qui traînaient par là dans les années soixante, les écrivains, les beatniks et les hippies qui allaient boire au Chelsea Potter, l'arrivée du punk et l'ouverture de la boutique SEX de Malcolm McLaren et Vivienne Westwood, au numéro 430. Ces histoires-là, elle les avait entendues cent fois, et elle en était arrivée à penser qu'elles étaient à peu près aussi vides de sens pour lui que pour elle. Il détestait Chelsea lui aussi, il s'en voulait d'y avoir atterri au bout du compte, et s'il lui répétait ces fables, c'était seulement pour rationaliser ses choix malencontreux et ses compromis. Pour sa fille, ce folklore ne changeait rien au fait que le quartier était tout sauf cool, un vrai repaire de gosses de riches, odieusement monoculturel par-dessus le marché. On y entendait des langues diverses, certes, parce que les Eurotrash milliardaires traînaient de boutique de designer en boutique de designer, mais il n'y avait pas de diversité, pas de variations dans la couleur de peau. Contrairement à Hackney, contrairement à Islington, contrairement au nord de Londres. (C'était justement une des raisons pour lesquelles elle aimait tant la voix d'Amy Winehouse : elle était la voix même des quartiers nord. Ces quartiers nord turbulents, mal famés, cheap et cool, multiculturels, patrie des puces de Camden, d'Air Studios, du Dingwalls Dancehall, de l'Hackney Empire et de tant d'autres institutions capitales nées dans cette ville surfaite et autosatisfaite.)

Tout en sirotant son frappuccino, elle remonta les douzaines de messages antérieurs jusqu'à ce qu'elle trouve celui qui était passé la veille dans l'après-midi. Merde, si seulement ils avaient été chez eux plus tôt, au lieu de comater sur le bord de la piscine comme une bande de zombies ! Apparemment, ça avait été génial. Le message venait d'AJ, un jeune Noir beau gosse qu'elle avait rencontré dans un club à Hackney quelques semaines plus tôt. Le texte n'était pas de lui, il l'avait seulement partagé :

Vous tous de tous les coins de Londres rendez-vous au cœur de la ville, OXFORD CIRCUS !! Les MAGASINS vont se faire exploser, alors venez vous servir (tout est gratuit !!!) nique les flics on va les recevoir avec NOTRE émeute ! >:O

On met en pause les rivalités de quartiers et de couleurs… alors si tu vois un frère, tu le SALUES, si tu vois un flic, tu le SHOOTES !

Faut qu'on soit PLUS NOMBREUX que les flics, pour que Tout Le Monde se déchaîne, tout Londres et les autres sont invités ! Terreur et ravages & Libre service… suffit d'exploser les vitrines et d'embarquer c que vous voulez ! Oxford Circus !!!!! 21 h, ras le cul de ces enfoirés de flics qui courent les rues

pour foutre nos frères en taule alors prenez votre matos,
éclatez-vous et lâchez-vous sur le shopping ;)

21 h à Oxford Circus et si tu vois un flic arrêter un frère,
FONCE !!! Faut que TOUT LE MONDE FONCE DANS LE TAS,
ils vont rôder dans le coin, on se masque et on frappe entre
21 h 15 et 21 h 30. Soyez là. ET OUBLIEZ PAS : OXFORD
CIRCUS !!!

PARTAGEZ L'INFO !!!

« Terreur et ravages. » Des mots qui sonnaient bien aux
oreilles de Coriandre, très bien même.

*

Elle avait peut-être loupé l'expérience d'Oxford Circus, mais tout n'était pas perdu. « Ça commence à bouger sur Mare Street », lui dit AJ par BBM. Elle sauta dans
le métro, et lorsqu'elle arriva dans Hackney et qu'elle le
rejoignit, quelque quarante-cinq minutes plus tard, elle
vit ce qu'il voulait dire. Un gros camion blanc était bloqué en travers du carrefour de Mare Street avec une autre
rue et il paralysait la circulation. Une foule, surtout des
jeunes, surtout des Noirs, se massait peu à peu mais elle
demeurait éparse et désorganisée face aux rangs serrés de
la police, boucliers antiémeute prêts à servir. À la périphérie de cette foule, des passants, des spectateurs faisaient
cercle, certains tentaient de s'approcher des boutiques,
d'autres de rentrer chez eux ; beaucoup se servaient de
leurs téléphones et de leurs appareils photo pour prendre
des vidéos de l'affrontement qui montait en puissance.
Il ne se passait pas encore grand-chose, sinon quelques

111

échauffourées entre les policiers en première ligne et une poignée de types qui s'avançaient pour discuter avec eux, mais l'air vibrait d'une violence latente. Coriandre trouvait la situation excitante mais en même temps elle avait peur, et elle ne s'éloignait pas d'AJ, accrochée à son bras, rassurée par ses muscles tendus à travers le tissu duveteux de son sweat à capuche.

Bientôt, la tension monta d'un cran. Quelqu'un avait forcé les portes du camion et découvert qu'il transportait une cargaison de bois. Les gens s'emparaient de planches, de manches à balai, de vieux cadres de fenêtres, de tout ce qui leur tombait sous la main et faisaient passer ces objets hétéroclites dans la foule. Coriandre en prit un et s'aperçut qu'il pouvait constituer une arme de fortune. Quelques secondes plus tard, elle entendit un bruit de verre brisé derrière elle et, en se retournant, elle vit deux hommes qui fracassaient les fenêtres du bus garé là et abandonné dans l'embouteillage. Sur une poussée d'adrénaline, avant même de comprendre ce qu'elle faisait, sans y réfléchir une minute, elle courut elle aussi vers le bus et se mit à cogner sur la carrosserie avec son bâton dérisoire, à peu près gros comme une batte de cricket pour enfant. Elle fut mortifiée lorsqu'elle constata qu'il entamait à peine la carrosserie et qu'elle entendit rire dans son dos.

« Putain, mais qu'est-ce qui te prend ? dit AJ qui l'avait rattrapée et agrippée par le bras. Tu veux te faire arrêter ou quoi ? » Comme elle ne répondait rien, il ajouta : « Allez viens, on recule. Si on veut profiter du spectacle, on a intérêt à trouver un coin plus tranquille. »

Ils se replièrent dans une rue adjacente et prirent place au carrefour avec l'artère principale, d'où ils purent observer les échauffourées et prendre des vidéos. Coriandre avait discrètement laissé tomber son bâton, mais elle remarqua qu'un homme qui passait à sa hauteur avait fixé un couteau Stanley au sien.

« Putain, t'as vu ça ?

— Y a des gens dangereux par ici.

— Tu le connais ?

— Non, je pensais que certains de mes potes allaient venir, mais je les vois pas pour l'instant. On risque rien. Fais gaffe à toi, c'est tout. »

Derrière eux dans la rue, une altercation éclatait. Deux rastas voulaient rentrer chez eux et la police refusait de les laisser passer. Les policiers tenaient des bergers allemands en laisse et les chiens tiraient sur leur chaîne pour se jeter sur les deux hommes. Il régnait une cacophonie infernale : les vociférations des policiers qui criaient aux deux rastas de reculer, les hurlements de ceux-ci qui protestaient, les aboiements assourdissants des chiens, les sirènes qui glapissaient en bruit de fond et la rumeur confuse de ce qui se passait dans Mare Street, où le gros de la foule était en train de se faire repousser par les rangs des brigades antiémeute. AJ et Coriandre se mêlèrent au groupe qui observait le face-à-face tendu entre la police et les rastas. Un journaliste blanc filmait l'affrontement. L'un des deux hommes criait qu'on avait lâché un chien sur lui et que la bête l'avait mordu alors qu'il avait les mains en l'air et l'autre gueulait : « On est tous égaux, si vous me dites de bouger, alors faut le dire au Blanc aussi. » Le chien tirait sur sa chaîne et jappait pendant qu'il criait : « Mec, t'as frappé mon pote à coups de matraque, à coups de matraque, putain ! » Finalement les policiers les laissèrent passer mais celui qui avait été mordu répétait à qui voulait l'entendre : « Je suis pas violent, d'accord ? Mais voilà comment ils nous traitent, ici. Ils viennent dans nos rues pour nous faire la loi. Qu'est-ce qu'ils croient, putain ? La moitié des gens de ce quartier se sont fait agresser par cette police de merde… »

Et ainsi de suite. Ils se replièrent discrètement sur Mare Street et découvrirent qu'en plus du bois du camion les gens s'étaient armés de bouteilles raflées dans le Tesco du coin. « Va chercher des missiles, frère, vas-y », leur cria un homme. Un Blanc fendit la foule, se planta face au cordon de police, puis il se retourna, se pencha en avant et baissa son froc. Coriandre eut le temps d'apercevoir la raie de ses fesses blanches se refléter dans un bouclier antiémeute. Rires dans la foule, ovations, applaudissements ; ce geste dut les enhardir à lancer leurs missiles. La police contre-attaqua en fonçant dans le tas pour les refouler dans la rue. Dans leur retraite, certains s'emparaient de poubelles sur le trottoir pour les catapulter contre la police ou y mettre le feu. Coriandre se retrouva poussée, bousculée, écrasée entre des inconnus, elle chancela, trébucha et faillit tomber. Ils arrivèrent bientôt dans une autre rue où se trouvait une boutique Carhartt dont l'alarme déchirait les tympans ; les gens se ruaient à l'intérieur et ressortaient aussitôt avec tout ce qui leur tombait sous la main : parkas, blousons, pulls et trench-coats. Coriandre se laissa entraîner par le flot et, prise de frénésie, sans réfléchir, s'empara de deux doudounes Newton sans manches vert Land Rover ; mais quand elle ressortit dans la rue, AJ l'attendait et lui intima simplement : « Remets ça en place. » Elle rentra donc et les jeta sur le sol, avant de ressortir en courant.

Ils passèrent devant une Mazda MX 5 à laquelle on avait mis le feu. Coriandre sentait une énergie prodigieuse dans l'air ambiant et le goût qui lui venait au fond de la gorge n'était pas celui de la fumée qui se dégageait de la voiture en flammes mais le goût vivifiant de la colère. La colère des émeutiers avait été provoquée par le meurtre de Mark Duggan, quatre jours plus tôt, mais aussi par des années de brimades policières, et la colère des policiers montait devant cette violence anarchique qui les menaçait. Des années de colère, des années de coexistence dans l'amertume et la rancœur, le frémissement atteignait l'ébullition. C'était fabuleux. « On n'en est plus à la contestation, lui dit plus tard un ami d'AJ, Jackson, quand ils se remettaient de leurs émotions dans le quartier de London Fields en buvant de la Strongbow et en fumant de l'herbe. On va montrer à ces connards de keufs qu'ils peuvent pas faire chier un mec et s'en sortir comme ça. Parce que nous, on va tout casser là-bas, on va leur montrer ce qui se passera la prochaine fois qu'ils foutent la merde. On en a rien à battre de 2012 et des JO, si c'est ça, on va y foutre la merde, à leurs Jeux. Ça se fait pas d'emmerder les jeunes comme ça. Je marche dans la rue et j'entends chaque fois la police leur dire qu'ils ont de la drogue sur eux et tout. On va te fouiller, et si on te fouille pas tout de suite, on va t'emmener au poste et te foutre à poil. Ils font chier. Alors c'est ça qui va se passer, et ça me fait bien plaisir. Ça me fait pas plaisir que ce jeune se soit fait tuer, mais la police va s'en prendre plein la gueule et c'est tout ce qu'ils méritent parce qu'ils font chier. Libertés. »

*

Il était dix heures passées ce soir-là quand Coriandre rentra chez elle. Sa mère était déjà couchée et son frère jouait à un jeu sur sa Xbox mais elle avait envie de parler à quelqu'un, si bien qu'elle alla trouver son père. Il était à son bureau et travaillait toujours à son article.

« Salut, P'pa.

— Salut, toi, répondit-il en se calant dans son fauteuil pivotant, mains croisées sur la nuque en étirant ses jambes.

115

— Tu écris sur quoi ?

— J'essaie de rédiger une réflexion sur les émeutes. Mais j'ai du mal.

— Pourquoi ?

— Sans doute parce que je ne sais pas trop quoi penser.

— Je peux lire ?

— Bien sûr. »

Il alla se faire un café pendant que Coriandre se mettait à son bureau et faisait défiler l'édito sur l'écran. Quand il revint, mug à la main, il demanda :

« Alors, qu'est-ce que tu en dis ?

— Ça va.

— Ça va ?

— C'est juste que… » Elle balança ces mots avec l'insouciance d'une fille de quatorze ans. « Ben, c'est exactement ce qu'on peut attendre de la part de quelqu'un qui mène la vie que tu mènes.

— C'est-à-dire ? » souffla-t-il, horrifié.

Coriandre était déjà en train de quitter le bureau. Elle s'arrêta sur le seuil le temps de lui lancer : « Faudrait que tu sortes un peu plus de chez toi. »

Merde, se dit-il. Même ma fille s'en aperçoit. Il resta planté là quelques secondes à accuser le coup pendant qu'elle grimpait dans sa chambre. Puis il lui cria : « Et toi, au fait, où étais-tu passée, toute la journée ? » Mais il n'y eut pas de réponse. Bientôt « Some Unholy War » cognait de nouveau dans les enceintes, à plein volume.

10

Les émeutes continuèrent plusieurs jours, en s'étendant à d'autres grandes villes dont Birmingham.

Le mercredi après-midi, comme on parlait d'une présence policière massive dans les rues, de foules d'émeutiers en centre-ville ainsi que de groupes épars de pillards qui se répandaient sur les faubourgs, Ian s'entendit conseiller de raccourcir sa séance de l'après-midi et de renvoyer tous les participants chez eux.

Quand il quitta l'immeuble de Colmore Row quelques minutes plus tard, il vit qu'il se passait quelque chose d'inhabituel. Des centaines de jeunes se massaient dans les rues, la plupart le visage masqué et la tête couverte par une capuche. Ils faisaient face à autant de policiers sinon plus, revêtus de gilets fluo et bardés de boucliers antiémeute. On apercevait bien quelques émeutiers blancs et quelques policiers noirs, mais le face-à-face donnait l'impression écrasante d'un conflit racial. Pour rentrer chez lui, Ian aurait dû prendre un itinéraire légèrement plus à l'ouest, mais une curiosité naturelle le poussa à rester sur place un moment et à déambuler dans une foule qui lui paraissait pour l'heure plus désœuvrée qu'incendiaire.

C'était un chaud après-midi d'août et, au milieu de

toute cette agitation, bien des gens ne cherchaient qu'à faire quelques courses ou à se rendre d'un point à un autre de la ville. Là encore, il y avait surtout des jeunes, mais on trouvait aussi des personnes âgées et des enfants sortis avec leurs parents pour l'après-midi. Les policiers leur criaient dans des mégaphones de circuler et de rentrer chez eux pour leur propre sécurité. Ian se fraya passage dans les méandres de cette foule inerte et s'engagea dans Cherry Street vers Corporation Street. Les policiers lui parurent pour la plupart jeunes et nerveux. Il se demandait si son ami Simon Bishop était parmi eux. Ils avaient grandi ensemble à Kernel Magna et Simon était aujourd'hui agent de grade 2 dans la police de West Mercia, au sein des Unités spéciales de maintien de l'ordre. Il était basé à Wolverhampton et passait le plus clair de son temps derrière un bureau, mais Ian savait qu'il s'était porté volontaire pour suivre un entraînement spécial antiémeute deux ans plus tôt ; il y avait donc de fortes chances qu'il soit déployé dans les rues un jour comme celui-ci, où tous les flics des Midlands avaient dû converger vers le centre de Birmingham, à en juger par leur nombre.

Il s'arrêta devant le McDonald's et échangea quelques mots avec une jeune femme qui s'attardait là avec sa fille adolescente, ne sachant trop que faire.

« Il faut que je prenne le métro, mais ils interdisent l'accès à la station New Street.

— Venez, lui proposa-t-il, on va s'expliquer avec eux, il faut qu'ils nous laissent passer. »

Il s'engagea dans Corporation Street en direction de New Street en fendant la foule tout en s'arrêtant de temps en temps pour s'assurer que la femme et sa fille le suivaient toujours. La plupart des gens s'écartaient sur leur passage, mais il y avait des groupes d'hommes, de gamins à vrai dire, qui faisaient preuve d'une hostilité intransigeante et refusaient de bouger, voire resserraient les rangs pour leur barrer la route. Cependant la barrière la plus infranchissable était celle des policiers qui bloquaient l'entrée de la station. « Désolé, on ne passe pas, dit l'un d'entre eux en brandissant son bouclier pour les en dissuader. Si vous voulez descendre dans le métro, vous faites tout le tour. C'est pour votre sécurité.

— Mais comment ça, opposa Ian, il ne se passe rien.

— Ça va pas tarder, mon gars.

— Écoutez, je vous remercie, dit la femme à Ian en prenant sa fille par la main pour l'entraîner en sens inverse, vers l'hôtel de ville où la foule était beaucoup plus clairsemée. Je crois qu'on va tenter notre chance par là. Faites bien attention à vous.

— Vous aussi », leur cria-t-il.

Comme il levait la main pour leur adresser un petit signe, un grand gaillard musclé en sweat à capuche gris et baggy vint lui rentrer dedans. Ian ayant poussé un « aïe » de protestation, l'homme se retourna et parut sur le point de répliquer mais il prit en compte la stature et la carrure de Ian et se ravisa. À l'instant où ils se toisaient mutuellement, Ian remarqua quelque chose qui dépassait de la poche du gars, on aurait dit le manche d'un énorme marteau. Le type fit demi-tour et remonta Corporation Street, et Ian le suivit instinctivement. Tout en fendant une foule de plus en plus houleuse, il ne le perdait pas des yeux. À mi-hauteur de la rue, l'homme s'arrêta et rejoignit un groupe d'amis. Ils étaient cinq ou six. Ian s'arrêta à une dizaine de mètres d'eux pour les tenir à l'œil sans se faire trop remarquer. Ils n'avaient pas l'air de mijoter grand-chose, ils bavardaient, ils riaient. À l'autre bout de la rue, du côté du cordon policier, il entendait scander des slogans, sans doute contre la police, mais il ne distinguait pas les mots. Puis il y eut des cris, une échauffourée peut-être. Il tendit le cou dans cette direction pour voir ce qui se passait. L'atmosphère se détériorait à vue d'œil et ne lui disait rien qui vaille. La menace de violence enfouie remontait à la surface et, pour la première fois, il s'aperçut qu'un hélicoptère de la police décrivait des cercles au-dessus de leurs têtes. Le bon sens lui soufflait de rentrer chez lui illico. Mais à ce moment même, un grand choc sourd se fit entendre, suivi d'un bruit de verre cassé. Ian se retourna dans la direction du bruit et vit que l'homme qu'il suivait avait sorti son marteau et qu'il était en train de fracasser la vitrine d'une boutique de bonbons. Les autres aussi s'étaient armés de marteaux ou de grosses barres de bois, sauf l'un d'entre eux qui venait de desceller une poubelle du trottoir et s'en servait pour pilonner la vitrine. Le verre était résistant, ils n'avaient pas encore réussi à l'exploser. Par la suite, Ian se demanderait : « Une boutique de bonbons, quelle idée ! », mais sur le moment, il ne prit pas le temps de réfléchir. Un déclic se fit en lui, qui n'était pas sans rapport avec la colère à combustion lente contre ce type qui venait de le bousculer quelques minutes plus tôt. Il se força un passage dans le cercle de ceux qui contemplaient le grabuge – les uns ravis, encourageant de la voix et du geste, les autres cloués au sol par une horreur muette – et il saisit le gars par le bras en lui disant un truc idiot, du genre : « Qu'est-ce qui te prend, merde ? C'est qu'une boutique de bonbons, putain ! », et ce fut son dernier souvenir quand il se réveilla deux jours plus tard.

*

Sophie se trouvait à Londres où elle faisait des recherches à la British Library le jour où Ian avait été blessé. Il avait été transporté à l'hôpital Queen Elizabeth et soumis à des tests en règle pour s'assurer que le cerveau n'était pas touché. Mais il souffrait encore du choc qu'il avait subi, et il était toujours à l'hôpital le samedi matin. Sophie proposa d'aller chercher sa mère à Kernel Magna pour qu'elle puisse le voir. Elle lui avait déjà parlé au téléphone et savait que cet épisode l'avait secouée.

Elle frappa chez Helena vers deux heures de l'après-midi et, à sa surprise, ce fut une jeune femme inconnue qui lui ouvrit. Elle était petite et menue, des cheveux blonds coupés court et des yeux bleu clair.

« Sophie ?

— Oui ?

— Grete. C'est moi qui m'occupe du ménage de Mme Coleman. Entrez, elle est presque prête.

— Vous travaillez le samedi ? demanda Sophie en entrant à sa suite.

— Non, jamais. Mais Mme Coleman a été très choquée par ce qui est arrivé à son fils. Je me faisais un peu de souci pour elle alors je suis passée prendre de ses nouvelles et puis lui apporter quelque chose à manger. J'avais peur qu'elle ne mange rien.

— Sophie, lança une voix au premier, c'est vous ? »

Sophie s'empressa de monter et trouva Helena qui avait déjà enfilé un manteau léger et cherchait un objet d'un air un peu égaré.

« Mes lunettes. Je les ai posées quelque part. Vous les voyez ? »

Elles étaient sur le lit, presque invisibles sur le couvre-lit vert foncé.

« Merci. La fille est toujours là ?

— Grete ? Oui, c'est elle qui m'a ouvert à l'instant. »

Sophie aida Helena à boutonner son manteau. « Je ne suis

121

pas sûre que vous en ayez besoin dans la voiture, vous savez. Il fait chaud aujourd'hui.

— Mais enfin, qu'est-ce qu'elle est venue faire ? demanda Helena.

— J'ai l'impression qu'elle voulait simplement s'assurer que vous alliez bien.

— C'est curieux, vous ne trouvez pas ?

— Non, pas vraiment.

— Elle m'a apporté de la soupe. De la soupe aux champignons.

— Je sais, je la sens. Elle sent très bon.

— Elle était pleine d'ail, ou de choucroute, je ne sais quoi. Je n'ai pas pu la finir, malheureusement. Vous croyez qu'elle voudrait... qu'elle attend une gratification quelconque ?

— Ça m'étonnerait. Allez, venez, vous êtes prête. »

Sophie la prit par le bras et l'accompagna dans l'escalier, puis elle remercia Grete et regarda la voiture de la jeune femme s'engager dans la rue principale. Ensuite, elle dut faire monter Helena dans la sienne, et boucler sa ceinture. Il leur faudrait à peu près une heure pour arriver à l'hôpital. Pouvaient-elles espérer entretenir une conversation aussi longtemps ? Arriveraient-elles à éviter les sujets qui fâchent ? Une fois qu'elles eurent de nouveau commenté les circonstances de la visite de Grete – qu'Helena semblait considérer comme une impertinence ou peu s'en fallait –, elles sombrèrent dans un silence que Sophie tenta vaillamment de rompre en bavardant à bâtons rompus sur le temps qu'il faisait, la circulation, les projets de vacances, bref sur tout sujet neutre et anodin. Mais elle se rendait compte que dans sa tête, Helena ne cessait de revenir inexorablement sur les images vues à la télévision et dans les journaux au cours de la semaine, et sur les blessures qu'avait subies son fils.

« Où est-ce que ça va finir, tout ça, Sophie ? Où vont-elles finir, ces horreurs ? »

Bien entendu, Sophie savait ce qu'elle entendait par « ces horreurs ». Mais on était en milieu d'après-midi, un paisible samedi d'août. Elles roulaient sur l'A435, à proximité du rond-point de Wythall, et le soleil brillait innocemment sur les toits des voitures, les panneaux de signalisation, les stations-service, les haies, les pubs, les jardineries, les supérettes, toutes les composantes familières de l'Angleterre moderne. En cet instant, elle avait du mal à voir le monde comme l'antichambre de l'enfer – pas plus, d'ailleurs, que comme le jardin des délices. Elle se préparait à répondre mollement : « Oh, vous savez, la vie continue… Ça va se tasser avec le temps… », lorsque Helena ajouta :

« Il avait tout à fait raison, vous savez. Des fleuves de sang. Il est le seul à avoir eu le courage de le dire. »

Sophie se figea à ces mots et les platitudes toutes prêtes moururent sur ses lèvres. Le silence qui se creusait entre les deux femmes était sans fond désormais. On y était enfin. Au sujet à ne pas aborder, défiant tout dialogue. Au sujet mortifiant, clivant entre tous, parce que l'évoquer c'était se mettre à nu, déchirer les vêtements de l'autre et être forcé de s'entre-regarder dans cette nudité, sans aucune protection, sans pouvoir détourner les yeux. Quoi qu'elle réponde à Helena – pour peu qu'elle essaie de rendre compte honnêtement de sa divergence –, il lui faudrait fatalement affronter la vérité indicible, à savoir qu'elle-même et ses semblables d'une part et Helena et ses semblables d'autre part avaient beau vivre côte à côte dans le même pays, elles habitaient pourtant deux univers différents, séparés par une cloison étanche, une muraille formidable faite de peur et de suspicion, voire peut-être de ces traits britanniques par excellence, la honte et la gêne. Impossible d'aborder tout ça. La seule attitude adaptée consistait à l'ignorer (restait à savoir combien de temps cette attitude elle-même serait possible) et se raccrocher pour l'instant à la fiction désespérée et peu consolante qu'il ne s'agissait là que d'une divergence mineure, comme on peut en avoir avec son voisin sur la gamme de couleurs qu'il a choisie chez lui, ou sur les mérites d'une émission de télévision.

Elles roulèrent donc sans mot dire pendant dix bonnes minutes jusqu'à King's Heath et elles passaient devant Highbury Park lorsque Sophie remarqua : « Les feuilles sont déjà en train de jaunir. » À quoi Helena répondit : « Je sais, c'est très joli, mais on a l'impression qu'elles jaunissent de plus en plus tôt, non ? »

*

Le nouvel hôpital Queen Elizabeth, une des gloires les plus récentes et les plus éclatantes de Birmingham, avait ouvert depuis un peu plus d'un an. Ses trois tours de neuf étages, d'un modernisme étincelant, verre et aluminium, dominaient le paysage urbain quand on quittait Selly Oak pour Edgbaston. À l'intérieur, le colossal atrium sous verrière inspirait un calme, une admiration et un optimisme de bon aloi si bien que, pour une fois, entrer dans un hôpital ne se traduisait pas par une baisse de moral immédiate. L'espace était si agréable que Sophie se figurait y venir pour le simple plaisir d'y boire un café, lire un livre peut-être, travailler un peu. De fait, plusieurs personnes semblaient précisément venues dans cette intention. Elle reconnut l'une de ses collègues du département des sciences humaines plongée dans un ouvrage de Marina Warner.

Helena et elle prirent l'ascenseur pour gagner un service du quatrième étage, où elles trouvèrent Ian assis sur son lit en pyjama, l'humeur plutôt bonne malgré le bandage qui entourait sa tête, occupé à boire une tasse de thé et bavarder avec son ami Simon Bishop. Simon se leva dès qu'il vit entrer Helena et Sophie et les embrassa toutes deux sur la joue. Il avait déjà rencontré Sophie deux fois au cours de dîners et ne faisait pas mystère de considérer que Ian avait décroché le gros lot.

« Je partais justement, madame, dit-il à Helena, je ne voudrais pas vous encombrer.

— Allons donc, Simon. C'est toujours un plaisir de vous voir. Quelle semaine vous avez dû avoir !

— Rude semaine, je ne peux pas dire le contraire. Et le pire, c'est qu'on a échoué.

— Échoué ? Comment ça ?

— Trois morts. Trois membres de la société civile. On n'a pas réussi à les protéger. »

Simon parlait de trois jeunes hommes, Abdul Musavir, Shahzad Ali et Haroon Jahan, fauchés par une voiture en tentant de protéger une rangée de boutiques sur Dudley Road dans le quartier de Winson Green le mercredi soir. C'était l'incident le plus meurtrier dans le pays depuis le début de ces six jours d'émeutes.

« C'est bien triste, surtout pour leurs familles. Mais il faut tout de même dire qu'ils avaient pris de gros risques.

— Pas vraiment, si je puis me permettre. Personne n'aurait anticipé une attaque aussi soudaine. Honnêtement, votre idiot de fils a pris des risques bien plus inconsidérés. »

Ian eut un pauvre sourire. Il tendit la main à Sophie qui la serra dans les siennes.

« Oui, je vais lui dire deux mots quand il sera rétabli », déclara Helena, phrase où couvait la menace – elle en était coutumière.

Vers la fin de la visite, Simon lança : « Je vais vous dire, Helena, nous allons laisser les tourtereaux en tête à tête un moment. Venez, je vous offre une tasse de thé. »

Il la prit par le bras et l'entraîna dans le couloir vers les ascenseurs. Comme elle allait franchir la porte, elle se retourna vers son fils et lui souffla un baiser plein de reproche.

« Alors, demanda Sophie en se tournant vers Ian avec l'impression de soulagement immédiat qu'elle éprouvait toujours, elle l'avait déjà remarqué, lorsqu'elle n'était plus en présence d'Helena, comment il se sent, aujourd'hui, le héros local ?

— En pleine forme ! Et toi, comment tu vas ? Le trajet s'est bien passé ?

— Oh, il s'est passé. Ça a été, en fait. Bon, elle a commencé à citer Enoch Powell à un moment donné mais... on n'en est pas restées là. Tu vas sortir bientôt ? Dans un jour ou deux ?

— C'est ce qu'on me dit.

— Tu te sens prêt ?

— Bien sûr. Ils me disent simplement d'éviter toute excitation pendant quelque temps, et toute fatigue physique.

— Ah bon, dit Sophie qui sourit tout en faisant une mine déconfite. Dommage, j'avais justement en tête un programme excitant et susceptible de provoquer une certaine fatigue physique. »

Elle glissa subrepticement la main sur la couverture en direction de l'entrejambe de Ian. Elle ferma les doigts et sentit une réaction sous le tissu. Ian se tortilla sous les draps, ravi et frustré à la fois.

« Tu t'es vraiment conduit comme un imbécile mercredi, lui dit-elle. Et tu me plais plus que jamais depuis. »

C'était vrai. Elle savait pertinemment qu'aucun de ses amis, collègues de la fac ou ex-petits amis n'aurait

126

agi comme lui en pareille circonstance. C'était un geste absurde, dangereux et contre-productif, et elle n'avait jamais été aussi fière de lui, ni aussi attirée par lui.

« Écoute, quand tu auras fini de me torturer, dit-il en rougissant avec un coup d'œil en direction de ses voisins de chambre, j'ai deux ou trois choses à te demander.

— Vas-y, dit Sophie sans bouger sa main d'un centimètre.

— Quand... quand tu ramèneras Maman, ce soir, est-ce que tu pourrais sortir les poubelles ? Ils ne les ramassent que le lundi, mais elle n'arrive pas à les traîner toute seule.

— D'accord.

— Et tu pourrais vérifier les câbles de la télé ? Apparemment, elle a un problème de son.

— Elle m'en a touché un mot, oui. Bien sûr. Autre chose ?

— Euh... oui. » Il lui prit la main, l'écarta de la zone névralgique et la serra avec ferveur. « Il y a bien autre chose, dit-il en la regardant droit dans les yeux. S'il te plaît, veux-tu m'épouser ? »

Il se fit un silence total. On aurait dit que la Terre avait cessé de tourner. Et cette illusion, si c'en était une, dura une éternité.

Sophie finit par rire et dit : « Tu plaisantes, hein ? »

À quoi Ian répondit en riant à son tour : « Oui. »

Elle ne fut pas exactement soulagée, mais elle parvint à respirer normalement de nouveau. Du moins, jusqu'à ce qu'il ajoute : « Bien sûr que je plaisante. Les poubelles, c'est le mardi. »

Le silence retomba. Plus long et plus profond que jamais. Jusqu'à ce qu'il réitère sa demande :

« Alors, c'est oui ? »

Et ce qui la surprit le plus, en y repensant par la suite, fut la facilité avec laquelle elle avait répondu.

11

Quand Doug retrouva Nigel Ives au café le plus proche du métro Temple, le 19 août, une semaine après la fin des émeutes, le jeune homme paraissait semblable à lui-même : enjoué.

« Bonjour, Douglas, j'ai pris la liberté de vous commander un cappuccino.

— Merci, répondit Doug en mettant du sucre dans son mug. Bon, allons droit au but. Qu'est-ce qui se passe au juste, dans le pays ? »

Nigel ouvrit de grands yeux innocents autant que perplexes. « Très franchement, Douglas, si vous voulez que ces petites conversations soient productives, il faut me poser des questions un peu plus précises. Là, voyez-vous, ça pourrait vouloir dire n'importe quoi. Si vous parlez du ralentissement des ventes dans le commerce de détail, alors oui, le chancelier serait prêt à reconnaître que c'est un point un peu décevant.

— Je ne vous parle pas du ralentissement des ventes.

— Soit. Eh bien si vous pensez au scandale du piratage téléphonique, le Home Secretary serait le premier à dire que les révélations faites jusqu'ici sont troublantes, et c'est d'ailleurs pourquoi on a diligenté une enquête.

— Je ne vous parle pas du scandale du piratage téléphonique. »

Nigel haussa les épaules. « Bah, dans ce cas, je n'ai pas la moindre idée de ce à quoi vous faites allusion. » Il but une gorgée de café puis, une moustache de mousse sur la lèvre supérieure, glissa : « À moins que vous ne parliez des émeutes, bien sûr. »

Doug sourit. « Tout de même ! Nous y voilà ! Bien sûr que je parle des émeutes. »

Nigel parut interloqué. « Bien sûr on peut en parler, si vous voulez, mais il ne vous a pas échappé qu'elles ont cessé depuis une semaine ? J'aurais cru que vous voudriez aborder un sujet plus d'actualité.

— Je pense que ce sera l'événement majeur pour un bon moment encore.

— Ah oui ? Vous leur accordez une telle importance ?

— Je vais vous mettre les points sur les I. Une agitation citoyenne sur une échelle sans précédent. Pas seulement à Londres mais dans tout le pays : Manchester, Birmingham, Leicester. Des atteintes inimaginables aux biens des personnes. Une situation dont on a pu craindre un certain temps qu'elle devienne ingérable. Des centaines de blessés et déjà cinq morts... Qu'est-ce qu'il vous faut !

— Je sais, vous, les gens des médias, vous aimez voir les choses en noir, vous êtes toujours prêts à démoraliser l'Angleterre.

— Pour l'amour du ciel, votre patron lui-même a décidé de raccourcir ses vacances et il a sauté dans un avion pour s'expliquer devant le Parlement. »

Nigel pinça les lèvres d'un air grave ; c'était apparemment un argument massue pour lui.

« D'accord, Douglas, vous avez raison. La situation était assez critique. Mais c'est justement l'intervention décisive de Dave qui fait que nous pouvons passer à autre chose aujourd'hui.

— À autre chose ? Les événements de la semaine dernière ont fait apparaître une ligne de fracture abyssale dans la société britannique. Comment voulez-vous qu'on passe à autre chose ?

— Entendons-nous bien, Douglas. Ces événements n'ont rien d'une contestation politique. Ce sont des débordements criminels, pas politiques. À la Chambre des communes, Dave a été très clair sur ce point.

— Ce n'est pas parce qu'il a été très clair qu'il a dit vrai.

— Il y a peut-être là une nuance importante pour vous, Douglas. Mais vous êtes un homme de plume. Vous attachez plus de valeur aux mots que la plupart des gens. Dave s'est exprimé en des termes simples et sans détours. Ce qu'il a dit a trouvé un écho chez les gens d'un bout à l'autre du pays. C'est à ça qu'on reconnaît le vrai leadership.

— Donc la coalition ne va tirer aucune leçon politique de ces événements ?

— Bien sûr que si. Il faut augmenter les effectifs de la police de rue.

— Ça ne va pas suffire comme solution, si ?

— Il faut qu'elle soit mieux équipée. En casques, en boucliers antiémeute.

— Et une réflexion à long terme, non ?

— Des canons à eau, peut-être, des pulvérisateurs de gel poivre.

— Je pensais à une approche plus radicale.

— Des lacrymogènes, des tasers.

— Mais prendre le problème à la racine ?

— Vous êtes en train de me dire qu'il faudrait armer les policiers ? Une police armée dans les rues de Londres... Vraiment, vous me surprenez. Je ne vous aurais pas cru la fibre autoritariste. Mais il faut garder toutes les options sur la table. On s'en souviendra. »

Doug se carra dans son fauteuil et regarda Nigel, pensif. Malgré des années d'expérience dans ses rapports avec les politiques et leurs porte-parole, il n'avait jamais croisé personne qui lui ressemble tout à fait.

« Allons, Nigel, il ne s'agissait pas de gens qui auraient foncé au hasard dans les boutiques pour les piller. Il y en a eu, certes, surtout vers la fin. Mais regardez plutôt comment ça a commencé. La police a abattu un Noir et refusé de communiquer avec sa famille sur les circonstances de sa mort. Une foule s'est rassemblée devant le commissariat pour protester et les choses ont tourné à l'aigre. Ce qui est en cause c'est le problème racial et les relations de pouvoir au sein de la communauté. Les gens se sentent victimes. On ne les écoute pas.

— Très bonnes remarques, Douglas, excellentes.

— Qui plus est, il y a des constantes dans les boutiques visées. En général, ce n'étaient pas des commerces de proximité. Et lorsqu'il est arrivé que ce soit le cas, d'autres émeutiers s'y opposaient. Bien sûr, ce sont des actes criminels, et personne ne peut les cautionner, mais ils nous disent aussi quelque chose sur nous, en tant que société. Les gens s'en sont pris aux grandes enseignes, aux chaînes, aux marques mondialisées parce qu'ils considèrent qu'elles font partie des structures de pouvoir qui les brident et les empêchent de grimper dans la société. »

Nigel secoua la tête, admiratif. « Voilà une réflexion profonde, Douglas, très profonde. Vous avez beaucoup réfléchi. Bien sûr Dave va demander un rapport de fond. Si vous pensez pouvoir y contribuer…

— Attendez, moi je ne suis pas sociologue. Je n'ai pas les réponses. Je n'ai pas la moindre idée de la solution, à vrai dire.

— Ce qui vous loge à la même enseigne que Dave et Nick. Parce que eux non plus n'ont pas la moindre idée sur ce chapitre. »

Doug sourit. « Alors les vannes ne leur servent à rien ici ?

— Les vannes ? » Nigel eut l'air déconcerté. « Mais de quoi parlez-vous à la fin ?

— Je croyais que l'humour assurait le ciment de la coalition. Que c'était ce qui aidait Dave et Nick à s'entendre malgré leurs différences. »

Nigel prit un ton grave et offusqué : « Sauf votre respect, Douglas, sincèrement, je trouve que vous ne devriez pas traiter ce sujet à la légère. Nous venons d'évoquer une situation qui pourrait être lourde de conséquences en profondeur. N'oubliez pas que Londres va recevoir les jeux Olympiques l'an prochain, pour commencer. Il ne doit absolument rien se passer en 2012. Les esprits les plus brillants du pays doivent travailler de concert pour éviter que ces terribles événements ne se reproduisent. Franchement, vous m'étonnez. Je vous aurais cru plus sérieux. »

Proprement remis à sa place, Doug liquida le fond de sa tasse et les deux hommes se levèrent. Une fois dehors, devant la station de métro, ils se serrèrent la main.

« Eh bien merci, Nigel, j'ai beaucoup appris, comme toujours.

— Avec plaisir. Mon père vous transmet ses amitiés, au fait. Il espère que vos hémorroïdes se sont calmées. C'est un problème qui peut devenir très empoisonnant s'il n'est pas traité convenablement. »

12

Avril 2012

Huit mois plus tard, le 7 avril 2012, aux abords de Chiswick Pier sur la Tamise, la course d'aviron entre Oxford et Cambridge dut être interrompue parce qu'on venait de repérer un nageur en avant des bateaux. On découvrit plus tard qu'il s'agissait de Trenton Oldfield, ressortissant australien diplômé de la London School of Economics, qui déclara avoir perturbé la course pour protester contre « les inégalités en Grande-Bretagne, les coupes budgétaires, l'atteinte aux libertés civiques et la culture élitiste ». La course redémarra une demi-heure plus tard et ce fut l'équipe de Cambridge qui gagna par quatre longueurs un quart.

Le même après-midi, à quelque cent cinquante kilomètres de là, en la banale église de Kernel Magna, était célébré le mariage de Sophie Potter et Ian Coleman au cours d'une cérémonie simple et traditionnelle.

La mariée portait une époustouflante robe en organza blanc pincée à la taille avec un décolleté Queen Anne et une traîne. Le marié, bel homme, avait fière allure en jaquette. Assis dans la partie gauche de la nef avec les parents et amis de la mariée, Sohan ne pouvait s'empêcher de penser qu'ils formaient un couple remarquable, mais il était tout de même très surpris, pour ne pas dire dérouté : Sophie avait toujours dit qu'elle ne se marierait pas en blanc. Elle avait même dit qu'elle ne voulait pas se marier à l'église. Et d'ailleurs qu'elle ne voulait pas se marier du tout.

Il faudrait peut-être lui poser la question après la réception.

« Je te donne cette alliance en signe de notre mariage, dit le marié sur un ton mesuré et confiant. De tout mon être, je t'honore, tout ce que je suis, je te le donne.

— Tout ce que j'ai, je le partage avec toi, dit la mariée d'une voix solennelle et fragile, dans l'amour de Dieu, le Père, le Fils et le Saint Esprit. »

Potter, fieffée hypocrite ! pensa Sohan. Tu ne crois pas plus en Dieu que moi.

Autre question à aborder après la réception. Mais il entendait d'ici ce qu'elle répondrait : « C'est la jalousie qui te fait parler, parce que, toi, tu ne peux pas te marier. » Ce qui était vrai pour l'instant, encore que le bruit courût que Dave Cameron allait y remédier et qu'une nouvelle législation était dans les tuyaux. Ce ne serait pas trop tôt, en ce qui concernait Sohan qui revendiquait le droit à l'hypocrisie devant sa famille et ses amis.

*

Après la cérémonie, les invités furent conduits en cortège de voitures vers un relais de campagne à une vingtaine de minutes, vaste gentilhommière pittoresque en pierre jaune des Cotswolds dont les jardins descendaient jusqu'aux rives de l'Avon. On avait installé une marquise et c'était là qu'ils devraient passer les cinq ou six prochaines heures, se dit Sohan. On l'avait placé à la table 3, qui n'était pas la table d'honneur, certes, mais ne le reléguait pas non plus à la périphérie. Sa voisine avait déjà pris place ; c'était une femme au physique spectaculaire, avec des fils gris dans ses longs cheveux noirs et un air d'amusement contrôlé au coin du sourire et des yeux.

« Bonjour, lui dit-elle en le voyant s'asseoir. Naheed, amie du marié.

— Sohan, répondit-il. Ami de la mariée. » Il regarda autour d'eux les invités qui arrivaient sous la marquise. « Délicate attention.

— D'avoir placé les deux seules personnes de couleur à côté l'une de l'autre ? compléta-t-elle.

— Exactement. Vous buvez ?

— Ce soir, oui, exceptionnellement.

— Moi aussi, tendez-moi votre verre. »

Ils trinquèrent et burent un sauvignon quelconque mais bienvenu.

« Vous connaissez Sophie depuis longtemps ?

— À peu près cinq ans. Et vous, Ian ?

— À peu près autant.

— Sophie et moi, on s'est rencontrés à l'université, à Bristol.

— Ian est un collègue. Mais un ami, aussi.

— Il a l'air… d'un chic type.

— C'est le cas. Il s'est même bonifié en un an. J'ai l'impression qu'elle le rend très heureux.

— Vous pensez qu'ils sont bien assortis ?

— Plutôt, oui. Pas vous ? »

Sohan but une gorgée de vin, manière de réserver son jugement. Il regardait Benjamin arriver sous la marquise, Colin traînant la patte à son bras, pour gagner la table d'honneur.

« Vous savez qui sont ces deux-là ? demanda-t-il à Naheed.

Je me demande si ce n'est pas l'oncle de Sophie, celui dont elle parle tout le temps.

— Aucune idée. Mais la dame âgée à côté de laquelle ils viennent de s'asseoir, c'est Mme Coleman.

— Elle a tout de la matriarche.

— C'est une femme avec qui il faut compter, sans aucun doute. Et à côté d'eux, c'est la demoiselle d'honneur. Joanna, je crois qu'elle s'appelle comme ça. Vous la connaissez ?

— À peine. Je ne suis même pas sûr que Sophie la connaisse tellement bien elle-même. Elle n'a pas beaucoup de vraies amies femmes. C'est moi qui devrais être assis là, en fait. »

Naheed rit. « Vous ?

— Bien sûr, pourquoi pas ? Je suis son meilleur ami.

— Il vous serait difficile d'être demoiselle d'honneur...

— Bah, l'équivalent masculin, garçon d'honneur ou je ne sais quoi. Je ne comprends pas ces traditions idiotes.

— Moi non plus. Allez, encore un verre, j'ai l'impression que la soirée va être longue. »

*

Ce fut deux heures plus tard, le dîner consommé, les discours prononcés, que Sophie trouva enfin le moment de venir bavarder avec eux. Elle sortait des toilettes lorsqu'ils attirèrent son attention. Elle prit une chaise pour s'asseoir entre eux, et glissa un bras autour de Sohan en lui posant un baiser éméché sur la joue.

« Salut, beau gosse, tu t'amuses ?

— Beaucoup, merci, chérie. Le banquet était délicieux, et les discours aussi. Surtout celui du témoin du marié.

— C'est Simon, le plus vieil ami de Ian.

— J'ai adoré sa blague sur le serveur chinois qui n'arrivait pas à prononcer les "r" et disait des "l" à la place. Rien de tel qu'un zeste de racisme pour réveiller le palais après un dîner trop riche.

— Allons, allons…

— Qui plus est, ajouta-t-il en prenant la main de Naheed qu'il serra, je me suis fait une nouvelle meilleure amie. Maintenant, je sais tout ce qu'il faut savoir sur le code de la route, ce qui est très utile, et elle sait tout ce qu'il faut savoir sur le monologue intérieur chez Dorothy Richardson, ce qui est d'une utilité moins évidente, mais tout aussi intéressant.

— Bonjour », dit Sophie en se tournant vers Naheed. Elle ne l'avait pas vue depuis plusieurs mois, c'est-à-dire depuis qu'elle était venue dîner chez Ian et elle avec son mari, peu avant Noël. « Je n'en reviens pas de ne pas avoir trouvé le moment de te parler plus tôt, c'est vrai quoi, tu es celle qui rien… enfin, sans qui rien de tout ça ne serait arrivé. » Elle s'emberlificotait dans ses phrases, ce soir, elle s'en rendait compte, l'alcool, l'émotion, les deux conjugués.

Naheed sourit. « Allons, n'exagère pas. Tes parents pourraient en prendre ombrage, déjà.

— C'est vrai.

— Et puis, je crois qu'il faut rendre au Baron Brainbox ce qui est au Baron Brainbox. » Une lueur d'amusement dans les yeux, elle expliqua : « Tu n'as jamais entendu parler de lui ? Eh bien c'est dommage, parce qu'il a changé le cours de ta vie. C'est un amuseur pour les enfants, il est très demandé par ici, surtout pour des goûters. Mais il termine toujours plus tard que prévu. Et de mon côté, en temps normal, je ne fréquente pas les Starbucks à la fin de ma journée. Seulement, ce jour-là, ma fille était invitée à un goûter en ville, justement, et il était prévu que j'aille la chercher. Là-dessus, la mère de la petite chez qui ça se passait m'a appelée pour me dire que la fête n'était pas finie, si bien que j'ai eu un moment à tuer, alors que dans le cas contraire... enfin, ce serait une tout autre histoire. Donc, à la santé du Baron Brainbox. »

Sohan et elle levèrent leurs verres et burent à cette santé en riant. Mais Sophie fut plus grave.

« Merde, c'est dérangeant comme idée. Parce qu'on peut remonter plus loin. Et si je ne m'étais pas fait flasher par un radar sur la route de Solihull ?

— Eh oui, dit Sohan, *La route de Solihull,* road movie au succès confidentiel...

— En effet, reprit Naheed, tu as tout à fait raison. Ou bien si tu avais pris un autre itinéraire ? Vous savez, c'est ce qui me fascine dans la conduite automobile. Toutes les cinq minutes, on arrive à un carrefour et il faut choisir sa voie. Chaque bifurcation détient le potentiel de changer une vie, parfois du tout au tout. » En regardant Sohan bien en face, elle poursuivit : « Je sais que vous, les professeurs, vous vous figurez avoir réponse à tout et comprendre les mystères de l'existence mieux que tout le monde. Mais celui qui veut étudier la race humaine dans sa diversité et sa complexité doit étudier la façon dont elle conduit. C'est nous, les moniteurs de conduite, qui sommes les vrais experts ès nature humaine, les vrais philosophes. » Et elle ajouta à l'adresse de Sophie : « Ce qui s'applique aussi à Ian. Ne l'oublie pas. Et maintenant, si tu permets, je vais te faire un bisou. » Elle se pencha vers la mariée et posa sa bouche sur sa joue avec une tendre émotion. « Vous méritez tout le bonheur du monde, vous deux. J'espère que vous le trouverez. »

Perdue dans ses réflexions sur cet échange et ce geste, Sophie regagna la table d'honneur où son grand-père et la mère de Ian semblaient en passe de devenir du dernier bien. Il lui servait du vin de dessert pendant qu'elle lui montrait des photos de son défunt mari, auxquelles, disons-le, il n'avait pas l'air de s'intéresser outre mesure. Elle lui parlait des vingt-cinq ans de bons et loyaux services de son Graham à la BBC et de sa révérence envers la Corporation et ce qu'elle représentait.

« À l'époque, du moins », précisa-t-elle.

Ce n'était pas la première fois que Sophie entendait sa belle-mère (Seigneur Dieu, c'était sa belle-mère à présent !) tenir ce discours sur la BBC. Où voulait-elle donc en venir ?

Colin, lui, paraissait comprendre.

« Je sais, la BBC a été récupérée par la brigade du politiquement correct, n'est-ce pas ? »

Elle décida qu'il était temps d'intervenir.

« Grand-père, je peux te dire un mot ?

— Pas maintenant, ma chérie, Helena et moi sommes en grande conversation.

— Tu l'ennuies, sûrement...

— Encore un peu de vin, Helena ? » dit Colin en lui remplissant son verre à ras bord et au-delà, de sorte qu'il s'en renversa sur la nappe.

Sophie se précipita vers Lois.

« S'il te plaît, tu pourrais intervenir auprès de ton père ? Il est bourré et il fait du rentre-dedans à la mère de Ian.

— J'y vais. » Lois se leva et s'approcha aussitôt de la chaise de Colin, l'expression ferme et résolue.

« Votre chambre donne sur la rivière ? l'entendit-elle dire. Parce que de la mienne on a une très belle vue. Je me disais que si vous avez envie de la découvrir, vous pourriez faire un saut cinq minutes, on ouvrirait une bouteille du minibar...

— Papa ! s'exclama Lois.

— Quoi ? répondit-il en se tournant vers elle. Tu ne vas pas t'y mettre toi aussi ?

— Tu te rends compte de ce que tu es en train de faire ? souffla-t-elle.

— Fiche-moi la paix, je le sais très bien.

— C'est même évident pour tout le monde, je crois.

— Fiche-moi la paix, je te dis. Où est le mal ? Ta mère est morte depuis plus de deux ans maintenant. J'ai des besoins, moi, comme tout le monde.

— La fête de ce soir ne gravite pas autour de toi et de tes besoins, siffla Lois.

— Fiche-moi la paix, répéta-t-il, je crois que j'ai une ouverture. »

Il lui tourna le dos et reprit sa conversation avec Helena, qui semblait beaucoup plus désireuse de lui montrer les photos de Graham que de parler de sa chambre, avec ou sans vue. Constatant son échec, Lois chercha des yeux son frère ; mais, comme d'habitude, Benjamin était introuvable. Jamais là quand on avait besoin de lui, celui-là.

*

Benjamin se demandait s'il était en train de devenir accro à la contemplation des rivières. La lune était presque pleine ce soir, et le ballet de lumières qu'elle projetait à la surface de l'Avon l'envoûtait. Le soleil était couché depuis une heure et, s'il faisait frisquet au bord de l'eau, avec un petit vent qui ridait la rivière et froissait les branches des saules, il n'avait pourtant aucune envie de quitter le banc placé judicieusement sur la berge. Il était timide, parler de tout et de rien le fatiguait. C'était une chose de bavarder avec ses proches, mais faire la conversation à des inconnus par politesse, trois ou quatre heures durant... Et puis il y avait dans la circonstance quelque chose qui le mettait mal à l'aise. Ce n'était que la deuxième fois qu'il rencontrait Ian et, s'il le trouvait plutôt agréable, il n'était pas convaincu qu'il soit le mari qui convenait à sa nièce. Qu'est-ce qu'ils pouvaient bien avoir en commun, au fond ?

Alors que ces pensées troublées lui traversaient l'esprit par intermittence et que la rivière frémissait sous la force croissante du vent, il s'aperçut qu'il n'était plus seul. Lucy, la sœur aînée de Ian, se tenait auprès du banc, bras croisés sur la poitrine, toute frissonnante.

« Ça ne vous ennuie pas si je me joins à vous ?

— Mais je vous en prie. »

Il se poussa pour lui faire une place et elle s'assit auprès de lui en sortant une cigarette électronique.

« Je peux… ?

— Bien sûr.

— C'est infâme, mais au moins, ça ne donne pas le cancer. »

Pendant un moment, elle vapota et ils ne dirent rien ni l'un ni l'autre. Sous la marquise, la musique se fit entendre, une ballade mièvre et rythmée des années quatre-vingt, rabattue par l'air de la nuit : la noce avait dû se mettre à danser.

Enfin, Lucy observa : « Vous êtes proche de Sophie, je crois. Elle parle de vous. Elle dit à tout le monde que vous êtes l'intellectuel de la famille. » Benjamin sourit :

« L'incapable de la famille, vous voulez dire.

— Ce n'est pas dans ces termes qu'elle vous présente. » À présent Lucy choisissait ses mots avec soin. « Mon frère est assez étranger à la vie de l'esprit.

— Eh bien alors, Sophie et lui seront peut-être complémentaires.

— Vous voulez dire que les contrastes s'attirent ?

141

— Quelque chose comme ça.

— Espérons-le.» Puis elle ajouta : «Les mariages, c'est malheureux à dire, ça me fiche en l'air. Ça fait ressortir la vieille cynique en moi. Sans doute parce que j'en ai déjà trois à mon passif.» Elle inhala et souffla la vapeur. «Tant d'espoirs, tant de promesses. L'amour, l'honneur, le soutien, la protection, renoncer à tous les autres... quelle foutaise !» La chanson qui passait sous la marquise était instantanément reconnaissable, à ses oreilles du moins. «*The Power of Love*, le pouvoir de l'amour, vous y croyez, vous ?» dit-elle avec un sourire réfrigérant.

Benjamin, que cette conversation mettait de plus en plus mal à l'aise, était bien en peine de répondre à la question. «L'amour a du pouvoir, on ne peut pas le nier, mais pas toujours bénéfique.» Puis il se leva : «Je crois que je vais retourner à l'intérieur. Vous venez ?

— Pas tout de suite.

— Ok.» La laissant sur le banc, il revint lentement sur ses pas, pensif, pour regagner la marquise, les lumières et la musique.

Il resta un moment au bord de la piste, à regarder le spectacle. Une douzaine de couples dansaient, ou du moins s'appuyaient l'un sur l'autre pour décrire des cercles en traînant les pieds. Sophie et Ian ne se trouvaient pas parmi eux. C'est alors que la mariée arriva derrière lui et lui donna une petite tape sur l'épaule.

«Allez, mon oncle, accorde-moi une danse.»

C'était le moment redouté. Il n'avait aucun sens du rythme, ou du moins aucun qui pût s'exprimer par le mouvement – et il refusait par principe de danser sur une musique qu'il n'aimait pas, c'est-à-dire presque toutes les musiques. Quant à la musique qu'il aimait, elle n'aurait fait danser personne. Mais il n'avait rien à refuser à sa nièce en cette soirée. Du reste, il se dit qu'étant donné le niveau de l'assistance, il ne risquait guère de faire spécialement piètre figure. Il prit donc la main de Sophie et la laissa le mener au milieu de la piste, puis il enlaça sa nièce, sans conviction tout d'abord, avec raideur. Bientôt pourtant, elle se détendit et lui de même, elle lui sourit. À la voir si rêveuse, si bienheureuse, il lui sourit tout aussi chaleureusement en retour, après quoi il découvrit qu'il était simple comme bonjour d'évoluer entre les autres couples en suivant le rythme de la musique, en se fiant à elle. Ce fut alors qu'il réalisa que le moment qu'il vivait avec Sophie, qu'il avait vue naître et à bien des égards considérait comme sa propre fille, marquait aussi le début de la fin. Après cette soirée, tout changerait, en bien ou en mal, mais tout changerait irrévocablement et il comprit qu'il voulait savourer ce moment le plus longtemps possible, si bien qu'à la fin du premier titre ils ne quittèrent pas la piste, et bientôt ils dansaient sur le suivant, et puis sur un troisième. Ce fut au milieu du troisième que Ian s'approcha d'eux et, prenant gentiment Benjamin par le bras, le sépara de Sophie avec ces mots : « Excusez-moi, vous permettez que je récupère ma femme ? » À quoi l'oncle répondit : « Bien sûr », et se retira en mettant le cap sur le bar, car s'il avait une seule certitude, c'était qu'il avait besoin d'un verre.

13

Juin 2012

Benjamin réalisait avec stupéfaction qu'il habitait le moulin depuis deux ans et demi. À quoi était donc passé tout ce temps ? Mis à part les navettes avec Rednal pour rendre visite à son père, il ne voyait guère ce qu'il avait accompli de constructif au fil de ces trente mois. Du bricolage dans la maison, des courses alimentaires à Shrewsbury, des petits plats de plus en plus élaborés à son usage exclusif... tout ça ne faisait pas une vie bien remplie, force était de le constater. Peut-être la perte de Cicely était-elle un coup plus dur qu'il ne l'avait estimé au départ et le laissait-elle encore sous le choc. À moins qu'à cinquante-deux ans il ne fût en train de céder prématurément au confort mental et à la paresse.

Pendant tout ce temps, il n'avait même pas tellement réfléchi à son histoire, ou sa saga, ou son roman-fleuve – quel que fût le genre littéraire dont relevait cette œuvre maudite. *Agitation,* le projet auquel il travaillait depuis ses études à Oxford, à la fin des années soixante-dix, comportait aujourd'hui environ un million et demi de mots, soit un peu plus que les œuvres de Jane Austen et E.M. Forster réunies. Il avait en effet entrepris d'allier une fresque de l'histoire européenne depuis l'entrée de la Grande-Bretagne dans le Marché commun, en 1973, à un compte rendu scrupuleux de sa vie intérieure sur la même période, le tout encore compliqué par l'adjonction d'une « bande-son », également de sa composition, dont il peinait à définir avec précision la relation avec le texte. Ce machin informe, tentaculaire, prolixe, trop ambitieux, mal inspiré, impubliable, partiellement illisible et largement inécoutable s'était mis à peser sur Benjamin comme une chape de nuages. Il ne pouvait se résoudre à l'abandonner, mais il avait perdu toute faculté d'évaluer s'il avait le moindre mérite. Ce qu'il lui fallait, c'était un avis objectif.

Comme il l'avait souvent fait, il se tourna tout d'abord vers Philip. Il avait répondu présent dans toutes les crises et, justement, aujourd'hui il gagnait sa vie en relisant des manuscrits problématiques pour les remettre d'aplomb. Seulement lorsque Phil reçut les fichiers par mail, il mesura l'échelle de l'entreprise et, pris de panique, il appela Benjamin pour lui proposer de procéder autrement.

« Viens au Victoria sur John Bright Street lundi soir, et on tiendra une vraie réunion de comité.

— Attends… tu as un comité de lecture ?

— Ne t'inquiète pas, je suis en train d'en former un. »

Le Victoria, que Benjamin découvrait, était un pub victorien sépulcral, embusqué dans un coin reculé près de Suffolk Street Queensway, en plein centre-ville. On était lundi 4 juin et pour arroser le jubilé de diamant de la reine, dont les festivités s'étaient déroulées pendant ce week-end prolongé, des pluies torrentielles avaient balayé le pays quatre jours durant. Lorsque Benjamin arriva, traînant avec lui le tirage in extenso de son chef-d'œuvre qui remplissait deux sacs de voyage volumineux, le déluge avait enfin cessé mais le macadam encore luisant de l'averse reflétait les lumières de la ville. À l'intérieur du pub, il se retrouva face à face avec Philip, accompagné de deux figures de son passé.

Il y avait d'abord Steve Richards, autre ancien de King William. Steve était le seul camarade noir de leur promo et il avait essuyé le feu roulant des vexations et des vannes racistes avec dignité et résignation. Il avait réussi dans la vie depuis, ses filles désormais adultes avaient quitté le foyer et, après de longues années dans le secteur industriel, il s'occupait aujourd'hui de ce qui l'avait toujours passionné, ayant pris la direction du Centre d'études sur les polymères durables, antenne d'une des universités de pointe des Midlands. Il portait sur le visage un air de contentement serein et paraissait en outre plus jeune et en bien meilleure forme que Benjamin.

À côté de lui se trouvait un personnage sur lequel Benjamin ne put mettre un nom tout de suite. Il pouvait avoir dans les soixante-cinq ans et, avec son petit bouc et ses cheveux gris aux épaules, sa tête lui disait vaguement quelque chose en effet mais au bout de quelques instants de flottement, l'homme comprit qu'il lui fallait se nommer.

« Benjamin ? Je suis Tom, Tom Serkis. Ne me dites pas que ça ne vous rappelle rien. »

M. Serkis, ah oui ! Leur professeur d'anglais en sixième ! L'homme qui avait beaucoup apporté à l'école en fondant *The Bill Board,* périodique lycéen sur lequel Benjamin, Philip, Doug et d'autres, tous journalistes en herbe, s'étaient fait les dents. Benjamin ne l'avait pas vu depuis une bonne trentaine d'années. Et à le regarder de près, mis à part quelques symptômes de vieillissement normal, rien n'avait changé chez lui, rien du tout : même coupe de cheveux, même veste en tweed élimée, il portait même encore des jeans pattes d'eph, comme dans les années soixante-dix.

« Bah, je me dis qu'il ne faut pas s'étonner que vous ne m'ayez pas reconnu, dit M. Serkis. J'ai tout de même changé un peu de look, hmm ? »

Il désignait le lobe de son oreille, orné d'une petite boucle en or.

« Ah oui, acquiesça Benjamin décontenancé, ce doit être ça. Ça change tout. Et alors, qu'est-ce que vous faites de beau en ce moment ?

— J'enseigne toujours. Dans un établissement public agréable, à Lichfield. Pas grand-chose à voir avec King William, mais tout aussi intéressant dans un autre genre. Les défis ne sont pas les mêmes. N'empêche, je prends ma retraite à la fin du trimestre, terminé, je raccroche le mortier. Ah, quelle époque, tout de même, les années soixante-dix. Steve ici présent qui jouait Othello, vous qui aviez écrit cette critique scandaleuse. Quel raffut ! Et Doug, bien sûr, avec ses éditos politiques. Il a fait son chemin, vous ne trouvez pas ? Vous avez gardé des contacts ?

— En pointillé, répondit Benjamin. Il a épousé une des femmes les plus riches et les plus snobs de Londres, ils habitent Chelsea.

— Ha ! je me demande ce que son père en aurait pensé. Il était bien délégué syndical à Longbridge, non ?

— En effet, mais je peux vous assurer que Doug est pleinement conscient de cette ironie, il en est même torturé pour ainsi dire.

— Oui mais enfin il a toujours eu un faible pour les filles snobs, leur rappela Steve. Depuis le week-end où il s'est fait la belle à Londres – on était encore à l'école – pour perdre son pucelage avec une princesse des beaux quartiers sur Fulham Road.

— C'est vrai », dit Benjamin, qui marqua un temps pour se dire qu'il n'était peut-être pas le seul, finalement, à avoir vu le cours de sa vie déterminé par un amour d'adolescence.

Après un échange d'agréables souvenirs de même nature, Philip leur rappela qu'ils étaient là pour travailler. Au fond du pub, un écran géant diffusait quelques images tournées devant le palais de Buckingham, où les célébrations du jubilé s'achevaient par un concert. Shirley Bassey était en train de chanter « Diamonds are Forever » sous le regard médusé mais bon enfant de Sa Majesté.

« Mais quel parasite, bon Dieu, regardez-moi ça ! » s'exclama M. Serkis, l'œil furibond.

Les trois amis en furent choqués.

« Oh, je ne sais pas, commença Philip, je trouve qu'elle fait du bon boulot.

— Excellent pour le tourisme, fit observer Benjamin.

— Elle est venue nous rendre visite à l'université une fois, déclara Steve. Une femme charmante. »

Il se fit un court silence qui leur permit de mesurer subitement, sous le regard déçu de M. Serkis, à quel point ils étaient rassis et réacs dans leurs propos. Philip, qui avait honte pour eux trois, s'empressa de passer à autre chose.

« Alors, Benjamin, tu nous as apporté le bouquin ?

— Je l'ai apporté. »

L'extraire des deux sacs, remettre les différentes parties dans l'ordre, retirer tous les élastiques prit un temps considérable, d'autant que leur table se révéla trop petite pour ces monceaux de papier, sans compter les piles de CD sur lesquels étaient gravés les fichiers musicaux. Il leur fallut prendre la table à côté – la plus grande du pub, celle qui pouvait accueillir un groupe de dix personnes – où Phil, Steve et M. Serkis considérèrent le volume du manuscrit un instant, muets de stupeur.

« Merde ! s'exclama Steve, je savais qu'il était long, mais à ce point...

— Comment en êtes-vous arrivé là, Ben, demanda M. Serkis, vous n'avez jamais pensé à... vous arrêter ?

— Je ne peux pas m'arrêter avant d'avoir fini, répondit simplement Benjamin.

— Soit », commenta Steve.

Shirley Bassey avait quitté la scène sous des applaudissements prolongés, et Kylie Minogue avait pris sa place.

« Alors voilà comment j'ai procédé, expliqua Phil, j'ai demandé à Steve de lire le matériau personnel, et à Tom de regarder les parties politiques. Et moi, j'ai écouté la musique en essayant de voir comment intégrer le tout.

— Ça tient la route.

— Oui, enfin on va voir comment les uns et les autres s'en sont sortis. Steve, ta première impression.

— C'est trop long, annonça Steve sans hésiter.

— Ok, et vous Tom, qu'est-ce que vous avez pensé de...

— C'est beaucoup trop long, répondit M. Serkis sans le laisser finir sa question.

— Très bien, conclut Philip, je vois se dessiner un schéma, donc. Ça va nous aider. Seulement quand on en arrive à la partie musicale, c'est un peu plus compliqué. Parce que, voyez-vous, j'ai des doutes sur... » Il fit une pause et regarda Benjamin d'un air d'excuse. « J'ai des doutes sur la fonction de la musique dans l'architecture de l'ensemble. Parfois, elle me semble faire un peu... double emploi, disons. »

Froissé, l'auteur-compositeur demanda : « Quand tu dis parfois...

— Euh, en fait, je veux dire... toujours.

— Toute la musique est superflue ?

— Oui.

— Elle fait double emploi ?

— Dire qu'elle fait double emploi, c'est un peu sévère, je sais… mais enfin, en l'occurrence, je crois que c'est le cas. »

Un silence inconfortable s'installa. À la télévision Kylie Minogue envoyait « Can't Get You Out of My Head » avec une vigueur qui démentait ses quarante-quatre ans.

Benjamin resta muet un moment puis il bredouilla :

« Oui, tu as raison, je sais bien que tu as raison. Associer de la musique au texte, c'est une idée ridicule au départ. Je n'y ai jamais réfléchi à fond, je ne me suis jamais demandé ce que je faisais. Je… »

Sans rien ajouter, il prit la pile de CD sur la table et la fourra dans l'un des deux sacs.

« Voilà. Je me sens mieux. On est devant quelque chose de plus simple maintenant. C'est un livre, et rien qu'un livre, très très long.

— Trop long, dit Steve.

— Trop long, convint Benjamin.

— Une manière de le raccourcir, suggéra M. Serkis, serait de couper une partie des considérations historico-politiques. »

Benjamin y réfléchit. Il se doutait que son ancien professeur n'était pas allé au bout de sa pensée.

« Quand vous dites une partie…

— Je veux dire toutes. Parce que c'est intéressant, bien sûr, je ne dis pas, mais… je n'y ai pas trouvé cette qualité essentielle, ce je-ne-sais-quoi…

— Vous parlez de la moitié du livre, là, lui rappela Phil.

— Oui. Bah, nous sommes tous d'accord pour dire qu'il est trop long.

— Bon », dit Benjamin, qui retira les chapitres II, IV, VI, VIII, X, XII, XIV, XVI et XVIII et rangea les rames de papier dans les sacs. La table n'était plus qu'à moitié couverte de feuillets, et le livre paraissait tout à coup beaucoup plus maîtrisable.

« Très bien. À toi, Steve, dis ce que tu en penses.

— Ce que j'en pense. Ok. Bon, déjà, je n'ai eu qu'une semaine, donc je n'ai pas pu tout lire. Mais ce que j'ai lu m'a plu. Il y a des descriptions formidables et... voilà quoi, tu es un écrivain de talent. Mais tu n'as pas besoin de moi pour le savoir.

— Merci, Steve.

— Ce que j'ai trouvé curieux, d'ailleurs, étant donné ton talent et la puissance de ces passages descriptifs, oui, ce qui est curieux, en somme, c'est que ce soit aussi... barbant.»

Cette remarque fut suivie d'un silence encore beaucoup plus long et plus interloqué que les précédents. Personne ne savait que dire, mais ils n'avaient aucun mal à entendre Elton John qui chantait « I'm Still Standing » aux portes du palais de Buckingham.

« Barbant ? reprit enfin Benjamin d'une voix tremblante. D'accord. Je ne m'attendais pas à ça, mais si c'est ce que tu as pensé...

— Comprends-moi bien, répondit Steve, il y a une partie qui m'a vraiment plu par contre. Celle sur toi et Cicely.

— Ah oui ! approuva Philip. Je l'ai lue moi aussi. Et cette partie-là, elle m'a vraiment plu. Je me suis dit que tu l'avais écrite avec le cœur.

— Tu veux dire qu'elle n'est pas barbante ?

— Ce qu'il y a, Ben, c'est que... c'est la grande histoire de ta vie quand même. La grande histoire d'amour. Comment tu l'as rencontrée à l'école, comment tu l'as découverte, puis perdue de nouveau, comment elle est venue te chercher des années plus tard... Et quand tu le racontes, tu joues dans la cour des grands. Ton écriture est d'un tout autre niveau.

151

— Mais ça ne couvre que dans les deux cents pages sur le tout.

— C'est vrai, mais tu sais, deux cents pages, c'est une bonne longueur pour un roman. Ça vaut beaucoup mieux que cinq mille pages. »

La partie en question formait un tas à part, sur le coin de la table à portée de Benjamin. Il prit les pages et les feuilleta. « Tu es en train de me dire que je devrais ne garder que ça et mettre le reste à la poubelle ?

— Tu pourrais probablement faire publier cette partie-là, enfin, c'est même sûr.

— Mais elle n'a pas vocation à être lue isolément, elle n'a même pas de titre, rien.

— Un titre, on va t'en trouver un.

— Cette scène, dit Steve, la scène où ça fait trois ou quatre ans qu'elle est partie, et tu achètes ce disque de jazz, tu le mets, et il y a un air qui te fait penser à elle. Comment elle s'appelle, déjà, la chanson ? "*Rose Without a Thorn*", "Rose sans épine". Ça, c'est magnifique.

— Steve a raison, dit Philip. Tiens, tu l'as, ton titre.

— Oui, c'est pas mal… » Plus Benjamin y pensait, plus l'idée lui plaisait mais son amour-propre l'empêchait d'en convenir. Était-ce l'effort de l'avoir traîné depuis le parking jusqu'au pub dans ces deux sacs bourrés de papier, il ressentait le livre comme un fardeau matériel qui pesait sur lui depuis trente ans et qui venait ce soir comme par miracle de libérer ses épaules. C'était presque trop beau pour être vrai, raison pour laquelle, peut-être, il ne cessait de soulever des objections. « Mais quand même, personne ne voudra jamais le publier.

— Moi, je te le publie, dit Philip.

— Toi ?

— Oui, moi. Je suis éditeur…

— Il me semble que j'aimerais mieux tenter ma chance d'abord auprès d'un vrai, enfin, d'un plus gros éditeur.
— Bien sûr. Envoie-le chez Faber. Envoie-le chez Jonathan Cape. Tu serais fou de ne pas le faire. Et puis, s'ils n'en veulent pas, moi je te le publie. Il serait temps que je publie quelque chose qui tienne la route. »
Cette offre généreuse émut Benjamin. « Tu ferais ça ?
— Bien sûr.
— Oui mais bon, j'aimerais mieux un éditeur sérieux, enfin, établi, quoi.
— Bien sûr, ça va sans dire. »
La cause étant entendue, ils s'intéressèrent à Paul McCartney qui était en train d'interpréter tant bien que mal une version quelque peu approximative de « Let it Be ». Ce fut seulement quelques minutes plus tard que Philip s'aperçut que M. Serkis n'avait guère participé aux dernières étapes de cette conversation.
« Et donc, vous êtes d'accord avec nous, Tom ? Vous pensez que Benjamin devrait tenter le coup, n'en faire publier qu'une partie ?
— C'est-à-dire, cette partie-là, je ne l'ai pas lue, rappela-t-il.
— Non, mais vous avez lu le plus gros des autres chapitres.
— C'est vrai, concéda M. Serkis.
— Et donc, sur la base de cette lecture, vous avez un conseil ?
— Un conseil à Ben, sur la base de ce que j'ai lu ?
— Oui. »
La chanson prit fin, le public applaudit, M. Serkis fronça les sourcils, pesa ses mots et, se tournant vers Benjamin, demanda :
« Vous n'avez jamais pensé à enseigner ? Il n'est pas trop tard, vous savez. »

14

Juillet 2012

Sophie était assise en terrasse dans un bar du Vieux-Port et elle buvait son deuxième verre de rosé largement noyé par les glaçons qui n'avaient pas tardé à fondre, lorsque son portable sonna. C'était Ian. Tentée un instant de ne pas répondre, elle se souvint qu'elle lui avait promis d'appeler dès son arrivée et prit l'appel avec mauvaise conscience.

« Salut, toi.

— Où tu es ?

— Sur le Vieux-Port, je bois un verre.

— Tu es bien arrivée ? Tu m'avais dit que tu m'appellerais...

— Oui, pardon, j'ai oublié.

— Je me faisais du souci.

— Bah, s'il y avait eu une bombe dans l'avion, les actus en auraient déjà parlé.

— Je sais. De toute façon je suivais ton vol sur Flight-Radar.

— Tu es un amour de t'en faire comme ça.

— Ta chambre est bien ?

— C'est une chambre d'étudiant, classique.

— Et Marseille, à quoi ça ressemble ?

— Je ne sais pas. Je n'ai vu que les résidences universitaires et ce bar. Qui est très sympa, je dois dire.

— J'entends de la musique...

— Ouais, il y a des gars qui rappent avec une boîte à rythme sur la place, à vingt mètres. Ça donne une idée de l'ambiance de la ville.

— Tu as mangé ?

— Le dîner est à vingt et une heures et comme il n'y avait pas l'air de se passer grand-chose entre-temps, je me suis dit que j'allais venir boire un verre ici.

— Vous mangez où ?

— Dans un restaurant. »

Pause.

« Tu me manques.

— Toi aussi », répondit Sophie. Parce que, après tout, c'est ce qu'une femme répond quand son mari lui dit qu'elle lui manque.

*

Le XIVᵉ colloque Alexandre Dumas se tenait à l'Université d'Aix-Marseille, pendant la troisième semaine de juillet. Un appel à contributions avait été lancé douze mois plus tôt, et Sophie avait envoyé le chapitre de sa thèse sur les portraits d'Alexandre Dumas par ses contemporains, sans grand espoir qu'il soit retenu. Mais François, l'organisateur du colloque, lui avait répondu dans un anglais charmant et quasi parfait que cette année, le colloque se voulait « pluridisciplinaire autant que plurilocal », formule qu'à ce jour elle n'avait pas encore élucidée. En tout cas, et c'était l'essentiel, son article avait été retenu, et c'est ainsi qu'elle se trouvait participer à son premier congrès international. Attrait supplémentaire, il avait lieu sur les bords de la Méditerranée, où le soleil brillait en permanence et où la température moyenne atteignait les trente-trois degrés, alors qu'en Angleterre, pendant ce même mois de juillet, s'abattaient encore des pluies si torrentielles que le relais de la torche olympique avait dû s'interrompre lors des dernières étapes de son voyage de Pékin à Londres.

Le dîner de ce dimanche soir avait lieu sous les étoiles, dans une petite rue animée qui montait en pente raide vers le cours Julien. Le groupe était lui-même multinational et multilingue, il y avait là des participants français, allemands, italiens, turcs, iraniens et portugais, ainsi qu'un Américain originaire de Chicago qui pouvait avoir l'âge de Sophie, un type réfléchi, au verbe mesuré. Il se nommait Adam et devait sa présence à une bourse réservée aux Afro-Américains ; musicologue, il travaillait sur les musiques de films.

« C'est intéressant », dit Sophie, heureuse de se retrouver à côté de lui en fin de soirée où le dîner devenait plus informel, et où les gens commençaient à changer de place. « Et quel est votre lien avec Alexandre Dumas ?

— Il est assez ténu, avoua-t-il. Je propose une communication sur les différentes partitions des *Trois Mousquetaires*. Avec un peu de chance, les gens y verront un moment de détente.

— Ça donne envie. J'espère qu'il y aura beaucoup d'extraits. Et vous, quelle partition préférez-vous, au fait ?

— Pas question que je ruine le suspense. Vous n'auriez plus de raison de venir m'écouter.

— Oh, comptez sur moi, dit Sophie. Il est clair que ce sera le grand moment de la semaine. »

Rétrospectivement, ce propos lui parut creux, d'autant qu'on pouvait y entendre une ironie qu'elle n'y avait pas mise. Mais Adam n'eut pas l'air de s'en formaliser ni même de le remarquer, si bien qu'elle cessa d'y penser. Déjà la tiédeur de l'air l'enivrait, ainsi que la bonne cuisine et, par-dessus tout, le pur soulagement d'avoir laissé derrière elle ne serait-ce que quelques jours la chape de plomb des ciels d'Angleterre.

*

L'intervention de Sophie était la deuxième du programme, le lundi en fin de matinée. Elle eut lieu à l'Espace Fernand-Pouillon, sur le campus principal, à côté de la gare Saint-Charles. Sophie comprit tout de suite que le colloque serait organisé avec efficacité, sans bavure. Elle s'exprima en anglais tandis que sur l'écran placé derrière elle se déroulait la traduction de sa communication en français. Elle parla pendant une heure du portrait de Dumas par William Henry Powell. Les questions qui suivirent furent réfléchies, personnelles et nombreuses ; elles fusaient encore à la table du déjeuner, si bien que pendant un moment Sophie fut portée par une impression de succès et par l'enthousiasme de ses collègues.

Cependant, au milieu de l'après-midi suivant, elle s'aperçut qu'elle ne se sentait déjà plus tellement à sa place parmi cet aréopage d'experts, pour ne pas dire de fanatiques. Parce que après tout, ce n'était pas pour rien qu'elle avait décidé de ne plus chercher de petit ami parmi les universitaires : cette manie de se polariser sur un sujet jusqu'à l'obsession en ignorant superbement le reste du monde ! Or Dumas, elle le découvrait, invitait généreusement à l'obsession. Elle avait sous-estimé son énergie et sa fécondité, avec ses centaines de romans, ses millions de mots et les plumes dont il louait les services pour écrire ses livres, l'échelle proprement industrielle de sa production. Pour sa part, elle n'avait lu que *Le Comte de Monte-Cristo* et, il y avait des lustres, la moitié des *Trois Mousquetaires*. Dans l'ensemble, les communications, c'était bien naturel, s'intéressaient à l'écriture même de Dumas et portaient sur des textes qu'elle connaissait mal. Or, au menu des conversations du petit déjeuner comme à celui du déjeuner et celui du dîner, on servait du Dumas, encore du Dumas, et toujours du Dumas. Le mardi, donc, au milieu d'une présentation désespérément aride des pièces de théâtre (que plus personne ne lisait, apparemment) elle décida de faire l'impasse sur le reste de l'après-midi pour explorer la ville par ses propres moyens.

Elle comprenait maintenant ce que François entendait par un colloque « plurilocal ». Comme il l'avait expliqué à tout le monde au dîner du dimanche soir, la démarche consistait à ne pas s'enfermer sur le campus de Marseille mais au contraire à susciter des retombées dans toute la ville et même toute la région. Ainsi, la communication d'Adam sur la musique des films aurait lieu au conservatoire d'Aix-en-Provence, à une demi-heure de là. Quant à la conférence clef du jeudi sur la notion de captivité chez Dumas, elle serait donnée au château d'If, dans la cellule même où l'écrivain avait incarcéré son Edmond Dantès. Et les séances du mardi se tiendraient à La Friche, pôle culturel de la Belle de Mai, dans une ancienne manufacture de tabac du IIIe arrondissement. Sophie sortit en catimini de l'amphithéâtre au cours d'un interminable résumé de l'intrigue de *Charles VII chez ses grands vassaux*, et demeura un instant éblouie par le soleil féroce de la cour. Son premier mouvement fut d'appeler Ian. Elle voyait en lui un antidote à cet univers universitaire si replié sur soi. Il lui fallait tout à coup quelques minutes de conversation normale avec lui ; mais son portable ne répondit pas. Pas grave, elle avait le reste de son après-midi pour elle, et c'était très bien ainsi. Elle traîna un moment dans la librairie, sortit observer une demi-douzaine de gosses qui s'exerçaient dans un skate-park, puis visita une des salles d'exposition où elle se perdit dans une série de photos panoramiques en noir et blanc au piqué remarquable qui représentaient les paysages urbains de Beyrouth.

Après avoir ainsi passé une ou deux heures à La Friche, elle prit un bus pour retourner au centre-ville par la Canebière, descendit à l'arrêt Noailles et grimpa par le marché des Capucins en déambulant au hasard du maquis des ruelles, chacune regorgeant de toutes sortes de denrées françaises et africaines, l'air rempli d'arômes appétissants, tant familiers qu'exotiques. Les acheteurs se bousculaient dans les rues et Sophie vit que le bouillon de cultures entêtant qui caractérisait le Londres moderne se retrouvait ici sous une forme plus dense, plus concentrée encore. Elle adorait cette impression. Elle sentait qu'elle pourrait se perdre dans cette ville.

*

Le lendemain matin, elle avait promis à Adam qu'elle assisterait à sa communication sur la musique des films. Les organisateurs avaient affrété un bus qui les conduisit à Aix par l'autoroute, puis au conservatoire Darius-Milhaud, bel édifice serein dédié au compositeur aixois le plus célèbre, rue Joseph-Cabassol. L'intervention d'Adam, illustrée par des extraits musicaux et cinématographiques, était habile et engageante, ce qui ne l'empêcha pas d'entendre les dumassiens purs et durs grommeler qu'ils la trouvaient insuffisamment pertinente pour leur goût. Certains passages d'analyse musicale, il est vrai, la semèrent un peu, mais il y avait quelque chose d'apaisant et de séduisant dans l'accent de l'intervenant, de sorte qu'elle laissa par instants filer le sens des mots pour n'en entendre que le son. Et puis elle se réjouit lorsque Adam clôtura sa communication par une grande révélation pince-sans-rire, à savoir que la musique la plus élaborée et la plus expérimentale jamais composée pour accompagner les adaptations de Dumas à l'écran était celle de Scott Bradley pour *The Two Mouseketeers*, un dessin animé de la série Tom et Jerry dans les années cinquante.

Après la conférence, la plupart des participants qui souhaitaient déjeuner de bonne heure se sauvèrent en direction du restaurant où François leur avait réservé des tables. Mais Sophie voulait faire étape aux toilettes et quand elle en sortit, tout le monde était parti, tout le monde sauf Adam, en grande conversation avec un jeune professeur du conservatoire dans le vestibule.

« C'était excellent, dit Sophie en se glissant dans leur échange. J'ai beaucoup appris, vraiment. Merci. »

Mais Adam s'intéressait à tout autre chose.

« Ce piano, lui dit-il en désignant le piano à queue en bois de rose dans un coin du vestibule, c'est celui de Milhaud, vous vous rendez compte ! »

Sophie connaissait Darius Milhaud, de nom du moins, car c'était le type même de compositeur dont son oncle Benjamin parlait toujours avec enthousiasme, mais elle ne savait rien de lui et ne pouvait guère partager la jubilation d'Adam.

« Je peux en jouer, c'est vrai ? demanda-t-il au jeune professeur.

— Oui, bien sûr, avec plaisir. »

Il s'assit sur le tabouret, souleva le couvercle du clavier et dit : « Il est accordé pour jouer sur deux clefs à la fois ? » Le

160

professeur rit, pas Sophie. « Pardon, c'est une plaisanterie de musicologue », dit Adam qui se mit à jouer. Il semblait improviser quelques accords plaintifs, doux-amers, qui évoquaient Ravel et Debussy et les bars de nuit où l'on sert des cocktails. Elle gagna nonchalamment la porte pendant qu'il jouait, l'œil sur la rue et les édifices en pierre jaune dans la lumière du matin. Aix était très différente de Marseille : calme, cossue, apaisante – peut-être un peu contente d'elle. En face du conservatoire se trouvait une boutique qui vendait des livres en langue anglaise. Elle avait pour enseigne une théière aux couleurs de l'Union Jack. Sophie traversa pour jeter un coup d'œil à la vitrine. La musique d'Adam se répandait dans la rue par la porte ouverte ; elle l'entendait très nettement. Puis la mélodie cessa, il remerciait le professeur et prenait congé de lui, et aussitôt il fut à ses côtés sur le trottoir.

« Magnifique, lui dit-elle en se tournant vers lui, vous jouez si bien.

— Merci », répondit-il. Mais avec la timidité, ou la modestie qui le caractérisait, elle commençait à s'en apercevoir, il ne sut que faire de ce compliment. « Jolie librairie, on entre ? »

Sophie ne pourrait jamais mettre le doigt sur ce qui avait donné un tel relief à ces quelques minutes dans sa mémoire. Peut-être était-ce l'atmosphère de la librairie, si sereine, comme d'un autre monde, et où ils étaient les seuls clients. Peut-être était-ce parce qu'il y avait peu de partages aussi intimes à ses yeux que celui de deux personnes se promenant ensemble parmi les livres. À moins que ce n'ait été l'attention souriante de la dame derrière le comptoir, qui les avait accueillis si poliment, dans un si bel anglais, et les prenait apparemment pour un couple. Peut-être était-ce parce que, lorsqu'elle avait pris un exemplaire du *Crépus-*

cule des loutres de Lionel Hampshire en lançant à Adam :
« Mon Dieu, il est partout ! », celui-ci, sans comprendre
la plaisanterie, avait ri tout de même. Peut-être était-ce
parce que, quand il avait pris un livre d'un auteur américain qu'elle ne connaissait pas et qu'il avait dit : « Celui-là,
c'est mon père qui l'a écrit », elle avait trouvé tout à fait
logique qu'il soit le fils d'un écrivain. Quoi qu'il en soit,
après qu'elle eut acheté le livre et qu'ils eurent dit au revoir
à la libraire qui les couvait d'un regard brillant et sagace
derrière ses mèches de cheveux châtains, lorsqu'ils furent
de nouveau dans la rue en direction du restaurant, quelque
chose avait changé entre eux ; leur centre de gravité s'était
déplacé de manière quasi imperceptible.

*

Sophie évita Adam pendant une journée et demie,
qu'elle passa toute seule à découvrir un peu plus Marseille. Elle s'aventura jusqu'aux enclaves du Vallon des
Auffes et de Malmousque et passa trois ou quatre heures
à la Cité radieuse, sanctuaire de béton brut et résidence
la plus célèbre de Le Corbusier. (Elle avait toujours eu
un faible pour l'architecture brutaliste et, si elle attendait
avec la même impatience que tout le monde de voir la
nouvelle bibliothèque de Birmingham prendre forme, elle
espérait que celle de John Madin, chef-d'œuvre des années
soixante-dix, échapperait au canon des démolisseurs.) Elle
ne revint pas au colloque avant le jeudi après-midi, jour de
leur virée au château d'If. Il faisait plus chaud que jamais
– trente-six degrés – et l'œil était ébloui par les reflets
du soleil sur les eaux du Vieux-Port. La balade en mer
prit à peine plus de vingt minutes, ils quittèrent le Vieux-
Port poussivement tout d'abord, entre le fort Saint-Jean

et l'énorme chantier où le Mucem hypermoderne serait bientôt achevé, puis ils prirent de la vitesse en mettant le cap sur l'île et passèrent devant des vaisseaux de croisière monumentaux venus des quatre coins du monde et amarrés dans le port pour la journée, ainsi que des hors-bord et des scooters des mers : c'était en effet la haute saison touristique, ce qui donnait à Sophie le sentiment étrange de travailler (si l'on pouvait dire) parmi des vacanciers. La traversée fut calme, et à mesure que le château se rapprochait, elle avait du mal à voir en lui une forteresse stratégique ou bien encore, ce qu'il avait été plus tard dans sa vie, un cruel pénitencier d'où il était impossible de s'évader. Aujourd'hui, avec ses tours et ses créneaux que le soleil de la Méditerranée avait recuits jusqu'au blanc crème, il paraissait tout à fait bénin et accueillant. Une attraction touristique d'une beauté étonnante.

L'approche du château ne l'avait nullement préparée à la vue qu'elle aurait sur la ville et la côte en accédant à la terrasse de toit par l'escalier en colimaçon. Elle découvrit tout Marseille, son fatras d'immeubles anciens et modernes, les cités tentaculaires des quartiers nord, la garrigue verdoyante et les calanques vertigineuses à l'est, et puis, veillant sur tout cela, Notre-Dame-de-la-Garde qui dominait la cité. Entre le château et cette perspective s'étendaient la Méditerranée et sa houle légère, scintillante sous le soleil, d'un bleu outremer intense jusque dans ses profondeurs. Et tout était baigné de lumière, oui, c'était cette lumière, bien sûr, elle le comprenait, qui leur manquait en Angleterre, cet élément qui rendait tout si vif ici, si sensuel, si plein d'énergie, si inéluctablement vivant. Quelle existence étriquée et misérable ils menaient tous, en comparaison, au pays qu'il lui fallait bien appeler natal. En passant de Birmingham à Marseille, de Kernel Magna à Marseille, on ne changeait pas seulement de pays, voire de planète, on changeait d'ordre d'existence. La lumière lui donnait la sensation d'être vivante d'une façon qu'elle n'avait pas connue depuis des années, depuis l'enfance peut-être. Sur la terrasse, ses collègues mitraillaient la vue sous tous les angles et depuis toutes les perspectives. Mais elle savait que ce serait peine perdue, et elle laissa son téléphone dans son sac. Aucun agencement de pixels ne rendrait jamais l'émotion du moment, cette sensation absolument nouvelle, intense, de vitalité.

Le château fermait au public à dix-sept heures trente : on leur avait exceptionnellement permis de rester deux heures de plus, faveur inédite. À dix-huit heures, alors que les touristes se massaient sur la jetée pour le dernier retour à Marseille, ils se dirigèrent vers la cellule du rez-de-chaussée qui portait le nom d'Edmond Dantès, malheureux héros de Dumas. Elle était tout en profondeur mais étonnamment vaste, avec ses dalles de pierre. Un rai de soleil coulait par une ouverture très haut sur le mur. C'est là que Guillaume, le conférencier, fit sa présentation PowerPoint, et il parla pendant un peu plus d'une heure de « L'incarcération comme métaphore de la paralysie psychologique ». Sophie appréciait la communication, elle en était impressionnée, mais elle avait hâte de quitter la geôle, de ressortir : dehors dans la lumière du soir.

À dix-neuf heures trente, ils eurent le choix entre reprendre le bateau pour Marseille tout de suite et se rendre au restaurant où les tables avaient été réservées, ou bien débarquer sur les îles du Frioul, à quelques encablures. Si certains voulaient se faire déposer au port de Ratonneau, libre à eux, il leur suffirait de rentrer par la navette plus tard dans la soirée.

La plupart des participants choisirent de rentrer tout de

suite à Marseille ; mis en effervescence par la communication de Guillaume, ils n'avaient qu'une hâte, en parler à table. Sophie, Adam et trois autres membres du colloque furent cependant curieux de visiter cette autre île où on les déposa quelques minutes plus tard.

Les îles de Ratonneau et Pomègues étaient reliées par une longue chaussée de pierre à l'aplomb du petit port où ils avaient débarqué, le long d'un quai bordé de boutiques et de bistrots. C'est vers l'un de ces bars que les autres se dirigèrent directement, pour le plaisir de boire un verre en terrasse à l'heure où l'air du soir commençait enfin à être un peu plus frais.

« Qu'est-ce que tu en penses ? demanda Sophie. On les rejoint ?

— Je ne sais pas, répondit Adam. J'ai envie de marcher. Il doit bien y avoir une plage par ici ? »

Ils consultèrent un plan sur le mur du port et s'engagèrent sur une route plate et poussiéreuse qui menait à la calanque de Morgiret. De toute évidence, ils allaient à contresens de la marée des touristes ; un flot continu – couples, familles, bandes de jeunes gaillards bruyants – les croisait, avec serviettes de bain et sacs de plage. Ratonneau était une île rocheuse au paysage si pelé qu'il paraissait lunaire. Bientôt, Sophie eut la gorge desséchée et irritée par la poussière. La chaleur était encore intense à cette heure tardive, mais il ne leur fallut que quelques minutes pour parvenir à la petite plage de galets où s'attardaient quelques baigneurs, certains pourvus d'un masque et d'un tuba, dans l'eau tiède et turquoise.

« Dommage qu'on n'ait pas apporté nos maillots, dit Adam qui regardait la mer depuis un escarpement au-dessus de la plage, la main en visière pour se protéger de la lumière rasante.

— C'est ce que j'étais en train de me dire », répondit Sophie, en partie soulagée cependant parce qu'elle avait honte de sa peau tellement blanche sous sa robe d'été légère.

Ils avancèrent encore un peu, sur un sentier tortueux et abrupt qui les conduisit à une corniche dominant la plage. Le simple fait de marcher était fatigant et lorsqu'ils trouvèrent une roche plate, ils s'y assirent avec empressement, remerciant le ciel qu'à cette hauteur du moins un soupçon de brise rende la chaleur plus respirable.

Au bout d'un long silence agréablement partagé, Sophie annonça : « J'ai commencé le livre de ton père.

— Ah oui ?

— Très chouette. On se croirait un peu chez Updike...

— Tu n'es pas la seule à le dire. Il n'aime pas Updike. » Adam sourit. « Mais au moins, il serait content que tu ne l'aies pas comparé à Baldwin. Pour tout dire, mon père est le genre de type qui sait tourner n'importe quel compliment en insulte. Je ne le décrirais pas comme quelqu'un de facile à vivre.

— Tu es proche de lui ?

— Je ne l'ai pas vu depuis deux, trois ans. Maman et lui se sont séparés il y a déjà pas mal de temps, ce qui nous a beaucoup soulagés, ma sœur et moi. Ils se disputaient à longueur de journée. C'était... lourd. » En évitant soigneusement de regarder Sophie dans les yeux, il ajouta : « Je devine que tu viens d'une famille bien différente. Tu parais, comment dire, assez posée.

— C'est vrai. Mes parents ne se disputent pas sans arrêt, ils vivent simplement dans un état permanent de, je cherche le mot... d'indifférence teintée d'hostilité. »

Adam se mit à rire : « Très britannique.

— Oui, tout à fait. *"Keep calm and carry on !"* Ils suivent leur petit bonhomme de chemin chacun de leur côté sans s'énerver, même si ma mère...» Sa voix se perdit, elle ne souhaitait pas en dire plus long.

« Et toi ?

— Moi ?

— La vie conjugale ?» Il regardait son alliance. « Ça te convient ?

— Ah, c'est un peu trop tôt pour le dire. Trois mois seulement.

— C'est si récent ? Félicitations.

— Mais jusqu'ici, c'est bien. Très bien. Je me sens très... stabilisée.

— Excellent. Je suis content pour toi. Et pour lui.

— Ian, il s'appelle Ian.

— Et qu'est-ce qu'il fait ?

— Il enseigne.

— Évidemment ! L'histoire de l'art ?

— Non, il apprend aux gens à conduire plus prudemment. C'est comme ça que je l'ai rencontré. Lors d'un stage.

— C'est vrai ? Je ne t'aurais pas imaginée en chauffarde. Est-ce que tu aurais un grain de folie que tu te serais gardée de nous laisser voir ?

— Non, je ne crois pas », dit Sophie en prenant la question plus au sérieux qu'il ne le fallait peut-être.

Ils devaient être là depuis une bonne demi-heure et avaient eu le temps de regarder le soleil se coucher dans toute sa gloire nonchalante. Derrière eux, de l'autre côté de l'île, la lune se levait et son éclat leur suffit pour reprendre le sentier sans peine lorsque la faim se fit sentir et qu'ils voulurent retourner au port et à ses restaurants. Ils ne revirent pas les autres participants au colloque. La navette venait de partir, selon l'horaire affiché ; peut-être avaient-ils décidé de la prendre. La prochaine arriverait dans une heure, mais de toute façon il n'y avait pas d'urgence : la dernière partait à minuit.

Ils trouvèrent un bar tranquille au bord de l'eau et commandèrent des moules marinières avec des panisses, une salade niçoise et une carafe de rosé avec beaucoup de glaçons. Lorsqu'ils eurent fini de dîner, il était dix heures et demie, deux navettes étaient parties entre-temps et ils avaient un peu l'impression d'avoir l'île pour eux tout seuls.

« C'est si paisible ici, dit Sophie. Je n'arrive pas à croire que nous soyons à seulement vingt minutes de la ville. On a l'impression d'être dans un autre monde.

— Encore un verre ?

— Non, retournons à la plage. »

L'eau était plus calme à présent, noire et accueillante, tout juste illuminée par une traînée de lune qui s'étirait vers l'horizon. Il n'y avait personne sur la plage. Ils ne dirent rien ni l'un ni l'autre, ne se proposèrent rien, mais d'un commun accord et d'un élan spontané, ils se débarrassèrent de leurs vêtements et avancèrent en se tordant les pieds sur les galets jusqu'à l'eau, où ils s'élancèrent. Élan spontané et chaste : ils ne se regardèrent pas avant d'être complètement immergés et pourtant, même ainsi, Sophie fut sensible au contraste entre la couleur de leur peau. Elle n'avait jamais pris de bain de minuit et ne se doutait pas à quel point le contact de l'eau encore tiède serait délicieux sur sa peau nue. Bonne nageuse – contrairement à Adam qui restait à barboter sur les hauts-fonds –, elle partit d'une brasse vigoureuse vers l'extérieur de la crique, au bout du bras de mer, jugeant plus sage de se tenir à distance de lui. Là, elle fit des allers-retours entre les rives rocheuses, au moins dix fois de suite, et quand elle sentit venir des crampes dans ses membres, elle se retourna et fit la planche quelques minutes en contemplant la lune et les étoiles et en se disant qu'elle n'avait jamais été aussi heureuse, en paix avec elle-même, ne faisant qu'un avec les éléments, l'eau et l'air. Elle ferma les yeux, sentit le vent caresser son visage et céda à l'étreinte de la Méditerranée, abandonnée, confiante, sans résistance.

Ils parlèrent peu ensuite. Pas même à bord de la navette de minuit qui les ramenait à Marseille. Cette soirée ensemble les envoûtait et ils savaient tous deux que parler aurait rompu le charme.

Il était presque une heure du matin lorsqu'ils arrivèrent à la résidence universitaire où les participants au colloque étaient logés. Leurs chambres se trouvaient aux deux bouts du couloir.

Devant sa porte, Sophie se dressa sur la pointe des pieds pour embrasser Adam sur la joue.

« Eh bien, bonne nuit. C'était magnifique.

— Oui, vraiment magnifique », murmura-t-il. Et comme il disait ces mots, sa bouche effleura le visage de Sophie jusqu'à toucher ses lèvres. Jusque-là tout va bien, pensa-t-elle, après tout, ce n'était rien d'autre qu'un baiser pour dire bonne nuit. La bouche d'Adam était ouverte, la sienne aussi. Jusque-là tout allait bien. Elle sentit tout son corps tressaillir quand leurs langues se rencontrèrent. Mais tout allait bien. Un baiser de bonne nuit, rien de plus. Qui durait tout de même longtemps. Et voilà que la main d'Adam se promenait lentement mais délibérément sur son corps ; elle ne se posait plus contre son dos pour l'étreindre légèrement, elle remontait de son ventre à ses seins, son sein gauche, où elle s'attardait, où elle la laissait s'attarder, se collant même à lui, de sorte que la main, sans le vouloir, appuyait plus fort contre son sein, et cette sensation était exquise, elle envoyait des ondes de plaisir dans son corps et, en cet instant, elle ne voulait rien tant que se laisser aller à ces ondes, céder…

Mais non. Non non non. Là tout n'allait plus bien. Ça n'allait même plus du tout. Il ne s'agissait plus de se dire bonne nuit. Elle le repoussa brusquement et s'adossa contre la porte, le souffle court, en rougissant. Elle regarda le sol, il regarda l'autre bout du couloir, hors d'haleine lui aussi. Et elle se passa les mains dans les cheveux en disant :

« Écoute, c'est…

— Je sais, je..

— On peut pas faire ça. Je suis…

— Bien sûr, j'ai eu tort de… »

Alors, elle le regarda et il la regarda ; il y avait de la tristesse, de la colère et de la frustration dans leurs yeux.

« D'accord.

— Ouais, d'accord, bon bah, bonne nuit alors.

— Bonne nuit », dit Sophie qui ouvrit sa porte et la referma aussitôt derrière elle, après quoi elle y demeura adossée une éternité, les yeux gonflés de larmes, le temps de reprendre son souffle.

*

Il n'y avait qu'une séance le vendredi matin et c'était une séance plénière, pour récapituler les communications de la semaine, en prendre acte et en tirer des conclusions. Adam n'était pas là. Elle ne l'avait pas vu au petit déjeuner non plus. Elle avait envisagé de se dispenser de déjeuner elle aussi, mais après tout ç'aurait été absurde : Adam et elle étaient adultes l'un comme l'autre, il n'y avait aucune raison que s'installe une gêne ou une tension entre eux ce matin. Leur transgression de la veille était d'ailleurs bénigne ; ils avaient fait machine arrière largement à temps. Alors où était-il passé ce matin ? Pourquoi son siège était-il vide ?

« Il est rentré à Paris en train, expliqua François pendant la pause-café. Je crois qu'il a eu une urgence familiale. Il a avancé son vol pour les États-Unis. »

Avant la fin de la séance matinale, Sophie envoya un mail à Adam : « Il n'y avait aucune raison de faire ça ! Écris-moi. » Mais il n'y eut pas de réponse.

Quant à elle, son vol du samedi matin atterrit à Luton à midi. Il pleuvait des cordes. Le ciel était gris ardoise, plombé de nuages. La ligne de Birmingham était perturbée à cause de travaux sur la voie, et le train remplacé par un bus entre Kettering et Nuneaton.

« Bus de remplacement », « Nuneaton », « Kettering ». Y avait-il cinq mots plus démoralisants dans n'importe quelle langue du monde ?

Pendant que le bus se traînait dans la circulation laborieuse et bégayante du week-end entre ces villes des Midlands, Sophie pensait, bien malgré elle, à la soirée du jeudi dans l'île du Frioul. La sensation de l'eau contre sa peau nue. La configuration des étoiles dans le ciel nocturne. Le retour en bateau à Marseille, au clair de lune, sur le pont supérieur, le contact léger de la cuisse d'Adam contre la sienne. Et puis, dans sa tête, elle entendit la voix de Naheed, le soir du mariage, sous la marquise, cette voix qui parlait de la conduite automobile : « Toutes les cinq minutes, on arrive à un carrefour et il faut choisir sa voie. Chaque bifurcation détient le potentiel de changer une vie, parfois du tout au tout. »

Il était quatre heures de l'après-midi lorsqu'elle émergea péniblement de la station New Street sur Centenary Square en traînant derrière elle sa valise avec sa cargaison de sous-vêtements sales, son aimant de frigo aux couleurs de Marseille et la bouteille de pastis rapportée en souvenir. Les nuages étaient plus épais, plus sombres, plus denses que jamais et le squelette inachevé de la nouvelle bibliothèque de Birmingham se dressait devant elle. Dans l'appartement, la lumière était déjà allumée, Ian à la fenêtre, guettant son arrivée.

15

Vendredi 27 juillet 2012, neuf heures du soir.

Sophie et Ian étaient assis côte à côte sur leur canapé, ils regardaient la cérémonie d'ouverture des jeux Olympiques à la télévision.

Colin Trotter était seul chez lui à Rednal, dans son fauteuil, il regardait la cérémonie d'ouverture des jeux Olympiques à la télévision.

Helena Coleman était seule chez elle à Kernel Magna, dans son fauteuil, elle regardait la cérémonie d'ouverture des jeux Olympiques à la télévision.

Philip et Carol Chase, en compagnie de Patrick, le fils de Philip, et sa femme Mandy, étaient installés dans le séjour de leur maison à King's Heath, un plat chinois dans une barquette sur les genoux. Ils regardaient la cérémonie d'ouverture des jeux Olympiques à la télévision.

Sohan Aditya était seul dans son appartement de Clapham, allongé sur le canapé, il regardait la cérémonie d'ouverture des jeux Olympiques à la télévision et envoyait ses commentaires par SMS à ses amis.

Christopher et Lois Potter, qui passaient des vacances en demi-teinte à randonner dans la région des Lacs, regardaient la cérémonie d'ouverture des jeux Olympiques à la télévision dans le cottage qu'ils avaient loué.

Doug Anderton, sa fille Coriandre et son fils Ranulph étaient chacun dans une pièce différente de leur maison de Chelsea, où ils regardaient la cérémonie d'ouverture des jeux Olympiques chacun sur un écran différent.

Benjamin était seul au moulin, assis à son bureau, il faisait des coupures et des révisions dans son roman tout en écoutant un quatuor à cordes d'Arthur Honegger.

*

Sophie n'attendait pas grand-chose de ce spectacle. Contrairement à Ian, instinctivement attiré par tout ce qui pouvait avoir trait au sport, le sport la rebutait plutôt. Elle n'avait jamais attaché une grande importance au fait que Londres accueille les JO de 2012, et maintenant qu'elle n'y vivait plus, elle en attachait encore moins. C'est donc intentionnellement qu'elle avait ouvert un livre sur ses genoux (*Le Comte de Monte-Cristo*, en l'occurrence, qu'elle avait entrepris de relire) quand la diffusion commença, ce qui était une façon de signifier sans ambiguïté à Ian qu'elle était prête à lui tenir compagnie mais sans s'intéresser au spectacle. Elle se disait qu'il y aurait des cohortes de types en short et maillot de corps qui feraient le tour du stade trois heures durant aux accents d'une musique militaire, tandis que la reine saluerait la foule de la main.

« Même Danny Boyle ne peut pas rendre ça intéressant », dit-elle.

Or elle se trompait. La cérémonie débuta par un film de deux minutes, une descente en accéléré de la Tamise depuis sa source jusqu'au cœur de Londres. La caméra fonçait à la surface de l'eau accompagnée par les pulsations d'une musique électro trépidante, elle dépassait en chemin trois personnages du *Vent dans les saules* et la bande-son incorporait des bribes du « God Save the Queen » des Sex Pistols et du thème de la série *EastEnders* : la curiosité universitaire de Sophie en fut piquée. Elle comprit qu'on serait là devant un savant montage, et qu'il y aurait des tas de références intertextuelles à décrypter.

« Pourquoi il y a un cochon rose qui vole au-dessus de la centrale électrique de Battersea ? demanda-t-elle à Ian.

— Aucune idée », répondit-il.

*

« Tu sais ce que c'est, ça ? dit Philip, ravi, en désignant l'écran du bout de sa baguette. C'est une référence à Pink Floyd. L'album *Animals* qu'ils ont sorti en 1977.

— Il n'y a que toi pour savoir des choses pareilles, commenta Carol.

— Moi et quelques millions d'autres », dit Philip en piquant une boulette de crevettes. Parfois, l'inculture musicale de sa femme l'effarait.

*

Helena trouvait la séquence d'ouverture trop confuse et débridée. Elle espérait que toute la cérémonie ne serait pas de la même veine. Mais elle se détendit un peu car la suite faisait intervenir quatre chorales différentes, chacune représentant un pays du Royaume-Uni, chacune interprétant un hymne différent. Le garçonnet qui chantait « Jérusalem » en solo sur le stade avait une voix d'ange, et les scènes de la vie paysanne jouées dans l'arène lui parurent paisibles et pleines de charme. Puis des diligences firent leur entrée, amenant des acteurs costumés en industriels victoriens, et Helena fut de nouveau prise à rebrousse-poil : plusieurs de ces hommes d'affaires étaient en effet joués par des acteurs noirs. Pourquoi cette extravagance ? Pourquoi ? N'avait-on plus de respect pour la vérité historique ?

*

« Wow… »
Sohan avait remarqué que la partie de la cérémonie qui faisait intervenir les industriels s'intitulait « Pandémonium ». Il envoya aussitôt un message à Sophie.

T'as vu ça ? Pandémonium ! Ils nous font passer Humphrey Jennings !

*

Sophie répondit :

Incroyable ! Et pas du tout ce à quoi je m'attendais.

« Tu écris à qui ? demanda Ian.
— À Sohan.
— Tu ne peux pas suivre les images, plutôt ?
— C'est des images que je lui parle. Il vient de me faire remarquer que toute cette partie est fondée sur un bouquin carrément obscur d'Humphrey Jennings qui s'appelle *Pandaemonium*. » Ian la regarda l'œil vague. « C'était un documentariste des années quarante, précisa-t-elle.
— Ah d'accord. » Ian réfléchit un instant. « Vous avez tellement de choses en commun vous deux ! » Il l'embrassa. « Heureusement qu'il est gay. »

176

*

Comme Sophie, Doug avait abordé la cérémonie d'ouverture avec le plus grand scepticisme. Comme elle, il la regardait avec une admiration croissante qui frôla bientôt la révérence. L'échelle du spectacle, son originalité – sa bizarrerie parfois –, l'image grandiose des hauts-fourneaux qui se dressaient sur Glastonbury Tor, le pouvoir hypnotique de plus en plus fort de la musique du groupe Underworld... Cet hymne extravagant à l'héritage industriel de la Grande-Bretagne, c'était bien la dernière chose à laquelle il se serait attendu, mais il y trouvait un considérable pouvoir d'émotion et de persuasion. Un caractère fondamentalement authentique. Ce spectacle réveillait en lui une émotion qu'il ne connaissait plus depuis des années, n'avait jamais connue peut-être, ayant grandi dans un foyer où toute expression de patriotisme était suspecte – mise sur le compte de l'orgueil national. Oui, pourquoi ne pas l'avouer tout bonnement, en cet instant, il était fier, fier d'être britannique, fier de faire partie d'une nation qui, non contente d'avoir réalisé de grandes choses, pouvait aujourd'hui les célébrer avec une telle assurance, une telle ironie, une telle simplicité.

Il sentait qu'il allait lui venir un édito sur le sujet. Absolument.

*

Colin aussi trouvait la célébration de l'histoire britannique à son goût. Il aima le poème récité par Kenneth Branagh. La seule chose qui l'ait agacé, c'est qu'ils se soient crus obligés de faire une allusion à l'arrivée du navire *Windrush* avec les premiers immigrants jamaïcains.

« Et c'est reparti, maugréa-t-il dans son verre de lager dès qu'il vit les acteurs. Cette foutue brigade du politiquement correct a encore frappé… »

*

Jusque-là, contre toute attente, Sophie était plus mobilisée par la cérémonie que Ian. Au bout de quelques minutes, il commença à s'agiter, se leva pour aller chercher des bières dans le frigo, verser des chips dans un bol. « Ça ne te plaît pas ? » lui demanda-t-elle. « Si, bien sûr. On a compris le message. La Grande-Bretagne a fait des tas de trucs. » Il lui parut encore plus détaché lorsque la séquence suivante, court-métrage intitulé *Happy and Glorious*, débuta par des vues aériennes du palais de Buckingham. Mais c'est alors qu'il vit un personnage franchir les grandes portes en smoking blanc, roulant des épaules avec une assurance de gentleman, et qu'il comprit qu'il s'agissait de… James Bond, ou du moins de Daniel Craig, sa dernière incarnation à l'écran. Il se rassit sur le canapé à côté de Sophie et se pencha en avant, captivé. Bond traversait les salles de réception jusqu'à ce qu'il arrive derrière une actrice qui jouait la reine, assise à son bureau, le dos tourné. Mais quand elle se retourna, ce n'était pas une actrice, c'était la reine en personne. « Bonsoir, monsieur Bond », disait-elle avec raideur. Elle ne brillait pas par son naturel, même dans son propre rôle. N'empêche qu'ils avaient réussi à faire figurer la reine en personne, la reine d'Angleterre, putain ! dans un film destiné à la cérémonie d'ouverture des jeux Olympiques. Et ce n'était pas tout : elle sortait du palais à la suite de James Bond et ils montaient en hélicoptère, l'appareil décollait, la caméra le montrait en train de s'élever au-dessus du palais de Buckingham, au-dessus de Londres, et bientôt voilà qu'il s'approchait du stade olympique, et là c'était la cerise sur le gâteau, le coup de génie suprême. On aurait dit que la reine et James Bond s'extrayaient de l'appareil et sautaient en parachute au-dessus du stade. Sur la musique de *L'espion qui m'aimait*, le parachute de Bond s'ouvrait, et sa toile était un immense Union Jack, en hommage à la stupéfiante séquence d'ouverture du film. Les effets conjugués de ces trois éléments, la reine, James Bond et l'Union Jack, provoquèrent chez Ian une bouffée de ferveur patriotique proche de l'orgasme. Il se leva d'un bond en braillant « Oui ! oui ! oui ! », puis se rassit à côté de Sophie, se jetant sur elle pour la serrer dans ses bras et la couvrir de baisers.

*

Lorsque la musique de la partie suivante débuta, Philip n'en crut pas ses oreilles. Il la reconnut tout de suite, cette phrase unique, hypnotique, avec sa curieuse mesure ; c'était une musique qu'il avait écoutée des centaines, des milliers de fois, qu'il aimait de tout son cœur, d'une passion qu'il avait dû tenir secrète pendant près de quatre décennies sous la pression de ses camarades qui lui avaient donné le sentiment qu'aimer cette musique revenait à se déclarer ringard, ou tout au moins en décalage total avec la mode. Et voilà qu'elle se faisait entendre, diffusée dans le monde entier, présentée comme le nec plus ultra de la culture britannique. Le temps lui donnait raison ! Enfin !

« Mike Oldfield, s'écria-t-il en renversant du riz sur tout le tapis. C'est Mike Oldfield ! C'est "Tubular Bells" ! »

Il prit son portable et se précipita dans un coin plus

tranquille de la pièce pour appeler Benjamin. Quand celui-ci lui répondit, il entendit de la musique en arrière-plan ; cependant ce n'était pas « Tubular Bells », elle avait quelque chose d'angoissé, de discordant. Un quatuor à cordes, semblait-il.

« Tu ne regardes pas ?

— Regarde pas quoi ?

— La cérémonie d'ouverture des Jeux.

— C'est ce soir ?

— Oh bon Dieu ! Allume la télé.

— Non, pas envie, je travaille ce soir.

— Ne discute pas, allume tout de suite. »

Benjamin hésita, impressionné par l'urgence dans la voix de Philip. « Bon, bon, d'accord. »

Philip entendit qu'on éteignait le quatuor à cordes et qu'on allumait la télévision. Au bout de quelques secondes, Benjamin s'exclama :

« Oh bon sang, mais c'est Mike Oldfield ?

— Exact. Mike Oldfield. Mike Oldfield !

— Qu'est-ce qu'il fiche là ?

— Il joue "Tubular Bells", qu'est-ce que tu dis de ça !

— Mais pourquoi ?

— Parce que enfin – enfin – quelqu'un s'est aperçu de son génie. C'est un grand compositeur britannique. On a raison depuis le début ! » Benjamin entendait le sourire de triomphe de son ami dans sa voix. « Bon, je te laisse. Continue à regarder, c'est incroyable. »

Benjamin posa le téléphone sur le bras du canapé et jeta un bref coup d'œil à l'étrange scène qui se déroulait sur l'écran. Une foule de figurants en uniforme d'infirmière, des enfants en pyjama sautaient sur des lits géants comme sur un trampoline tandis que « Tubular Bells » continuait en musique de fond. La plupart des téléspectateurs auraient su lui expliquer que cette partie était conçue comme un hommage au système de santé. D'ailleurs Benjamin aurait sans doute trouvé tout seul s'il avait été attentif, mais il ne l'était pas. Il revoyait l'époque, au milieu des années soixante-dix, un ou deux ans après la sortie de l'album de Mike Oldfield, où lui et ses copains l'écoutaient dans la salle commune de King William et s'engageaient dans d'interminables discussions d'initiés. Doug, qui écoutait essentiellement du Motown à l'époque, les méprisait ouvertement. Mais pour eux, c'était un texte musical sacré. Il se souvenait d'un déjeuner – oui, incroyable comme certaines images vous reviennent parfois, avec une netteté photographique, il y a quelque chose de presque proustien là-dedans, et c'était bien la musique qui avait provoqué l'étincelle –, bref, Harding et lui écoutaient « Tubular Bells », il s'agissait justement de cette partie-là, et ils s'étaient lancés dans une discussion idiote sur la mesure. Benjamin s'en souvenait à présent. Harding affirmait qu'elle n'avait rien de bizarre, qu'elle était normale, classique, et lui soutenait que non, il fallait tendre l'oreille, c'était du 15/8, sur quoi Philip avait mis son grain de sel en suggérant : Non, vous compliquez les choses, c'est juste qu'il manque un temps dans la deuxième mesure toutes les quatre mesures. Et donc ça donne 4/4, ¾, 4/4, 4/4, alors oui, ça veut bien dire qu'on est sur un schéma de 15 temps, mais ça ne veut pas dire que c'est du 15/8 pour autant. Alors, Harding les avait traités d'idiots, ils parlaient sans savoir. Benjamin s'en rendait compte aujourd'hui, il fallait toujours qu'il mette le feu aux poudres, qu'il sème la zizanie. Si bien que pour finir, ils étaient allés apporter le disque chez le chef du département de musique, M. Sill, qui l'avait écouté avant de leur faire une réponse encore différente et encore plus compliquée ; il avait sorti d'autres disques et leur avait fait identifier la mesure, en commençant par « Mars, the Bringer of War », de Holst (du 5/4) pour continuer avec le *Sacre du printemps*, si bien qu'ils y avaient passé le reste de la pause-déjeuner...

C'étaient de bons moments, songea Benjamin, des moments heureux.

Pendant ce temps, à Londres, la partie de la cérémonie consacrée au service de santé s'achevait mais Benjamin ne s'en aperçut pas. Les images défilaient sur l'écran à l'arrière-plan, et lui regardait au-dehors la rivière, ses réminiscences lui mettant aux lèvres un sourire béat.

*

« C'est Simon Rattle, non ? dit Christopher au moment où l'éminent chef d'orchestre se dirigeait à grandes enjambées vers le centre du stade olympique.

— Hmm », répondit Lois qui leva brièvement les yeux de son ouvrage, un canevas auquel elle ne travaillait que pendant ses vacances, qu'elle n'avait jamais fini et ne finirait jamais. Elle ne leva plus la tête jusqu'à ce qu'elle entende son mari rire. « Qu'est-ce qu'il y a de si drôle ?

— Regarde, c'est Mr Bean. »

Simon Rattle dirigeait un orchestre qui jouait le thème des *Chariots de feu* (autre victoire pour les goûts adolescents de Philip, fan de Vangelis dès les années soixante-dix) tandis que Rowan Atkinson, attelé au clavier électrique sur lequel il jouait la même note inlassablement, mimait l'ennui et la frustration pour amuser la galerie.

« Je me demande ce qui leur a pris de le faire venir.

— C'est très habile, en fait, déclara Christopher. Le monde entier adore Mr Bean.

— Ah oui ? répondit Lois en retournant à son canevas.

— Tu ne te souviens pas, quand on était à Arezzo, qu'on était passés devant le théâtre, ils avaient un imitateur de Mr Bean au programme...

— Non.

— Et je t'ai dit, regarde comme il est populaire ici. Il y a même des fantaisistes qui l'imitent.

— Ça ne me rappelle rien du tout.

— À Arezzo, il y a trois ans... ?

— Désolée », dit Lois qui tint son ouvrage à bout de bras pour le regarder d'un œil critique. Il y avait quelque chose qui clochait dans son choix de couleurs. « Je n'ai aucun souvenir de cette conversation. »

Christopher soupira. « Comme par hasard. Tu ne te rappelles jamais rien de ce que je dis. »

Il se pencha vers elle et l'embrassa sur la joue, par habitude, par résignation. Elle eut un mince sourire mais ne lui rendit pas son baiser.

*

Coriandre avait commencé à s'agiter pendant la séquence autour de Mr Bean, et elle était descendue voir ce que son père faisait. Elle le trouva assis sur le canapé du grand salon, une cannette de bière dans la main et, à sa stupéfaction, de vagues traces de larmes sur une joue. C'était la première fois qu'elle était témoin d'un pareil phénomène chez lui. « Papa ? demanda-t-elle en s'asseyant auprès de lui. Ça va ?

— Pardon, dit-il en s'essuyant les yeux, c'est tellement embarrassant. Mais j'adore ce spectacle, j'en adore chaque minute. Va chercher ta mère, il faudrait qu'elle regarde elle aussi. »

Coriandre le considéra, ébahie. « Comment ça ? Bien sûr qu'elle regarde, puisqu'elle y assiste.

— Elle y est ?

— Elle est dans la tribune VIP, je l'ai vue tout à l'heure, à côté de Bryan Ferry. »

Doug eut un instant de surprise, mais c'était sa place, à bien y réfléchir.

« Comment vous faites pour être encore ensemble, vous deux ? J'ai jamais vu des gens qui communiquent si mal entre eux.

— Tu as raison, si on vivait dans une maison plus petite, on aurait déjà divorcé.

— Dommage que vous l'ayez pas fait. C'est trop nul d'avoir des parents qui sont ensemble depuis aussi long-temps. »

Doug n'était pas sûr qu'elle plaisantait. Mais il fut content qu'elle s'installe sur le canapé auprès de lui.

On en était maintenant à une séquence intitulée « Frankie and June say… thanks, Tim ! », qui se présen-tait comme un méli-mélo quasi incompréhensible d'allu-sions à des comédies musicales et des films britanniques. (*A Matter of Life and Death !* envoya Sophie à Sohan. À quoi il répondit : *The Wicker Man !*) Le fil conducteur était une vague histoire d'amour entre deux adolescents qui se ren-contraient et communiquaient par les réseaux sociaux tout en circulant dans le métro. On s'y perdait mais c'était eni-vrant, et le plus amusant, c'était d'identifier les chansons. Doug était sidéré de voir combien sa fille en connaissait. Elle avait reconnu The Jam, les Who, les Stones, David Bowie et Frankie Goes to Hollywood, en plus de ceux qu'il tenait pour acquis qu'elle connaissait, Amy Winehouse et Dizzee Rascal. Comme elle ne comprenait pas le clip des deux femmes qui s'embrassaient, il lui expliqua qu'il venait d'une série télé intitulée *Brookside*, et qu'il s'agis-sait d'un des premiers baisers entre femmes diffusés sur une chaîne nationale grand public. Incroyable de voir que l'Angleterre était en train de le citer pour montrer fièrement au monde à quel point elle était éclairée et progressiste. « C'est regardé en Arabie saoudite, tu sais », lui dit-il ; Coriandre elle-même dut admettre que c'était trop cool et elle éprouva une pointe d'excitation en prenant la mesure de la chose.

« Mais c'est qui ? » demanda-t-elle au moment où le toit d'une maison gigantesque dressée au milieu du stade se soulevait pour révéler un quadragénaire d'une banalité décourageante assis à un bureau où il tapait sans trêve sur un clavier d'ordinateur pendant que la phrase CECI S'ADRESSE À TOUS jaillissait sur les écrans et les moniteurs qui l'entouraient.

« C'est Tim Berners-Lee.

— Qui ?

— Celui qui a inventé Internet.

— Quoi ? C'est les Anglais qui ont inventé Internet ?

— Oui, en somme. En tout cas c'est lui.

— Incroyable », dit Coriandre. Elle sortit son BlackBerry et prit une photo de l'image à l'écran, puis écrivit « Je viens d'un pays génial », phrase qu'elle tweeta à ses 379 followers.

*

La partie créative de la cérémonie s'achevait. C'était le moment où les athlètes en compétition venaient défiler dans le stade, ce qui menaçait de durer au moins quatre-vingt-dix minutes. Les téléspectateurs se dispersèrent.

Sophie et Ian allèrent se coucher. Ils n'avaient pas fait l'amour depuis presque une semaine et se rattrapèrent. Ian fantasma qu'il était James Bond et faisait l'amour à la belle danseuse adolescente de la partie « Frankie and June ».

Colin s'endormit sur le canapé puis se réveilla à trois heures du matin, l'esprit embrumé, pour se traîner au premier étage jusqu'à son lit.

Helena veilla jusqu'à une heure du matin. Elle écrivit au *Telegraph* pour se plaindre du caractère gauchisant de la cérémonie, mais sa lettre longue de cinq cents mots ne fut pas publiée – il fallait s'y attendre.

Les Chase nageaient dans une telle euphorie après la cérémonie que Philip alla sur Internet acheter aussitôt quatre des rares billets qui restaient pour l'un des événements sportifs, puis quatre allers-retours pour Londres en train – soit un total astronomique.

Sohan fit une recherche en ligne sur Humphrey Jennings et Michael Powell avant de se changer, de se raser et de sortir à minuit et demi en direction d'un club : la nuit était jeune encore et pleine de promesses.

Christopher prépara deux mugs de chocolat chaud et emporta le sien au lit. Lois attendit patiemment quatre-vingt-dix minutes pour le rejoindre : il dormirait sûrement déjà.

Doug commença son édito. Il montra les deux premiers paragraphes à Coriandre et lui demanda ce qu'elle en pensait. « C'est de la daube », lui répondit-elle, après quoi elle se mit à son bureau avec lui et ils rédigèrent le reste de l'édito à quatre mains.

La nuit était douce, Benjamin alla s'asseoir sur sa terrasse avec un verre de vin blanc bien frais. Il était heureux. Le travail sur la version élaguée du roman s'achevait. Le texte, récit tout juste romancé de sa relation avec Cicely intitulé *Rose sans épine,* était désormais prêt à l'envoi aux éditeurs. Pour fêter la chose, il alluma son enceinte portable et chercha sur son iPod le morceau de musique qui l'avait inspiré et lui donnait son titre, un duo passionné et tout en inté-

riorité entre le pianiste de jazz Stan Tracey et le saxopho-
niste Tony Coe, enregistré en 1983. Il monta le volume. Il
pouvait écouter de la musique aussi fort et aussi tard qu'il
voulait ici. Pourtant, quand le morceau s'acheva, il éprouva
une forme de soulagement. Au fond, il préférait de loin le
silence. Le silence de l'Angleterre qui sombrait dans un
sommeil profond et bienheureux, un sommeil comme on
en goûte après avoir donné une soirée réussie, quand tous
les invités sont partis et qu'on sait qu'on n'aura pas à se
lever de bonne heure. L'Angleterre lui faisait l'effet d'un
territoire calme et stable. D'un pays en bonne intelligence
avec lui-même. L'idée que tant de millions de gens dispa-
rates avaient été réunis, rassemblés par une émission de
télévision le ramenait à son enfance et le fit sourire. Tout
allait pour le mieux. Et la rivière semblait d'accord avec lui,
la rivière dont la voix seule rompait le silence, et qui ce soir
filait sa course sans âge, bondissait, bouillonnait, joyeuse,
joyeuse, si joyeuse.

DEUXIÈME PARTIE

L'ANGLETERRE PROFONDE

Les privilégiés voient dans l'égalité un déclassement. Une fois qu'on l'a compris, on comprend une grande part de la politique populiste.

İYAD EL-BAGHDADI,
Twitter, 13 h 36, 25 juillet 2016

16

Juillet 2014

« Eh bien, félicitations, dit Sohan.

— Merci », répondit Sophie.

Ils trinquèrent et burent leur champagne, de qualité très moyenne. Sohan – c'était lui qui offrait – eut une brève pensée pour le prix, très au-dessus de la moyenne, lui.

« Au fait, qu'est-ce qu'on arrose ? demanda Sophie.

— Toi.

— Moi, comment ça, moi ?

— Tout toi. Ton irrésistible ascension vers la renommée. »

Elle sourit. « Ça me paraît légèrement excessif. »

Flûte à la main, ils s'éloignèrent du bar et se mirent à déambuler sur la terrasse panoramique. Plus bas, Londres gisait languide dans la chaleur du soir en ce début d'été. La Tamise bouclait comme un gros ruban sale qui allait s'étrécissant vers l'horizon, à l'est, jusqu'à n'être plus qu'une tête d'épingle luminescente à travers le smog.

« Ta ville », dit Sophie qui s'approcha de lui et glissa son bras sous le sien. Depuis la terrasse du Shard aux parois vitrées du sol au plafond, ils regardaient plus de deux cents mètres au-dessous d'eux les tours, les anciennes HLM, les nouvelles constructions et, par-ci, par là, quelques vestiges baroques du Londres de Hawksmoor pointant la tête au milieu du fatras gris moderne.

« Ma ville ? Non, pas vraiment. Londres n'appartient plus aux Londoniens.

— Et à qui, alors ?

— Aux étrangers, essentiellement. Aux vrais étrangers. » Comme Sophie lui jetait un regard en coin, il ajouta : « Cet immeuble où nous nous trouvons, la dernière attraction vedette de Londres, tu crois qu'il est britannique ? Il est la propriété du Qatar à 95 %. Même chose pour ces nouveaux immeubles de bureaux étincelants que tu vois d'ici. Ces tours d'appartements luxueux avec vue sur le fleuve. Sans parler de Harrods, cette fabuleuse institution anglaise vénérable entre toutes. Nous sommes en train de nous vendre morceau par morceau depuis des années. Par les temps qui courent, il suffit de se promener en centre-ville pour avoir de fortes chances de fouler une terre étrangère. »

Comme une petite bande de jeunes touristes espagnols surexcités et volubiles les poussaient en prenant des photos et des vidéos du panorama avec leurs téléphones, Sophie et Sohan leur abandonnèrent le terrain et firent le tour de la terrasse pour voir la capitale sous un autre angle. La cathédrale Saint-Paul paraissait toute petite et fragile, comme arc-boutée avec l'énergie du désespoir pour affirmer une identité singulière face aux créations modernistes, brutalistes et postmodernistes qui poussaient comme des champignons depuis peu autour d'elle.

« Et là-bas, c'est le stade olympique ? demanda Sophie en désignant un anneau blanc, pastille de menthe géante qui aurait chu sans cérémonie en plein milieu du vieil East End.

— C'est lui. » Sohan but une gorgée de champagne. « Bon Dieu, ça paraît tellement loin tout ça… Tu te souviens comme on était tous sceptiques au départ, et comme on a tous été retournés en l'espace de cinq minutes ? C'est vrai, j'ai même pris des billets pour un événement, après cette cérémonie. Un événement sportif. Moi ! Aller voir du sport !

— Qu'est-ce que tu as vu ?

— Du football féminin ! » Sophie éclata de rire et il éprouva le besoin de se justifier : « C'était le seul événement pour lequel il restait des places. Je sais, c'était complètement idiot. J'aime pas le foot, et je suis pas non plus fou des femmes – personne présente exceptée. Je m'étais mis en tête d'en faire un rendez-vous amoureux, ce qui est complètement stupide. J'y ai emmené un gars qui s'appelle Jeremy. Ça a sonné le glas de notre histoire en tout cas.

— Quelle idée, aussi. Comme dîner aux chandelles, on fait mieux… » Elle lui entoura l'épaule d'un bras consolateur. « J'espère qu'il y en a eu d'autres depuis.

— Évidemment, des tas. Mais aucun qui me plaise vraiment et, d'ailleurs, aucun depuis deux mois. » Il but une gorgée plus longue que les autres. « Bien sûr, je sais gré à M. Cameron que nous puissions nous marier, désormais. C'est d'ailleurs bien la seule chose dont je lui sache gré. Mais je commence à me dire que je ne vais jamais trouver personne qui me rende heureux. Au fond, j'en suis même assez sûr.

— Bah, je n'ai jamais pensé que tu étais du genre à te caser.

— Moi non plus, mais maintenant que Ian et toi donnez un exemple éblouissant de bonheur conjugal… »

Elle eut plaisir à voir revenir la lueur de malice dans ses yeux et à entendre l'ironie dans sa voix. Pour autant cette façon de la charrier l'agaça.

193

« Nous sommes très heureux, c'est un fait.

— Je n'en doute pas un instant. »

D'ailleurs c'était plus ou moins vrai. Après les balbutiements des premiers mois, leur couple avait pris ses marques et ses habitudes. Les lundis et vendredis, Sophie travaillait à l'appartement ou à la bibliothèque de Birmingham qui venait d'ouvrir. Quand elle restait à la maison, Ian rentrait entre les séances du matin et celles de l'après-midi, et ils déjeunaient ensemble. Les autres jours de la semaine, elle allait à l'université. Le samedi il assistait à un match au Villa Park avec Simon, ou bien il regardait le sport à la maison. Le dimanche ils allaient voir sa mère. C'était confortable, agréable, et Sophie était bien décidée à s'en satisfaire. Et s'il lui arrivait de penser que la vie conjugale n'était peut-être pas tout à fait à la hauteur de ses attentes (parfois, très rarement, aux heures sombres et immobiles d'un matin d'hiver, quand elle s'était réveillée de bonne heure, Ian encore endormi à ses côtés, le souffle régulier, ses pensées vagabondes prenaient un tour périlleux autant qu'imprévisible), elle avait la compensation de se dire que sa vie professionnelle progressait gentiment, par étapes. Sa thèse avait été publiée, le chapitre sur le portrait de Dumas par Powell, qui avait aussi fait l'objet d'une publication dans un numéro de l'*Oxford Art Journal*, avait attiré l'attention d'un producteur de Radio 4. Il l'avait invitée à une émission-débat passant en début de soirée, elle s'était bien tirée d'affaire, et d'autres invitations avaient suivi, certaines de l'université, d'autres de médias culturels de bonne tenue (essentiellement une presse écrite de haut niveau, perpétuellement menacée mais acharnée à survivre). Et plus récemment, elle avait reçu l'invitation la plus inattendue de toutes, la conviant à une croisière de dix jours sur la Baltique comme conférencière, départ prévu de Douvres le surlendemain.

Et puis il y avait son nouveau poste, maîtresse de conférences dans l'une des grandes universités de Londres. Elle commençait en octobre et elle était en effervescence. Ian, naturellement, avait des sentiments mitigés. Certes, ça voulait dire qu'ils auraient plus d'argent à leur disposition, ce qui leur serait fort utile, surtout s'ils voulaient fonder une famille comme il avait hâte de le faire. Mais il s'était lui-même porté candidat à un nouveau poste ou plus exactement à une promotion au rang de directeur régional, et il avait confiance dans ses chances de succès avec une augmentation substantielle à la clef. Est-ce que ça ne suffirait pas pour l'instant ? Derrière cette question planait une inquiétude majeure dont il ne disait rien. Sa femme passerait désormais trois jours par semaine à Londres – où elle coucherait sans doute sur le canapé de Sohan en attendant de trouver une solution plus satisfaisante – et il y avait là quelque chose qui le dérangeait profondément. Quelque chose qui allait au-delà de leur séparation intermittente, d'avoir à passer trois nuits tout seul dans l'appartement. Quelque chose comme la crainte qu'elle puisse revenir insensiblement vers une ville, un mode de vie, un groupe d'amis qui n'avaient rien à voir avec lui, qui dataient d'avant lui et, pour cette raison, constituaient une menace envers leur équilibre conjugal. Depuis que cette décision avait été prise, un malaise inexprimé mais palpable était né entre eux.

« Tant mieux », dit Sophie en réponse au commentaire de Sohan. Et elle ajouta : « Parce que c'est vrai. » Ce qui fit aussitôt l'effet d'un déni.

« Il vient avec toi, je suppose ? À bord du fier vaisseau *Décrépitude* ?

— Arrête d'être désobligeant comme ça tout le temps !

— Oh allez, il n'y aura que des fossiles. Il faut pas avoir

au moins soixante-dix ans pour embarquer sur une croisière Legend ?

— Cinquante !

— Hmm, la plupart auront beaucoup plus. Le paquebot HMS *Sénilité* ! » Il rit, selon son habitude, de sa propre blague. Depuis que Sophie lui avait annoncé la nouvelle, l'idée qu'elle soit coincée dix jours sur un bateau de croisière avec quatre cents passagers britanniques d'un âge avancé le mettait en joie au-delà de tout. Elle se demandait s'il ne fallait pas y voir une pointe de jalousie professionnelle.

« Oui, il vient aussi. Ils ont été vraiment sympas. Il va rater les trois premiers jours, mais ils lui offrent un vol pour qu'il nous rattrape à Stockholm.

— Très romantique. Je vous imagine tous les deux dans votre cabine, à toute vapeur sur la Baltique. Genre Kate Winslet et Leonardo DiCaprio. D'ailleurs il y a un petit air de ressemblance entre vos deux couples. » Il vida le fond de sa flûte. « Espérons qu'il n'y aura pas d'iceberg.

— Il n'y en aura pas », dit Sophie. Main en visière pour se protéger des rayons du soleil couchant, elle cherchait en vain l'observatoire de Greenwich parmi le chaos de béton de cette ville qui serait bientôt de nouveau la sienne.

17

20-22 août 2014 : Douvres-Stockholm

Le *Topaz IV* de la compagnie Legend appareilla peu après quatorze heures de Douvres, le mercredi après-midi. Il faisait beau, la mer était calme. Depuis le minuscule balcon de sa cabine, Sophie regarda les blanches falaises s'éloigner et le bateau fendre l'eau vers la haute mer, le soleil étincelant sur les vagues molles et inoffensives de la Manche. Lorsque la terre disparut tout à fait et qu'elle fut lasse de contempler l'eau, elle rentra dans sa cabine et se laissa tomber, bien aise, dans le petit fauteuil.

Elle regarda autour d'elle avec une formidable impression de confort et de satisfaction. La cabine était on ne peut plus douillette. Il y avait deux lits simples et un bureau sur lequel elle avait déjà disposé ses livres et ses papiers pour la conférence. Le petit cabinet en teck contenait un minibar pourvu de toutes sortes de boissons alcoolisées, et supportait un poste de télévision avec lecteur DVD. Informée à l'avance de ce détail, elle avait apporté une demi-douzaine de ses films préférés, mais pourrait aussi en emprunter à la bibliothèque du bord. Sur la table de chevet entre les deux lits, on avait placé la Bible des Gédéons et, chose plus surprenante, un exemplaire de poche du *Crépuscule des loutres* qui avait valu le Booker Prize à Lionel Hampshire.

Sophie ne put tout d'abord imaginer la raison de cette disposition mais elle la découvrit par hasard quelques minutes plus tard. Parmi les documents qui l'attendaient dans son gros portfolio de bienvenue, se trouvait une newsletter de quatre pages intitulée *À bord*. C'était le premier numéro d'une série qui s'annonçait quotidienne et il contenait toutes sortes d'informations utiles, heures du lever et du coucher du soleil, bref bulletin météo, itinéraire de la croisière et précisions sur le code vestimentaire du jour, dont Sophie vit avec soulagement qu'il était « décontracté ». (« Les dames sont invitées à choisir une robe décontractée, ou un pantalon, tandis que les messieurs s'autoriseront chemise ouverte et pantalon chic et sport. ») Le journal précisait aussi quels artistes et conférenciers distrairaient et instruiraient les passagers au cours du voyage, distribution hétéroclite d'ailleurs : jongleurs, magiciens, un ventriloque et un imitateur d'Elvis Presley, et plus d'une douzaine d'autres. En fin de liste Sophie lut son propre nom, qu'elle fut bizarrement fière de trouver dans ce voisinage.

Or à côté de lui, elle eut la surprise de découvrir celui du grand écrivain en personne. « Nous avons l'honneur de vous informer que l'éminent lauréat du Booker Prize, M. Lionel Hampshire, sera à bord pendant toute la traversée pour lire des extraits de ses œuvres et proposer des ateliers et des groupes de discussion. »

Ces derniers mots furent les premiers qu'elle entendit en arrivant devant le bureau du directeur de la croisière à cinq heures cet après-midi-là, pour qu'il lui donne des instructions sur sa conférence. Une altercation avait éclaté à l'intérieur, semblait-il. Elle s'immobilisa sur le seuil de la porte ouverte et vit de dos le distingué écrivain qui protestait auprès d'un personnage invisible sur le ton de la dignité outragée.

« Des ateliers d'écriture et des groupes de discussion ? Mon contrat ne mentionne rien de tel, absolument rien !

— Je le sais, répondait le personnage invisible. Mais il fallait bien que je mette quelque chose. C'est la première fois que nous avons un écrivain. À quoi voulez-vous donc que je vous occupe ?

— Je donnerai une lecture, qui durera trente-cinq minutes, soutint Hampshire, ni plus, ni moins.

— Très bien. Vous pourrez faire ça mardi soir, au cabaret-théâtre. Je vais vous faire passer avant Molly Parton.

— Dolly Parton est sur ce bateau ?

— *Molly* Parton. C'est une chanteuse qui interprète ses titres. Vous serez sa première partie. Ce sera tout ? »

Hampshire tourna les talons et déclara avant de partir : « C'est un scandale. Je m'en vais écrire à mon éditeur.

— Demandez-lui pourquoi il a mis un exemplaire de votre livre dans chaque cabine. J'ai déjà reçu des plaintes de plusieurs passagers.

— Des plaintes ? »

Rouge de colère, Hampshire bouscula Sophie au passage sans faire mine de la voir et disparut dans le corridor. Un grand brun au beau visage apparut dans l'encadrement de la porte et le regarda partir un instant, puis il retourna dans son bureau en marmonnant – pour lui-même ou à l'intention de Sophie : « Un écrivain ! Ils me demandent de faire venir des écrivains à bord, mince alors ! » Il paraissait néanmoins plus amusé qu'agacé par la situation, et quand Sophie toussa pour lui rappeler sa présence, elle vit qu'il souriait. D'un sourire intelligent et espiègle qui lui inspira une sympathie immédiate.

« Bonjour, dit-elle en s'avançant main tendue. Je suis Sophie. Sophie Coleman-Potter.

— Robin Walker, directeur de cette croisière. » Le nom qu'elle venait de prononcer ne lui disait apparemment rien au départ mais son visage s'éclaira tout à coup : « Attendez, vous faites des imitations d'oiseaux ?

— Non, à mon grand regret, répondit-elle en secouant la tête.

— Non, vous n'avez pas l'allure d'une imitatrice d'oiseaux d'ailleurs. Vous, vous avez un physique de danseuse. » Avant qu'elle ait pu décider si elle était flattée ou insultée, il battit des mains : « Vous êtes la danseuse de claquettes ! Celle qui termine son numéro en faisant le grand écart sur le homard vivant.

— Non plus, malheureusement.

— Ok, je cale alors.

— Je suis historienne d'art. Je suis ici pour faire une conférence sur les "Trésors de l'Ermitage".

— Ah, très bien, l'histoire de l'art. Excellent. Il nous en faut. C'est qu'il y a des têtes, parmi les passagers. Il leur faut leur petite dose de culture. Je vous ai inscrite pour dimanche après-midi entre trois et quatre. Ça vous va ?

— Ça me va très bien. Et le reste du temps, je fais quoi ?

— Le reste du temps, ma chère amie, vous appartient.

— C'est vrai ? Mais je reste à bord dix jours.

— Détendez-vous, profitez-en. On vous a attribué une belle cabine ? Quel numéro ?

— 101.

— Excellent. C'est l'une des plus belles. Et puis surtout, vous avez Henry.

— Henry ?

— Votre maître d'hôtel.

— J'ai un maître d'hôtel ?

— Bien sûr. Vous n'avez pas lu le papier officiel ?

— C'est-à-dire, je...

— Pardonnez-moi, ma belle, mais le devoir m'appelle. » Quatre hommes entre deux âges venaient de paraître à la porte. *Sotto voce,* il expliqua à Sophie : « Ce sont des strip-teaseurs. Une nouveauté pour nous. Mais enfin, leur numéro reste soft, si j'ai bien compris. » Puis, à haute voix : « Entrez, messieurs. » Il raccompagna Sophie dans le couloir et elle l'entendit lancer aux nouveaux venus : « Alors, les gars, racontez-moi ce que vous faites. J'espère que le numéro ne comporte pas de nudité frontale...

— Pas de danger, répondit l'un d'entre eux avec bonne humeur. Nous, on est le quatuor à cordes. »

Ensuite, Sophie se détendit une heure dans sa cabine. Une assiette de canapés y avait été disposée, vraisemblablement par le maître d'hôtel, et elle en grignota quelques-uns tout en liquidant deux gin-tonics et en essayant devant la glace en pied de la salle de bains les trois robes qu'elle avait apportées. Lorsqu'elle jugea qu'elle affichait le look décontracté requis par le protocole du jour, elle se dirigea vers la salle à manger pour son premier dîner de la traversée.

C'est alors qu'elle découvrit un détail quelque peu alarmant : le plan de table était fixé une fois pour toutes, c'est-à-dire pour tous les petits déjeuners, déjeuners et dîners des dix jours à venir. Elle et Ian, quand il rejoindrait le bord samedi, seraient donc chaque jour à côté des mêmes passagers au nombre de huit, à savoir M. et Mme Wilcox, de Ramsbottom dans le Lancashire ; M. et Mme Joyce, de Teignmouth dans le Devon ; M. et Mme Murphy, de Woking dans le Surrey, ainsi que deux dames qui voyageaient ensemble, Mlle Thomsett et Mme O'Sullivan, de Bristol. M. et Mme Murphy avaient largement dépassé les quatre-vingts ans et, qui plus est, le mari avait l'air très mal en point. Il passa ce premier repas à regarder dans le vague d'un air mélancolique, le visage blême, les lèvres bleues, grignotant du bout des lèvres contrairement à sa femme qui bâfrait allègrement non sans lui décocher un regard noir de temps en temps. M. et Mme Joyce pouvaient avoir quelques années de moins et semblaient plus attachés l'un à l'autre. Les deux dames, un peu plus jeunes encore, ne tarissaient pas d'enthousiasme sur les destinations et les attractions qui les attendaient. L'une des deux, comprirent-ils, était veuve depuis peu, quant à l'autre, elle ne s'était jamais mariée. Toutes deux étaient végétariennes. Enfin, M. et Mme Wilcox comptaient parmi la toute jeune garde des croisières Legend, et c'étaient eux qu'on entendait le plus à cette table. Lui gagnait sa vie – très confortablement, il le donnait à entendre – en vendant et en louant des chariots élévateurs. Le choix de cette croisière ne venait pas de lui mais de sa femme, qui souffrait de « boulimie culturelle » et entretenait de longue date l'ambition de visiter Saint-Pétersbourg. Franchement, il aurait préféré être en croisière le long de la Méditerranée à cette heure, mais enfin, dans un couple, il faut bien faire quelques concessions, n'est-ce pas ? Mme Wilcox accueillit ces propos par un bref sourire impénétrable. Elle croisa le regard de Sophie et détourna les yeux aussitôt.

Le dîner comportait cinq plats. Sophie quitta la table après le quatrième en faisant l'impasse sur le plateau de fromages et les digestifs. Elle regagna sa cabine en titubant, avec l'impression d'avoir été gavée comme une oie. Elle regarda à peu près la moitié de *Beau travail* de Claire Denis, et s'aperçut qu'elle s'endormait insensiblement. Alors elle sortit sur le balcon prendre l'air avant de se coucher. La fraîcheur de la nuit, les embruns, le roulis du bateau, le brassage des vagues, la sensation de cette vaste étendue d'eau qui l'entourait la dépaysèrent et la revigorèrent délicieusement. En se couchant, elle laissa la porte-fenêtre entrouverte pour continuer à en profiter. Elle sombra sans tarder dans un sommeil superficiel et agité. À un moment donné, elle rêva qu'elle entendait des bruits au-dehors. Des cris aigus, étranges, inhumains. Elle sortait sur le balcon, se penchait par-dessus le garde-corps et voyait un dauphin nager le long du bateau. Elle tendait les bras vers lui et le hissait à bord par ses nageoires. Elle l'embrassait passionnément sur la bouche. C'était Adam, et en même temps un dauphin. Elle lui faisait signe d'entrer et elle le couchait sur le lit où elle caressait sa peau, lisse et mouillée comme celle d'un dauphin. Il était Adam et dauphin tout à la fois mais, à un certain moment du rêve, la confusion cessait et il n'était plus qu'Adam. Ils faisaient l'amour et elle jouit dans son sommeil en poussant un cri dans le noir. Ensuite elle resta éveillée quelques minutes, culpabilisée mais inexplicablement heureuse. Puis elle dormit neuf heures d'affilée, ce qui lui fit rater son premier petit déjeuner à bord.

*

Affamée à son réveil, elle se dit que c'était le moment de tester le service en cabine. Elle composa un numéro à trois chiffres sur le téléphone de chevet. Une voix immatérielle et musicale lui répondit dans un anglais parfait mais avec un fort accent étranger impossible à identifier. Elle commanda du café, des œufs brouillés, du saumon fumé, un fruit frais et un jus d'orange puis elle prit un bain. Le temps qu'elle sorte de la baignoire, le petit déjeuner était disposé sur la table, et un homme qui devait être Henry accrochait soigneusement sur un cintre la robe qu'elle avait laissée en boule sur le lit inutilisé avant de la remettre dans la penderie.

« Ah, bonjour, madame, dit Henry en lui souriant avec une petite courbette. J'espère que vous avez bien dormi. » C'était un homme frêle et discret, pas beaucoup plus grand qu'elle ; ses yeux bruns faisaient le tour de la cabine pour y chercher ce qu'il fallait ranger ou remettre d'aplomb du bout de ses doigts délicats.

« Merci. Je vous en prie, vous n'avez pas à faire ça. Et puis, appelez-moi Sophie. »

Il sourit et s'inclina de nouveau mais ne répondit pas. Elle eut l'impression de l'avoir troublé avec sa suggestion. Elle s'aperçut du même coup qu'elle n'avait pas la moindre idée de l'attitude à avoir envers cet homme. C'était un domestique. Elle n'en avait jamais eu. Elle était complètement décontenancée, ne savait que dire.

« Votre journal est là aussi, madame.

— Merci. »

Elle n'avait pas souvenir d'avoir demandé un journal, et elle espéra qu'on ne lui offrirait pas un exemplaire du *Telegraph* ou du *Mail* chaque jour. Mais le tabloïd de quatre pages qu'Henry lui tendait sur un plateau d'argent était celui qu'éditait le bateau sous le titre *The World Today*. Une fois de plus, Sophie fut impressionnée par le nombre de prestations annexes qu'on trouvait à bord du *Topaz IV* et par l'organisation sans faille du paquebot. La compagnie tenait la barre d'une main ferme, c'était le cas de le dire.

« Merci », répéta-t-elle pour la troisième fois. Elle tourna sur elle-même pour chercher son sac à main, dans la vague intention de gratifier Henry d'un pourboire, mais le temps qu'elle ait repéré l'objet, le maître d'hôtel était sorti sans bruit de la cabine en la laissant plus mécontente d'elle que jamais.

Tout en prenant son petit déjeuner devant la porte-fenêtre du balcon qu'elle avait laissée ouverte une fois de plus, elle lut le journal. Il ne fallait pas y chercher d'analyse substantielle mais, chose précieuse, il condensait les nouvelles de la veille sur quatre pages faciles à lire, et elle se demanda pourquoi personne ne s'avisait de publier ce type de journal en Angleterre. Quelques minutes lui avaient suffi pour apprendre que le mouvement « Oui à l'Écosse » avait mobilisé un million de signataires pour une Écosse indépendante avant le référendum de septembre. Que le nombre de personnes ayant recours aux banques alimentaires avait augmenté de 20 % cette année et que la BBC était accusée d'avoir camouflé son rôle dans la descente de police qui venait d'avoir lieu chez Sir Cliff Richard à la suite d'allégations d'agressions sexuelles à son encontre.

Le soir, au dîner, ce fait divers alimenta l'essentiel de la conversation. Mme Joyce jugeait que Sir Cliff avait été traité de manière infâme. C'était un homme qui n'avait apporté que du plaisir au pays des décennies durant, on lui devait des excuses publiques. M. Joyce, de son côté, estimait que la BBC ferait bien de balayer devant sa porte avant d'incriminer les autres. Depuis le scandale Jimmy Savile, nul n'ignorait que c'était un nid de pédophiles et que son P-DG aurait dû dormir en prison. Mlle Thomsett remit gentiment les pendules à l'heure en faisant valoir qu'il y a toujours des brebis galeuses dans toutes les organisations, et qu'il ne fallait tout de même pas oublier ces fabuleuses séries historiques et ces superbes documentaires animaliers avec David Attenborough. M. Wilcox qui, Sophie ne pouvait s'empêcher de le remarquer, avait tendance à s'écouter parler, défendit le point de vue suivant : la BBC n'était pas sans vertus mais elle était obsédée par le politiquement correct et ne s'était pas encore remise de l'affaire Andrew

Sachs, qui datait de plus de cinq ans – un canular téléphonique dont le vieux comédien très aimé avait été victime, un humoriste à succès et un présentateur de radio populaire ayant laissé en direct un message licencieux sur son répondeur. Depuis, s'étant fait tirer dessus à boulets rouges par les journaux, la BBC était sur la défensive, sachant qu'on la percevait (à juste titre, selon M. Wilcox) comme élitiste, arrogante, métropolitaine et loin des gens.

« En quoi la BBC est-elle loin des gens ? demanda Sophie sur un ton cordial mais cependant combatif, en se versant un verre de vin avant de lui passer la bouteille.

— Elle ne parle plus pour les gens ordinaires, c'est fini.

— Moi, j'ai le sentiment qu'elle parle pour moi les trois quarts du temps. Et je suis une femme ordinaire.

— Non, vous ne l'êtes pas. »

Elle sursauta. « Pardon ?

— Je vous parle de gens qui vivent dans le monde réel.

— Je vis dans le monde réel, je le crois du moins. Est-ce que vous êtes en train de me dire que j'ai des hallucinations ?

— Certainement pas. Je dis simplement qu'il y a une différence entre ce que vous faites et ce que font les gens comme moi.

— Et donc votre vie est plus réelle que la mienne ?

— Les gens ont besoin de chariots de levage.

— Moi pas forcément.

— Bien sûr que si. Vous ne le savez pas, c'est tout.

— Admettons, mais peut-être que vous, vous avez tout autant besoin de peinture, sauf que vous ne le savez pas. »

Mme Wilcox rit de cette repartie et trinqua avec Sophie.

« Voilà pour toi, Geoffrey, *touché**. »

M. Wilcox sourit et se joignit au toast. « Ne vous en faites pas, j'assisterai bel et bien à votre conférence, je ne suis pas un béotien absolu, malgré tout. N'est-ce pas, Mary ? »

Encore huit dîners de la même veine, se dit Sophie en retournant à sa cabine. Ce n'était pas au-dessus de ses forces mais c'était tout de même éprouvant. Les choses seraient peut-être plus faciles si les deux vieux couples participaient un peu plus à la conversation générale par la suite. Mais M. Joyce semblait être très dur d'oreille, et M. Murphy n'avait pas ouvert la bouche, ni pour parler à sa femme ou à qui que ce soit d'autre, ni pour manger, autant que Sophie ait pu voir.

*

Le lendemain serait leur troisième jour en mer et le dernier avant d'arriver à Stockholm, où Ian allait se joindre à eux. Elle n'avait pas eu beaucoup de contacts avec lui jusque-là. Le fonctionnement d'Internet était tributaire de la connexion du satellite du bord. Elle n'avait réussi à lui envoyer qu'un seul mail, et en avait reçu quatre en retour, lesquels lui avaient appris entre autres choses qu'il n'avait toujours pas de nouvelles de sa promotion éventuelle mais espérait en recevoir confirmation d'un jour à l'autre.

Lors de son dernier jour seule, un vendredi, il faisait un temps radieux, si bien qu'à onze heures elle monta sur le pont supérieur prendre un café et lire son livre au soleil. À la table voisine, occupé à siroter un latte et jeter quelques notes de temps en temps sur un carnet Moleskine, se trouvait Lionel Hampshire. Sophie lui adressa un signe de tête et lui sourit. Il lui rendit son salut et son sourire mais sans manifester qu'il la reconnaissait pour l'avoir croisée devant la cabine du directeur deux jours plus tôt.

Au bout de quelques minutes, une dame vint aborder l'écrivain ; cheveux blancs et mâchoires carrées, elle tenait un exemplaire du *Crépuscule des loutres* dans sa main.

« C'est vous qui avez écrit ça ? lui demanda-t-elle sans préambule.

— Ah ! » Il mit son carnet de côté et lui prit le roman des mains, stylo dégainé. « Avec plaisir, bien sûr. Vous voulez une simple signature ou plutôt une dédicace… ?

— Je veux pas de signature. Je veux savoir si je dois le lire. »

La question prit Lionel au dépourvu. Visiblement, il ne savait que répondre.

« J'ai trouvé cet exemplaire dans ma cabine à mon arrivée, on en a tous eu. Seulement j'ai apporté mes livres à moi et je veux pas le lire tout de suite. Je me demandais si c'était obligatoire.

— Obligatoire, non, pas du tout… répondit-il, agacé. Ce n'est qu'une munificence de mon éditeur.

— Tant mieux. Ça me soulage parce que sur la couverture, ça dit que le personnage a une psychologie complexe.

— En effet.

— Eh bien moi, j'aime pas les gens psychologiques. »

Sur ce trait, elle le quitta. Il se remit à boire son café, caquet rabattu. De toute évidence, il se rendait compte que Sophie avait entendu cette conversation, si bien qu'au bout d'un instant, pour le tirer d'embarras, elle lui lança bravement :

« Vous voilà remis à votre place. »

Il eut un sourire guindé mais somme toute reconnaissant.

« La vie de l'écrivain est remplie de vexations de ce genre.

— Je l'avais lu, votre livre. Il y a quelques années. Il est très bon.

— Vous êtes trop aimable. Merci.

— C'est une jolie idée d'avoir un auteur en résidence à bord.

— En principe, oui. En pratique, je les embarrasse plus qu'autre chose. C'est une expérience pilote. Mes éditeurs m'ont convaincu d'accepter.

— Tant qu'ils ne vous font pas travailler comme une brute… J'ai mauvaise conscience, je ne fais qu'une seule conférence et elle me vaut dix jours de vacances.

— Ah, vous faites partie des intervenants vous aussi ? » Il se tourna vers elle et prit vraiment le temps de la regarder, après quoi, l'ayant manifestement trouvée à son goût, il se rapprocha d'elle. « Alors écoutez, n'ayez aucune mauvaise conscience, pour l'amour du ciel. Moi je passe les deux semaines de la croisière et j'ai bien l'intention d'en profiter. Minimum d'efforts, maximum de rendement. Vous devriez avoir la même philosophie. Nous sommes là pour nous faire du bien. Parce que, hein, ces péquenots ne risquent guère de nous apprécier à notre juste valeur, n'est-ce pas ? Comme confiture aux cochons…

— Je me suis laissé dire que les croisières Legend attirent souvent une population d'un certain niveau. Un cran plus haut que la moyenne, disons. »

Lionel la regarda d'un œil incrédule. « Et c'est l'impression qu'ils vous font, jusqu'ici ?

— C'est un peu trop tôt pour le dire, répondit-elle sans se compromettre.

— Et, au fait, vous intervenez dans quel domaine ?

— L'histoire de l'art. Les Russes, en l'occurrence.

— Et vous êtes toute seule ?

— Mon mari arrive demain. Et vous ?

— Je suis seul jusqu'à Helsinki, ensuite j'aurai mon assistante.

— Vous avez une assistante ?

— C'est un bien grand mot. En fait, il s'agit d'une étudiante de l'Institut Goldsmith. Elle s'occupe d'une partie de mes mails, parfois je lui dicte des notes.

— Ce n'est pas votre femme qui se charge de tout ça ? » Sophie réalisa que sa question était abrupte, et elle précisa :

« Il y a quelques années, je vous ai entendu lors d'une table ronde et vous parliez d'elle et de toute l'aide qu'elle vous apporte en termes très chaleureux.

— Ah oui, c'était où, ça ?

— À Londres. Vous étiez avec un écrivain français, Philippe Aldebert.

— Hmm, je ne me rappelle pas. Quoi qu'il en soit, June ne supporte pas le bateau, malheureusement. Elle a le mal de mer, quelque chose de terrible. Écoutez, on dîne ensemble ce soir ? Ça vous dit ?

— Mais comment faire ? Est-ce qu'on ne doit pas se mettre à la même table tous les soirs ?

— Je voulais dire dans ma cabine. Vous n'avez tout de même pas dîné avec les passagers, si ? »

Sophie déclina poliment l'invitation, et bien lui en prit car lorsqu'elle passa à table, à sept heures, une péripétie était survenue. Outre celle de Ian, deux places étaient inoccupées. M. et Mme Joyce n'étaient pas là.

« Bonsoir, ma belle », dit M. Wilcox en lui passant la corbeille de pain. Avec une lueur sinistre dans le regard et une pointe de satisfaction dans la voix, il déclara : « Ça y est, ça commence.

— Qu'est-ce qui commence ? » demanda Sophie. Elle fit le tour de la table du regard, les visages étaient figés d'horreur. « Qu'est-ce que vous voulez dire ?

— George a cassé sa pipe. Crise cardiaque. Au milieu de la nuit.

— Il… Il est mort ?

— Ne faites pas cette tête catastrophée, vous ne le connaissiez que depuis un jour ou deux, et on ne peut pas dire que c'était un joyeux drille. »

18

23 août – 1ᵉʳ septembre : Stockholm-Copenhague,
via Helsinki, Saint-Pétersbourg, Tallinn

« C'est très courant, paraît-il, dans les croisières. Parce que, bon, ces gens ne sont plus de première jeunesse. Il faut s'y attendre.

— Macabre quand même », répondit Ian qui tentait d'ajuster devant la glace un nœud papillon bien décidé à rester de travers. Pendant ce temps, Henry lui époussetait discrètement les épaules à petits coups de brosse à habit. La soirée était signalée comme « habillée », ce qu'*À bord* explicitait comme suit : « Les dames auront le choix entre la robe de soirée et la robe de cocktail, tandis que les messieurs porteront l'habit ou le smoking, ou bien encore, selon leur préférence, un complet sombre. »

« Il vous est arrivé qu'un passager dont vous vous occupiez meure pendant le voyage ? » demanda Sophie à Henry. Elle s'acharnait à engager la conversation avec leur maître d'hôtel – elle avait fini par lui faire dire tout à l'heure qu'il était originaire des Philippines et travaillait pour la compagnie Legend depuis à peine plus de trois ans.

« Non, madame, jamais, répondit-il gravement. Je serais

très secoué en pareil cas. Ce désagrément est arrivé à un de mes collègues lors d'une très longue croisière vers l'Amérique du Sud, sans toucher terre pendant plus d'une semaine parfois. Ça pose problème pour le corps, vous comprenez, le cadavre… Ils sont obligés de le mettre dans les chambres froides, au fond de la cale. » Il cueillit un dernier cheveu sur les épaules de Ian et rangea la brosse dans sa veste, qui contenait apparemment une extraordinaire panoplie d'instruments. « Et à propos, voici votre menu de ce soir. Je le pose sur le bureau. »

Il leur fit sa petite courbette habituelle et disparut, laissant Sophie entre bien-être et mauvaise conscience quant au plaisir d'être servie avec un zèle si parfait. Ian prit le menu et y jeta un coup d'œil.

« Ce soir, c'est dîner scandinave. La mise en bouche nous viendra de Norvège, ris de veau pané en sauce au miel et à la prune. La soupe est originaire de Suède, petits pois et légumes variés, riz et écrevisses. Le plat principal est une spécialité du Danemark, pied de veau mijoté à la tomate et compote d'oignons grelots avec pommes de terre et rutabagas duchesse. Vient ensuite une salade, radis marinés et truite fumée… c'est aussi copieux tous les soirs ?

— Et on n'en est qu'au début. C'est pour ça que j'ai du mal à entrer dans ma robe. Remonte ma fermeture éclair, tu veux bien ? »

Ian remonta sa fermeture éclair en glissant son doigt le long de ce dos qu'il aimait tant, mais avant d'être arrivé en haut, il embrassa Sophie dans la nuque et souffla doucement sur sa peau. La jeune femme en fut chatouillée et des frissons de chaleur lui parcoururent tout le corps. Elle se retourna et lui noua les bras autour du cou, ils se caressèrent du bout du nez. Elle gémit doucement et sentit la pression de son corps mince et familier contre le sien, son érection contre son ventre. Qu'un autre homme ait pu lui inspirer un rêve érotique lui semblait répréhensible et pour tout dire inexplicable.

« On se couche tôt, ce soir ? souffla-t-elle.

— Oh oui. »

Ce ne serait pas aussi tôt qu'elle l'espérait, pourtant. Elle avait compté sans la sympathie instantanée et vibrante entre Ian et Geoffrey Wilcox. Dès l'instant qu'ils furent présentés l'un à l'autre au dîner, il apparut clairement qu'ils avaient beaucoup en commun : même humour, même attachement à leurs épouses respectives – qui se traduisait par des mises en boîte sans méchanceté, des petites moqueries –, même scepticisme quant au propos et à la valeur de cette croisière, mêmes opinions sur presque tous les sujets, politiques ou autres, qui vinrent sur le tapis au cours des deux heures et demie passées à table. Lorsque le dernier petit bout de fromage fut mangé et qu'il ne resta plus une goutte de porto au fond des verres, M. Wilcox proposa une virée au bar. Il y convia toute la tablée, mais M. et Mme Murphy déclinèrent l'invitation, ce qui n'étonna personne. Les autres étaient installés autour d'une table d'angle pour six et écoutaient les accents languides de Wesley Pritchard au piano depuis quelques minutes (« Notre roi du clavier va accompagner votre soirée par une sélection personnelle de grands classiques de la comédie musicale et de succès de la Seconde Guerre mondiale ») quand ils comprirent qu'on ne verrait pas davantage Mlle Thomsett et Mme O'Sullivan.

« Il semblerait que les goudous fassent bande à part finalement, dit M. Wilcox.

— Les *quoi* ?

— Pardon, Sophie, pas très politiquement correct, je sais. Nos deux bonnes dames aux orientations sexuelles alternatives, donc. Ça vous va mieux ?

— Ce n'était pas le mot que je contestais, c'était votre présupposé spontané sur la nature de leurs rapports.

— Présupposé légitime, je dirais. Deux femmes qui partagent la même cabine. Et végétariennes, ajouta-t-il sombrement.

— Allons, voyons. Il est fréquent que des femmes qui ont perdu leur mari ou n'en ont jamais eu voyagent ensemble. Qu'est-ce qui les en empêcherait ? C'est plus agréable que de voyager toutes seules.

— Vous avez peut-être raison, concéda M. Wilcox qui leva la main en affectant de capituler. Oubliez ce que j'ai dit.

— Geoffrey se considère comme expert sur tous les aspects de la nature humaine », résuma Mme Wilcox en pensant détendre l'atmosphère avec ce sarcasme réfrigérant.

L'intéressé marmonna dans son whisky : « Je les reconnais à l'œil nu, moi, c'est tout », mais ils firent tous comme s'ils n'avaient pas entendu.

*

Et les jours filaient. La conférence de Sophie sur les « Trésors de l'Ermitage » rencontra un franc succès. Il y avait tant d'inscrits qu'on dut l'installer dans une salle plus grande. Robin Walker se fit un plaisir de lui confier dès le lendemain qu'elle avait obtenu un pourcentage de satisfaction de 9,3 auprès des passagers, un record ou presque. On commençait à la traiter comme une célébrité mineure et, cet après-midi-là, trois personnes lui demandèrent de signer le numéro du jour de la newsletter, en marge de l'encart qui annonçait sa conférence. Avant l'embarquement, Ian avait eu l'idée de lui faire imprimer des cartes de visite professionnelles ; elle lui avait ri au nez mais il avait passé outre, et finalement, elle devait reconnaître que c'était lui qui avait eu raison, comme souvent d'ailleurs – à son grand dépit. Elle en distribuait donc généreusement aux nombreuses dames qui l'invitaient à venir parler au siège local de leur Women's Institute ou à leurs groupes de lecture. « Tu fais un malheur ! » lui répétait-il à longueur de journée, et son visage disait assez la fierté qu'il en éprouvait.

Ils passèrent une merveilleuse journée à Helsinki tous les deux, s'étant joints à l'excursion en bus pour une visite de la maison de Sibelius proche du lac Tuusula, dont le clou était le *Finlandia* du compositeur, joué au conservatoire local. Le soir, ils appareillaient pour Saint-Pétersbourg.

Le bateau fut à quai de bonne heure et, grâce à son tonnage modeste, eut l'autorisation de mouiller presque au centre-ville, sur la rive est de la Neva. Ce matin-là, ils avaient prévu de participer à une excursion en car avec un groupe de passagers. Ian se dirigea vers la bibliothèque du bord pour jeter un coup d'œil à ses mails ; Sophie le précéda au débarcadère mais elle eut beau attendre, il ne vint pas. Le bus allait partir, et toujours pas de Ian. Enfin, on vit des retardataires courir sur la passerelle mais il n'était pas avec eux. C'étaient M. et Mme Wilcox, seuls.

« Il ne vient pas, lui annonça M. Wilcox.

— Quoi ?

— Il est trop contrarié. On l'a vu à la bibliothèque. Il vient d'avoir des nouvelles de sa promotion.

— Quoi ? Il ne l'a pas obtenue ?

— Il faut croire que non.

— Merde ! » Un trou se creusa dans son estomac, elle eut un haut-le-cœur. « Il en était tellement sûr…

— Bah, ces choses-là, c'est jamais dans la poche. »

Sophie comprit ce qui lui restait à faire. « Je rentre lui parler, dites à tout le monde de continuer sans moi.

— Vous ne pouvez pas faire ça, insista M. Wilcox. Il ne tient pas à ce que vous restiez auprès de lui. Il nous a dit que ça irait. Il veut passer la journée tranquille tout seul, rien de plus.

— Allez, venez, dit Mme Wilcox en la prenant par le bras. On sera tous tellement déçus si vous n'êtes pas avec nous à l'Ermitage.

— Bon… C'est pour ça que je suis venue, bien sûr. Mais le pauvre…

— Il va s'en remettre, dit M. Wilcox. Il fait un peu la tête, c'est tout. »

Ce fut une longue journée de tourisme. Au musée lui-même, c'était la cohue et ils passèrent plus de trois heures à y piétiner, durant lesquelles Sophie dut faire face à un feu roulant de questions. Elle était ravie de cette visite et se réjouissait d'être utile à tous ces gens mais c'était une tâche éreintante. Le groupe arriva en retard au bus et, lorsqu'ils regagnèrent le *Topaz IV,* le dîner était servi depuis un quart d'heure. Les deux seules personnes qu'ils trouvèrent à table étaient Ian et Mme Murphy, qui n'avait pas fait l'excursion elle non plus, pour une raison ou pour une autre. Ian, faut-il s'en étonner, parut soulagé de voir les nouveaux arrivants et il se leva lorsque Sophie l'enveloppa dans ses bras pour le consoler.

« Je suis vraiment désolée, lui dit-elle en le serrant plus fort. C'est nul. Tu le méritais pleinement ce poste. »

Chacun s'asseyait, dépliait sa serviette, on passait la corbeille de pain et la bouteille de vin, et dans le brouhaha, Ian déclara : « Pas grave, ce sont des choses qui arrivent, j'ai eu toute la journée pour y réfléchir. Ça va. Je suis content pour Naheed.

— Naheed… Elle… C'est elle qui a eu le poste ?

— Oui, je lui ai déjà envoyé un message de félicitations.

— Mais tu savais qu'elle était candidate ?

— Oui, d'ailleurs ça s'est joué entre elle et moi à la fin, il paraît. »

Sophie digérait encore la nouvelle lorsque de l'autre côté de la table, Mme Murphy prit la parole. Elle ne l'avait pas fait souvent, et encore moins souvent d'une voix aussi forte, requérant l'attention. Mais le plus étonnant fut la teneur de ses paroles :

« Mon mari est décédé hier soir. »

Un silence s'abattit aussitôt sur la tablée, un silence de plomb.

« Il a eu une attaque. Il n'a pas dû souffrir. Je ne m'en suis pas aperçue avant ce matin. J'ai compris qu'il y avait quelque chose qui n'allait pas parce qu'il ne s'était pas levé pour me faire une tasse de thé. »

Il y eut des murmures, « Condoléances, désolés », et autres vagues formules de compassion.

« Et par quel avion rentrez-vous, alors, chère amie ? demanda Mlle Thomsett.

— Je ne rentre pas. J'ai payé cette croisière et je suis ici pour en profiter. »

Elle mordit dans un morceau de pain et le mastiqua d'un air de défi. Les autres s'entre-regardaient, ne sachant trop comment réagir. Puis ils se remirent à manger et à boire eux-mêmes. Il n'y eut aucun commentaire, sinon celui de M. Wilcox qui prit son verre et, avant d'y porter les lèvres, marmonna : « Et il n'en restait plus que sept. »

*

Le lendemain soir, lorsque Sophie et Ian arrivèrent au cabaret-théâtre pour la lecture de Lionel Hampshire, ils trouvèrent une note punaisée à la porte : « Nous avons le regret de vous informer que, M. Lionel Hampshire étant souffrant, la lecture de ce soir est annulée. Molly Parton arrivera sur scène à 22 heures. »

Le lendemain matin, quand Sophie aperçut Lionel Hampshire sur le pont supérieur, il ne lui parut nullement souffrant, mais bien plutôt d'une santé insolente. Il occupait sa place habituelle et buvait son latte comme auparavant, à ceci près qu'il était en compagnie d'une blonde qui pouvait avoir dix ans de moins que Sophie et qu'il présenta comme son assistante, Maxine.

« Vous n'allez pas à terre aujourd'hui ? » demanda Sophie. Le bateau mouillait à Tallinn depuis six heures et demie du matin.

« Je connais déjà. Il n'y a pas grand-chose à voir. Nous nous sommes dit que nous pourrions faire un tour dans la vieille ville cet après-midi, plutôt.

— Nous avons eu la même idée. »

Ian les rejoignit à ce moment-là, et les Wilcox quelques minutes plus tard. La situation devenait délicate, car si Lionel était prêt à faire entrer Sophie dans le cercle de sa conversation, cette faveur ne s'étendait pas aux autres.

« Je suis contente de voir que vous vous êtes remis, en tout cas, lui dit-elle.

— Remis ?

— Vous n'étiez pas souffrant hier soir ?

— Ah oui... J'avais un peu mal au cœur, c'est tout. Les fruits de mer du déjeuner sans doute.

— On l'a reprogrammée, votre lecture, je veux dire ?

— Pas que je sache.

— Oh mince ! Mais alors vous êtes venu jusqu'ici pour rien.

— Bah, répondit Lionel en souriant, que voulez-vous qu'on y fasse ? »

Il ne semblait nullement affecté. Ce fut alors que Sophie remarqua que Maxine était d'une beauté saisissante et que ses jambes et celles de l'écrivain avaient réussi à se rapprocher étroitement sous la table. Sophie croisa son regard avec une lueur complice, mais le chapitre était clos. Maxine se pencha vers son employeur et lui chuchota quelque chose qui de toute évidence ne regardait que lui, si bien que Sophie prêta l'oreille à la conversation entre son mari et M. Wilcox. Comme elle pouvait s'y attendre, elle portait sur cette promotion que Ian venait de rater.

« Alors ils l'ont donnée à votre collègue.

— Eh oui.

— Celle qui s'appelle... comment déjà ?

— Naheed. Je la connais depuis une éternité. On travaille ensemble depuis cinq ans à peu près. Elle est super.

— Naheed... j'en déduis donc qu'elle est... étrangère. Je me trompe ?

— Pas du tout, c'est exact.

— Eh bien il ne faut pas chercher plus loin. »

Il fit tomber le contenu d'un sachet d'édulcorant dans son café et le remua deux ou trois fois, d'un air concentré. Il considérait manifestement qu'il n'y avait rien à ajouter. Sophie attendait que son mari relève le propos mais il se taisait. Quand il fut évident qu'il allait continuer à se taire, elle se tourna vers M. Wilcox et lui demanda :

« Qu'est-ce que vous voulez dire ? »

Il leva les yeux de la tasse qu'il touillait. « Pardon, ma belle ?

— Qu'est-ce que ça veut dire "Il ne faut pas chercher plus loin" ? »

Il la regarda avec impudence : « Vous avez vraiment besoin qu'on vous mette les points sur les I ?

— Je le crois, oui. Parce que je ne vois pas du tout où vous voulez en venir.

— Écoutez, je suis pour la paix des ménages, mais votre mari ici présent est malheureux de ne pas avoir obtenu ce poste et tout ce que je dis, c'est qu'il ne faut pas qu'il se fasse de reproches.

— Mais encore ? »

Subitement, on aurait dit qu'ils avaient tous dressé l'oreille, y compris Lionel et Maxine. Sophie remarqua la quiétude du matin : un ciel bleu sans nuages au-dessus de leurs têtes, des mouettes qui tournoyaient sans crier, une tache qui grossissait, celle d'un autre bateau de croisière, beaucoup plus impressionnant que le leur et qui cinglait vers le port depuis le fond de l'horizon.

« On sait tous ce que c'est, de nos jours.

— Ce que c'est ?

— Ce pays. On connaît tous la musique. On sait comment ça marche. Les gens comme Ian n'ont plus leur chance. »

Sophie se tourna vers Ian. Cette fois-ci, il allait intervenir, protester, dire quelque chose ? Mais comme il n'en faisait rien, ce fut-elle qui dut aller plus loin.

« Quand vous dites les gens comme Ian, vous voulez dire les Blancs, je suppose. »

Pour la première fois, il eut l'air légèrement embarrassé ; il fit des yeux le tour de la table, comme pour quêter un soutien sur les visages qui l'entouraient. Il n'en trouva pas vraiment, mais poursuivit tout de même :

« Nous avons laissé tomber les nôtres, voilà. Si on appartient à une minorité, tant mieux. On passe devant tout le monde. Les Noirs, les Asiatiques, les musulmans, les homos, il n'y en a que pour eux. Mais un mec qui a du talent comme Ian, c'est une autre histoire.

— À moins qu'on ait simplement donné le poste au meilleur des deux », répliqua Sophie.

Elle regretta aussitôt ce qu'elle venait de dire. Ian se taisait toujours, mais il éprouvait une déception cuisante, c'était flagrant, et M. Wilcox s'empressa d'exploiter cette bévue :

« Vous feriez mieux de décider si vous voulez soutenir votre mari ou vous cantonner au politiquement correct. » Là-dessus il reprit le roman qu'il lisait (et dont elle n'arrivait pas à lire le titre tout en voyant qu'il ne s'agissait pas du *Crépuscule des loutres*). Avant de retrouver l'endroit où il s'était arrêté, il marmonna deux mots à l'intention de la tablée en général, et de Ian en particulier. « Ce pays... » Deux mots lourds de tristesse et de mépris dans sa bouche.

Le silence qui s'ensuivit ne fut rompu que par Mme Wilcox qui, à la vue de l'autre vaisseau de croisière à présent presque parallèle au leur, s'écria : « Oh le gros bateau ! »

*

L'après-midi, sur la terrasse d'un café de la vieille ville où ils buvaient de la bière d'Estonie à l'ombre d'un haut édifice à bardage de bois, Sophie demanda à Ian :

« Tu n'as quand même pas été convaincu par ce que disait Geoffrey, dis-moi ?

— Non, bien sûr que non.

— Tant mieux. Et puis excuse-moi si j'ai pu avoir l'air de te soutenir mollement, mais...

— Écoute, Soph, n'en parlons plus. Tu l'as dit, c'est la meilleure qui a gagné. »

Il se remit à lire son guide, mais au bout de quelques secondes, sentant que Sophie ne se contentait pas de cette assurance, il ajouta : « C'est la seule explication, non ? Parce que de deux choses l'une, soit sa théorie est juste, soit c'est la tienne. Point barre et fin de l'histoire. »

Il était évident qu'il voulait clore le chapitre. Ce fut donc pour elle-même que Sophie énonça : « J'en ai par-dessus la tête de ce type-là de toute façon. Ça fait huit soirs de suite que je dois le supporter comme voisin. Je me dis que si on arrive de bonne heure aujourd'hui, on pourra s'arranger pour être à côté de Joan et Heather. » Elle attendit la réaction de Ian. Elle ne vint pas. « Tu ne crois pas ? »

Il émit un grognement. Elle n'en tirerait pas plus cet après-midi-là. De toute façon, son plan avait une faille. Une faille imprévisible. Mlle Thomsett et Mme O'Sullivan ne parurent pas au dîner. Ils se retrouvèrent donc une fois de plus tous les quatre d'un côté de la table, face à Mme Murphy (toujours résolue à profiter de la croisière – même si elle ne venait jamais à aucune excursion), et M. Wilcox s'égaya en spéculant, à moitié pour rire seulement, sur l'identité de celle des deux dames d'âge mûr qui avait trépassé.

*

Le lendemain, vendredi, se passa en mer, cap sur Copenhague. Le code vestimentaire serait « décontracté » : « Les dames adopteront la petite robe ou l'ensemble jupe – chemisier. Les messieurs auront le choix entre le costume de ville, la veste sport ou le blazer avec ou sans cravate ; ou encore une chemise fermée par une cravate. » Le bulletin du jour annonçait un séminaire sur la perte des cheveux à dix heures trente et un « cours de fitness en position assise » à onze heures (« Joignez-vous à David pour une gym en douceur depuis le confort de votre siège, l'échauffement idéal »), ainsi qu'une projection du film *Zoulou* dans la salle obscure à quatorze heures trente. Comme d'habitude, la newsletter proposait en exergue la minute humoristique du jour, en l'occurrence celle-ci :

Petite annonce : Conçu pour faire le bonheur de la cuisinière, ensemble mixeur-batteur-cul de poule, arrondi idéal pour un fouettage optimal.

En fin d'après-midi, Sophie, qui s'était rendue à la bibliothèque pour relever ses mails, découvrit le message suivant :

De : Joan Thomsett
Envoyé : Vendredi 29 août 2014, 8 h 54
À : Sophie Coleman-Potter
Objet : notre absence

Chère Sophie,
Je vous écris à l'adresse indiquée sur votre carte professionnelle en espérant que ce message vous parvienne. Vous devez vous demander pourquoi nous avons quitté la croisière. Ne vous inquiétez pas, nous allons très bien, et la malédiction de la table 19 ne nous a pas frappées ! Il n'en reste pas moins que nous avons eu un accident hier à Tallinn. Pendant que nous explorions les remparts de la vieille ville, le pied d'Heather lui a manqué, elle a roulé sur plusieurs marches. C'était une mauvaise chute et, dès que nous l'avons conduite à l'hôpital, elle a appris que sa jambe était cassée. Heureusement, il s'agit d'une fracture relativement bénigne mais, après l'avoir plâtrée, on nous a conseillé de rentrer en Angleterre pour la suite du traitement. La compagnie Legend a fait diligence, elle nous a trouvé un vol le soir même et nous voici déjà rentrées à Bristol.
Contrairement à Mme Murphy, qui poursuit sans doute sa croisière

malgré son veuvage, je n'aurais jamais imaginé continuer sans ma Heather bien-aimée. Nous faisons tout ensemble depuis plus de trente ans, et je ne crois pas que nous ayons passé une seule nuit l'une sans l'autre. En effet, j'ai bien peur que nous n'ayons raconté quelques pieux mensonges à nos camarades de voyage sur la nature de nos relations, mais je suis sûre que vous l'avez vite devinée. Après toutes ces années de voyages et en particulier de croisières, nous avons hélas compris qu'aujourd'hui encore, nous ne pouvons pas compter sur la compréhension des passagers lorsque nous leur confions être des partenaires de vie, même si je dois avouer – pour être un peu plus optimiste – que les gens me paraissent tendre à davantage de tolérance. (Drôle de mot tout de même, dans ce contexte : qu'y a-t-il en effet dans notre relation loyale, aimante et solidaire qui requière de puiser dans des réserves de tolérance ?) Quoi qu'il en soit, nous vous avons trouvés, vous et votre charmant mari, extrêmement *simpatico*, et nous pouvons vous confier la vérité sans le moindre état d'âme.

Je sais qu'il ne vous reste plus très longtemps à passer à bord, mais j'espère que vous vous amusez et que vous en profitez au maximum. Votre conférence de dimanche et vos commentaires si instructifs pendant notre visite de l'Ermitage ont inspiré nombre d'entre nous. Il est clair qu'une belle carrière vous attend, et j'ai hâte de la suivre, de loin peut-être, mais avec grand intérêt sans nul doute.

Amitiés,

Joan Thomsett

*

Le samedi matin, à quai à Copenhague, Sophie et Ian se préparaient à quitter la croisière et retourner chez eux. Le *Topaz IV* ne rentrait pas à Douvres avant quatre jours, il n'y aurait pas d'escale dans le nord de l'Allemagne ni aux

Pays-Bas. Mais en signant son contrat, Sophie avait décidé que dix jours en mer suffiraient à son bonheur, décision qu'elle regrettait du reste aujourd'hui. Valises bouclées, elle faisait ses adieux à Henry. Comme d'habitude, leur échange était cordial mais elle ne trouvait pas sur quel ton s'adresser à lui. Comme d'habitude, il était réservé, impénétrable, d'une politesse parfaite.

« Merci infiniment pour votre aide, Henry.

— Je vous en prie, madame, je n'ai fait que mon travail.

— Vous êtes allé bien au-delà en repassant les slips de mon mari. Je n'en reviens pas ! »

Il rit et répéta que la chose faisait partie de son service.

« Tenez, voici ma carte, si jamais, je ne sais pas, vous vouliez rester en contact. »

Il prit la carte, toujours souriant, et la rangea dans sa poche sans un regard.

« J'espère que vous avez aimé… » Elle allait dire « vous occuper de nous » mais c'était ridicule. Pourquoi aimerait-il s'occuper d'eux plus que de qui que ce soit d'autre ? Elle finit piètrement sa phrase : « … ce voyage. Bien sûr, je sais que ce n'est qu'un travail pour vous, et que vous n'êtes pas logé dans une cabine comme celle-ci. » Sa cabine, qu'il partageait avec deux autres membres de l'équipage, était située dans les entrailles du bateau, sans hublot – c'était tout ce qu'elle en savait. « Mais… » (elle s'entendait tenir des propos de plus en plus ineptes)… « mais, tenez, voici un petit quelque chose de notre part ».

Elle lui tendit une enveloppe blanche qui contenait une petite carte de remerciements et quelques billets. Ils s'étaient (ou plutôt, elle s'était) trituré la cervelle pour savoir combien lui donner et en quelle monnaie. Ils avaient fini par se mettre d'accord sur cinquante euros.

« Merci, madame, dit Henry en rangeant l'enveloppe

225

dans la même poche et en lui serrant la main. Vous êtes très gentille. Ça a été un plaisir de faire votre connaissance.

— Tant mieux, et pour nous aussi. Si vous passez par Londres ou par Birmingham... »

Henry, qui avait presque franchi la porte, répéta : « Merci, madame.

— Eh bien au revoir, alors, ou bien *Paalam*, comme on dit chez vous. »

Henry avait disparu. Ian éclata de rire.

« Qu'est-ce qu'il y a de si drôle ?

— Toi. En proie à tes angoisses progressistes, toi qui tentes désespérément d'en faire ton meilleur pote.

— J'essaie d'être courtoise, c'est tout », dit Sophie qui aperçut un bâton de rouge à lèvres sur l'étagère de chevet et le balança dans son sac. Apparemment, c'était tout. Main sur les hanches, elle jeta un regard circulaire et sentit une mélancolie soudaine s'abattre sur elle.

« Elle va me manquer, cette cabine. C'était un vrai plaisir, ces dix jours ici.

— Je sais, dit Ian en passant son bras autour d'elle, surtout avant que j'arrive, j'imagine. »

Elle lui jeta un regard aigu : « Pourquoi tu dis ça ?

— Tu aimes être seule. Si tu crois que je ne m'en suis pas aperçu... » Sans lui laisser le temps de le contredire, à supposer qu'elle ait eu envie de le faire, il ajouta : « Alors tu as dit au revoir aux Wilcox ?

— Ouaip.

— À Lionel ?

— Il était encore au lit. J'ai frappé et je lui ai dit au revoir à travers la porte.

— Et Maxine ?

— Elle n'était pas dans sa chambre.

— Hmm, tu m'étonnes ! »

226

Ils sortirent sur le balcon voir la mer une dernière fois. Le port lui-même était anonyme et sans joie. Trois bateaux de croisière, tous beaucoup plus gros que le *Topaz IV*, y mouillaient depuis le matin.

« Tu crois que tu vas garder des contacts avec certains ?

— Pas sûr, sans doute pas. Heather et Joan peut-être, je dois dire qu'elles me plaisaient assez.

— Les goudous. » Ian sourit. « Marrant que Geoffrey ait vu juste sur leur compte, finalement. »

Sophie ne répondit pas. Elle regardait vers le soleil, voulant sentir la brise de mer sur son visage pour la dernière fois. Ian se pencha par-dessus la balustrade et plongea le regard dans les profondeurs. Ils ne parlèrent ni l'un ni l'autre pendant quelques minutes.

« À quoi tu penses ? demanda enfin Sophie.

— Oh, à rien », répondit-il en se redressant pour rentrer dans la cabine. Mais il pensait pourtant que si M. Wilcox avait raison sur ce point, il pourrait aussi avoir raison sur d'autres, après tout…

19

Mars 2015

Benjamin se trouvait dans la librairie de la jardinerie Woodlands. Il ne regardait pas les livres de jardinage, ni les livres sur l'histoire locale, ni ceux qui commémoraient divers aspects de la Seconde Guerre mondiale. Il ne feuilletait pas non plus les livres de cuisine en quête d'inspiration pour le menu du soir, il ne ratissait pas le rayon « humour » en y cherchant désespérément de quoi sourire. Son attention était fixée sur l'un des recoins les moins fréquentés du magasin, car là-bas, au fin fond des rayonnages du fond, se trouvait une étagère intitulée « Divers ». Elle comportait quinze ou vingt titres. L'un d'entre eux, représenté par deux exemplaires, était son roman, *Rose sans épine.*

En tendant le bras, il prit les deux exemplaires sur l'étagère du bas et les retourna dans ses mains avec amour. Chase Historical était peut-être un éditeur à petit budget, mais la réalisation était magnifique, il fallait le reconnaître. La couverture présentait l'image en haute définition d'une rose blanche sur fond noir. Le titre et le nom de l'auteur apparaissaient dans le même blanc discret, en bas de casse. L'effet final était incroyablement chic. Pour autant, il était regrettable, très regrettable que l'entregent de Philip auprès des libraires ne soit pas à la hauteur de la qualité esthétique de sa production. Le roman était publié depuis plus de quatre semaines et Benjamin avait écumé toutes les librairies dans un rayon d'à peu près quatre-vingts kilomètres sans en repérer plus d'une demi-douzaine d'exemplaires – et encore, toujours dans des jardineries. Or, justement, il savait que Philip misait sur cette incursion dans le roman pour lui ouvrir la porte de réseaux de distribution plus consacrés. C'était d'ailleurs sa raison principale de publier Benjamin, outre les liens d'amitié qui les unissaient. Benjamin, pour sa part, n'avait pas encore osé s'enquérir du chiffre des ventes ; quant à l'accueil critique, il se résumait à zéro. Aucun compte rendu dans les journaux nationaux ou locaux ; rien non plus sur les sites de lecteurs divers et variés, pas de commentaires sur Amazon, où il se classait au 743 926e rang des ventes (ou encore, si Benjamin voulait se remonter le moral, au 493e dans la catégorie Best-sellers/ Fiction/ Fiction littéraire/ Autobiographies/ Romans d'amour/ Obsession).

Bien sûr, c'était couru d'avance. Il aurait dû se douter qu'à lui seul Philip, sans budget marketing ni publicité, ne pouvait guère faire plus que publier le livre et s'en remettre à la chance. D'ailleurs lui-même avait-il eu l'embarras du choix ? Tous les éditeurs de Londres, tous les indépendants du reste du pays avaient refusé le roman ou, plus souvent, s'étaient dispensés de le lire. Aucun agent littéraire n'avait pris la peine de lui envoyer autre chose qu'une lettre type, assortie de formules lénifiantes du genre : « Malgré les nombreuses qualités remarquables de votre manuscrit, nous avons le sentiment qu'il n'a pas sa place au sein de notre programme à l'heure actuelle. » Certaines lettres étaient plus circonstanciées, non pas sur les qualités propres au livre, mais sur l'état actuel du marché, la difficulté de lancer la carrière de nouveaux auteurs dans cette conjoncture défavorable. La plupart des éditeurs et des agents avaient mis plus de deux mois à répondre ; avant de se résigner à appeler Philip, Benjamin avait dû essuyer pendant près d'un an ces refus qui atterrissaient ponctuellement dans sa boîte aux lettres à l'heure du petit déjeuner, avec des dommages collatéraux sur son appétit. Au contraire, avec Philip, tout s'était passé très vite et très bien. Le manuscrit avait été relu par les préparateurs et correcteurs en l'espace de quelques semaines. Et voilà, l'œuvre de sa vie (en version tronquée du moins) était enfin en vente. Si seulement la librairie avait choisi de la mettre un peu mieux en valeur…

Fort de cette idée et après s'être assuré que la vendeuse ne le regardait pas, il prit les deux exemplaires et les transporta au centre du magasin, où il les plaça sur la gondole principale, en haut d'une pile de livres consacrés aux bonsaïs. L'effet fut presque immédiat. S'étant mis à l'écart, prétendument absorbé dans une biographie de Winston Churchill, il n'eut que quelques minutes à attendre avant que trois clients de suite ne s'approchent de la gondole, prennent le roman, lisent la quatrième de couverture, feuillettent quelques pages. Aucun n'alla jusqu'à l'acheter, certes, mais il était tout de même clair qu'il venait de donner un coup de pouce significatif à ses chances. Satisfait, il se dirigea vers le restaurant pour y retrouver son père.

Il l'y avait déjà amené plusieurs fois depuis deux mois, d'abord en désespoir de cause – ils avaient en effet épuisé les ressources du voisinage immédiat –, et bientôt par habitude, puisque Colin semblait trouver ces sorties à son goût. Benjamin n'y prenait guère plaisir pour sa part, même ainsi. Chaque minute auprès de son père devenait éprouvante ; il était plus ralenti que jamais, voyait le monde en noir, tenait des propos cyniques à tout va. Bref, sa compagnie n'était pas des plus scintillantes, si bien que Benjamin ne fut pas peu surpris en arrivant au restaurant de l'apercevoir, non pas solitaire et recroquevillé sur sa tourte au bœuf et aux rognons, mais en grande conversation animée – et même émaillée d'une plaisanterie, apparemment – avec un personnage qu'il ne reconnut pas tout d'abord : une silhouette avantageuse en costume de tweed des années trente, avec une montre de gousset dans sa poche et une balle de ping-pong rouge sur la table à côté, posée sur un mortier à l'envers aux couleurs criardes. L'homme portait un bouc, il avait un visage vermeil et avenant ; lorsque Benjamin apparut, il se leva d'un bond et, s'emparant de sa main, la pompa vigoureusement en disant :

« Ben ! Ça fait drôlement plaisir de te voir, mon pote ! »

Benjamin ne sut que le dévisager, ahuri.

« Ne me dis pas que tu ne te souviens pas de moi, tu vas me briser le cœur, Ben !

— Si, bien sûr, tu es – il hésitait et énonça la seule chose dont il était certain – le Baron Brainbox, le comique pour enfants ?

— Et puis, et puis ? »

Benjamin n'en avait pas la moindre idée. Colin le regardait avec un mélange de jubilation et de sentiment de supériorité. Ce n'était pas si souvent qu'il avait une longueur d'avance sur son fils.

« Je l'ai remis tout de suite, moi. Tu le reconnais pas ? C'est Charlie, Charlie Chappell. »

Lentement, le visage de Benjamin s'éclaira. Il se dit qu'il était cependant pardonnable de n'avoir pas reconnu Charlie Chappell dans la mesure où il ne l'avait pas vu, et n'avait même pas pensé à lui, depuis près de quarante ans. Ils avaient été voisins. Il avait été l'un de ses meilleurs copains.

À cinq ans déjà, ils s'étaient retrouvés côte à côte dès le premier jour d'école. Ils avaient joué ensemble dans la cour de récré, passé leur temps chez l'un ou chez l'autre, partagé leurs bonbons, échangé des barres chocolatées, lu ensemble leurs premiers (et uniques, en ce qui concernait Benjamin) magazines porno. Et puis, à l'âge de onze ans, pour des raisons qui ne lui étaient toujours pas claires, les parents de Benjamin l'avaient inscrit à l'examen d'entrée du collège King William, et il avait été reçu. Charlie avait continué dans le collège de secteur et un gouffre s'était ouvert entre eux, non pas tant en termes de scolarité ou d'éducation, mais en termes sociaux. Benjamin était entré dans une école où les professeurs portaient la toge en classe. D'ailleurs, on ne disait pas les « professeurs » mais les « maîtres ». L'école avait son hymne – en latin, excusez du peu ! Il n'y avait qu'un seul élève noir, Steve Richards, que les autres surnommaient Rastus. Benjamin et Charlie ne s'étaient pas tant éloignés qu'ils n'avaient été balayés par des courants puissants, rapides et divergents. Ils avaient cessé d'aller l'un chez l'autre ; leurs conversations étaient devenues artificielles et embarrassées. Puis un an ou deux plus tard, de toute façon, la séparation fut irréversible : les Chappell avaient emménagé dans une nouvelle maison à Northfield, soit à dix minutes en voiture. C'était toute l'histoire. Benjamin et Charlie ne s'étaient jamais revus et ne s'étaient jamais reparlé depuis.

Mais ça remontait loin, très loin. Aujourd'hui Charlie était tout à la joie d'avoir rencontré son vieux pote.

« Je suis sûr de t'avoir aperçu ici il y a deux ans. J'étais en plein spectacle, j'ai essayé de croiser ton regard.

— Oui, c'était bien moi. Tu as fait un numéro aujourd'hui ?

— À l'instant. Pas commode le public cette fois.

— Et comment est-ce que... » Benjamin laissa sa phrase en suspens.

« Comment j'en suis arrivé à faire ça pour vivre ? C'est une longue histoire. Disons simplement que le coup de fil de la Royal Shakespeare Company n'est jamais venu. Et toi ? Ton père me disait que tu es déjà à la retraite ?

— Moi à la retraite ! s'écria Benjamin indigné. Je m'occupe de toi » – il regardait son père d'un air qui en disait long –, « je passe trois matinées par semaine comme bénévole à l'hôpital de Shrewsbury, au magasin caritatif. Et puis j'écris. Je viens de publier mon premier roman d'ailleurs.

— Quelque part, ça ne m'étonne pas. Tu as toujours été l'intellectuel de la famille. Le génie créateur. Où est-ce que je peux l'acheter ?

— Ici. Ils en ont deux, à la librairie.

— Génial. Tu viens d'en vendre un. »

Charlie n'était pas pressé de partir. Il avait un goûter d'enfants à quatre heures, mais rien jusque-là, si bien qu'il fut ravi de traîner à table avec Benjamin et Colin. Après déjeuner, Colin annonça qu'il voulait passer à l'animalerie. Il avait plaisir à observer la carpe koï et les poissons tropicaux. Il les regardait fixement, parfois une minute d'affilée, médusé par leurs bouches tombantes et leurs yeux mélancoliques, comme s'il essayait de comprendre leurs rêves, de sonder leurs souvenirs. Il déclara qu'il retrouverait son fils à la voiture.

Benjamin et Charlie se dirigèrent donc vers la librairie en passant devant l'entrée du théâtre pour enfants.

« Regarde qui est en train de se produire », dit Charlie sombrement en désignant d'un signe de tête la porte ouverte.

Benjamin jeta un coup d'œil à l'intérieur et vit que le personnage qui était en train d'amuser le cercle d'enfants portait la blouse blanche des médecins, des bottes en caoutchouc et le casque en cuir des pilotes de la Seconde Guerre mondiale. Il se souvenait de lui depuis la dernière fois, il se souvenait de son attitude revêche hors de la scène et de l'hostilité brutale qu'il avait exprimée à l'encontre de Charlie. Qu'est-ce qui avait bien pu se passer entre ces deux-là ? Charlie fusilla des yeux le Dr Daredevil ; l'autre clown réagit au quart de tour en lui jetant un regard noir sans déroger à son personnage. En cet instant, l'atmosphère fut chargée d'une haine et d'une vindicte vibrantes, mais Charlie retrouva le sourire si vite, lorsqu'ils se remirent en route, sa gaieté intacte, que Benjamin n'osa pas aborder le sujet, ni demander ce qui se passait.

À la librairie, Charlie prit les deux exemplaires de *Rose sans épine* sur la pile centrale, parcourut la quatrième de couverture, complimenta Benjamin sur le design et déclara : « Très bien, je prends les deux. »

Benjamin l'accompagna à la caisse, décidé à savourer cet instant de triomphe. La vendeuse, peut-être un peu moins impressionnée qu'il ne l'espérait, fit sonner sa caisse avec une indifférence mécanique.

« C'est l'auteur, vous savez, lui annonça Charlie. Vous devriez être aux petits soins pour lui. C'est une célébrité locale.

— Des auteurs, ce n'est pas ce qui manque ici, répondit-elle.

— Ah bon... » Charlie regarda Benjamin avec une grimace : « Tu peux me les signer, Ben, maintenant qu'ils sont payés ?

— Bien sûr. »

Il posa les livres sur le comptoir et sortit son stylo. « Ils sont pour toi tous les deux ?

— Le premier oui, le deuxième pour Aneeqa, s'il te plaît.

— Tu souhaites un message en particulier ?

— Pas vraiment. » Il réfléchit. « Tu peux écrire "Bonne chance dans tes études" ? » Benjamin répéta la formule tout en l'inscrivant et tendit fièrement les deux exemplaires à Charlie. C'était la première fois qu'il signait son livre, si l'on excepte ceux dédicacés à Phil, Lois, Sophie et son père. Il se tourna vers la vendeuse : « Vous allez devoir en commander d'autres.

— Non, ça va, il y en a quarante dans la réserve.

— Ah ! Vous voulez que je vous les signe aussi ?

— J'aimerais mieux pas. On a assez de mal à les vendre comme ça. Si vous les signez, on ne pourra plus les retourner à l'éditeur. Ils seront considérés comme abîmés. »

Benjamin se demandait jusqu'où il pourrait supporter l'attitude décourageante de cette femme.

« Vous en avez déjà vendu ?

— On a en vendu deux, mais les clients les ont rapportés.

— Rapportés ? Pourquoi ?

— À cause du titre, je pense. Ils ont cru que ça parlait de la culture des roses. C'est le genre de livre que la plupart des clients viennent chercher ici, vous comprenez. Des romans, on n'en vend pas tellement. »

Il était l'heure de retrouver Colin à la voiture. Tout en louvoyant à travers le mobilier de jardin, Benjamin ne pouvait s'empêcher de ruminer les faibles perspectives de succès commercial de son livre, mais il finit par s'arracher à son pessimisme et il lui revint qu'il voulait poser une question à Charlie :

« Au fait, c'est qui, Aneeqa ?

— C'est comme tout le reste dans ma vie, une longue histoire. Tu veux pas qu'on déjeune ensemble bientôt ? J'aimerais bien qu'on prenne le temps de se raconter les épisodes précédents.

— Bien sûr. Faisons-le.

— Enfin, bon, reprit Charlie comme ils quittaient l'espace tentaculaire de la jardinerie et accédaient à son parking tout aussi gigantesque, pour te résumer la chose, disons que je suis un peu son beau-père. Sa mère est divorcée, il n'y a qu'elles deux au foyer et donc, bon enfin, je suis pas marié avec sa mère ni rien, mais comme je suis tout le temps chez elles, je suis devenu une figure paternelle, quoi. En tout cas, j'aimerais bien. C'est compliqué, à vrai dire Ben, c'est même le bazar. Ça me ferait bien plaisir d'en discuter avec toi un de ces jours. Je ne connais pas tant de gens qui comprennent… le cœur humain et ses mystères. »

Le compliment toucha Benjamin, qui fut aussi assez surpris d'entendre son ami employer ce vocabulaire qui laissait supposer des réserves de sensibilité et de tendresse insoupçonnées.

« Ça reste à voir, répondit-il en se préparant à lui faire une confidence, quand tu liras mon livre, tu comprendras que ma vie sentimentale n'a pas été des plus faciles et que…

— Oh PUTAIN, l'enfoiré de gros CONNARD de merde ! »

Benjamin s'immobilisa, interdit, les yeux ronds. Ils étaient arrivés devant la voiture de Charlie, une Nissan Micra d'âge avancé mais bien entretenue, rutilante, et son ami considérait avec une fureur mêlée d'angoisse la peinture de l'aile côté conducteur. On venait d'y faire une profonde éraflure à l'aide d'une pièce de monnaie ou d'un autre accessoire, depuis le phare jusqu'au feu arrière.

« C'est lui qui a fait ça, siffla-t-il. C'est lui, ce salaud ! Je vais le tuer, je te jure. Je vais lui fracasser le crâne et lui taillader la gueule au cutter ! »

Il fit demi-tour, prêt à repartir vers la jardinerie au pas

de charge. Benjamin lui posa une main sur le bras pour l'en empêcher :

« Ne fais pas de bêtise, Charlie. Je ne sais pas ce qui se passe entre vous deux, mais... ça résout rien, la violence. Ça résout jamais rien. » Puis, plutôt pour faire diversion qu'autre chose, il ajouta : « Et ce déjeuner, alors, on se le prévoit quand ? »

Charlie hésita un instant, haletant de rage. Puis il convint : « Oui, tu as raison », et sortit son téléphone pour consulter son calendrier ; la crise était passée.

20

Le 14 avril 2015, le Parti conservateur lançait son mani-
feste en vue des législatives à venir. Doug lut le premier
paragraphe de l'introduction de David Cameron tout en
attendant Nigel à leur lieu de rendez-vous habituel, le café
proche de la station Temple.

Il y a cinq ans, la Grande-Bretagne était au bord du
gouffre...
Depuis, nous avons retourné la situation. Notre pays est
aujourd'hui l'une des grandes économies mondiales à la crois-
sance la plus rapide. Nous sommes en train de reprendre le
contrôle des finances nationales. Nous avons divisé par deux
le déficit qui était leur lot. Les gens sont plus nombreux que
jamais à avoir un emploi. L'Angleterre est retombée sur ses
pieds, elle est forte, et chaque jour plus forte. Ceci ne doit rien
au hasard. C'est le résultat de mesures difficiles et du travail de
patience de notre plan économique à long terme. C'est surtout le produit d'un effort suprême de toute la nation, auquel
tous ont contribué par leurs sacrifices, et dans lequel tous ont
joué leur rôle... lorsque nos amis et concurrents à travers le
monde regardent la Grande-Bretagne, ils voient un pays qui

est en train de mettre sa maison en ordre, un pays qui monte. Ils voient un pays qui croit en lui.

« On vous doit une partie de ces sornettes ? » demanda Doug en voyant arriver le toujours juvénile sous-directeur adjoint de la communication de Downing Street qui s'assit en face de lui. Nigel lui adressa un sourire frisquet mais ne parut ni surpris ni particulièrement offensé par ce gambit d'ouverture. « Ah Douglas, toujours à l'attaque, acharné à ouvrir le score. Si je croyais que vous pensez ce que vous dites, je m'en formaliserais. Mais je vous connais trop bien, depuis toutes ces années.

— Comment va le moral, au 10 ? s'enquit Doug en tendant à Nigel le cappuccino qu'il avait déjà commandé pour lui. La panique est à son comble, j'imagine.

— La confiance, Doug, l'enthousiasme sont à leur comble. Dave est prêt à livrer cette bataille et vous savez pourquoi ? Parce qu'il sait qu'il va gagner.

— Il ne lit pas les sondages, alors.

— Nous ne tenons aucun compte des sondages, ils se trompent tout le temps.

— Le débat télévisé n'a pas tourné à son avantage. C'est Ed Miliband qui a fait une jolie prestation.

— Ed est un chic type, mais il ne nous inquiète pas. Les gens de ce pays n'éliront jamais un marxiste Premier ministre.

— D'où tenez-vous qu'il est marxiste ? Du *Daily Mail* ? Ed Miliband n'est pas marxiste.

— Son père était marxiste. Selon le *Daily Mail.*

— Allons, Nigel, ne dites pas d'âneries. Ce n'est pas parce qu'on a un père marxiste qu'on est marxiste soi-même. Votre père est proctologue, quelle incidence sur votre carrière ?

— Vous remettez sans cesse la spécialité de mon père sur le tapis, Douglas. Serait-ce que vos hémorroïdes vous font toujours souffrir ? »

Doug soupira. Depuis cinq ans, il retrouvait Nigel deux ou trois fois l'année et il n'était pas plus avancé qu'hier pour voir au-delà de sa jovialité écran.

« J'aurais dû me douter que vous n'alliez pas dire autre chose que "tout marche comme sur des roulettes". Vous êtes dans votre rôle, après tout.

— Je ne dirais pas que tout marche comme sur des roulettes, Doug, et je trouve qu'il est un peu facile de parler comme vous le faites, si je peux me permettre. Il nous reste toutes sortes de défis à relever. L'austérité sévit toujours, et elle frappe surtout les plus vulnérables. Dave en est conscient. Il n'a rien d'un monstre, quoi que vous en pensiez. Mais nous ne sommes pas trop mauvais pour lire l'humeur du pays, et il va de soi que quand les choses sont si difficiles et l'avenir si incertain, les gens seraient fous de voter pour le changement. La continuité, la stabilité, voilà ce qu'il leur faut pour leur permettre de traverser cette mauvaise passe. »

Doug se gratta la tête. « Ça n'a aucun sens, voyons. Sous le gouvernement actuel, le pays est dans la panade, et par conséquent, la seule solution est de voter pour le gouvernement actuel ?

— En somme, oui. C'est le message très clair que nous allons faire passer à l'électorat dans les semaines à venir.

— Je vous souhaite bonne chance…

— Les électeurs auront le choix entre un gouvernement fort et stable avec David, ou bien un leadership faible et chaotique avec Ed, qui serait probablement obligé de faire alliance avec les nationalistes écossais. Vous vous rendez compte !

— Vous serez peut-être obligés de rester alliés avec les lib-dém, vous autres.

— Ce ne serait pas un problème, mais ça n'arrivera pas. Nous allons obtenir la majorité absolue. Nous en sommes tout à fait convaincus. C'est ce que nous disent les sondages.

— Mais vous venez de dire que vous n'en teniez aucun compte.

— Nous ne tenons aucun compte des sondages *en général*, mais il nous arrive de commanditer les nôtres, et ceux-là nous leur faisons confiance. »

Doug soupira de nouveau.

« Ok, venons-en aux faits.

— C'est ça, rentrons dans le dur.

— Exactement. En page 72 du programme : "Un vrai changement dans nos rapports avec l'Union européenne". »

Nigel s'illumina : « C'est juste. Il s'agit d'un point crucial du programme. Presque son unique argument de vente, à vrai dire.

— Alors moi, je ne sais pas qui a écrit ça, mais ça a le mérite d'être clair. "Seul le Parti conservateur assurera un vrai changement et un vrai choix quant à l'Europe, par un référendum pour ou contre d'ici la fin 2017."

— C'est juste.

— Et vous êtes sûr que c'est une bonne idée ?

— C'est celle de Dave. Bien sûr que oui.

— Mais s'il y a un référendum et qu'on vote la sortie ?

— Eh bien on sortira. Les gens auront parlé. »

Doug avait beau être impressionné par cet attachement indéfectible à la démocratie directe, il ne put s'empêcher d'objecter : « Sauf que les gens ne s'intéressent pas tant que ça à l'Union européenne. Chaque fois qu'on demande au public de faire la liste de ses préoccupations principales, il cite l'éducation ou le logement, et l'UE n'arrive même pas dans les dix premières. »

Le visage de Nigel, jusque-là empreint de perplexité, s'éclaira. « Ah, vous parlez du public, mais moi je pensais aux gens, pardon.

— Comment ça, les gens ?

— Les gens du Parti conservateur qui font tout ce foin autour de l'Europe tant détestée, et qui ne la fermeront pas tant qu'on n'aura pas pris des mesures.

— Ah, ces gens-là.

— Ceux-là.

— Alors c'est pour ça que Cameron promet ce référendum, pour les faire taire ?

— Ne dites pas de bêtises, Douglas. Tenir un référendum sur un sujet aussi grave dans le seul but de faire taire quelques voix discordantes dans son propre parti ? Ce serait très irresponsable de sa part.

— Mais c'est en ces termes que vous venez de l'expliquer.

— Du tout, je n'ai rien dit de tel. Vous ne l'avez pas lu, le programme ?

— Bien sûr que si.

— Eh bien, on explique ici pourquoi nous proposons le référendum. » Il prit l'exemplaire de Doug sur la table, où il était resté plié à la page en question. « Écoutez : "Le futur gouvernement conservateur se donnera pour principe que l'appartenance à l'Union européenne dépende du consentement des Britanniques. C'est pourquoi, après l'élection, nous négocierons un nouveau statut pour l'Angleterre dans l'Europe. Et ensuite nous demanderons aux Britanniques s'ils veulent rester dans l'Europe sur ces nouvelles bases, ou s'ils veulent la quitter. Nous tiendrons ce référendum d'ici la fin 2017, et nous en respecterons l'issue." On ne saurait faire plus simple, non ?

— Une seconde. Vous en avez oublié un bout.

— Ah ?

— Oui, donnez-moi ça, une petite omission.

— Je ne crois pas.

— Cette phrase sur le consentement du peuple…

— Oui ?

— Juste après, là…» Doug prit la brochure des mains de Nigel et parcourut rapidement la page. « Oui, c'est ici : "L'appartenance à l'UE dépend du consentement du peuple britannique, et ces dernières années, ce consentement s'est réduit à très peu de chose."

— Exact, c'est un fait.

— Autrement dit, l'initiative de Cameron est un pari extrêmement risqué.

— Pourquoi dites-vous ça ?

— Parce qu'il propose d'organiser un référendum alors qu'il sait d'avance que la majorité tiendra à un fil.»

Nigel secoua la tête et émit des claquements de langue réprobateurs. « Ah, vous les gens de plume, franchement, Douglas ! Avec votre interprétation délirante des choses. Vous prenez une formule tout à fait claire, tout à fait innocente, et vous la tordez, vous la déformez.

— Je suppose que vous pourriez toujours faire dépendre le résultat d'une majorité augmentée, mettre la barre à soixante pour cent, quelque chose comme ça…

— Cette idée a été émise, en effet, mais ce ne sera pas nécessaire.

— Pourquoi ?

— Parce que le référendum aura une valeur purement consultative.

— Ah bon ? Mais ce n'est pas ce qui est dit : "Nous tiendrons ce référendum d'ici la fin 2017 et nous en respecterons l'issue." On voit mal qu'il soit purement consultatif dans ces conditions…

— Mais si. Ça veut dire que les Britanniques nous donneront leur avis, et que nous l'écouterons. » Comme Doug ne paraissait pas outre mesure convaincu par cet argument, il ajouta : « D'ailleurs, est-ce que ce serait si terrible qu'on quitte l'UE ? En tant que socialiste, vous devez lui trouver bien des défauts. Voyez comment elle a traité ces pauvres Grecs, par exemple. »

Doug finit son cappuccino et se leva en rangeant le programme dans la poche de son manteau. « Certes, mais je présume que Cameron veut rester dans l'Europe.

— Bien entendu.

— Auquel cas je trouve qu'il prend un pari périlleux en proposant un vote à majorité 50/50 sur un sujet où il pense déjà que l'opinion publique est divisée à parts égales.

— C'est un pari, oui, un pari colossal. L'avenir du pays décidé sur un coup de dés. Dave est prêt à prendre ce pari et c'est ce qui fait de lui un leader fort et résolu. »

Impressionné comme toujours par la logique acrobatique de Nigel, Doug lui serra la main et lui posa une dernière question :

« Donc, Cameron promet ce référendum sans s'inquiéter une seconde ?

— Il pourrait s'inquiéter, répondit Nigel en boutonnant son manteau, mais au bout du compte, il n'aura pas lieu.

— Pourquoi ?

— Parce qu'il est impossible qu'il obtienne une majorité absolue. Tous les sondages le disent. Vous ne les lisez pas, Douglas ? Vous devriez… »

Ce mot de la fin aurait suffi à faire cogiter Doug sur tout

le chemin du retour, mais Nigel n'avait pas encore abattu toutes ses cartes.

« Et tiens, au fait, dit-il en marquant un temps pour ménager son effet, mes amitiés à Gail, voulez-vous ? Dave la considère comme un membre clef de l'équipe. J'espère qu'elle en est consciente. »

21

Mai 2015

Doug n'apprit jamais par quel canal Nigel était au courant de ses rapports avec Gail Ransome. Il ne la voyait que depuis quelques semaines à ce moment-là, et ils avaient tâché d'être discrets l'un comme l'autre. Il fallait croire que dans l'atmosphère confinée et surchauffée du Village Westminster, il était impossible de tenir une liaison secrète très longtemps, surtout une liaison entre un journaliste de gauche et une députée conservatrice. Du pain bénit pour les colporteurs de potins, en tout cas. Mais quelle qu'en soit l'explication, l'idée que le sous-directeur adjoint de la communication de David Cameron détienne une information que sa propre fille ignorait encore mettait Doug franchement mal à l'aise.

En même temps, à qui la faute ? Coriandre et lui ne s'adressaient presque plus la parole ces temps-ci. Il n'aurait même jamais cru possible qu'un père et sa fille partagent un espace aussi restreint dans une ignorance aussi profonde de leurs vies respectives.

Depuis la soirée d'ouverture des jeux Olympiques, il s'était produit des séismes majeurs au foyer Gifford-

Anderton. Doug et Francesca s'étaient séparés, sans trop de casse affective de part et d'autre. Lui s'était installé dans un trois-pièces étriqué de Lower Holloway, à deux pas de Caledonian Road. Francesca, il l'apprit par le supplément londonien de l'*Evening Standard*, n'avait pas perdu de temps pour entamer une liaison avec un producteur de téléréalité divorcé depuis peu, que l'on disait compter parmi les cent fortunes du pays. Coriandre, qui méprisait de longue date les valeurs et le mode de vie de sa mère, s'était vue justifiée par ce dernier développement ; elle avait attendu le jour de ses seize ans pour exercer son droit légal de quitter le confort de Chelsea et emménager avec son père. Elle en avait profité pour quitter par la même occasion son école privée et s'inscrire en terminale dans une école publique de Camden devenue la coqueluche des filles de l'intelligentsia progressiste du nord de Londres.

Doug découvrit bientôt que les privilèges des super-riches ne lui manquaient pas vraiment ; le rétrécissement de son espace vital était plus que contrebalancé à ses yeux par le fait qu'il n'était plus tenu de passer des dîners en compagnie d'oligarques ou en conversation polie avec des gestionnaires de fonds spéculatifs le jour de la distribution des prix. Et il vit d'un bon œil l'arrivée de Coriandre, envisageant de nouveaux rapports avec elle, fondés sur des échanges complices au petit déjeuner et des séances partagées de travail nocturne. Mais c'était aller trop vite en besogne. Sa fille rejetait peut-être les valeurs de sa mère, mais elle n'était pas folle non plus de celles de son père. À vrai dire, elle le débordait notoirement sur sa gauche ces temps-ci. Ses vues sur le racisme, les inégalités et la politique identitaire étaient d'une totale intransigeance et elle ne faisait pas mystère de le considérer au mieux comme un social-démocrate ni-ni, décalé et plein d'illusions, au pire comme un lâche et un vendu dont les compromissions politiques constituaient en fait un obstacle bien plus infranchissable à la justice sociale que tout ce que les tories auraient pu inventer. Le Parti travailliste en son état actuel, conduit par Ed Miliband – considéré par les conservateurs comme un marxiste, ou comme un fils de marxiste, ce qui revenait au même pour eux –, n'était à ses yeux qu'un rejeton pâlot et anémique du New Labour de Tony Blair, irrémédiablement entaché par la folie criminelle de la guerre d'Irak, et dépourvu de vision convaincante ou radicale à opposer au programme d'austérité des conservateurs. « Mais il représente tout de même un moindre mal », disait son père, à quoi elle répondait par des sarcasmes. Quant aux échanges matinaux, les jours de classe elle quittait la maison à sept heures trente pour prendre le petit déjeuner dans des cafés du coin avec des camarades, camarades avec lesquels elle écumait aussi les rues de Londres le soir et les week-ends en faisant la tournée des pubs, des clubs, des concerts et des fêtes sur la nature desquels Doug en était réduit à des conjectures et auxquels il préférait d'ailleurs éviter de penser. Les jours fastes, si leurs routes se croisaient à la cuisine ou sur le chemin de la salle de bains, Coriandre et son père se conduisaient avec une civilité mesurée, mais il n'était pas rare qu'ils cohabitent des semaines d'affilée sans échanger une parole.

Le 7 mai 2015, cependant, c'est-à-dire le soir des législatives, leur relation devait se détériorer sensiblement.

*

La soirée s'avançait, les résultats tombaient sur la BBC et Doug allait de surprise en surprise. Comme tout le monde, il présumait que cette élection serait serrée et n'amènerait pas de majorité absolue au Parlement. Le sondage effectué vers dix heures à la sortie des urnes avait suffi à montrer qu'il n'en serait rien. Ensuite, toute la question avait été d'attendre que les circonscriptions clefs se déclarent. Lorsqu'on apprit que Nuneaton allait aux tories, à une heure cinquante du matin, les présentateurs annoncèrent qu'ils remportaient les élections et faisaient mentir les sondages. Incroyable mais vrai.

Il avait accepté d'écrire mille deux cents mots avant six heures du matin, non pas pour l'édition papier mais pour le site web (qui rapportait une misère par rapport aux éditos papier). Il alla à la cuisine se faire un café avant de se mettre au travail, puis revint s'asseoir, ouvrit un nouveau document sur son ordinateur portable et tapa :

Un sandwich au bacon peut-il venir à bout du socialisme ?

Intro solide. Mais un peu convenue, peut-être. Il allait tout de même creuser ce sillon.

Parce que, enfin, comment expliquer l'inexplicable ? C'était l'occasion ou jamais pour Ed Miliband. La coalition au pouvoir n'a rien fait depuis cinq ans qui puisse lui assurer le suffrage des électeurs. Aucune mesure n'a été prise pour traiter les causes sous-jacentes de la crise financière de 2008, sinon concevoir et appliquer un programme d'austérité féroce, dont tout le pays a souffert à l'exception des ultra-riches. Les jeunes de la classe moyenne ont vu leurs salaires stagner et leur niveau de vie rester au point mort. Chez les plus pauvres, l'impact a été pire encore, avec une augmentation exponentielle de la dépendance envers les banques alimentaires, ce qui devrait faire honte à un pays civilisé.

À deux heures et demie, la clef tourna dans la porte d'entrée et Coriandre parut, les cheveux en bataille et les yeux cernés par le manque de sommeil. Elle envoya promener son manteau et s'affala sur le canapé à côté de lui.

« Tu es au courant ? lui demanda-t-il.

— Ouaip. Quels connards. »

Il lui jeta un regard de côté, pas franchement sûr de ceux qu'elle désignait sous ce vocable.

« Les électeurs, précisa-t-elle.

— Ah !

— Ces idiots qui viennent de voter pour que leurs conditions de vie empirent.

— Qu'est-ce que tu voulais qu'ils fassent ? Puisque d'après toi, les travaillistes ne valent pas mieux.

— C'est vrai.

— Tu aurais voté quoi, toi ? »

Coriandre allait avoir dix-huit ans en juin, cette décision lui avait donc été épargnée. Elle haussa les épaules.

« Je boirais bien un café, dit-elle en se levant.

— Fais-m'en un aussi, tu veux bien ? »

Pendant qu'elle était à la cuisine, deux autres résultats tombèrent, ceux de Brecon et Radnorshire, et ceux de Yeovil. Passés aux tories, largement au détriment des libéraux-démocrates. Durant la campagne les conservateurs avaient impitoyablement ciblé leurs partenaires dans la coalition, et visiblement cette stratégie avait payé. N'empêche que Doug avait du mal à comprendre pourquoi.

Quant au Premier ministre lui-même, il n'a jamais été très aimé des tories traditionnels, qui le considèrent comme beaucoup trop londonien et beaucoup trop progressiste sur le plan sociétal. Il a beau voir le mariage gay comme une de ses plus belles réussites, ce n'est pas ce qui lui aura apporté une rallonge de suffrages dans la classe moyenne.

À quatre heures du matin, Twickenham passait aux mains des tories, et Doug mit son ordinateur de côté ; il avait la tête qui tournait. Twickenham ! Le siège de Vince Cable. Vince Cable, secrétaire d'État aux Affaires, à l'Innovation et aux Compétences, président de la Chambre de commerce et numéro deux des libéraux au gouvernement. Sa majorité de plus de 12 000 votants s'était fait balayer. Les tories massacraient leurs partenaires. Même après toutes ces « vannes » échangées entre Nick et Dave autour de la table du cabinet... Mais le résultat que Doug attendait le plus fébrilement n'était pas encore tombé. Quand allait-on annoncer le vote de Coventry South West ? Il envoya un SMS à Gail.

Il y en a encore pour longtemps ?

Ce à quoi elle répondit :

Sais pas. On est au supplice ici. Bises.

L'aube naissait. Doug aurait volontiers ouvert les rideaux pour laisser entrer les premiers rayons mais il ne voulait pas déranger Coriandre, toujours allongée sur le canapé à côté de lui, et qui somnolait par à-coups.

Alors, où est l'erreur de Miliband ? Sa campagne a parfois été pénible à voir. Il n'a jamais paru à l'aise avec les médias et, comme beaucoup de leaders du Parti travailliste avant lui, il a dû batailler pour faire passer un message dans un environnement hostile où des pans entiers de la presse étaient à l'affût de ses moindres erreurs. Il ne faut pas sous-estimer la campagne du *Mail* qui a brossé le portrait de son universitaire de père en marxiste qui « détestait l'Angleterre », pour insinuer que le fils était coupable par association génétique.

Et puis, bien sûr, il y a eu l'épisode du sandwich au bacon. Incroyable, car les faits remontent à presque un an, mais la photo du malheureux Ed dans un café de New Covent Garden, en train d'essayer de manger un sandwich dont il n'arrive pas à se dépêtrer et qui lui glisse entre les doigts, n'a pas fini de lui causer du tort. Il y a deux jours, le *Sun* en a fait sa une avec la légende : « Voilà comment Ed met en charpie un sandwich sans défense ; dans 48 heures il pourrait faire la même chose à l'Angleterre. » En sommes-nous là ? À mettre en balance un programme authentiquement progressiste, réformateur et exhaustif d'une part, avec, d'autre part, un chef de parti (juif, ne l'oublions pas) qui s'efforce de manger du porc d'un air dégagé, et qu'on va donc s'appliquer à représenter comme socialement emprunté et « loin des gens » ?

Il était encore en train de travailler ce paragraphe, trop verbeux et alambiqué à son goût, lorsque levant les yeux sur le poste de télévision, il vit que les caméras étaient enfin braquées sur Coventry South West. Gail était là, les traits tirés mais toujours vaillante dans son plus beau tailleur bleu marine. Elle était flanquée des autres candidats : son adversaire travailliste à sa gauche immédiate, et la foule extravagante qui occupait le reste de l'estrade, dont le représentant des Monster Raving Loony Party qui portait un haut-de-forme et une énorme jonquille artificielle à la boutonnière. L'idée traversa Doug que l'Angleterre était un pays décidément étrange, et qu'elle l'avait toujours été.

Puis les résultats officiels furent annoncés et on vit soudain Gail lever le bras en signe de triomphe. Sa majorité se trouvait rognée mais elle avait gagné, et en fond d'écran la bannière proclamait : « Les conservateurs tiennent bon ».

« Ouiii, s'écria involontairement Doug. Elle est passée ! »

Cette exclamation réveilla Coriandre, qui se remit tant bien que mal en position assise et plissa les paupières pour voir l'écran. Il fallut quelques secondes pour que la nouvelle parvienne à son cerveau ensommeillé, après quoi elle se tourna vers son père en lui demandant sur un ton des plus perplexes : « Tu viens d'ovationner une victoire tory, là ? »

Il lui aurait été difficile de le nier.

« Pourquoi ? Et d'abord, c'est qui, cette femme ?

— C'est... » Il s'interrompit. Il était quinquagénaire, il lui fallait choisir ses mots. Comment le dire de la façon la plus appropriée ? « C'est une femme que je fréquente depuis quelque temps. »

Coriandre accueillit l'information par un long, long silence. Elle finit par le rompre, sans mot dire, quand elle se leva dans un crissement du canapé et se dirigea vers sa chambre en traînant les pieds.

Comme elle disparaissait, il lui lança en désespoir de cause : « Elle est à l'extrême gauche du parti ! » Mais avant même que les mots sortent de sa bouche, il se douta qu'ils seraient impuissants à réchauffer le climat.

*

Dans le sillage de cette victoire imprévue de David Cameron, les événements se précipitèrent. En milieu de matinée, pas moins de trois chefs des principaux partis avaient démissionné : Ed Miliband du Labour, Nick Clegg des libéraux-démocrates, et Nigel Farage de UKIP. Le paysage politique devenu familier à Doug ces dernières années avait été mis à sac en l'espace de deux heures. Cet après-midi-là, la nation put apprécier le spectacle cocasse des trois chefs des principaux partis, dont deux ex-chefs, réunis en grande pompe pour assister au Cénotaphe à la commémoration des soixante-dix ans du 8 mai 1945. Et puis, vers cinq heures de l'après-midi, au moment où Doug aurait attendu le bref retour de sa fille à la maison, il reçut un SMS de Francesca.

Corrie vient de débarquer. Elle dit qu'elle te déteste et qu'elle veut revenir vivre ici pendant un temps. Qu'est-ce que tu as fait ?

Doug, qui était en pleine interview téléphonique pour la radio de la BBC Londres, répondit :

Baisé une tory.

Formule qui, à défaut d'être une prouesse de diplomatie, avait du moins le mérite de la concision et de l'exactitude. Il n'y eut pas de réponse.

Le reste du week-end fut occupé à d'intenses spéculations pour savoir qui seraient les nouveaux chefs du Parti travailliste et des libéraux-démocrates et Doug le passa à expédier d'autres articles depuis son domicile, ou bien encore à courir de studio de télé en studio de télé. Lorsqu'il enregistra son dernier papier, aux petites heures, le lundi matin – un pavé de deux mille cinq cents mots pour le *New Statesman* –, sa perception du résultat avait changé et il entretenait une nouvelle théorie. Oui, les tories avaient brillamment et impitoyablement ciblé tout siège marginal des lib-dém, mais au fond, c'était à l'Écosse qu'ils devaient leur victoire. Ils avaient en effet émis sans relâche le message strident qu'Ed Miliband ferait un leader faible et que le Parti travailliste, ne pouvant pas avoir la majorité absolue, finirait par s'allier aux nationalistes écossais. En fin de compte, ce serait ce SNP, ces Écossais vindicatifs, ces agitateurs, qui feraient la loi à Westminster. Pour reprendre la formule de Gordon Brown (dont la défaite après sa gaffe désastreuse sur la bonne femme bourrée de préjugés semblait remonter non pas à cinq ans mais à cinq vies), « au lieu de jouer la carte de l'unité de la Grande-Bretagne, les conservateurs ont décidé de jouer celle du nationalisme anglais. Tout ceci pour distiller l'idée que l'Écosse représentait une menace, un risque, un danger ».

... Stratégie indéniablement efficace, l'issue du scrutin l'a montré, écrivit Doug, mais comme l'observe notre ancien Premier ministre, pas sans danger pour l'avenir. Si David Cameron a ouvert les vannes du nationalisme anglais, saura-t-il les refermer ou risque-t-on de le voir déferler avec une force croissante et bientôt irrépressible pendant la campagne autour du référendum sur l'UE auquel il s'est engagé ?

*

En milieu de semaine, la frénésie des commentaires se calmait. Doug et ses collègues des médias retrouvaient, non sans mal, le sens des proportions. Il leur avait été facile d'oublier que le grand public, une fois son bulletin glissé dans l'urne, n'allait pas passer les cinq années suivantes à se polariser sur les conséquences de ce vote comme le faisait la confrérie des commentateurs patentés. Certes, un tremblement de terre politique venait de se produire, mais de faible intensité et à l'échelon local, pourvu qu'on le considère dans une perspective mondiale, ou *sub specie aeternitatis*. En attendant, un été anglais se profilait, et le pays vaquait à ses affaires comme à l'accoutumée. Aucun séisme ne devait se produire dans la vie de la nation pendant les quelques mois à venir. Le prodige suivant devrait attendre le 29 juillet 2015.

C'est-à-dire le jour où il fut annoncé que le roman de Benjamin Trotter, *Rose sans épine*, figurait sur la liste longue du Man Booker Prize.

22

Juillet-août 2015

Doug ne revit pas sa fille pendant deux mois. Il fallait lui reconnaître ce mérite : s'il y avait eu un prix de rancune tenace, elle aurait été finaliste. D'ailleurs, même ce jour-là, elle n'avait pas prévu de le voir. Leur rencontre avait été arrangée par Francesca, qui avait donné rendez-vous à Doug pour boire un café à la galerie Saatchi, sur Duke of York Square, un matin de la mi-juillet, et qui avait amené Coriandre avec elle sans les prévenir ni l'un ni l'autre.

« Allez, vous deux, dit Francesca. C'est ridicule. Ton père a une nouvelle petite amie, et alors ? Ce sont des choses banales.

— Quel hypocrite, dit Coriandre, le sourcil furibond, nez plongé dans sa tasse de latte.

— Écoute, Corrie, dit Doug, et pardonne-moi si je parle en vieux con, mais quand tu seras un peu plus vieille, tu sais, un tout petit peu plus vieille que dix-huit ans, que tu considères comme le sommet de la sagesse, je le sais, quand tu seras un peu plus vieille, tu réaliseras que tous ceux avec lesquels tu n'es pas d'accord politiquement ne sont pas… »

Coriandre n'avait que faire de ce genre de propos. « Les tories, c'est des ordures », résuma-t-elle.

Doug se tourna vers Francesca, pensant qu'elle serait aussi outrée que lui, mais elle souriait.

« Ah c'est raffiné, c'est charmant même, quel joli mot pour qualifier la femme... » Il allait dire « dont ton père est amoureux » mais il se reprit à temps, un peu parce qu'il ne voulait pas le dire devant son ex-femme et sa fille, mais aussi parce qu'il était loin d'être sûr que ce soit vrai. Il opta donc pour « avec laquelle sort ton père », ce qui eut le don de faire grimacer Coriandre.

« Mais vous allez arrêter d'employer des mots pareils, vous deux. On "sort" pas avec quelqu'un à votre âge, on n'a pas une "petite amie". Tu as cinquante-cinq ans et elle quarante-six, c'est glauque. »

Tiens tiens, se dit Doug, elle sait quel âge a Gail. Intéressant. Il y a du Google là-dessous.

« Eh bien n'emploie pas le mot "ordure" à propos de quelqu'un dont les opinions ne se superposent pas aux tiennes. Gail est une femme... formidable. Elle a des principes très affirmés.

— Alors c'est pour *ça* que tu as couché avec elle... », glissa Francesca.

Coriandre ne croyait pas un mot desdits principes. « Ah oui ? Est-ce que la société de son mari n'a pas été condamnée à une amende pour avoir construit des logements sociaux substandard ? »

Les recherches sur Google étaient allées plus loin, donc.

« Il y a eu quelques problèmes », commença Doug, mais elle lui coupa la parole.

« Le type même du promoteur juif.

— Eh là, ça suffit », lui dit-il en tendant vers elle un index sévère. Il avait déjà remarqué ce travers : son soutien passionné à la cause palestinienne pouvait tourner au réflexe antisémite. « D'ailleurs, elle est divorcée, et depuis pas mal de temps. Si on allait dîner tous les trois, d'ici la fin de la semaine ?

— J'ai des choses à faire, cette semaine.

— À faire, et quoi donc ? Les cours sont finis, non ?

— Mes préparatifs pour Bogota. » Du reste, elle se leva et balança son sac sur l'épaule. « Je devrais déjà être en train de faire des courses.

— Bogota ? Depuis quand tu pars à Bogota ? » Il se tourna vers Francesca. « Tu étais au courant ?

— Je l'ai appris hier. Elle part avec Tommy. Apparemment, ils en parlent depuis des lustres.

— Qui c'est, ce Tommy ?

— Petit ami actuel, je crois, » dit Francesca, explication qui inspira à Coriandre le regard de pitié d'un dignitaire religieux à un novice encore dans les ténèbres de l'ignorance et lui fit répondre avec dédain :

« Petit ami/ami, ami/petit ami... C'est juste un type avec qui je partage un lit de temps en temps. Il faut toujours que votre génération voie tout en termes binaires, putain... »

Là-dessus, elle sortit du café avec morgue.

Doug, accablé, regarda sa silhouette s'éloigner et conclut sur un ton lugubre : « Eh bien ça s'est très bien passé, ça fait plaisir.

— Voilà ce qu'on a engendré... », songea tout haut Francesca. Puis elle but une gorgée de son frappuccino et tenta de prendre les choses sous un angle plus positif. « Au moins nous avons une fille qui se soucie du monde, c'est déjà ça, j'imagine.

— Mais tu crois qu'elle s'en soucie vraiment ? Parfois je me dis que s'indigner au nom des autres est devenu sa drogue.

— Possible. Peut-être que l'université va la calmer. »

Doug émit un rire sceptique. « On sait où elle va ?

— Elle veut rester à Londres. Mais pas sous ton toit ni sous le mien, ça va de soi.

— Ça va de soi. »

Ils se turent un instant tout en continuant à réfléchir aux errances de leur fille, chacun de son côté. Puis Francesca demanda : « C'est sérieux avec cette Gail ?

— Assez oui. On a passé l'âge des coups d'un soir, tu ne crois pas ? »

Elle eut un sourire triste. « Sans doute. Comment vous êtes-vous rencontrés ?

— Lors d'un pot à la Chambre des communes, un simple verre. On a bien accroché, je ne sais pas pourquoi. » Il caressa un instant la main de son ex-femme, un geste qui ne rimait pas à grand-chose. « Et toi ?

— Ça ne va pas si mal, dit-elle avec un entrain forcé. On fait aller, tu sais. » Et là, elle repensa tout à coup à quelque chose qu'elle voulait lui raconter. « J'avais rendez-vous avec un de tes anciens camarades de classe l'autre jour, figure-toi. Ronald Culpepper.

— Culpepper, seigneur ! Pourquoi ?

— Il voulait que j'organise un événement au profit de son œuvre de charité. La Fondation Imperium. »

Doug éclata d'un rire furieux et incrédule. « Bon Dieu, il ne manque pas de culot, celui-là. Il y a trois choses que tu dois savoir sur Culpepper. La première, c'est qu'il n'a pas besoin des dons de qui que ce soit. Il pèse déjà des millions. La deuxième, c'est que la Fondation Imperium n'est pas une œuvre de charité au sens habituel du terme, c'est un think tank d'extrême droite qui promeut le libre-échange et qui aide les grandes entreprises américaines à pénétrer les marchés britanniques. En particulier dans le domaine de la santé et de la sécurité sociale. »

Francesca médita un instant : « Ça fait deux choses. Et la troisième ?

— C'est un enfoiré de première. »

*

Doug réussit, via Francesca, à obtenir de Coriandre la promesse de lui envoyer des messages de Colombie pour lui dire qu'elle était saine et sauve. Toutefois le premier se fit attendre jusqu'au soir où Benjamin fêtait sa nomination pour le Man Booker Prize, la première semaine d'août. Doug roulait dans la circulation engorgée quand son téléphone vibra et ce fut Gail qui dut lui lire le message.

« Ça dit "Tout va bien ici".

— Oui ? Et puis ?

— C'est tout.

— "Tout va bien ici" ? Ah bon ? C'est tout ce qu'elle trouve à dire à son père au bout de dix jours de voyage ?

— C'est toujours mieux que rien… Comment se fait-il que tu ne t'inquiètes jamais autant d'avoir des nouvelles de ton fils ?

— Parce qu'il est à Londres, ville plus sûre que Bogota.

— Ce n'est pas pour ça. C'est parce que les filles savent mener leur père par le bout du nez. »

Gail avait un fils, Edward, qui allait bientôt partir à la fac, et une fille, Sarah, nettement plus jeune. Doug les voyait beaucoup et il était frustré que Gail n'ait encore fait la connaissance d'aucun de ses deux enfants.

« Quand Corrie rentrera, je vais m'arranger pour vous réunir, promit-il.

— Rien ne presse. J'ai comme l'impression que ce sera notre premier défi ; pas sûr que je sois prête à l'affronter. Laisse-moi d'abord rencontrer tes vieux amis. »

Au lieu de prendre le train, ils avaient décidé de venir en voiture depuis la maison de Gail, demeure cossue à trois étages dans Earlsdon, l'un des quartiers opulents de Coventry, pour se rendre au dîner de Benjamin, dans le centre-ville de Birmingham. Leur itinéraire empruntait l'A45, une double voie qui laissait apercevoir des vestiges de la forêt d'Arden évoquée par Shakespeare, derrière les hôtels, les structures industrielles légères et l'expansion de l'aéroport de Birmingham en pleine activité. Pendant que Doug conduisait, Gail lisait en diagonale les dernières pages du roman de Benjamin, qu'elle était bien décidée à finir avant de faire la connaissance de l'auteur.

« Eh bien, soupira-t-elle en refermant le livre aux abords du centre-ville, c'est déprimant. Magnifiquement écrit, mais déprimant.

— La Mélancolie, plat préféré de Benjamin. Assiette anglaise de mélancolie et sa salade de nostalgie morbide.

— La soirée s'annonce joyeuse !

— Ne t'inquiète pas, il réserve ça à sa prose.

— Rappelle-moi, qui d'autre sera là ?

— Il y aura Philip Chase, notre camarade de classe, et sa femme Carol, sa seconde femme. Sans doute la sœur de Ben, Lois, avec son mari, quoiqu'elle n'aime pas beaucoup venir en centre-ville.

— Pourquoi ?

— Ça la rend nerveuse. Elle était là le soir de l'attentat du pub, et pas seulement en ville, mais au cœur du drame. Elle a vu sauter son petit ami.

— Mon Dieu ! La pauvre !

— Elle n'arrive pas à s'en remettre.

— Je doute qu'on se remette d'une chose pareille. Est-ce que Benjamin a quelqu'un – ou bien est-ce que la mélancolie anglaise n'est plus le piège à filles qu'elle a été ? »

Doug sourit. « Aux dernières nouvelles, il était célibataire. Il est vrai qu'il a été marié des années, mais ça remonte loin maintenant.

— Des enfants ?

— Pas avec sa femme. Il a une fille, Malvina, qui vit aux États-Unis, mais c'est un sujet que nous évitons.

— Que c'est compliqué ! D'autres sujets tabous ?

— Non, je crois que tu ne risques rien. La nièce de Ben, Sophie, sera peut-être là ; c'est la fille de Lois. Et puis Steve Richards, aussi, un autre vieil ami à nous. »

Mais Steve n'était pas là, il était parti en vacances avec sa femme. Et lorsque Doug demanda si Sophie venait, sa mère lui répondit :

« Elle aurait tellement voulu, mais elle est à Amsterdam où on l'interviewe pour un documentaire sur Vermeer. »

Elle faisait tout son possible pour ne pas laisser paraître qu'elle considérait la chose comme un événement historique.

« Alors ça y est, elle passe à la télévision ? demanda Doug, impressionné.

— Bon, enfin, sur Sky Arts… »

Ils s'étaient installés au bar du restaurant pour boire une bouteille de champagne à l'apéritif. Doug présenta Gail à tout le monde comme « le visage humain du Parti tory ». Philip s'empressa de lui trouver une coupe et de la lui remplir en l'invitant à s'asseoir à côté de lui.

« Bon allez, raconte-nous comment ça s'est passé, demanda Doug à Benjamin. C'est le choix le plus bizarre depuis que l'Union européenne a eu le prix Nobel de la paix en 2012.

— Je n'ai encore rien gagné, fit remarquer Benjamin, je ne suis même pas sur la liste des finalistes, seulement nominé. » Mais il arborait un sourire inaltérable. Quel sourire charmant, songeait Lois assise à côté de lui, et trop rare au fil des années.

« Évidemment, j'ai proposé son livre, dit Philip, pourquoi pas, après tout. Mais je ne pensais pas qu'on ait le plus petit commencement d'une chance, pardon, hein, Benjamin, dit comme ça, on pourrait croire que...

— Je t'en prie, dit Benjamin, je sais comment tu l'entends.

— Ensuite ça m'est complètement sorti de la tête et voilà que mercredi je reçois cet appel, de but en blanc. C'étaient les administrateurs du prix, à Londres. Incroyable, catapulté d'emblée en première division. Allez, Ben, ça doit quand même être une sensation fabuleuse. Le distingué Lionel Hampshire lui-même ne figure pas sur la liste cette année. »

C'était vrai. Quand la liste longue avait été annoncée, les rares journaux qui avaient pris la peine de la publier l'avaient fait précéder de la nouvelle que cette année l'éminent homme de lettres avait été, pour employer le jargon propre à ces potins, snobé par le jury, guère impressionné par son sixième roman au sujet ténu et extravagant, *Un curieux alignement d'artichauts.*

« Pas étonnant, déclara Lois. Je l'ai lu ce roman, un tissu d'âneries. Il n'arrive pas à la cheville du tien.

— Et on a annoncé les paris, chez Ladbroke ? demanda Doug. Ils te donnent à combien ?

— En ce moment, à cent contre un.

— Je vois. Sacré vote de confiance. Mais quand même, ça doit valoir une mise.

— Je ne vais pas gagner, je ne serai même pas sur la liste des finalistes.

— Et alors ? reprit Philip. Carol et moi, on a bossé comme des brutes. Chaque Waterstone en a voulu une demi-douzaine d'exemplaires, les ventes ont bondi de 3000 %. Le téléphone sonne à faire disjoncter le standard. Ben a un *profil* maintenant, vous comprenez ? Le meilleur des profils : celui de l'outsider pugnace face aux grosses pointures. Or les Anglais adorent les petits candidats. Je suis passé sur une radio locale pour parler de lui, j'ai donné une interview sur Radio 4 et deux journaux vont venir l'interviewer la semaine prochaine.

— Nationaux ?

— Nationaux. »

Doug leva son verre : « Bien joué, mon pote. Ça a mis du temps à venir. Personne ne le mérite plus que toi. »

Il jeta un coup d'œil circulaire pour vérifier qu'ils avaient tous une coupe en main et il lança : « À Benjamin !

— À Benjamin », reprirent-ils tous.

Benjamin était fou de joie. À voir autour de lui tous ces visages souriants – ceux de ses amis les plus proches et les plus anciens, celui de sa sœur chérie, et même celui de Gail (qu'il venait de rencontrer mais qui lui inspirait déjà une vive sympathie) –, il avait le sentiment d'être en train de se noyer dans la plus délicieuse mortification. Timide jusque dans les circonstances les plus favorables – ce qui était le cas des circonstances présentes –, jamais très à l'aise avec les mots sauf à les peser longuement avant de les coucher sur le papier, il connaissait en cet instant un bonheur aussi complet qu'il était inexprimable. Et, comme d'habitude, il ne sut que manier la litote et l'autodérision.

« Merci à vous tous. Mais ne nous emballons pas. C'est une loterie, voilà tout. J'ai seulement eu beaucoup beaucoup de chance.

— Alors réjouis-toi, pour l'amour du ciel ! dit Philip en lui donnant une claque dans le dos. Même un quart d'heure de célébrité, ça n'est pas donné à tout le monde.

— Célébrité, comme tu y vas...

— Allons, Ben, gronda Lois.

— Les journalistes viennent te parler, non ? dit Doug. Tu vas avoir ta photo dans les journaux. Les belles femmes à tes pieds. Tu seras reconnu dans les lieux publics. »

Benjamin, toujours modeste, sentit une présence inconnue à ses côtés. Il se retourna et vit une blonde qu'on pouvait qualifier de superbe créature sans trop d'exagération ; elle le considérait avec déférence, attendant d'avoir attiré son attention.

« Excusez-moi, lui dit-elle avec dans la voix une hésitation charmante qu'on aurait aisément pu mettre sur le compte de la révérence, mais vous êtes bien... monsieur Benjamin Trotter ? »

Les autres se turent aussitôt. On aurait dit qu'ils se faisaient les témoins collectifs de la nouvelle vie de Benjamin.

« Oui ? » dit Benjamin avec une intonation montante. Puis il répéta sur un ton plus fier, plus assuré : « Oui, c'est bien moi.

— Parfait, dit la femme. Votre table est prête. »

23

Août 2015

La cérémonie d'ouverture des JO de 2012 avait eu un retentissement profond et bien particulier sur Sohan. Son projet de recherche avait bifurqué et s'était recentré sur les représentations littéraires, cinématographiques et musicales de l'identité anglaise. Et, après avoir travaillé sur le sujet plusieurs mois, il s'était passionné tout spécialement pour le concept d'«Angleterre profonde», formule qu'il rencontrait désormais de plus en plus souvent dans les articles de journaux et les publications universitaires. De quoi s'agissait-il au juste ? Était-ce un phénomène psychogéographique qui s'articulait autour du parc communal, du pub du coin avec son toit de chaume, de la cabine téléphonique rouge et du choc délicat de la balle de cricket contre la batte en saule ? Ou bien, pour le comprendre pleinement, fallait-il se plonger dans les œuvres de Chesterton et Priestley, H.E. Bates et L.T.C. Rolt ? Avait-on intérêt à regarder *A Canterbury Tale* de Michael Powell, ou bien *Went the Day Well ?* de Cavalcanti ? En trouvait-on la quintessence musicale chez Elgar, Vaughan Williams ou George Butterworth ? Fallait-il la chercher dans les tableaux de Constable ? Ou bien le concept n'avait-il finalement jamais été mieux exprimé que sous une forme allégorique par J.R.R. Tolkien quand il avait créé la Terre du Milieu et peuplé son idylle pastorale de vaillants hobbits insulaires, enclins à s'assoupir dans leur confort mental si rien ne s'y opposait mais farouches lorsque piqués au vif – de fameux alliés en temps de crise, pourrait-on dire ? Peut-être existait-il aussi un rapport, voire une parenté fondamentale, avec l'idéal de la « France profonde »... Sohan en parlait souvent avec Sophie, tard les mardis et mercredis soir où elle venait dormir chez lui à Clapham, mais ils n'étaient jamais parvenus à s'accorder sur les termes, ni sur la nature de l'Angleterre profonde, ni sur les lieux où la trouver. Cependant, le dimanche 9 août 2015, Sophie crut toucher à la solution du mystère. Si l'Angleterre profonde existait, conclut-elle, elle était ici. Ici, c'est-à-dire au cinquième trou du golf de Kernel Magna.

Elle regardait, stupéfaite mais admirative à son corps défendant, Ian évaluer la position de sa balle au bout du fairway, et tirer d'un geste prompt et sûr un club de son sac.

« Fer sept, expliqua-t-il d'un air entendu.

— Bon choix. »

Elle pensait avoir dit ces mots sur un ton qui laissait penser qu'elle n'avait pas la moindre idée sur la question. Mais il se positionnait par rapport à la balle et jaugeait la distance jusqu'au green ; il était trop concentré pour faire attention à son trait d'humour.

L'instant précédant sa frappe, l'atmosphère était parfaitement immobile ou presque. On entendait bien un gazouillis d'oiseau mais il ne faisait que souligner le profond silence ambiant. Pas le moindre ronflement de voiture, pas même une vague rumeur de la M40 toute proche. Peut-être les sons étaient-ils amortis par les arbres, une élégante rangée de chênes et de mélèzes qui bordaient l'est du fairway et montaient fidèlement la garde sur ce paysage si impeccablement domestiqué ? Le soleil cognait dans un ciel sans nuages, un ciel d'un bleu céruléen immaculé et dense. Le matin était une symphonie en bleu et vert. Au-dessus de Sophie, le ciel ; au loin, à sa droite, le bleu étincelant d'un obstacle d'eau, petit lac artificiel ; autour d'elle, le camaïeu de tous les verts placés là par la nature et par la main de l'homme, infiniment apaisants et agréables à l'œil. Le temps semblait avoir suspendu son vol. Elle sentait une immense quiétude l'envahir. Plus rien ne comptait ; il n'y avait rien de plus important, dans ce précieux espace clos, que l'objectif simple et clair de faire entrer une petite balle dans un petit trou, en un minimum de coups.

Ian continuait de faire passer le poids de son corps d'une jambe sur l'autre pour ajuster son centre de gravité. Il positionna le club avec soin contre la balle, une fois de plus ; puis le renvoya en arrière, et enfin en avant, dans un geste à la fois puissant et gracieux. La balle s'éleva dans les airs, décrivant un arc bien défini, disparut un instant, puis retomba sur le green et s'immobilisa sur un rebond, à moins de deux mètres du trou.

« Joli ! s'écria Mme Bishop qui se tenait derrière lui.

— Excellent, vraiment », dit M. Bishop depuis l'autre bout du fairway où sa balle s'était logée dans le rough.

M. Hu, le quatrième golfeur, ne dit rien. Au centre du fairway, il s'avançait en tirant son chariot vers la balle qui avait atterri au ras d'un bunker.

« Tu es bon à ce sport, dis-moi », commenta Sophie comme Ian remettait son club dans le sac.

Il sourit : « Il y a des jours meilleurs que d'autres. »

Ils marchaient au soleil ; elle glissa son bras sous le sien. C'était une nouvelle source de tension entre eux depuis plusieurs mois, cette habitude de jouer au golf tous les dimanches matin. Ian avait toujours aimé ce sport, mais aujourd'hui ses séances hebdomadaires étaient devenues sacro-saintes. Trois heures sur le parcours, le plus souvent avec Simon Bishop et ses parents, suivies d'un déjeuner avec sa mère, soit chez elle, soit au club. En ajoutant les matchs de foot le samedi, leurs week-ends étaient considérablement grignotés par le sport et Sophie avait l'impression de se morfondre à l'appartement une bonne partie du temps.

« Ce qui me tracasse, avait-elle déclaré d'une voix pâteuse en contemplant le fond de schnaps dans son verre et en se demandant quel en était le degré d'alcool, c'est que je n'arrive pas à savoir si on est en train de s'éloigner l'un de l'autre ou bien si on a toujours été loin et que je m'en aperçois seulement maintenant. »

Sigrid, la réalisatrice du documentaire sur Vermeer pour Sky Arts, s'était penchée vers elle et lui avait effleuré le bras. On approchait les deux heures du matin et elles étaient parmi les derniers clients dans la pénombre de ce bar en sous-sol sur Gravenstraat.

« Avoir beaucoup en commun avec son partenaire, ça ne veut rien dire. Pieter et moi, nous avions les mêmes centres d'intérêt, les mêmes choix politiques, les mêmes opinions… on voit où ça m'a menée. »

Elle avait déjà raconté par le menu l'histoire de son désastreux mariage, qui avait commencé comme une union des âmes et s'était achevé dans la violence domestique.

« Je me suis rendu compte que Pieter était une merde. Il mentait, il me trompait. Il était violent. Vous trouvez que votre mari est une merde ?

— Non, absolument pas.

— Vous l'aimez ? »

Sophie avait marqué un temps. La question lui semblait absurde. « Je suppose…

— Vous avez de l'affection pour lui ?

— Oui, avait-elle répondu sans hésitation.

— Vous avez confiance en lui ?

— Oui.

— Au point que vous remettriez votre vie entre ses mains ?

— Oui, à ce point.

— Eh bien alors, putain, accrochez-vous. Il a voté conservateur et vous travailliste aux dernières élections ? Et après ? C'est ça, la vie. Mon ex-mari était socialiste, et il m'a donné un coup de pied dans la figure un soir parce que j'étais rentrée tard d'une virée entre amies.

— Oui. Bien sûr. Vous avez tout à fait raison.

— Si vous avez l'impression qu'un fossé est en train de se creuser entre vous, essayez de vous rapprocher de lui. Faites l'effort. Il s'en apercevra peut-être et il essaiera de se rapprocher de vous. »

Sophie avait hoché la tête d'un air dubitatif et répété : « Me rapprocher de lui…

— Je ne sais pas, allez le rejoindre dans un de ces tournois de golf à la con. Montrez-lui que vous êtes de bonne volonté. Ça ne peut pas vous faire de mal, au moins vous aurez pris l'air et fait de l'exercice. »

C'est donc ainsi qu'elle se trouvait quelques jours plus tard à passer le dimanche matin au Country Club de Kernel Magna, où cinq ans plus tôt elle n'aurait jamais imaginé mettre les pieds. Et à penser, tout en marchant au bras de son mari, qu'elle avait enfin trouvé cette Angleterre profonde, et qu'après tout, elle n'était pas sans charme.

« Qu'est-ce qu'il pense de tout ça, d'après toi ? demanda-t-elle en désignant M. Hu.

— Ils ont bien des parcours de golf, en Chine…

— Oui, bien sûr, mais… tout ça. » Elle souligna sa phrase d'un geste circulaire. « C'est un tel stéréotype de l'Angleterre. Je me demandais s'il trouvait ça exotique.

— Je suis sûr qu'il adore. »

M. Hu était venu passer quelques jours en Angleterre pour cimenter ses relations d'affaires avec Andrew Bishop, le père de Simon. Ce dernier avait passé sa vie active dans la production laitière et, au fil du temps, il avait fait de la petite exploitation familiale un agrobusiness international en expansion. À bientôt soixante-cinq ans, il ne montrait aucun signe de vouloir prendre sa retraite ou d'être à court d'idées. Tout récemment, du reste, il avait découvert un nouveau marché d'exportations rentables en Chine où le lait anglais avait bonne réputation, et où il y avait en particulier une forte demande de lait UHT. M. Hu était reçu dans la belle ferme XVIIIe des Bishop depuis le jeudi ; on lui avait fait faire le tour des laiteries et des ateliers de conditionnement ; il avait passé le samedi après-midi à Stratford-upon-Avon en compagnie de Mme Bishop, avec, pour couronner cette visite, une représentation de *Coriolan* à la Royal Shakespeare Company ; et puis ce matin, il avait sauté sur l'occasion de démontrer ses prouesses au golf, lesquelles étaient impressionnantes. (On apprit qu'il jouait avec un handicap de trois.) Il faisait équipe avec Andrew contre Ian et Mme Bishop – Simon était de service tout le week-end – et, au bout de quatre trous, ils étaient déjà two up.

« Allez, Mary, dit Ian qui se trouvait aux côtés de sa partenaire en train de calculer son prochain coup. C'est jouable. On peut remporter le trou et remonter d'un point. »

La balle de Mary était tombée au centre du fairway mais à cinquante mètres du green. Si elle arrivait à l'expédier à une distance où la putter, elle pourrait encore finir le trou à égalité. Mais elle la « sliça » lamentablement, de sorte que malgré une juste évaluation de la longueur la balle atterrit à la limite du green.

« Oh mince !

— Pas de problème, tout n'est pas perdu », dit Ian.

Malgré ce propos rassurant, Mary secouait la tête en s'avançant et se reprochait d'avoir déçu son partenaire. Puis, s'adressant à Sophie comme elles s'approchaient du green : « Il paraît que vous êtes allée à Amsterdam. Jolie ville, n'est-ce pas ? J'y suis allée une fois, il y a bien des années, avec le Women's Institute. Vous avez passé un bon séjour ? C'est tellement important de se ménager une pause de temps en temps.

— En fait, il ne s'agissait pas d'une pause. Mais j'ai tout de même réussi à…

— Andrew et moi, nous tenons beaucoup à nous accorder une échappée à peu près tous les deux mois, reprit Mary que la nature n'avait pas dotée de grandes facultés d'écoute. Rien que cette année, nous sommes allés à… voyons voir, à Budapest, Séville – ça c'était divin – à Bari, fruits de mer fabuleux. À Tallinn…

— Ah oui, dit Sophie. Nous y sommes allés à Tallinn. En coup de vent. C'était une des escales de la croisière où Ian et moi…

— Et tout ça en vol direct depuis Birmingham. C'est fantastique, non ? L'aéroport est bel et bien devenu un hub international ces dernières années. Nous sommes allés dans des coins de l'Europe que nous n'aurions jamais pensé à visiter sinon.

— C'est formidable, déclara Sophie, ne sachant que dire d'autre.

— On n'a plus jamais besoin de courir à Heathrow

ou Gatwick à présent. On a l'Europe entière à portée de main, ici. »

*

Sophie dut attendre le septième trou pour entrer en conversation avec M. Hu. Sa balle était à une trentaine de mètres du green, il sortit un fer huit et choisit un coup risqué par-dessus un gros bunker mais il en sortit sans dépasser le green, et la balle atterrit à une distance où le put serait confortable.

« Ce n'est pas que je m'y connaisse, glissa Sophie, mais j'ai quand même l'impression que vous êtes rudement bon.

— Chez moi je joue deux ou trois fois par semaine. Mais ici c'est différent. C'est spécial.

— Qu'est-ce que vous voulez dire par là ?

— C'est ici qu'il faut jouer au golf, expliqua-t-il avec un geste circulaire, en Angleterre. Dans ce "pays vert et plaisant". » Ils se remirent en route. « Vous enseignez à l'université, c'est bien ça ? Alors vous connaissez William Blake ?

— Un peu. Davantage en tant que graveur qu'en tant que poète, pour tout dire.

— Ce poème, "Jérusalem", il est très beau, mais il me laisse perplexe.

— Pourquoi donc ?

— "Et Jérusalem fut-elle construitée ici ?" C'est bien ce qu'il dit, n'est-ce pas ? Mais ça n'existe pas ce participe passé. Ce n'est pas sa forme correcte.

— Non, sans doute. Mais il lui donnait son compte de syllabes. »

M. Hu médita cette hypothèse et eut un sourire admiratif. « Vous voyez, c'est ce qui me plaît chez les Anglais. Vous passez pour des gens fiables, conservateurs. Et pour-

273

tant vous passez votre temps à enfreindre les règles. Quand ça vous permet d'arriver à vos fins, vous enfreignez allègrement les règles. » Il eut un rire ravi. « Même William Blake. »

*

Sophie dut attendre le dixième trou pour lier conversation avec Andrew Bishop.

« J'ai bien peur que cette façon de passer le dimanche matin vous ennuie à mourir », lui dit-il. Une fois de plus, il avait perdu sa balle dans le rough, et elle l'aidait à la chercher.

« Pas du tout. J'ai appris des tas de choses aujourd'hui.

— Vraiment ? Et quoi par exemple ?

— J'ai appris le sens d'un "par". J'ai appris la différence entre un wedge et un driver. J'ai appris qu'un birdie est un score d'un au-dessous du par, un eagle de deux et un albatros de trois, mais qu'on n'obtient presque jamais ces résultats-là.

— Bravo. Mais je ne suis pas persuadé que ça vous sera très utile dans votre métier…

— On ne sait jamais, tout apporte de l'eau au moulin universitaire.

— Sûrement. Ah, la voilà. Oh seigneur ! »

Sa balle, non contente de s'être enfoncée dans le rough, s'était logée si près d'un jeune if qu'elle était impossible à jouer. Il dut la ramasser, et la laisser tomber derrière son dos, ce qui voulait dire accepter un coup de pénalité.

« J'ai aussi appris que la Grande-Bretagne exporte du lait en Chine, j'étais loin de m'en douter, ajouta Sophie comme il prenait son fer cinq.

— Et zut ! » Il rata son coup ; la balle s'avança de

quelques mètres seulement sur une trajectoire bégayante, sans sortir du rough. Il s'en approcha en gardant le même club. « Oui, hein, c'est remarquable ? Moi-même je ne m'en serais jamais douté il y a cinq ans. Et je n'aurais sûrement jamais imaginé que je compterais parmi les exportateurs. Au début, ça m'a impressionné. Mais mon fils m'a beaucoup aidé à démarrer. Pas Simon, Charles, je veux dire, son frère. Il est basé à Hong Kong, il travaille pour HSBC. Il connaît donc assez bien cette partie du monde. Et voulez-vous que je vous dise ? Une fois qu'on s'y est mis, et même compte tenu de la barrière de la langue, la paperasse a été plus simple que quand j'ai affaire à l'UE.

— Ah bon ? Incroyable.

— Pas tant que ça. Ces gens de Bruxelles, c'est un cauchemar vous savez. La bureaucratie. » Il swingua la balle, qui s'éleva bien proprement et atterrit tout aussi proprement au milieu d'un bunker situé à quelque trente mètres. Il fit la grimace. « Un cauchemar caractérisé, bon sang. »

*

« Ça te plaît ? » demanda Ian. Ils longeaient le fairway du quatorzième trou et c'était un par 3, ce qui lui vaudrait peut-être un birdie puisqu'il avait atteint le bord du green dès son premier coup.

« Je ne crois pas que j'en ferai une habitude, mais j'ai passé un bon moment.

— Au moins, tu vois pourquoi je me lève le dimanche, je ne viens pas retrouver ma maîtresse. »

Ils marchaient, tout était si calme que Sophie entendait le chariot de Ian et ses propres pas sur l'herbe spongieuse.

« C'est très paisible ici. Je vois pourquoi ça te plaît.

275

— Oui. Ce serait pas génial d'être dans un endroit comme ça tout le temps ? Dans un endroit aussi paisible ?

— Tu veux dire d'y habiter ?

— Oui.

— Un rêve de retraités, en somme ?

— Je voyais plutôt ça comme le projet d'un couple qui veut des enfants… »

Sophie se raidit et accéléra le pas.

« Ce n'est pas le moment d'en parler. Je ne suis pas prête. Tu le sais. »

Ian s'arrêta net. Mains sur les hanches, il la regarda prendre de la distance.

*

À déjeuner, ils furent rejoints par la mère de Ian. Sophie présumait qu'elle arriverait dans sa voiture, mais quand elle et Ian traversèrent le tarmac devant le clubhouse, elle vit approcher un véhicule qu'elle ne connaissait pas, et Helena sur le siège passager. La conductrice n'était autre que Grete. Une fois la voiture garée, Helena sortit lentement de son siège avec l'aide de Ian, puis s'appuya de tout son poids sur lui pour gagner l'entrée principale du clubhouse. Sophie fit le tour de la voiture pour parler à Grete.

« Merci, c'est très gentil de votre part.

— Je suis toujours contente de pouvoir donner un coup de main. Je sais qu'elle n'aime plus trop conduire.

— Vous ne voulez pas descendre boire un verre avec nous ?

— Merci beaucoup mais non. En fait, j'avais quelque chose à dire à Mme Coleman, et ça m'en a donné l'occasion. Je culpabilise un peu, j'avoue, parce que je lui ai donné mon préavis.

— Oh non ! Vous étiez devenues bonnes amies.

— Oui, j'aime à le penser. Je viens chez elle depuis long-temps maintenant. Quatre ans. Mais il faut savoir que je m'en vais pour une jolie raison, mon mari et moi allons avoir un bébé. »

Après sa conversation avec Ian autour du quatorzième trou, cette nouvelle résonna avec une intensité particu-lière chez Sophie. Grete avait largement cinq ans de moins qu'elle. Mais elle réussit à articuler, non sans une certaine sincérité : « C'est une nouvelle magnifique. Félicitations. Et c'est pour quand ?

— Dans cinq mois.

— Fantastique.» Elle se creusait la tête pour se rappe-ler autre chose que le nom du mari de Grete. « Et Lukas, il travaille toujours au...

— Au restaurant ? Oui.

— Au restaurant à...

— Stratford. Ils l'ont promu manager.

— Fantastique, répéta Sophie. Je suis ravie que tout aille aussi bien.

— Merci », dit Grete. Comme elle s'éloignait, Sophie la vit sourire pour elle-même, un sourire tourné vers l'inté-rieur qu'elle ne put s'empêcher d'envier.

La salle à manger du clubhouse était moins guindée qu'elle ne le craignait. On y pratiquait manifestement le chic décontracté, ce qui voulait dire que la cravate n'était pas de rigueur pour les hommes. Mais elle ne se sentait tout de même pas à sa place. Pour commencer, elle se rendait compte que Ian et elle étaient de loin les plus jeunes de la salle. Elle n'avait jamais vu autant de têtes grises ou chenues depuis la croisière Legend. La cuisine était plutôt lourde. Il fallait faire la queue devant un comptoir, où l'on servait des tranches de bœuf ou de porc archicuites avec des monceaux de pommes de terre rôties et de légumes verts que M. Hu, après avoir observé le client devant lui pour faire de même, noya consciencieusement dans des flots de sauce marron bien grasse, son visage trahissant tout de même une certaine perplexité.

Les haut-parleurs ne diffusaient pas de musique pendant le repas. On n'entendait que le bavardage feutré et bien élevé d'une quarantaine de femmes et d'hommes âgés qui venaient de jouer ou se préparaient à jouer trois heures et demie au golf.

« Ta mère t'a annoncé pour Grete ? demanda Sophie en s'asseyant auprès de son mari.

— Oui.

— Comment elle l'a pris ? »

Ian lui jeta un coup d'œil, vaguement surpris. « Bien. L'agence ne va pas tarder à lui trouver quelqu'un d'autre.

— Sa compagnie va peut-être lui manquer.

— Peut-être.

— Elles vont peut-être rester en contact.

— Ça se peut.

— Son mari gère un restaurant à Stratford, si je comprends bien. On pourrait y emmener ta mère un de ces jours.

— Bonne idée. » Après avoir pris sa première bouchée, il s'aperçut que Sophie n'avait pas encore commencé à manger et regardait devant elle, les yeux dans le vague. « Tout va bien ?

— Désolée. Je dois être un peu fatiguée. Ça fait des années que je n'avais pas autant marché. Et je ne m'attendais pas à me retrouver là où je suis arrivée.

— C'est-à-dire ?

— Ici, dans les années cinquante. »

Il sourit avec indulgence à ce trait, mais sans commentaire tout d'abord. Il s'assura que sa mère avait du vin dans son verre et lui passa le sel et le poivre.

Il finit par dire : « Tu crois peut-être revenir dans les années cinquante, mais il y a des gens pour qui nous sommes ici dans l'Angleterre ordinaire de 2015. Ne la méprise pas sous prétexte que tu ne la fréquentes pas.

— 2015, tu crois ? dit Sophie en désignant le tableau accroché au mur en face de leur table. Avec ce machin qui nous regarde de là-haut ? »

Le tableau représentait une douzaine de cavaliers en habit rouge et haut-de-forme qui traversaient les champs au petit galop et sautaient par-dessus les haies à la poursuite d'un renard récalcitrant ; dans l'angle du cadre, on apercevait l'animal qui courait ventre à terre en jetant un regard terrorisé derrière lui.

« Voilà quelque chose que j'aimerais vraiment voir, dit M. Hu. Une chasse à courre anglaise traditionnelle. Vous pourriez peut-être m'organiser ça pour ma prochaine visite, monsieur Bishop. J'y assisterais en spectateur, naturellement. Je sais tenir un club de golf mais je ne monte pas à cheval. »

Andrew sourit. « J'ai bien peur que ce ne soit pas aussi simple.

— Ah bon ? »

Il y eut un bref silence car tout le monde se demandait qui allait lui asséner la vérité. Ce fut Mary qui monta au créneau.

« Malheureusement, la chasse au renard est désormais considérée comme un délit dans notre pays. Elle est interdite depuis de nombreuses années.

— Interdite ? Comme c'est curieux. Je ne savais pas. »
Il se coupa une grosse bouchée de bœuf et déclara en la mâchant lentement : « Il est vrai que les Britanniques sont connus pour leur amour des animaux.

— Il s'agit d'une loi passée par le dernier gouvernement travailliste, dit Andrew, et elle n'a pas grand-chose à voir avec le bien-être animal, et tout à voir avec le ressentiment de classe.

— Vous pourrez peut-être la faire abolir... » suggéra M. Hu.

Helena et Mary eurent un petit rire de dérision.

« Tout de même, vous vivez dans un pays libre et démocratique, vous au moins, fit-il observer non sans circonspection.

— Détrompez-vous, malheureusement, dit Helena. L'Angleterre n'est plus un pays libre aujourd'hui. Nous vivons sous un régime tyrannique.

— Un régime tyrannique ? Madame, je vous en prie, mesurez vos paroles !

— Je les mesure au plus juste, je vous prie de me croire.

— Votre M. Cameron ne me fait pas l'effet d'un tyran...

— Ce n'est pas ce que je veux dire. Le tyran n'est pas toujours un individu. Ça peut être une idée.

— Vous vivez sous la tyrannie d'une idée ?

— Précisément.

— Qui s'appelle ?

— Le politiquement correct, bien sûr. Je suis certaine que vous avez déjà entendu cette expression.

— Certes, mais pas liée à l'idée de tyrannie. »

Helena posa ses couverts. « M. Hu, je ne suis jamais allée en Chine et je me garderais bien de traiter à la légère les conditions de vie difficiles qui doivent être les vôtres là-bas. Mais ici, en Grande-Bretagne, nous sommes confrontés au même problème. Au fond, je serais tentée de dire que notre situation est pire. Vous, vous subissez une censure avouée. Chez nous, elle est occulte. Tout se passe sous le masque de la liberté d'expression, de sorte que les tyrans peuvent prétendre que tout va pour le mieux. Or de liberté, nous n'en avons pas, ni d'expression ni d'autre chose. Ceux qui gardaient vivante une magnifique tradition anglaise en pratiquant la chasse à courre ne sont plus libres de le faire. Et si certains d'entre nous tentent de s'en plaindre, leurs voix sont aussitôt couvertes par des hurlements. Nos opinions n'ont plus le droit de s'exprimer à la télévision ni dans les journaux. Notre télévision d'État nous ignore superbement ou nous traite avec mépris. Voter, c'est peine perdue quand tous les politiciens entretiennent les opinions qui flottent dans l'air du temps. Bien sûr j'ai voté pour M. Cameron, mais sans le moindre enthousiasme. Nous n'avons pas les mêmes valeurs. À vrai dire, il connaît aussi mal notre façon de vivre que ses opposants. Ils sont tous du même côté, finalement. Et ce côté-là, ce n'est pas le nôtre. Maintenant, comme vous n'avez pas l'air convaincu, je vais vous donner un autre exemple. Un exemple bien précis. Il y a un an, mon fils a fait acte de candidature pour un poste – Ian, ne m'interromps pas, laisse-moi finir –, pour une promotion, et s'il y avait de l'équité et de la justice aujourd'hui dans notre pays, il l'aurait obtenue. Seulement ils l'ont donnée à une autre candidate, à cause de son appartenance ethnique et de la couleur de sa peau. Ils lui ont donnée parce que... – Sophie, vous pouvez toujours me faire les gros yeux, mais il faut que ce soit dit, il faut que quelqu'un le dise – et puis je vais vous dire autre chose encore. La vie de mon fils a été mise à mal, grièvement mise à mal. Et si vous, Sophie, vous continuez à cautionner ce politiquement correct absurde au lieu de soutenir les vôtres et vos valeurs, ça vous pend au nez, vous serez la prochaine victime. Moi je suis une vieille femme, je peux me permettre de dire ces choses, et je les dis parce que ça me brise le cœur de vous voir tous les deux, un jeune couple magnifique qui a du mal à joindre les deux bouts, obligé d'avoir deux emplois, de travailler dans deux villes différentes sans vous voir de la semaine, sans avoir le temps d'être ensemble et de fonder une famille. Ce ne serait pas arrivé, vous n'en seriez pas là si Ian avait eu le poste. Comme il aurait dû l'avoir. Il le méritait. Il avait assez travaillé pour l'avoir, il le méritait. »

Sophie s'en voudrait pendant des jours de ne pas avoir protesté contre cette sortie. Comme tous les autres autour de la table, elle avait baissé le nez sur son assiette sans souffler mot, l'idée la traversant toutefois qu'eux se taisaient parce qu'ils étaient largement d'accord avec ce qui venait d'être dit. Il aurait été difficile de deviner ce que M. Hu pensait, au-delà du fait qu'il était déconcerté. Du reste, Helena n'avait pas fini.

« L'Angleterre de la classe moyenne, expliqua-t-elle en s'adressant directement au Chinois, a voté Cameron parce qu'elle n'avait pas le choix. L'alternative était impensable. Mais quand l'heure viendra de lui dire ce que nous pensons vraiment de lui, à la première occasion, croyez-moi, nous le dirons. »

24

« Vous n'allez pas enregistrer ? » demanda Benjamin. La journaliste, qui s'appelait Hermione Dawes, lui sourit en faisant non de la tête. Elle avait un bloc-notes ouvert devant elle et un stylo bille prêt à l'usage. Ses cheveux retombaient mollement sur ses épaules en boucles blondes, ses lèvres étaient fardées de rouge vif.

« Je suis très vieux jeu, dit-elle. Commençons, voulez-vous ?

— Bien sûr. »

Il se cala dans le canapé et essaya de se détendre. La vue de la Severn qui coulait sous ses fenêtres suffisait d'ordinaire à le calmer, mais pas ce matin. Il ne pouvait chasser l'impression qu'Hermione (capable d'avoir « la dent dure », l'avait prévenu Philip) observait d'un œil froid le contenu de sa maison et en jugeait le moindre objet, le moindre meuble, le moindre choix dans la décoration.

« Donc, vous avez commencé à écrire très jeune, c'est bien ça ?

— Oui, vers dix ou onze ans. Je me souviens que…

— Vos parents étaient écrivains ?

— Non, pas du tout. Mon père travaillait à l'usine British Leyland de Longbridge et ma mère était à la maison. C'était une femme au foyer.

— Et vous avez fréquenté l'école du secteur ?

— Je suis allé au collège King William, qui est proche du centre-ville de Birmingham. C'étaient mes parents qui l'avaient décidé.

— Vous pensez qu'ils ont eu raison ?

— Sans doute. Parce que, tout récemment, j'ai repris contact avec l'un de mes plus anciens camarades de classe à l'école primaire, avec qui je n'avais pas parlé depuis plus de quarante ans, et ça m'a effectivement permis de m'apercevoir à quel point le système éducatif britannique peut, je dirais, diviser les gens.

— Qu'est-ce qu'il est devenu, lui ?

— Il est clown. »

Elle leva les yeux : « Clown ?

— Comique pour enfants.

— Ah bon. C'est formidable que vous ayez repris contact, en tout cas. C'est à l'école que vous avez sérieusement envisagé d'écrire ?

— Eh bien, je suis content que vous me posiez cette question. Parce qu'en y repensant, je peux retrouver le moment précis, ou presque. C'était en novembre 1974, et un ami, il s'appelait Malcom, en fait c'était le petit ami de ma sœur, m'a emmené à un concert dans un club, le Barbarella. Et l'un des groupes qui passaient s'appelait Hatfield and the North. Ils jouaient ce qu'on appellerait maintenant du "prog rock" mais le terme n'existait pas à l'époque, vous vous en souvenez sûrement. »

Hermione, sentant qu'il attendait confirmation de sa part, signala sobrement : « Je suis née en 1989.

— Ah oui, bien sûr. D'accord. Enfin voilà, ce qui m'a emballé chez Hatfield and the North ce soir-là, c'était leur alliage de fraîcheur et d'originalité. Ils repensaient la forme de fond en comble, et pourtant leur musique s'écoutait assez facilement, elle s'ouvrait à l'auditeur, elle l'invitait. Et moi je me suis dit : "Il faudrait que j'arrive à faire la même chose par l'écriture." Par exemple dans leur premier album, il y a un morceau qui s'appelle "Aigrette", et qui a été écrit par le guitariste. Si vous l'écoutez attentivement, non seulement le rythme change toutes les quatre ou cinq mesures, mais il y a des modulations extraordinaires, des passages d'une clef à l'autre, et pourtant l'air se retient facilement, il plaît à l'oreille. Ça m'a fait penser que, oui, si ce qu'on fait est facile à suivre sur le plan du thème, s'il y a un fil conducteur assez fort pour le lecteur, soit en termes d'intrigue, de personnages, n'importe quoi, alors...»

Il s'aperçut qu'Hermione avait cessé de prendre des notes depuis un petit moment.

« Bref, conclut-il, ça a été un moment séminal pour moi. Hatfield and the North, au Barbarella, en novembre 1974.

— Très bien.» Elle griffonna encore quelques mots ou fit semblant. « Et c'est à peu près à cette époque-là que vous êtes tombé amoureux de cette fille, et qu'elle a inspiré votre roman ?

— Oui, plus ou moins.

— Dans le livre, vous l'appelez Lilian. Quel était son vrai nom ?

— Je regrette, je ne peux pas vous le dire.

— Mais elle a vraiment existé, non ? Et elle est toujours vivante ?

— Oui.

— Donc votre livre n'a rien d'un roman. Ce sont des Mémoires, où vous vous êtes contenté de changer les noms.

— Non, ce serait simpliste de dire ça. Je le situe à la limite entre fiction et Mémoires. J'aime bien explorer ces espaces... liminaires, vous voyez. »

Liminaires, bon mot. Pour la première fois de cet entretien, Benjamin était content de ce qu'il avait dit. Mais Hermione n'eut pas l'air de noter cette formule non plus.

« Donc vous vous êtes épris d'elle pendant l'année de terminale mais l'histoire a capoté et elle est partie en Amérique vivre avec une femme.

— Oui.

— Votre roman s'ouvre quelques années plus tard. Vous écoutez un morceau d'un obscur musicien de jazz britannique...

— D'un musicien assez célèbre, à vrai dire.

— Et cette musique ravive en vous le souvenir de cette liaison, et voilà que tout à coup, tout à coup la vie vous paraît insupportable. Vous êtes étudiant à Oxford et vous décidez de tout quitter, de partir.

— Oui.

— Et ça s'est passé quand ?

— C'était l'automne 1983. Je commençais tout juste ma deuxième année de thèse à Balliol. Ce que je me rappelle – outre cet instant, naturellement –, c'est que Boris Johnson est arrivé ce trimestre-là. Sa chambre donnait sur le même couloir que la mienne. »

Pour la première fois depuis le début de l'entretien, Hermione sembla s'animer : « Ah oui ? Vous connaissez Boris ?

— Euh non, on n'a même jamais été présentés. Vous savez ce que c'est, les anciens d'Eton n'adressent pas la parole aux élèves des *grammar schools*. Mais quand même, je me rappelle m'être demandé qui était ce personnage singulier, avec sa voix snob et sa coupe de cheveux impossible. Il ne passait pas inaperçu ! »

Dans un soupir audible, Hermione écrivit encore quelques mots, puis demanda, manifestement avec plus de componction que d'enthousiasme : « Et donc vous êtes revenu vivre à Birmingham et vous êtes devenu… comptable ? Pourquoi comptable, mon Dieu ?

— Eh bien, j'avais travaillé dans une banque pendant l'année où je m'étais mis en congé de l'université, et on s'était aperçu que j'avais le sens des chiffres. Et puis j'étais dans le déni. Si je ne pouvais pas avoir Cicely…

— Lilian, rectifia Hermione, qui s'empressa de noter le vrai prénom.

— Oui. Si je ne pouvais pas avoir Lilian, alors j'avais l'impression que je n'arriverais à rien. Je ne pourrais jamais être écrivain, je ne pourrais jamais être musicien…

— Ce qui était votre autre ambition.

— Oui. En plus, je traversais une phase religieuse.

— Je vois. Et cette phase religieuse, cet état de déni, ça a duré combien de temps ?

— Dans les dix-sept ans.

— Ah quand même ! Sacrée phase… Et vous vous êtes marié durant cette période ? Vous avez travaillé comme comptable pendant tout ce temps ? Rien d'autre ? J'essaie simplement de rendre votre histoire un peu plus palpitante.

— C'est-à-dire, je travaillais à mon livre en permanence. Je l'ai écrit pendant deux décennies, en pointillé.

— Hmm… » Elle suça son stylo. « Rien d'autre qui vous revienne à l'esprit, que vous auriez pu faire pendant ce temps-là ?

— J'ai écrit quelques critiques de livres. J'avais fait la connaissance de Doug Anderton, à la fac, et il m'en a commandé du temps où il était rédacteur en chef de…

— Ah, vous connaissez Doug Anderton ? Intéressant. » Elle nota le nom, remit son stylo à la bouche et en actionna le cliquet avec ses dents. « Voyons, entrons un peu plus dans le détail de cette histoire et puis j'aimerais vous poser quelques questions plus générales.

— Ok.

— Donc, finalement, "Lilian" est revenue vous chercher, et vous avez effectivement vécu ensemble plusieurs années. Elle était très malade et vous vous occupiez d'elle. Vous étiez son garde-malade, en somme.

— C'est exact.

— Et ça se passait à Londres.

— Oui.

— Et elle vous a abandonné une nouvelle fois, l'histoire se répétant.

— Oui. Alors j'ai vendu notre appartement et j'ai acheté cette maison. C'est la meilleure décision de ma vie.

— La scène du livre où vous l'accompagnez jusqu'à son avion pour l'Amérique du Sud est très émouvante. Vous êtes loin de vous douter que c'est la dernière fois que vous la voyez.

— Oui, ça s'est passé exactement de cette façon. Presque rien n'est inventé dans le livre. Sauf que ce n'était pas pour l'Amérique du Sud.

— Et vous êtes restés en contact ?

— Non.

— Pas du tout ?

— Pas du tout.

— Hmm… »

Hermione consigna quelques derniers mots dans son bloc-notes, puis elle suçota longuement le bout de son stylo. Benjamin commençait à se sentir mal à l'aise. Pour rompre le silence, il demanda :

« Vous voulez un café ?

— Oh, avec grand plaisir. C'est très gentil. »

Il alla à la cuisine et constata avec inquiétude qu'elle le suivait. Elle s'assit à la table tandis qu'il s'affairait avec les mugs et la machine à café. Il se demandait si l'interview était toujours en cours. Elle avait son bloc-notes ouvert devant elle sur la table et le stylo à côté, temporairement au repos, mais elle continuait à parler d'une voix sèche, une voix d'interrogatoire.

« C'est très paisible ici, je vois en quoi c'est l'endroit idéal pour un écrivain, mais vous n'avez pas le sentiment d'être trop isolé dans un lieu pareil, pour écrire de manière crédible sur l'Angleterre actuelle ?

— Je bouge beaucoup. Je fais des navettes avec Birmingham, essentiellement, où vit mon père.

— Cette partie du pays paraît très monoculturelle. Je n'ai vu presque que des visages blancs en chemin.

— Eh bien, il est permis de penser que le multiculturalisme est un phénomène essentiellement urbain. » Il avait dû élever la voix pour couvrir le bruit de la machine à café qui bouillonnait et crachotait sa vapeur. « J'ai bien aimé vivre à Londres, mais à la fin je n'en pouvais plus de la cohue, du bruit, du rythme effréné, du stress, du coût de la vie, c'est ce que j'ai fui.

— Pensez-vous que les éditeurs étaient moins portés à prendre votre livre en considération parce que vous l'envoyiez depuis une adresse provinciale ?

— Qui sait ? Ils en reçoivent tant, j'imagine…

— Quelle revanche incroyable, pour vous…

— Oh, je suis seulement… ravi de trouver enfin quelques lecteurs. »

Il posa le mug devant elle. Elle le remercia et but une gorgée avec circonspection.

« Il y a plusieurs auteurs consacrés – je pense à Lionel Hampshire par exemple – qui n'ont pas réussi à figurer sur la liste cette année.

— Ah, je n'ai pas lu son dernier livre, mais je fais partie de ses admirateurs. » Ce qui lui rappela un détail susceptible d'intéresser la journaliste. « En fait ma nièce le connaît un peu. Ils ont fait une croisière ensemble, l'an dernier. »

Hermione bondit sur son stylo : « Votre nièce est partie en croisière avec Lionel Hampshire ?

— Non, non, non. Je veux dire qu'ils étaient tous deux intervenants dans la croisière. Il n'y a rien eu entre... enfin, ils n'étaient pas ensemble. Elle est mariée et très heureuse, et lui... il était avec une autre femme, sa secrétaire, je crois... »

Hermione notait à la vitesse du son. Benjamin faillit se pencher vers elle et l'en empêcher de vive force mais il se retint.

« C'est ce qu'elle m'a dit... mais ça reste entre nous. Vous n'allez pas écrire tout ça, n'est-ce pas ? »

Hermione lui adressa un de ses sourires factices. « Ce n'est pas un scoop. La plupart des gens savent à quoi s'en tenir sur le compte de Lionel. » Elle griffonna encore quelques mots puis réfléchit un moment, leva les yeux et demanda : « Avez-vous l'impression qu'il est en train de se produire un changement radical dans le monde des lettres britanniques ? Quand on regarde la liste des nommés, elle est beaucoup, beaucoup plus diverse qu'il y a seulement dix ans. Certes, on y voit figurer des Américains maintenant, mais il y a aussi plus de femmes, plus d'auteurs racisés. Vous pensez que la grande époque du romancier britannique blanc de plus de cinquante ans est enfin révolue ?

— Je ne sais pas. Il est difficile de généraliser...

— Cette année, c'est presque comme si vous étiez le dernier représentant de l'espèce.

— Je me sens mal placé pour commenter les tendances générales de la littérature. Je suis un outsider intégral, moi, dans ce domaine. »

Hermione ferma son bloc-notes. « Joli mot de la fin », déclara-t-elle, mais ce fut dit sans grand enthousiasme. Benjamin vit bien qu'il l'avait déçue. Il était resté sur ses gardes, avait multiplié les nuances, avait manqué de fermeté ou de conviction. Il ne put que confirmer cette impression quelques minutes plus tard lorsque, revenant des toilettes, il découvrit qu'elle était sortie sur la terrasse où elle se trouvait en grande conversation téléphonique – avec un ami ? avec le rédacteur en chef qui l'avait envoyée ? –, et même s'il n'entendait pas clairement tout ce qu'elle disait, il fut bien certain d'avoir saisi : « Ça ne valait pas le déplacement, si tu veux savoir... » et puis cette formule plus inquiétante : « Il va falloir que je fasse preuve d'un peu d'imagination... »

Il lui proposa de la raccompagner à Shrewsbury mais elle lui dit que ce n'était pas nécessaire et appela un taxi. La voiture mit une vingtaine de minutes à arriver, pendant lesquelles ils bavardèrent, avec bien plus de facilité et de simplicité de part et d'autre que pendant l'entretien proprement dit. Benjamin la fit parler de sa carrière, de ses ambitions, du statut du free-lance dans l'économie impitoyable qui régnait désormais partout. Lorsqu'il lui demanda si elle préférait s'aligner politiquement sur les publications pour lesquelles elle écrivait, il fut frappé par sa formule : elle se déclara toute prête à une certaine « flexibilité idéologique ». Il en conclut par-devers lui qu'elle irait loin. Mais en gros, elle lui plaisait, et sans doute son propos manifestait-il moins de cynisme qu'une forme de pragmatisme imposé par la conjoncture ; alors, quand ils se serrèrent la main, il garda la sienne avec chaleur, peut-être un peu plus longtemps qu'il n'était nécessaire. Puis lorsqu'elle fut partie et qu'il rinça les mugs, il prit conscience qu'il ne venait presque plus personne chez lui, et tout à coup, la maison lui parut vide sans elle.

*

L'interview parut quatre jours plus tard. Philip et Benjamin s'étaient donné rendez-vous pour boire un café chez Woodlands, afin d'évaluer les dégâts.

« Bah... ç'aurait pu être pire », dit Philip.

Le journal était étalé sur la table entre eux. Benjamin ne répondit rien.

« Elle aurait pu te dézinguer pour de bon. »

Benjamin ne répondit pas davantage. Il prit le journal et regarda de nouveau le titre. Il avait bien dû le lire quarante ou cinquante fois mais son incrédulité restait entière.

BENJAMIN TROTTER, L'ILLUSTRE INCONNU QUI CONNAÎT DU BEAU MONDE

« C'est malhonnête, dit-il. Cette façon de tourner ce que j'ai dit. Quelle mauvaise foi ! »

Philip prit le journal et lut les lignes placées en exergue, qu'il connaissait presque par cœur lui-même à présent.

« Benjamin Trotter se présente volontiers comme le vilain petit canard de la course au Booker cette année mais, Hermione Dawes le découvre pour vous, derrière cette façade, l'écrivain a des relations. »

« "... a des relations" est peut-être un peu excessif, convint-il.

— Un peu excessif ? C'est un mensonge, un mensonge éhonté. » Benjamin lui arracha le journal. « Elle raconte que j'ai connu Boris Johnson à l'université. Je ne lui ai jamais dit un seul mot, merde ! On a habité au même étage pendant trois semaines et il m'ignorait superbement quand on se croisait sur le chemin des toilettes. "Pendant des années, il a fréquenté des figures influentes des médias comme Doug Anderton..." C'est n'importe quoi. On est allés à l'école ensemble. Il y a quarante ans. Et ça, tiens : "Tout en prétendant n'être pas introduit dans les cercles littéraires de Londres, il se fait un plaisir de colporter des potins croustillants sur son confrère Lionel Hampshire, dont on apprend qu'il est un ami de la famille."

— Elle est douée, il faut le lui accorder, reconnut Philip. Pour transmuer le plomb en or.

— Tu prends son parti ou quoi ? En plus elle me dépeint comme un snob, qui a froidement laissé tomber ses copains du primaire en entrant à King William.

— Bah, tout le monde s'en fichera, de ça », dit Philip qui ajouta, moins rassurant : « Je m'inquiéterais davantage qu'elle te fasse passer pour raciste sur les bords, honnêtement. »

Benjamin ouvrit des yeux ronds.

Philip prit le journal des mains tremblantes de son ami et lut : « "Depuis le confort de sa retraite le long de la Severn, au cœur de la campagne anglaise, Trotter déclare que le 'multiculturalisme est un phénomène urbain. J'ai quitté Londres pour échapper à tout ça'." Ce sont tes propres termes ? »

Benjamin en bredouillait d'indignation : « Mes propres termes plus ou moins, oui, sauf qu'il y en avait des tas d'autres avant, à savoir que je voulais échapper au bruit et à la cohue, au stress.

— La citation tronquée, c'est tout un art. "Je constate que les écrivains racisés sont beaucoup plus représentés que jamais sur la liste de cette année, poursuit Hermione, et je laisse entendre que nous devrions nous en réjouir, mais la seule réaction de Benjamin Trotter c'est de déclarer : 'L'outsider intégral, c'est moi.'" »

De nouveau, Benjamin écumait. « *Un* "outsider intégral", *un*, article indéfini, pas *le*, article défini. En plus je parlais du fait d'être publié. Du fait que j'avais essuyé des dizaines de refus, au point que finalement, c'était toi qui m'avais publié. »

Philip posa le journal et secoua la tête. « Bah, les ventes tiennent, ça ne t'a pas porté tort.

— Mais elle avait l'air si sympathique. Vers la fin, le courant est si bien passé. Je lui ai donné des conseils de carrière et tout et tout, et elle m'a dit : "On reste en contact", ou quelque chose comme ça...

— Jolie, peut-être ? »

Benjamin ne vit pas l'intérêt de dissimuler ce détail : « Jolie, euh, mettons que oui.

— Oh, Ben... dis-toi que c'est le métier qui rentre. C'était ta première interview, après tout.

— C'est vrai. Au fait, c'est pour quand l'autre ?

— L'autre ?

— Il ne devait pas y en avoir une deuxième ?

— Ah, ils n'ont pas donné suite. Je les ai rappelés une ou deux fois mais... je crois que c'est tombé à l'eau.

— Super. » Benjamin fit le gros dos sur son cappuccino et regarda devant lui, la mine lugubre.

« Par contre » – Philip plongea la main dans sa poche et en tira une enveloppe libellée à la main –, « tu as bien une lettre d'admirateur. C'est du moins ce que je suppose ».

Il la passa à Benjamin, qui lui fit subir une inspection minutieuse, côté pile et côté face, écriture et code postal, tant et si bien que Philip finit par s'écrier : « Mais ouvre-la, bon Dieu ! »

Benjamin déchira l'enveloppe du bout de l'index, lut les deux premières phrases puis retourna la lettre pour lire la signature.

« Bon sang ! Tu ne devineras jamais de qui c'est. »

Philip n'en avait pas la moindre intention.

294

« C'est Jennifer Hawkins !

— Qui ?

— Tu te rappelles, Jennifer Hawkins, elle était au lycée de filles ? Je suis sorti avec elle pendant quelque temps.

— Elle ? Tu veux dire... cette Jennifer Hawkins-là ? Celle de la penderie ?

— Exactement, celle de la penderie. »

Bien des années plus tôt, du temps du lycée, Benjamin était allé à une soirée donnée par Doug dont les parents étaient partis en vacances. À un moment donné, il avait perdu connaissance après avoir ingurgité les trois quarts d'une bouteille de porto et il s'était réveillé tout juste avant l'aube dans une penderie, emmêlé au corps d'une fille à moitié nue dont il apparut qu'elle était la fameuse Jennifer Hawkins susnommée. Chevaleresque et voulant voir dans leurs jeux de mains d'adolescents ivres un rituel de fiançailles, il lui avait demandé de sortir avec lui et, pendant quelques semaines, ils s'étaient effectivement considérés comme « ensemble » mais la relation s'était effilochée très vite.

« Eh bien eh bien ! s'exclama Phil avec un large sourire. Le passé fait un retour en force ! Qu'est-ce qu'elle dit ? »

Benjamin parcourut la lettre avec de rapides mouvements d'yeux. « Elle a vu mon nom dans le journal quand la liste est parue. Ça lui a rappelé des tas de souvenirs. Elle a acheté le livre et il lui a beaucoup plu.

— Elle dit où elle l'a acheté ?

— Oui, dans une jardinerie à la périphérie de Kidderminster. Elle travaille dans l'immobilier, elle dirige une agence du coin. Elle est... » Il tourna la page, vit le mot suivant et le prononça en appuyant à dessein : « Elle est DIVORCÉE » – il marqua une pause, son regard croisa celui de Philip le temps d'assimiler la portée de cette information – « et elle se demande si ça me dirait qu'on dîne ensemble pour se raconter nos vies et parler, ouvrez les guillemets, du bon vieux temps, fermez les guillemets. "Amitiés, Jennifer, Bises." »

Il leva les yeux vers Philip dont le sourire s'était encore élargi.

« Eh bien voilà, Doug avait raison. Les femmes sont à tes pieds. Un écrivain à succès est irrésistible.

— Très drôle. Il y a juste un problème. Sortir avec Jennifer a été l'une des pires bourdes de ma vie.

— Et tu en as quand même commis de retentissantes, il faut bien le dire. »

Benjamin accusa le coup. « Soit. Je ne vais donc pas répéter celle-ci. Pas question que j'aille dîner avec Jennifer Hawkins. »

Il but une longue gorgée furieuse de son cappuccino pour ponctuer son propos et se brûla la langue.

25

Deux semaines plus tard, il avait rendez-vous avec Jennifer Hawkins pour dîner. Elle habitait Hagley, à une cinquantaine de kilomètres de chez lui, si bien qu'ils avaient décidé de se retrouver à Bridgnorth, autant dire à mi-chemin, dans un pub qui avait la réputation de servir de la bonne cuisine.

Pas plus que pour Charlie Chappell, Benjamin n'était convaincu qu'il l'aurait reconnue s'ils s'étaient croisés par hasard. Élégante, bien habillée, charmante – belle femme sans aucun doute pour ses cinquante-cinq ans, elle faisait plus jeune que lui –, mais au début il ne vit aucun rapport entre la personne avec laquelle il était en train de bavarder et l'adolescente avec laquelle il avait été si intime, avec laquelle il avait partagé tant de soirs d'été inconfortables au Grapevine, et qui l'avait traîné au cinéma le jour de son anniversaire pour voir *Star Wars*, film qu'il détestait depuis. Il aurait été incapable de la repérer au milieu d'une foule et les premières minutes il eut la sensation bizarre de converser avec une parfaite inconnue. Cette impression persista jusqu'à ce qu'elle dise : « Tu te souviens que je t'appelais Tigre ? » Alors, il se souvint avec un sursaut que c'était le surnom moqueur qu'elle lui donnait – il en fut gêné et réjoui à la fois, et il se laissa aller à ses réminiscences ; finalement ces retrouvailles ne s'annonçaient pas si pénibles.

« Tu étais bien gentille de me supporter, quand j'y repense. Tu devais me prendre pour un parfait idiot.

— Idiot, non. Tu n'as jamais été idiot, Benjamin. Un peu immature, peut-être. Mais les garçons sont en retard sur les filles de ce point de vue-là, c'est bien connu. »

Son grand verre de vin était déjà à moitié vide. Elle était arrivée au pub en taxi. Lui était venu avec sa voiture, il devait donc faire plus attention à ce qu'il buvait.

« Tu te souviens de la dernière fois qu'on s'est vus, Benjamin ? Tu te souviens de ce que je t'ai dit ?

— Pas vraiment, j'imagine que c'était au Grapevine, non ?

— Bien sûr. » Elle avait un fort accent de Birmingham, comment ne l'avait-il jamais remarqué ? « C'était fin août 1978.

— Voilà qui est précis...

— Je tenais un journal, à l'époque. C'était juste après les résultats du bac.

— C'est vrai.

— Tu avais obtenu la mention très bien dans quatre matières.

— Exact. Et toi ? »

Jennifer se mit à rire et dit : « C'est très gentil de me le demander, Benjamin, trente-sept ans plus tard. Parce qu'à l'époque, tu ne m'as pas posé la question. J'ai eu une mention assez bien et une passable, si tu veux tout savoir.

— Félicitations, s'entendit-il dire à contretemps.

— Merci. Tu m'avais invitée à boire un verre pour me larguer, tu t'en souviens peut-être.

— C'est vrai ? demanda Benjamin qui se tortillait de plus en plus inconfortablement sur son siège.

— Ne t'en fais pas. J'étais tout à fait consentante. Je m'étonnais que ce ne soit pas arrivé plus tôt, franchement. Bien sûr, le fait que tu me largues pour Cicely Boyd, ç'a été la cerise sur le gâteau, j'avoue. Tu te rappelles comment j'ai réagi quand tu me l'as dit ?

— Eh bien si tu m'avais renversé mon verre de bière sur la tête, je m'en souviendrais sans doute, mais ce devait tout de même être plus ou moins de cet ordre.

— Pas vraiment. Tu ne te rappelles pas ? J'étais horrifiée. Je t'ai mis en garde, Benjamin. Mis en garde contre ce qu'elle était. Elle mâche les gens et puis elle les recrache, je t'ai dit. Seulement tu ne m'as pas écoutée, hein ? Cette amourette t'a bousillé la vie pendant, quoi... les trois décennies suivantes, c'est ça ?

— Pas loin.

— Bon, au moins tu en as tiré un livre. Ça en valait la peine ? »

Benjamin ne voyait guère de réponse simple à cette question. De fait, il avait considéré en long, en large et en travers le rapport entre la souffrance de l'homme et l'œuvre qu'elle peut lui inspirer mais il ne se figurait pas que Jennifer attendait qu'il s'exprime sur le sujet dans l'immédiat.

« Ta pauvre épouse, tout de même... Comment est-ce qu'elle a pu supporter ça ?

— Ça a fini par être au-dessus de ses forces. J'ai sûrement usé sa patience. » Plus gaiement, il ajouta : « Tu la connais, en fait. Emily, Emily Sandys. Vous étiez dans la même classe.

— Tu as épousé Emily ? Merde alors, Benjamin, quitte à épouser une des filles les plus ternes du bahut, tu aurais pu me choisir !

— Et toi, tu as épousé qui après que je t'ai déçue ?

— Ah oui. Barry. Le charmant Barry. Je l'ai rencontré

à un pot de collègues à la fin des années quatre-vingt. On s'est mariés, on s'est rangés, et puis voilà qu'il y a cinq ans, il m'a fait la crise classique de la cinquantaine. Il est parti avec la caissière du Decathlon. Ça m'étonnait aussi qu'il y soit fourré tous les week-ends, lui qui n'avait pas fait de sport depuis 1995.

— Je suis désolé. Vous avez des enfants ?

— Deux. En fac l'un comme l'autre maintenant. Et Emily et toi ?

— Non... ça ne s'est pas fait.

— Ah, c'est peut-être mieux, au fond ? »

Benjamin s'étonna lui-même en confiant à Jennifer un secret qu'il partageait avec très peu de gens. « Cicely et moi, on a eu une fille.

— Ah oui ?

— À la sortie du lycée. Elle s'était bien gardée de me le dire mais elle est partie enceinte en Amérique. Elle l'a eue là-bas. Elle l'a appelée Malvina. Je ne l'ai pas su pendant des années. » Benjamin déglutit avec difficulté. Il eut du mal à achever l'histoire ; il y avait des événements qu'il n'aimait pas se rappeler, et moins encore raconter. « Et puis Malvina est revenue en Angleterre, elle a fait la connaissance de mon frère Paul et il a... abusé d'elle. »

Jennifer écarquillait des yeux effarés.

« C'est pour ça que je ne lui parle plus, ajouta-t-il.

— Et à elle, tu lui parles ?

— Parfois. Elle est retournée aux États-Unis. Pour les grandes occasions, les anniversaires, les Noëls... C'est difficile. C'est même impossible. »

La main de Jennifer se tendit par-dessus la table pour serrer la sienne. Il lui sourit en retour. Le geste était banal, l'affaire d'un instant, mais il lui fit très plaisir.

*

« Ce qui me sidère dans le fait de vieillir, dit Jennifer, c'est que le temps change d'échelle. La mémoire ne calcule plus en années mais en décennies.

— Je sais.

— On commence à faire des comptes dans sa tête. Par exemple, il y a quelques semaines, je regardais *Les dents de la mer* avec ma fille, Grace. Elle a dix-sept ans et le film en a quarante. Quarante ans ! Si j'avais regardé un film vieux de quarante ans quand j'en avais dix-sept, il aurait été tourné dans les années trente.

— Il a dû se passer pas mal de choses dans le monde entre les années trente et les années soixante-dix, beaucoup de changements. Il y en a peut-être eu moins depuis.

— Tu crois ? C'est pour ça que ça nous paraît encore si proche ? Ou bien est-ce que c'est seulement qu'on... »

Elle laissa sa phrase en suspens, le dîner était fini et elle avait beaucoup bu.

« Tu sais comment Philip Larkin présentait le phénomène ? dit Benjamin.

— Non. Dis-moi. Comment est-ce que Philip Larkin présentait le phénomène ?

— Voilà, quand on atteint l'âge de soixante-dix ans, chaque décennie équivaut à un jour de la semaine.

— D'accord.

— Donc la vie commençant un lundi matin...

— Ok.

— Nous on a cinquante-cinq ans, et tu sais à quel jour de la semaine on en est ? On est samedi, en fin d'après-midi. »

Jennifer le regarda, horrifiée.

« Samedi après-midi, oh merde, Benjamin !

— En gros, il ne nous reste plus que dimanche.

301

— Et les dimanches, c'est chiant. J'ai horreur des dimanches. Il n'y a jamais rien à la télé, déjà.

— Tu vois bien. Voilà ce qui nous attend. "Les années d'hôpital", comme disait je ne sais qui.

— Putain, tu m'as carrément déprimée, là.

— Je sais, je suis désolé. En même temps, la plupart des gens vivent au-delà de quatre-vingts ans...

— C'est déjà quelque chose. Mais enfin... » Elle avala le fond de son verre. « En tout cas, Benjamin, tu n'as rien perdu de ton talent pour amuser les filles. Tu sais terminer une soirée sur une note enjouée, disons-le. » Elle jeta un coup d'œil à sa montre. « Il faut qu'on demande l'addition et que j'appelle un taxi.

— C'est pour moi, dit Benjamin. Le Booker Prize rapporte cinquante mille livres et il est pour ainsi dire dans ma poche.

— Voilà un geste élégant, j'accepte.

— Et pas la peine d'appeler un taxi, je peux te ramener chez toi sans problème. »

*

Ils savaient l'un comme l'autre que ce n'était pas une proposition innocente. Sans parier sur la suite des événements, ils savaient qu'une décision avait été prise, une décision commune, fondée sur le sentiment que le processus engagé au dîner n'était pas arrivé à son terme. Et pourtant cette certitude, qui aurait dû les rapprocher, leur donner le frisson de la complicité, semblait au contraire creuser une distance effroyable entre eux. Dès qu'ils montèrent dans la voiture de Benjamin et entamèrent le trajet de vingt minutes jusque chez Jennifer, un silence lourd, glacial s'imposa. Benjamin, qui – toutes proportions gardées – s'était montré disert au dîner, sombra dans un mutisme total. Il n'était pas difficile de comprendre pourquoi. À la perspective, voire la simple éventualité d'un contact intime avec une autre personne après tant d'années d'abstinence forcée, l'excitation et l'appréhension conspiraient à lui fermer la bouche. Et son mutisme se communiquait à Jennifer, qui se tut à son tour. Il se triturait la cervelle pour trouver quelque chose à dire qui soit un tant soit peu de circonstance, et plus il se la triturait, moins il avait de chances de trouver la moindre formule, le moindre mot. Il avait l'impression que sa langue avait doublé de volume et qu'il ne pourrait jamais articuler une seule syllabe. Il jeta un coup d'œil vers Jennifer, pâle sous la lueur des réverbères, et fut convaincu qu'elle le regardait avec incrédulité. Comme il freinait à un feu rouge, il se décida à tenter le tout pour le tout. Il devait bien y avoir quelque chose à dire. Ils étaient là, éventuellement prêts à embarquer pour le plus beau voyage qu'on puisse faire à deux, il n'y avait donc aucune raison que les mots lui fassent défaut. Il était écrivain, bon sang ! Il s'exhortait dans sa tête, allez, Benjamin, tu peux le faire. Montre-toi à la hauteur de cette circonstance délicieuse, pleine de promesses et de terreur.

« Et donc, dit-il enfin.

— Et donc ? » répéta-t-elle, toute palpitante.

Il respira un bon coup. « Donc, si David Cameron tient bel et bien son référendum sur l'adhésion à l'Europe, tu crois que ça va pencher de quel côté ? »

Elle poussa un gros soupir désespéré : « Eh merde, Benjamin, c'est à ça que tu penses en ce moment ? »

Il secoua la tête : « Non, non. Pas du tout.

— Dieu merci ! Parce que j'aurais vraiment commencé à m'inquiéter. C'est là, première à gauche. »

Il tourna dans une rue adjacente : « Excuse-moi, je suis

seulement un peu… Enfin, ça a été une belle soirée, alors je ne voudrais pas…

— Moi non plus. C'est là, au 42. »

Il s'engagea dans l'allée de son garage. Le silence lui parut irréel quand il coupa le moteur.

« Tu vas entrer boire un café ?

— Oui, bien sûr.

— Parfait, alors viens. »

Dans la cuisine, comme elle mettait la bouilloire en route, il précisa : « En fait, il ne faut pas que je boive de café. La caféine m'empêche de dormir. Je n'en prends jamais au-delà du déjeuner.

— J'ai du déca.

— Ça n'y change rien.

— Alors écoute, je te fais une proposition. » Elle tira une bouteille de sauvignon blanc du casier à bouteilles et se campa face à lui. « Pourquoi tu prends pas un bon petit verre de ce blanc, plutôt ? Tu pourras rester dormir dans une des trois chambres d'amis.

— Où sont Grace et David ?

— En vacances avec leur père. J'ai même une brosse à dents d'invité. »

Pour une fois, Benjamin n'hésita pas. « D'accord, dit-il.

— Bien ! » approuva Jennifer, dont les lèvres s'attardèrent doucement sur les siennes pour le récompenser d'un baiser.

*

Aucun des deux n'était prêt à se mettre nu devant l'autre. Lorsqu'ils montèrent dans la chambre de Jennifer un peu plus tard, les rideaux étaient tirés et les lampes éteintes, si bien qu'ils se déshabillèrent dans la pénombre, au grand soulagement de Benjamin. Il avait des miroirs en pied dans sa salle de bains, mais il était devenu expert dans l'art de les éviter chaque fois qu'il entrait ou sortait de la douche ou de la baignoire. Il n'avait aucune envie de croiser le reflet de son corps de quinquagénaire, relâché et pâlot. Il présumait que Jennifer était dans les mêmes dispositions mais quand il entra dans le lit auprès d'elle et que sa main partit en reconnaissance le long de sa hanche et au-delà, il ne rencontra qu'une chair ferme et lisse. Un compliment s'imposait :

« Tu es dans une excellente forme physique. »

Elle se retourna pour lui faire face : « En excellente forme physique ? répéta-t-elle en riant. Tu te prends pour mon coach ou quoi ?

— Excuse-moi, je ne sais jamais quoi dire quand...

— Alors ne dis rien », lui conseilla-t-elle, un doigt sur la bouche. En réaction, il lui mordilla le doigt, du moins c'est ce qu'il crut faire. Mais à en juger par le jappement de douleur qu'elle poussa, il avait commis une grossière erreur d'appréciation.

« Aïe aïe, merde ! Tu joues à quoi, Benjamin ?

— Pardon, je t'ai fait mal ?

— Oui, putain ! Bon sang... »

Elle se suça le doigt quelques secondes. Benjamin, déjà crispé, se crispa encore davantage.

« Ça saigne ?

— Non, ça saigne pas, dit-elle d'une voix radoucie. Détends-toi, Tigre. On n'a pas fait ça depuis des lustres, ni toi ni moi. Tout va bien se passer. »

Il eut plaisir à s'entendre de nouveau appeler par ce surnom. Elle le prit dans ses bras et ils s'embrassèrent un moment dans la pénombre silencieuse. Il lui caressa les cheveux, puis sa main descendit vers son sein. Presque quarante ans qu'il avait touché ce même sein, qu'il l'avait tenu dans sa main, embrumé par l'alcool, à la boum de Doug. Jennifer avait raison. À leur âge, le temps changeait d'échelle. On comptait en décennies, pas en années…

Pendant ce temps, Jennifer avait mis la main entre ses jambes et entreprenait de le stimuler, tout doucement d'abord puis avec vigueur, mais sans résultat flagrant dans un cas comme dans l'autre.

« Qu'est-ce qui se passe, en bas ? lui demanda-t-elle.

— Pas grand-chose, on dirait.

— Qu'est-ce qui ne va pas ? Tu aurais préféré coucher avec une petite journaliste de vingt ans bien sexy plutôt qu'avec une femme de ton âge ?

— Mais non. » Il l'embrassa de nouveau. « Tu es belle, continue.

— Je vais contracter des microtraumatismes si je continue encore longtemps », dit-elle en accélérant le mouvement et en resserrant son étreinte.

Au bout de deux minutes, il lui posa la main sur le poignet en lui demandant d'arrêter.

« Désolé.

— Ne t'en fais pas. Laissons-lui le temps. Et d'ailleurs c'est mon tour. »

Elle lui prit la main posée sur son sein et la dirigea lentement sur son ventre plat jusqu'à la douceur de sa toison. Elle l'encouragea à explorer plus avant, si bien qu'il finit par trouver sous ses doigts le nœud tiède et tendre de l'intrigue, qu'il se mit à frotter et caresser en suivant ses patientes indications. Bientôt elle murmurait de plaisir et écartait les jambes langoureusement.

« C'est bon, dit-elle en l'entourant pour l'embrasser sauvagement en fourrant sa langue dans sa bouche. Laisse ton doigt exactement là où il est.

— Je lisais l'autre jour… », lui confia-t-il entre deux baisers.

Malgré sa respiration de plus en plus saccadée, elle réussit à articuler : « Tes bouquins, tes bouquins, tu pourrais pas les mettre en pause une minute ?

— Non, attends, c'est intéressant. Je lisais l'autre jour un papier sur les chrétiens évangéliques aux États-Unis. Ils ont rédigé une brochure pour expliquer aux filles pourquoi il ne faut pas qu'elles se masturbent, et ils ont inventé un nom…

— Un nom pour quoi ?

— Pour ce que je suis en train de toucher.

— Oh Benjamin, tais-toi, pour une fois.

— Ils appellent ça la "sonnette du démon".

— La "sonnette du démon" ! » répéta Jennifer. Les mots avaient eu du mal à sortir ; sa respiration s'était encore accélérée et il s'y mêlait des cris de plaisir ou des éclats de rire, les deux peut-être. Tout à coup, à l'instant de l'extase, elle finit par piailler « Dring Dring ! » et, s'effondrant sur Benjamin, le serra et l'embrassa de toutes ses forces, moyennant quoi il eut du moins la satisfaction d'avoir accompli ses modestes devoirs avec quelque mérite.

Cinq minutes plus tard, tête posée sur sa poitrine, elle déclara : « Maintenant c'est moi qui ai mauvaise conscience, j'ai joui et pas toi.

— Aucune importance. »

Elle tendit la main pour jauger si la situation évoluait entre ses cuisses. Toujours rien.

« À ton âge ce sont des choses qui arrivent. Il suffirait d'un peu de Viagra.

— Tu n'en aurais pas chez toi, par hasard ?

— C'est marrant mais je n'en ai pas en magasin, non. J'ai du paracétamol et de l'antihistaminique, mais je ne suis pas sûre que ça fasse le même effet. »

Elle pinça malicieusement l'organe flasque. Benjamin bouillait de frustration. À vrai dire, il était très excité mais, sans raison apparente, son corps ne semblait pas au courant.

« Peut-être qu'il faudrait que je te dise des cochonneries, genre : "Vas-y, mets-la-moi profond", tu vois… »

Il émit des doutes. D'ailleurs, il venait d'avoir une autre idée. « À moins que…

— Oui ? répondit Jennifer, l'œil allumé.

— Tu te souviens où on était quand on l'a fait pour la première fois ?

— Chez Doug Anderton ?

— Plus précisément…

— Dans la penderie de ses parents. Ça ne s'oublie pas…

— Tout juste. Alors, dis-moi si je me trompe, mais ça m'a l'air d'une assez grande penderie que tu as là… »

Jennifer s'était appuyée sur un coude : « Tu es sérieux ?

— Je ne sais pas… ça vaut peut-être la peine d'essayer. Je me dis que si je pouvais me remettre dans cet instant, tu comprends, m'y projeter en imagination… »

Après quelques secondes d'hésitation, elle lança ses jambes hors du lit. « J'aurai tout entendu, dit-elle, allez viens, Tigre. »

C'était une penderie spacieuse. Toutefois, ils n'étaient plus les adolescents agiles et souples d'hier et ils eurent un peu de mal à caser leurs corps matures dans cet espace. Une fois dedans, néanmoins, ils s'y trouvèrent assez confortablement logés.

« C'est rigolo, dit Jennifer. On dirait une partie de cache-cache crapuleuse. »

Après avoir déplacé son genou pour être plus à l'aise – il faillit lui décrocher la mâchoire au passage –, Benjamin referma la porte coulissante. À présent, c'était le noir le plus total. Il tendit la main et trouva les épaules et les bras de Jennifer, les caressa, puis effleura ses joues du bout de ses doigts et suivit la ligne de son menton. Son toucher s'aiguisait sensiblement.

« Ça pourrait marcher, tu sais.

— Bah, si ça te fait pas bander, l'armoire magique nous aura au moins emmenés dans le monde merveilleux de Narnia. Bon, voyons voir ce qui se passe en bas. »

Elle lui mit de nouveau la main entre les jambes et perçut une réaction aussi immédiate que tangible.

« Oh là là, tu as raison. Les affaires reprennent, on dirait. » Empoignant le manche dans la main droite, elle se mit à le caresser lentement sur toute la longueur. « Alors ?

— C'est bon, dit Benjamin, sans conviction excessive dans la voix.

— Mmm, c'est booon, répéta Jennifer en soufflant le mot dont elle prolongea la syllabe. C'est bon, hein ? Est-ce que ça te plaît, ça, mon grand ?

— Oh oui c'est bon, oh oui », répondit Benjamin. Il ne voulait pas le lui dire, mais en réalité, il n'éprouvait absolument rien. Ce qui était encore plus alarmant que son problème antérieur.

« Mais c'est qu'on devient un grand garçon, dit-elle en le caressant. Je me rappelais pas que tu en avais une si grosse. Bon sang que c'est bon, j'adore te tenir comme ça dans ma main. »

Benjamin s'adossa de tout son poids à la porte qui en grinça de douleur. Il se mit à gémir, ce que Jennifer prit pour un encouragement à resserrer sa prise et accélérer le mouvement en vrillant impitoyablement chaque fois qu'elle arrivait au bout du manche.

« Ouh, ça te plaît ça, ça te plaît quand je fais ça… »

Benjamin gémit de nouveau puis poussa un vrai cri.

309

« Tu veux que je continue, hein ? Tu veux surtout pas que je m'arrête...

— Oh bon Dieu, balbutia Benjamin, oh bon Dieu.

— Tu aimes ?

— Putain, oh putain !

— Ça fait du bien, hein ?

— Non, stop !

— J'arrête pas avant d'avoir fini, mon grand.

— Stop, stooop ! J'ai une crampe, une crampe atroce, j'ai trop mal, putain ! »

La douleur dans ses mollets se doublait d'une absence totale de sensibilité dans tout le reste de son corps. Il se jeta sur la porte, l'ouvrit d'un seul coup et ils sortirent de la penderie en titubant pour atterrir tout de go sur la moquette dans un méli-mélo de bras et de jambes. Benjamin se tenait toujours le mollet en pleurant de douleur. Jennifer s'assit, aperçut ce qu'elle tenait encore en main et éclata de rire.

« Qu'est-ce qu'il y a ? » demanda Benjamin, haletant de détresse.

Jennifer arrivait tout juste à parler. « Regarde un peu. »

Il scruta l'objet dans la pénombre et demanda : « Qu'est-ce que c'est ?

— C'est la bougie parfumée que Tante Julie m'a offerte pour Noël. Je me demandais où elle était passée. Des mois que je la cherche. »

Les jambes encore lacérées par des spasmes de douleur, il articula : « C'est... c'est ça que tu caresses depuis tout à l'heure ?

— Oui. » Elle en riait aux larmes.

« Pas étonnant que j'aie rien senti. »

C'en était trop pour elle. Elle s'affala sur le dos, toute nue à même la moquette, ravagée par le rire, serrant encore la bougie jaune sous son film plastique. Avec toute la dignité qu'il put rassembler, Benjamin se remit tant bien que mal sur ses jambes et remonta dans le lit où il tira la couette en frottant ses mollets agités de spasmes douloureux. Quand elle se glissa auprès de lui, Jennifer riait encore d'un rire inextinguible qui cessa seulement lorsqu'elle posa sa tête sur l'épaule de Benjamin, et qu'ils s'endormirent dans les bras l'un de l'autre.

26

Novembre 2015

Coucou.

Un mot, en deux syllabes. Mais dès qu'il apparut sur l'écran, le cœur de Sophie se mit à battre plus vite. Elle se cala dans le dossier de son siège et tendit le cou pour voir ce que Ian faisait à la cuisine. Il était aux prises avec le bouchon d'une bouteille. Elle regarda l'écran de nouveau.

Coucou.

Comment répondre ? Plus de trois ans qu'elle avait rencontré Adam à Marseille. Trois ans sans nouvelles de lui. Trois ans depuis la maldonne de ce baiser nocturne à la porte de sa chambre. Depuis, elle lui avait envoyé plus d'un mail, non sans une pointe d'embarras. Dans le dernier en date, elle lui avait donné les coordonnées de son Skype. Et voilà qu'il lui envoyait un message. Qu'était-elle censée dire ? Que pourrait-elle dire qui exprime toute la gamme de ses sentiments aussi complexes qu'ambigus ?

Après un instant de réflexion, elle écrivit.

Coucou.

Ian arrivait dans son dos avec un verre de vin rouge. Elle cliqua aussitôt sur la barre des tâches au bas de son écran. La fenêtre Skype disparut et fut remplacée par le dossier PowerPoint qu'elle se préparait à transférer sur Moodle. Il posa le verre sur le bureau, à côté d'elle.
« Coucou, dit-elle.
— Coucou », répondit-il.
Elle but une gorgée de vin.
« Merci pour le verre. » Elle l'embrassa.
« Je vais préparer le dîner.
— Tu as lu le mail ? Je l'ai imprimé.
— Non, j'ai pensé que ce n'était pas urgent. Tu m'avais dit que c'était sans doute pas important.
— Sans doute pas.
— Tant mieux, dit-il, sur le point de repartir.
— C'est contrariant quand même. »
Il s'arrêta, se retourna. « Ok, je le lis tout de suite.
— Rien ne presse. Ce n'est sans doute pas important.
— Je le lis tout de suite », répéta-t-il en retournant à la cuisine.
Dès qu'il fut parti, elle recliqua sur l'icône de Skype. Il y avait un nouveau message.

Je voulais simplement te remercier de m'avoir fait signe et de m'avoir mis au courant pour ce congrès.

Le prétexte de son dernier message était en effet de lui annoncer un colloque sur les musiques de films à Londres, l'année suivante. Sans trop savoir les raisons qui

313

la poussaient, et en espérant à moitié qu'il dirait non, elle écrivit :

Tu viendras ?

Hélas non.

Déception cuisante. Il s'y mêlait bien un certain soulagement, mais c'était tout de même la déception qui dominait.

Mieux à faire ?

Si on veut. En fait, je démissionne. J'en ai marre de l'université.

Ian revint avec un bol de chips qu'il posa à côté du verre sur le bureau. Elle eut tout juste le temps de remettre son PowerPoint. « Qu'est-ce que tu fais ? lui demanda-t-il en regardant l'écran.
— De l'administratif. »
Il l'embrassa sur le haut de la tête. « C'est sans fin, hein ?
— J'en ai parfois l'impression.
— Je glisse le poisson au four et puis je lis le mail.
— Ça marche. »
Il s'en alla, elle tapa :

Tu démissionnes ? Comment ça se fait ?

Elle attendit la réponse, qui tarda quelques minutes.
« Tu devrais peut-être mettre le riz à partir, avant, cria-t-elle en direction de la cuisine.
— Ok. »

Les raisons ne manquent pas – l'exaspération du métier, l'horreur des politiques internes, je ne t'apprends sûrement rien –, mais au bout du compte on en revient toujours à l'argent. Je ne pouvais plus continuer sous le statut de chargé de cours sans perspective de titularisation à me faire moins de 20 000 dollars par an. Par chance, une occasion s'est présentée.

Une occasion ?

« C'est dingue ! cria Ian depuis la cuisine.
— Qu'est-ce qui est dingue ?
— Ce mail !
— Je te l'ai dit. »
La réponse se faisait attendre.
« Tu as lancé le riz ?
— Oups, j'ai oublié. Je le mets tout de suite. »

Oui, en fait je compose. Des musiques pour jeux vidéo. Un de mes amis vient de lancer une société de production et il veut que je les rejoigne.

Bravo ! Ça m'a l'air plus créatif que de compiler des stats d'admission ou de remplir des formulaires d'impact de stratégie.

Ne me dis pas que tu es devenue cynique, depuis Marseille.

Et voilà. C'était lui qui en parlait, lui qui abordait le sujet.

J'ai peut-être toujours été cynique sans l'avoir laissé voir cette semaine-là.

« J'enveloppe le poisson dans de l'alu avant de l'enfourner, tu crois ?

— Oui, et tu pourrais peut-être lui mettre une pincée d'aneth, par exemple, si on en a.

— Je regarde. »

Bruit du réfrigérateur qu'on ouvre, du bac à légumes qu'on fouille.

« Date de péremption fin septembre…

— Ça va aller, j'en suis sûre. »

Excuse-moi de n'avoir pas été joignable depuis. Les derniers moments à la fac ont été assez chargés.

Pas de souci. C'est mieux ainsi, sans doute.

Et de ton côté, au fait, comment ça va ?

Question complexe s'il en fut ! Elle hésita une minute et puis écrivit :

Des hauts et des bas. Je ne sais pas si mes mails te sont parvenus mais je crois que je disais dans l'un d'entre eux…

Ian était derrière elle de nouveau, avec la bouteille. Elle revint promptement à son PowerPoint.

« Je te ressers un peu ?

— S'il te plaît. »

Il lui remplit son verre et demanda : « C'est pas grave, quand même ?

— Grave ? Quoi donc ? Qu'est-ce qui est grave ? Qui a dit que c'était grave…

— Le mail, je veux dire.

— Ah, oui. Non, je ne pense pas que ce soit grave. Ça ne peut pas l'être. C'est tout à fait ridicule cette histoire. — Qu'est-ce que tu as dit au juste, au cours de ce séminaire ? »

Un sifflement furieux se fit entendre dans la cuisine, le riz débordait.

« Merde ! » s'écria Ian qui se précipita pour régler le problème.

Sophie se remit à taper :

J'ai un nouveau poste à Londres. C'est formidable, seulement ça veut dire que je passe deux ou trois nuits sur place, ce qui ~~pose~~ peut poser problème. Mais Ian a raté une promotion l'an dernier, et nous avons clairement besoin de deux salaires.

Tout se ramène à l'argent. Cette semaine j'ai lu un article qui disait que si le candidat démocrate (quel qu'il soit, d'ailleurs) ne remportait pas les élections cette année, ce serait parce que la plupart des Américains des classes moyennes ne peuvent plus changer de voiture tous les deux ans.

Nous on n'a pas changé de voiture depuis cinq ans !

Et voilà !

Il faut nous entendre, avec nos problèmes de monde riche.

Ian revint, elle rechangea d'écran.
« Qu'est-ce que tu as dit, donc ?
— Quand ?
— À ton séminaire.
— Bah, la seule chose qui me revienne... » Elle inspira

un bon coup. « Ok, bon voilà, j'ai une étudiante, Emily, qui est une femme trans.

— C'est-à-dire ?

— C'est-à-dire qu'elle est homme biologiquement, mais qu'elle se vit comme femme.

— Et donc elle est en train de changer de sexe.

— Elle va le faire, mais le processus est long. Il faut vivre deux ans dans la peau d'une femme avant l'opération.

— Donc on doit dire "il" pour l'instant, pas "elle" ?

— Non, elle préfère le féminin. Et ça ne me gêne pas. »

Ian fronça les sourcils. « Très bien, mais la fille qui a déposé plainte ne s'appelle pas Emily.

— Je sais. C'est pour ça que c'est ridicule.

— C'est qui ? Une amie à elle... ? »

Le téléphone se mit à sonner.

« Il faut que je réponde, dit Ian, c'est sans doute Maman.

— Tu peux la prendre dans la cuisine ?

— Bien sûr. »

Il partit. Elle attendit de l'entendre parler avec sa mère – ce qu'elle reconnaissait au ton de sa voix, toujours plus déférent qu'avec tout autre interlocuteur – puis elle lut le dernier message d'Adam.

Bon, écoute, j'ai cours dans quelques minutes, il vaudrait mieux que je me prépare un peu.

Ok, il ne faut pas les faire attendre.

Mais j'ai été ravi qu'on reprenne contact. Pardon pour ce long silence.

Pas de problème, je te l'ai dit. Pardon de t'avoir harcelé.

Ça m'a fait plaisir.

Sauve-toi.

Je te donnerai ma nouvelle adresse mail. Celle de la fac ne fonctionnera plus après le mois de décembre.

Super. On reste en contact.

Ok, bye.

Bye, bises.

Le chat terminé, elle se cala dans son fauteuil et respira profondément pour se calmer. Elle but quelques gorgées de vin coup sur coup. Puis elle déconnecta Skype et alla voir à la cuisine si elle pouvait se rendre utile.

*

Ils mangèrent leur poisson. Il était un peu sec. Le mail imprimé était posé sur la table, à côté de Ian. À présent il était constellé de minuscules taches de graisse.

Il venait de Martin, le directeur du département. Selon la plainte d'une étudiante de première année, Sophie aurait tenu des propos transphobes au cours d'un séminaire, la semaine passée. Il l'invitait à venir le voir dans son bureau le lendemain à quatre heures de l'après-midi pour qu'elle lui livre sa version des faits avant que les choses aillent plus loin.

« Mais tu n'irais jamais tenir des propos transphobes », dit Ian. Dans sa bouche, le mot sonnait bizarrement.

« Bien sûr que non. C'est un malentendu, voilà tout. »

Elle revint en esprit à ce séminaire de la semaine précédente. Emily Shamma faisait partie de ses étudiantes discrètes et Sophie ne se rappelait que deux moments d'interaction directe avec elle ce jour-là. En début de séance, elle lui avait lancé une question assez simple dans l'espoir de la faire sortir de sa réserve ; elle lui avait montré deux versions du *Cri* de Munch en lui demandant laquelle avait été peinte en premier. Dans son esprit, la réponse était assez évidente mais Emily avait été incapable de trancher. Sophie ne l'avait nullement rabaissée pour autant, elle avait étayé la réponse patiemment avant de passer à autre chose. Un peu plus tard, au moment où tout le monde quittait la salle, elles avaient eu un autre bref échange, aussi peu concluant, pour savoir si leur entretien semestriel en tête à tête aurait lieu le mercredi ou le jeudi de l'avant-dernière semaine du trimestre.

« Et c'est tout ? demanda Ian.

— Je crois. Je ne vois rien d'autre.

— Eh bien alors, tu n'as qu'à le dire à Martin et tout va s'arranger.

— Bien sûr que ça va s'arranger. » Elle prit une bouchée de riz et n'y pensa plus. Ses pensées revenaient à l'échange de messages avec Adam et, au-delà, à ces journées ivres de soleil à Marseille, avec la promenade en bateau au Frioul et leur bain au clair de lune dans la calanque de Morgiret, si bien qu'elle écoutait à peine lorsque Ian – que ce message inquiétait visiblement plus qu'elle – jeta un dernier coup d'œil au mail et lança avec un rire forcé :

« Cette affaire est grotesque de A à Z. Appeler sa fille Coriandre, faut le faire ! »

27

Le lendemain matin, Sophie prit comme d'habitude le train de sept heures quarante de Birmingham à Londres. Alors qu'on dépassait Milton Keynes et qu'elle était en train d'envoyer un message à Sohan pour confirmer le choix du restaurant où ils dîneraient ce soir-là (il devait lui présenter son nouvel ami), Ian l'appela.

« Salut, qu'est-ce qui se passe ?

— Euh... » commença-t-il. L'inquiétude s'entendait dans sa voix. « Je sais que tu n'es pas sur Twitter, mais je viens de jeter un coup d'œil, et aujourd'hui, on ne parle que de toi. »

Aussitôt, Sophie éprouva la sensation abominable qu'un trou se creusait dans son estomac.

« On ne parle que de moi ? Qu'est-ce que tu veux dire ?

— Il y a des tas de tweets sur toi, tu n'es pas en "Trending Topics" mais... presque.

— Des tweets ? Mais de qui ?

— D'étudiants, essentiellement. Il faut croire que cette... Coriandre, là, s'est empressée d'ébruiter l'affaire.

— Oh merde ! Et ils sont méchants, ces tweets ? Qu'est-ce qu'ils disent ?

— Crois-moi, ne les lis surtout pas. Je sais que tu ne

m'écoutes jamais, mais je t'ai déjà dit comment ils sont, ces Grands Justiciers Redresseurs de Torts. Il n'y a rien de plus vindicatif qu'une horde de gauchos en croisade morale quand ils ont repéré une proie. J'ai hésité à te le dire, honnêtement, mais j'ai pensé qu'il valait sans doute mieux que tu le saches avant d'aller à ton rendez-vous cet après-midi.

— Mon Dieu, comment est-ce qu'on en est arrivé là ? Je ne sais même pas ce que je suis censée avoir dit.

— Sans doute rien. Et c'est pour ça que je pense que ça va retomber comme un soufflé, j'en suis sûr, mais pour le moment, ça semble un peu plus grave qu'on croyait.

— Ok, merci. Une femme avertie en vaut deux, etc. comme on dit...

— Exactement. Je t'aime.

— Moi aussi. »

Elle raccrocha et regarda par la fenêtre quelques minutes. Mais le trou s'agrandissait dans son estomac et elle luttait contre la tentation d'aller regarder ces tweets. Pour penser à autre chose, elle décida de travailler, quelques mises au point de dernière minute pour les deux séminaires du matin.

Peine perdue, cependant. Aucun étudiant ne se présenta ni à l'un ni à l'autre.

*

« Je suis boycottée ? demanda-t-elle.

— On dirait, répondit Martin.

— Mais c'est ridicule. Ridicule, putain.

— S'il te plaît, ne monte pas sur tes grands chevaux, ce n'est pas ce qui fera avancer les choses. »

Le directeur de département de Sophie, Martin Lomas, cinquante-deux ans, était professeur d'histoire européenne, spécialisé dans le rôle joué par le lin dans les accords commerciaux entre la Grande-Bretagne et les pays Baltes au début du XVIIᵉ siècle, sujet sur lequel il avait déjà écrit quatre ouvrages. En jetant un coup d'œil circulaire sur son bureau, avec ses étagères de livres impeccables, classés non par auteur ou par sujet mais par format et par couleur, elle comprit pourquoi tout emballement était anxiogène pour lui.

« Je suis bien certain qu'il s'agit d'un vaste malentendu, mais l'université tient à ce que nous respections les procédures. Pour peu qu'on les suive, tout va s'arranger.

— Eh bien, tu pourrais peut-être commencer par me raconter ce que j'aurais dit. »

Martin regarda les notes prises lors de sa réunion. « Tu t'es adressée à une étudiante transgenre en sous-entendant que son mal-être par rapport à son genre était dû à une faiblesse de caractère. »

Sophie en resta bouche bée quelques secondes. Puis elle articula : « C'est des conneries !

— Sophie, je t'en prie.

— Bon, soit. C'est des bêtises. C'est mieux ?

— Laisse-moi te présenter les faits tels qu'ils sont rapportés.

— Rapportés par qui ?

— D'abord par l'étudiante concernée, Emily Shamma. Elle l'a répété à son amie, Corrie Anderton, et cette Mlle Anderton l'a répété au responsable de l'égalité des chances du syndicat étudiant. Le propos a été entendu par trois autres élèves, qui ont confirmé le témoignage. »

Sophie se tut. Les choses ne se présentaient pas bien.

« Tu aurais dit à Emily : "Vous avez beaucoup de mal à vous décider dans la vie…" »

Sophie attendit la suite.

« Et ?

— C'est tout. »

Elle le regarda un moment puis poussa un long soupir de soulagement. « D'accord, eh bien, Dieu merci, ce n'est que ça.

— C'est-à-dire ?

— Nous n'avons pas de souci à nous faire, elle m'a mal comprise, voilà tout. »

Martin attendait des éclaircissements, il n'avait pas l'air convaincu.

« Je ne parlais pas de son choix de genre, je ne faisais que commenter ses difficultés à choisir le mercredi ou le jeudi pour son entretien individuel.

— Je vois. » Il prit quelques notes sur le bloc devant lui.

« Mais alors pourquoi avoir dit ça ?

— Parce qu'elle était indécise.

— D'accord mais c'était une indécision ponctuelle, et tu as généralisé.

— Oh non non. Je la renvoyais, et encore, pour plaisanter, à une question dont nous avions débattu un peu plus tôt au cours de la séance. Je lui avais fait voir deux tableaux en lui demandant lequel avait été peint en premier, et elle n'avait pas su se prononcer. »

Martin nota ces points.

« Hmm, ça contextualise un peu le propos, on va dire.

— Ça ne contextualise rien du tout. Ça l'explique, ça explique pourquoi je l'ai tenu et ce que j'entendais par là.

— N'empêche que tu as fait preuve d'un certain manque de tact en disant ça à une étudiante qui, si j'ai bien compris, envisage de changer de genre.

— De tact ? Tout ça n'est qu'une question de tact, subitement ? Oui bien sûr, j'ai manqué de tact, c'était même idiot de dire ça. Je vois bien pourquoi elle l'a mal pris. Je vais de ce pas m'excuser auprès d'elle, et on n'en parlera plus.

— Hmm. » Là encore, Martin semblait loin d'être persuadé que les choses étaient aussi simples que Sophie le croyait. « Espérons. Tu vois... »

Il regarda par la fenêtre de son bureau, se laissant distraire comme toujours par la banalité de la vue : le mur de brique du département des sciences humaines sur son aile nord, avec ses rangées de fenêtres de bureaux anonymes. Il sentit un ennui incommensurable le submerger. La semaine précédente, il avait découvert un fait nouveau sur le lin et le rôle qu'il avait joué dans les accords commerciaux avec les pays Baltes, au début du XVIIe siècle, et il n'avait qu'une envie, rédiger un article. Voire un livre. Oui, il y avait peut-être un nouveau livre à écrire sur la question...

À regret, il chassa ces pensées de son esprit et tenta d'accorder toute son attention à la dernière crise en date du département. « Ce que dit cette Mlle Anderton, au fond, c'est qu'en faisant cette remarque, tu as peut-être enfreint la loi sur l'égalité des chances. Le voilà, le noyau de l'affaire. Et là, évidemment, ce serait très grave.

— Mais...

— Autrefois, on aurait pu régler les choses en interne. Je ne dis pas étouffer l'affaire, mais bon, elle ne serait pas sortie du département. Seulement aujourd'hui, il faut compter avec les réseaux sociaux. Tu as vu quelques-uns des tweets et des réponses ?

— Non. Violents ?

— Les opinions s'expriment avec vigueur dans la communauté étudiante...

— Il y en a qui prennent mon parti ?

— Il vaudrait peut-être mieux que tu regardes toi-même.

Tu vas les trouver assez vite sous le hashtag "#VirezColemanPotter".
— D'accord. Je vois où ça va. » Elle fut prise d'une nausée. Pourtant, même si les choses étaient mal engagées pour l'instant, elle ne comprenait toujours pas pourquoi on ne pourrait pas mettre fin au scandale avant qu'il ne prenne d'autres proportions. « Je vais parler avec Emily et on va tirer tout ça au clair, d'accord ?
— Ce n'est pas forcément aussi simple. La personne qui a déposé plainte, c'est cette Mlle Anderton, lorsque le propos lui a été rapporté. Je ne suis pas sûr de la position de Mlle Shamma sur la question. C'est peut-être même accessoire. J'ai plutôt l'impression qu'elle est passive… » Il se retint à temps. Même dans un tête-à-tête comme celui-ci, il était imprudent d'émettre des jugements à l'emporte-pièce sur le caractère des membres vulnérables des minorités.
« Je peux voir le texte de la plainte ?
— Elle te sera communiquée en temps et en heure.
— Peux-tu me dire exactement ce qu'il y a dedans ?
— Je ne suis pas sûr de l'avoir sous la main, dit Martin en feuilletant quelques pièces du dossier au sommet de la pile de papiers sur son bureau. Je crois qu'on y emploie le terme "microagression".
— Microagression ?
— Le mot t'est familier ?
— Oui.
— Eh bien voilà ce dont tu t'es rendue coupable, selon l'étudiante, elle parle d'une "énorme microagression". »
Sophie fronça les sourcils : « Comment peut-on parler de microagression énorme ? Ça deviendrait… une agression tout court. »
Martin eut un sourire las, puis il se leva, main tendue.

« Suivons la procédure appropriée, quand on la suit, je le sais par expérience, on ne se trompe jamais. »

*

Sophie et Sohan s'étaient retrouvés à l'heure dite au restaurant mais ils avaient reçu un SMS de Mike annonçant qu'il aurait une demi-heure de retard. Ils regardaient la carte en attendant son arrivée. Sophie découvrait les prix avec inquiétude. Ils ne pourraient pas s'en sortir à moins de 150 £ par tête, et Ian serait furieux s'il apprenait qu'elle avait dépensé une somme pareille pour un dîner.

« Ça a l'air délicieux, non ? Je vois pourquoi l'endroit s'attire des critiques aussi dithyrambiques.

— Et moi je vois pourquoi il est à moitié vide. 15 £ pour un amuse-bouche ?

— Les gens sont prêts à payer ce prix-là pour une soirée qui sorte de l'ordinaire.

— Et les croquettes de sardines fermentées, putain, tu peux me dire ce que c'est ? Ça se fait fermenter comment, une sardine ? Et pourquoi en faire des croquettes, une fois qu'elles sont fermentées ?

— Le houmous a l'air très bien.

— Le houmous ? Ça s'achète 1,20 £ chez Tesco. Il leur suffit d'ajouter des "champignons Shimeji" (va savoir ce que c'est) au vinaigre pour faire payer le tout 12 shillings.

— Tu as changé depuis que tu es partie vivre à Birmingham, dit Sohan qui continuait d'éplucher la carte avec avidité. Je sais qu'ils en sont restés aux vol-au-vent au poulet et à la tarte au citron meringuée, là-bas, mais le reste du pays a fait du chemin.

— Hilarant. Sérieusement, ces prix-là ne sont pas dans mes moyens.

— Oh, ne t'en fais pas pour ça. Mike paiera tout.

— Jamais de la vie. Je tiens à payer ma part.

— Chérie, il gagne dix fois plus que nous. Tu m'entends ? Dix fois. Je lui demande de tout payer, moi. Sinon, on ne pourrait jamais rien faire ensemble.

— Et il est d'accord ?

— Simple question de bon sens. Je te le dis, mon niveau de vie a bondi depuis que je l'ai rencontré. Il n'a qu'un ou deux ans de plus que nous, et il est déjà milliardaire, merde ! »

Sophie secoua la tête, admirative malgré elle. « Et comment ça se fait ? Sa famille a de l'argent ?

— Pas du tout. Incroyable mais vrai, c'est un authentique prolo. Son père était sidérurgiste dans une de ces villes du Nord sinistrées, Harrogate, Halifax, un truc comme ça.

— Il ne me semble pas que ces villes-là aient quelque chose à voir avec la sidérurgie...

— En tout cas le nom commence par H.

— Hartlepool ?

— Hartlepool, c'est ça ! Mais le prof de maths de Mike a diagnostiqué que c'était un petit génie. Du coup, il a fait Imperial College – il est le premier de sa famille à être allé à l'université – où il est même resté écrire sa thèse de mathématiques fondamentales, et de là, il est passé directement à la City.

— Ils recrutent encore de cette façon ? Je croyais que c'était fini, depuis le krach.

— Il faut croire que non. » Il s'absorba de nouveau dans la carte et son visage s'éclaira : « Waouh, du filet de bœuf Wagyu aux fèves ET aux copeaux de brocolis ! Pour 36 £ ! »

Sophie le regarda pour voir s'il plaisantait. Il ne plaisantait pas.

« Pour parler d'autre chose que de ta vie amoureuse

époustouflante, tu veux savoir la coïncidence incroyable dans le malentendu du jour ? » Elle lui avait déjà raconté par le menu son rendez-vous avec Martin. « Cette étudiante qui a porté plainte contre moi, je la connais presque. C'est la fille d'un des meilleurs amis de mon oncle Benjamin.

— Le Benjamin du Booker Prize ?

— Exactement.

— Alors, ça, c'est une bonne nouvelle. Il va pouvoir appeler son copain et avoir une petite conversation civilisée avec lui, pour qu'il obtienne que sa fille ferme sa gueule.

— Possible », dit Sophie. Elle admettait que ce serait une solution de bon sens, mais ça n'allégeait pas le pressentiment de catastrophe imminente qui s'était emparé d'elle ce jour-là : en fin d'après-midi, ses bonnes résolutions envolées, elle avait regardé quelques tweets d'étudiants. Au bout de deux minutes, la simple quantité et la virulence de ces messages l'avaient délabrée physiquement au point qu'elle avait dû foncer aux toilettes vomir de la bile. Ce qui pouvait aussi expliquer son peu d'appétence pour les détails du menu.

« Bref, poursuivit Sohan, la gauche s'est peut-être retournée contre toi, mais tu pourrais devenir l'héroïne de la droite au bout du compte. Si on arrive à raconter les choses de façon que tu paraisses attaquer le politiquement correct, il se peut que les libertariens inconditionnels de la liberté d'expression volent à ton secours. Ils vont te propulser en première page du *Spectator* et tu feras les unes du *Daily Mail.* »

Sophie éprouvait un certain agacement à le voir tourner en dérision sa mésaventure. Elle sourit consciencieusement mais fut soulagée qu'ils soient interrompus quelques secondes plus tard par l'arrivée à leur table d'un grand garçon blond plein d'assurance en costume sombre d'homme d'affaires. Il ébouriffa les cheveux de Sohan en passant un bras autour de ses épaules. « Salut, toi », dit Sohan en l'embrassant sur la joue, puis il ajouta : « Sophie, je te présente Mike, Mike, voici Sophie. »

Ils se serrèrent la main par-dessus la table.

« Depuis le temps... ! dit Mike. Excusez mon retard. » C'était la première fois que le physique d'un homme faisait une aussi forte impression à Sophie depuis le jour où elle avait rencontré Ian. Elle coula un regard vers Sohan et il le lui rendit avec un air de triomphe. Ses yeux clignaient comme ceux d'un chat à qui l'on présente une généreuse portion de crème épaisse dans une soucoupe en or massif.

*

La note du dîner s'élevait à 435 £. Comme Sohan l'avait annoncé, Mike tint à la régler, mais il le fit avec une telle discrétion que Sophie s'en aperçut seulement lorsqu'une serveuse revint à leur table avec le reçu.

« Non, ce n'est pas juste, protesta-t-elle comme Mike empochait le reçu après lui avoir demandé si elle pourrait s'en servir pour sa déclaration d'impôts.

— C'est tout à fait juste, dit Sohan. Cet homme touche un salaire obscène en fabriquant des instruments financiers tordus qui ne servent qu'à enrichir les riches davantage. Alors que moi, qui me consacre à une recherche majeure, on pourrait même dire vitale, sur ce qu'être anglais veut dire, je gagne des cacahuètes, une misère.

— C'est vrai ? demanda en souriant Sophie à Mike. Je ne vous parle pas de sa recherche, évidemment, mais de ce que votre travail implique.

— Plus ou moins.

330

— Je croyais que depuis le krach, on estimait dangereux les produits financiers dérivés.

— Je suis arrivé dans la City en 2007, alors je m'installais tout juste quand ça s'est passé. Sacré baptême du feu. C'est sûr, tout le monde a tremblé sur ses bases pendant un moment, mais ensuite, les choses se sont calmées. Personne n'a vraiment changé de comportement, d'après ce que je vois. Les sommes en jeu sont trop énormes. On devient accro à l'argent. C'est une addiction comme les autres, la drogue, le sexe, on n'en vient pas à bout par des réglementations. Surtout quand les règles sont des réglettes.

— Ça ne vous inquiète pas ? Le risque... si jamais il devait y avoir un autre krach.

— Il y en aura un. Mais, avec un peu de chance, j'aurai quitté la scène de crime. Je me donne encore deux ans, et puis je m'en vais.

— Faire quoi ?

— Quelque chose de radicalement différent. Monter un projet caritatif, peut-être. J'ai envie de rendre quelque chose à la société.

— Tu vois comment il est ? persifla Sohan. C'est un idéaliste dans l'âme, un altruiste. Il veut sauver le monde, comme nous tous.

— Vous retournez souvent chez vous ? demanda Sophie en ignorant cette remarque.

— Pas souvent, non. Malheureusement, ces quinze dernières années ont creusé une distance entre mes parents et moi. Je retournais les voir, je leur donnais de l'argent aussi. Mais ça ne leur plaisait pas, alors j'ai arrêté. Ça les gênait, je pense.

— Ils savent que vous êtes gay ?

— Aucune idée. Je ne leur ai jamais fait mon coming out.

— De toute façon, reprit Sohan, le camarade Corbyn va mettre fin à tes petites magouilles financières quand il sera Premier ministre. Tu pourras dire adieu au temps où tu faisais de l'argent à partir de rien.

— Peut-être, dit Mike. Mais la plupart des gouvernements travaillistes finissent par faire ami avec la City. C'est bien utile, les revenus des taxes. Peut-être que le prochain sera différent, on verra. »

Jeremy Corbyn avait pris la tête du parti en septembre. Beaucoup, dont Sophie, avaient vu d'un bon œil cette élection inattendue, voire sidérante, d'un député de base, un vieux de la vieille, un frondeur : ce devait être le signe que le parti projetait de revenir aux principes abandonnés sous Tony Blair. Seulement, cette élection plaçait l'écart politique entre Ian et elle sous une lumière plus crue que jamais. Il voyait Corbyn comme un trotskiste, elle le considérait comme un vieux sage bienveillant. Il lui disait qu'il métamorphoserait l'Angleterre en dystopie répressive digne de l'ancien bloc soviétique. Il soupçonnait que les gens comme elle étaient l'ennemi déclaré et si elle votait pour lui, elle serait la dinde qui vote pour le Réveillon. C'était l'une des raisons pour lesquelles elle n'avait aucune intention de lui dire que selon la page Facebook qu'elle avait visitée cet après-midi, parmi les nombreuses associations politiques dont Corrie Anderton était membre enthousiaste, il y avait Les Étudiants pour Corbyn.

Au cours des dernières heures, elle avait presque oublié toute l'affaire, oublié cette fureur vengeresse, avec la pagaille qu'elle avait semée au département et sur les réseaux sociaux. Et voilà que tout lui revenait. Malgré sa légère ébriété et l'air de suffisance béate qu'il ne pouvait s'empêcher d'afficher en présence de Mike, Sohan remarqua son changement d'humeur et en devina la cause.

« Allez, dit-il en lui prenant la main, c'est l'heure de se coucher. »

Ils prirent tous les trois un taxi pour rentrer chez Sohan, à Clapham. Sophie mit des draps sur le canapé qu'elle connaissait si bien désormais et resta étendue sans fermer l'œil pendant une heure, à écouter Mike et Sohan faire l'amour dans la pièce à côté.

Elle ne dormait toujours pas quand Mike sortit de la chambre une simple serviette drapée autour des reins et passa devant le canapé pour aller prendre de l'eau à la cuisine. À son retour, il vit ses yeux briller dans le noir.

« Pardon, dit-il, on a peut-être fait un peu de bruit.

— Tout va bien. Ça fait plaisir de penser que les gens se font plaisir. »

Il s'arrêta en route et lui dit : « Ne vous inquiétez pas, je suis certain que tout va s'arranger.

— Oui, c'est sûr. »

Elle se tourna vers lui et se blottit sous la couette, touchée par la note de sympathie dans sa voix. Toutefois il se trompait : le lendemain matin, elle recevait un mail de Martin lui annonçant qu'elle était suspendue de ses fonctions jusqu'à nouvel ordre.

28

Janvier 2016

Benjamin avait repris la route de Shrewsbury à Rednal, le long de la Severn, celle qui traversait les villes de Cressage, Much Wenlock, Bridgnorth, Enville, Stourbridge et Hagley. Il n'osait même plus calculer combien de fois il avait fait le trajet. La seule différence aujourd'hui, mais elle était de taille, c'est que ces navettes le rapprochaient de l'endroit où vivait Jennifer, si bien que parfois, en fin de matinée, il passait à l'agence immobilière où elle travaillait et l'emmenait déjeuner ou bien, en début de soirée, il s'arrêtait chez elle sur le chemin du retour, ils sortaient dîner et faisaient l'amour ensuite. À son grand étonnement, ils s'étaient installés dans une liaison qui sans être exaltante leur convenait tout à fait. Ils se voyaient à peu près une fois tous les quinze jours, tantôt plus, tantôt moins. Leur relation sexuelle s'était remise du fiasco de la penderie. Ils découvraient qu'ils se plaisaient en la compagnie l'un de l'autre, même si Benjamin était toujours miné – à peu près comme il l'avait été quarante ans plus tôt – par le soupçon qu'au fond, ils n'avaient pas grand-chose en commun. Du moins était-il assez lucide sur son propre compte aujourd'hui – à cinquante-cinq ans, mieux vaut tard que jamais – pour reconnaître que très peu de gens avaient quoi que ce soit de commun avec lui. Écrivain peu bavard et introverti, son univers intérieur, son imaginaire comptaient tout autant pour lui que le monde qui l'entourait. Et Jennifer avait l'air de s'en contenter pour le moment. Ç'aurait été bien qu'il remporte le Booker, ou même qu'il aille jusqu'à la liste courte, mais cet épisode de célébrité évanescente lui avait déjà valu des bénéfices tangibles. Un éditeur londonien lui avait proposé une avance pour son deuxième roman dont le titre restait à trouver (ainsi d'ailleurs que les chapitres à écrire et l'intrigue à concevoir). Il avait été invité à un ou deux festivals littéraires et on lui avait proposé de diriger un atelier d'écriture sur un long week-end un peu plus tard dans l'année. Les ventes de *Rose sans épine* étaient modestes et aucun réalisateur ne s'était précipité pour acheter les droits. Mais Benjamin s'estimait heureux. Les événements lui avaient donné raison. Il avait de la chance.

Il lui arrivait encore de se demander si sa mère aurait été fière de sa réussite. Son père, lui, en parlait rarement. Jour après jour, il devenait plus taciturne et plus morose. Sa physionomie, ses rares paroles, sa posture même et son langage corporel exprimaient plus que jamais un sentiment de totale tragédie existentielle. Et, pour couronner le tout, Benjamin était quasi sûr que sa mémoire flanchait. Pendant les années soixante-dix, il avait travaillé comme contremaître dans un atelier d'assemblage de voitures chez British Leyland, à Longbridge. Au début des années quatre-vingt, il avait été promu à un poste administratif, et en 1995 il avait pris sa retraite. Tout ce qui avait eu lieu avant cette année-là semblait encore vif dans son souvenir ; tout ce qui suivait paraissait flou, voire était passé à la trappe. Il savait qui étaient Benjamin et Lois, sans aucun doute, et Christopher et Sophie, peut-être même dans une moindre mesure, Ian. Mais il n'arrivait pas à se tenir au courant de ce qui se passait dans leur vie, ou du moins à s'y intéresser. Il se faisait encore livrer le *Daily Mail* tous les jours mais Benjamin n'était pas convaincu qu'il le lisait, même s'il savait le nom du Premier ministre et celui du chef de file de l'opposition, qu'il détestait. Il était clair qu'il se rappelait les gouvernements conservateurs et travaillistes des années soixante-dix, et il se souvenait en détail de la politique d'exploitation des conflits pratiquée à l'usine de Longbridge durant cette décennie, où la production était souvent interrompue par un mot d'ordre de grève et où (selon lui, en tout cas) il ne se passait guère de jour sans que des milliers d'ouvriers se rassemblent à Crofton Park, poussés au jusqu'au-boutisme par un délégué syndical trublion du genre Derek Robinson ou Bill Anderton. Il en concevait de l'amertume à l'époque et Benjamin avait parfois l'impression qu'il en concevait encore quarante ans plus tard.

Colin sortait rarement de chez lui ces derniers temps, et toujours avec Lois ou Benjamin qui l'emmenaient invariablement l'un comme l'autre dans la campagne, vers l'ouest, loin du développement tentaculaire de Birmingham. Il était trop ralenti et trop fragile pour entreprendre une vraie marche, mais on pouvait encore le guider – non sans difficulté parfois – vers une jardinerie ou le pub du village. Toujours est-il qu'il ne s'était pas approché depuis des années du site des anciens ateliers de Longbridge, à guère plus d'un kilomètre de chez lui pourtant. C'est donc avec un certain étonnement que Benjamin – il était arrivé chez son père depuis un quart d'heure et, déjà, ils n'avaient plus rien à se dire – l'entendit demander : « Je veux que tu m'emmènes à Longbridge cet après-midi.

— À Longbridge, pourquoi ?

— Je veux voir le nouveau magasin de l'usine.

— Quel magasin ?

— Ils viennent d'ouvrir un grand magasin, en plein milieu de l'usine. Ils l'ont dit à la télé hier soir. Je veux voir à quoi ça ressemble. Et puis on sait jamais, je tomberai peut-être sur un ancien de l'équipe, là-bas.

— Mais Papa…»

Benjamin décida de tenir sa langue. Il était clair que son père n'avait plus la moindre idée de ce qu'était devenu le site. Les bâtiments avaient été démolis presque jusqu'au dernier, effacés de la surface de la terre. Mis à part un minuscule rescapé à côté de la porte Q, où un vestige de fabrication s'accrochait, fournissant des emplois précaires à quelques centaines d'ouvriers, tout avait disparu depuis longtemps. Les bâtiments ouest, nord et sud avaient disparu les premiers et puis, pendant longtemps, le site était resté vide, triste témoin du déclin de l'industrie britannique ; aujourd'hui, on y construisait de nouveau, mais des logements, des boutiques, ainsi qu'un collège technique. Colin le savait-il de près ou de loin ? Benjamin n'en était pas sûr. Et il n'était pas sûr non plus de la réaction de son père quand il serait confronté pour la première fois à une transformation aussi complète, une réécriture aussi radicale d'une histoire jadis familière pour lui.

« Tu es sûr de vouloir aller là-bas ? Je me disais qu'on pourrait retourner chez Woodlands.

— J'en ai marre de cet endroit, répondit sèchement Colin. Pourquoi est-ce que personne ne me croit quand je dis que j'ai envie de faire quelque chose ? »

*

337

Benjamin les conduisit à la vieille usine par un long détour, il arriva par l'ouest sur l'A38, en passant devant le multiplex, le bowling, un Morrisons et un McDo. À deux heures de l'après-midi, on aurait dit que le jour baissait déjà. Comme il tournait à droite au rond-point vers Bristol Road, son père tendit le cou dans l'autre direction en disant :

« On est où ?

— Tu le sais, sur Bristol Road.

— Pas du tout. Le transporteur à bande passe au-dessus de Bristol Road. Il est où, le pont ? »

Ce pont était un repère local – ou du moins l'avait été pendant quarante-cinq ans. Tout proche de la chaîne d'assemblage de Longbridge, il enjambait la deux-voies très passante pour assurer un lien commode entre les ateliers nord et sud. Il avait été construit en 1971 – Benjamin était sûr de la date précise parce qu'il se trouvait en première année à King William et qu'il passait dessous en bus deux fois par jour quand l'ouvrage était encore en chantier. Mais c'était une époque plus animée et plus optimiste pour les usines britanniques, et le pont, depuis longtemps désaffecté, avait été démoli en 2006, neuf ans plus tôt. Colin ne s'en était-il jamais aperçu, ou bien avait-il oublié ?

« Il a disparu, Papa, ils l'ont démoli il y a une éternité.

— Et comment est-ce qu'on achemine les voitures d'un bâtiment de l'usine à l'autre ? »

Benjamin ne répondit pas. Il prit la première à gauche et déboucha sur une large allée entre des rangées de maisons de construction récente, toutes semblables, après quoi il roula encore quelques centaines de mètres jusqu'à ce qu'ils arrivent à un vaste parc de stationnement entouré de boutiques, un immense magasin Marks & Spencer mais aussi un Poundland, un Boots et quelques autres.

« On est où, maintenant ? demanda Colin, désorienté et exaspéré.

— Où tu voulais venir », répondit Benjamin. Il désignait le magasin imposant. « C'est ça, le magasin d'usine dont il était question aux actualités.

— Je te parlais pas d'un magasin qui fait du commerce, je voulais que tu m'emmènes à Longbridge.

— Mais on y est, à Longbridge.

— Jamais de la vie. »

Il sortit en maugréant de la voiture et se dirigea en traînant les pieds vers l'immense magasin tandis que Benjamin verrouillait les portières, enfilait son manteau et pressait le pas pour le rattraper.

Une fois à l'intérieur, Colin regarda autour de lui, à gauche, à droite, dérouté par ce qu'il voyait, abasourdi par l'échelle de tout ce qui l'entourait. Il fit quelques pas au rayon femme et se retrouva confronté à des rangées entières de bas, de soutiens-gorge, de culottes en dentelle à perte de vue. S'il s'attendait à être assailli par le tintamarre, l'odeur et l'atmosphère dopée à la testostérone de l'ancienne chaîne de montage, son désarroi se comprenait.

« Qu'est-ce que c'est que tout ce bazar ? demanda-t-il en se tournant vers Benjamin.

— C'est un magasin, Papa. C'est un Marks & Spencer. On ne fabrique plus de voitures ici.

— Où est-ce qu'on les fabrique, alors ? »

Bonne question. Ils s'aventurèrent un peu plus loin jusqu'au bar à prosecco du rez-de-chaussée, désert à l'exception d'un jeune couple bien habillé manifestement en plein rendez-vous adultérin.

« Ça peut pas être la nouvelle cantine quand même ? » dit Colin.

Comme ils entraient au département alimentation et parcouraient en long et en large les rayons sans fin de salades en barquette, de plats de viande mijotés et de vins d'importation, Benjamin tenta d'expliquer :

« Écoute, Papa, tu ne te rappelles pas la manifestation où on était tous allés, à Cannon Hill Park ? La manif pour Rover.

— Non, quand ça ?

— Il y a une quinzaine d'années. Mais bon, ça n'a servi à rien. Quatre gars du coin ont fini par reprendre la société mais au lieu de la remonter, ils sont allés dans le mur et ils l'ont bradée en 2005. On ne fabrique pratiquement plus rien ici depuis. Tout le monde achète sa voiture en Allemagne, en France ou au Japon, à présent. Ils ont rasé les bâtiments de l'usine, et pendant des années ça n'a été qu'un terrain vague. Allons, Papa, tu dois bien t'en souvenir un peu. On est allés y jeter un coup d'œil, une fois, toi et moi, à l'époque où ils étaient en train de démolir les ateliers sud.

— Ils ont disparu en totalité ?

— On est sur leur emplacement. Leur ancien emplacement.

— La CAB 1 et la CAB 2 ?

— Disparues toutes les deux.

— Et les ateliers est alors, ceux de Groveley Lane ?

— Je ne sais pas. Je ne sais pas ce qui s'est passé là-bas.

— Emmène-moi voir.

— Tu y tiens ?

— Emmène-moi là-bas tout de suite. »

Ils retournèrent au parking et il ne leur fallut que trois minutes pour parvenir au site des anciens ateliers est ; entre-temps le ciel s'était fait encore plus menaçant.

« Il va pleuvoir », dit Benjamin.

Une fois sur place, ils ne trouvèrent qu'une vaste friche

derrière de hautes clôtures métalliques. Des pancartes placées à intervalles réguliers en interdisaient l'entrée. Il y avait aussi un grand panneau annonçant la construction imminente d'appartements de trois, quatre et cinq pièces. « Voilà, tu y es, dit Benjamin. Qu'est-ce que tu veux faire maintenant ?

— Gare-toi. »

Benjamin se gara sur le bas-côté. Sous ses yeux étonnés, Colin détacha sa ceinture et sortit. Lentement, laborieusement, il se dirigea vers un portail à deux battants marqué au logo de la société du constructeur. Benjamin le suivit. Colin s'arrêta au niveau du portail. Les battants n'étaient pas jointifs, on voyait ce qu'il y avait derrière. Il se planta là quelques minutes, paupières plissées. Benjamin restait auprès de lui, dressé sur la pointe des pieds : il regardait le même spectacle par-dessus le portail. Il n'y avait rien à voir. Des centaines d'hectares de boue, déserts et indéfinis dans la lumière déclinante, couvrant la pente jusque vers la rue où une rangée de maisons datant de l'entre-deux-guerres se distinguaient vaguement. Il y avait de l'humidité dans l'air, plus brume que bruine, le froid de l'après-midi se faisait mordant.

« Allez viens, Papa, il n'y a rien à voir, ici.

— Comprends pas. »

Benjamin était reparti en direction de la voiture. Il se retourna pour faire face à son père.

« Quoi ? Qu'est-ce que tu ne comprends pas ?

— Je comprends pas qu'ils puissent tout démolir comme ça. Quelque chose qui était là depuis si longtemps, quelque chose que... »

Il regarda de nouveau longuement entre les battants du portail. Mais il avait l'œil fixe, il ne voyait rien. Et sa voix, qui réussit à articuler plus de mots qu'il n'en avait peut-être prononcé au cours des douze derniers mois, était aussi plate et atone que la friche.

« Non, parce qu'un bâtiment, c'est pas seulement un site, hein ? C'est les gens, aussi, les gens qui étaient dedans... Je ne dis pas que... enfin, c'est vrai, nos bagnoles, c'était de la camelote. Je sais bien que les Allemands et les Japonais faisaient ça beaucoup mieux que nous. Je suis pas crétin, je le comprends tout ça. Je comprends pourquoi les gens préfèrent acheter une voiture japonaise, qui va pas tomber en panne au bout de deux ans comme les nôtres dans le temps. Ce que je comprends pas, c'est que... Ce que je comprends pas, c'est où ça va finir ? Comment faire si on continue comme ça ? On fabrique plus rien. Et si on fabrique plus rien, alors on n'a plus rien à vendre... Et comment on va survivre ? C'est ça qui m'inquiète. Parce que, bon, ce qu'on voit là, ça m'inquiète pas, ces terrains vagues, c'est pas grave. Quand on démolit une usine et que tous ces emplois disparaissent, on s'attend bien à voir ça. C'est-à-dire, rien. Mais ce magasin, là, ce magasin immense, bon Dieu, et ces maisons, ces centaines de centaines de maisons ? À quoi ça sert ? Comment est-ce qu'on peut remplacer une usine par des boutiques ? S'il n'y a plus d'usines, comment est-ce que les gens vont gagner de quoi dépenser dans les boutiques ? Comment ils vont gagner de quoi acheter les maisons ? Ça n'a pas de sens.

« Je crois que c'est ça qui m'a un peu tournebulé, là-bas, dans le magasin. J'arrivais plus à supporter tout ça, comment ça a tourné. Et puis ma mémoire s'embrouille un peu, des fois. Je l'ai bien remarqué. Je sais pas quoi en penser. Ça me fait un peu peur. On a un peu peur de tout, quand on arrive à mon âge, parce qu'on sait ce qui vous attend au tournant. Mais je me rappelle quand même des tas de choses. Comme je te l'ai dit, je suis pas crétin non plus. Pas encore. Bien sûr que je me rappelle les démolitions, je savais bien qu'ils avaient fait ça. Mais ce que je savais pas… j'avais pas compris qu'ils y étaient tous passés, les sites. Et puis il y a des choses, des choses qui remontent bien plus loin, que je me rappelle encore mieux. Cet endroit, par exemple. Comment il était à l'époque. La partie est. Je la revois comme si j'y étais. Les gens arrivaient en foule à partir de sept heures et demie. Tout le monde venait en voiture. Dans toutes les rues autour, il y avait des bagnoles garées le long du trottoir sur des kilomètres. Et, dans la journée, le boucan de la chaîne, les gens, les allées et venues, c'était incroyable. C'est comme ça dans mon souvenir. Nan aussi a travaillé ici, tu sais. Ma mère. Elle me racontait des histoires de la guerre. Là où on est, sous nos pieds, il y a des tunnels. Des dizaines de tunnels. Énormes. Pendant la guerre, des centaines de gens y travaillaient. Nan en faisait partie. Elle m'a fait voir une photo un jour, de tous ces gens en train de travailler dans les tunnels. On l'a quelque part. Ils fabriquaient de l'armement, des munitions, des pièces détachées d'avion. Tu imagines ! Tu imagines, des centaines de gens, qui travaillaient là-dedans ensemble, pour l'effort de guerre ? Quel cran, hein ? Quel pays on était à l'époque ! Et qu'est-ce que c'est devenu, tout ça ? Ça allait déjà mal quand j'y travaillais. Chacun pour soi, les plus forts survivront et moi ça va très bien, merci. Elle était déjà amorcée, la tendance. Mais maintenant, c'est encore pire, il n'y en a plus que pour les fringues de luxe, les bars à prosecco et ces saloperies de salades en barquettes. On est devenus des chiffes molles, le voilà le problème. Pas étonnant que le reste du monde se foute de nous. »

Colin se retourna. Il faisait presque nuit, et il commençait à grelotter.

« Tu crois qu'on se fout de nous, Papa ? Qui se fout de nous ?

— Bien sûr, ils nous rient au nez, ils pensent qu'on est des crétins. »

Benjamin n'avait pas la moindre idée de ce que son père voulait dire, ni même de qui il parlait. Il lui prit le bras et ils rentrèrent à la voiture. Il lui ouvrit la portière côté passager et l'aida à se laisser tomber sur le siège. Puis il se mit au volant mais n'enclencha pas le contact tout de suite. Pendant quelques instants, ils ne dirent rien ni l'un ni l'autre. Ils écoutaient la pluie d'hiver qui s'était mise à tambouriner contre le pare-brise.

« Je crois que tu te trompes, dit enfin Benjamin. Je ne crois pas que qui que ce soit nous rie au nez.

— Ramène-moi à la maison, va », répondit Colin d'un air malheureux.

29

Mars 2016

« Quelle période passionnante, Douglas, formidablement passionnante, s'exclama Nigel. Qui a dit : "Puissiez-vous vivre en des temps passionnants" ?

— Confucius, mais il a dit "intéressants".

— Je suis sûr qu'il voulait dire "passionnants", c'est peut-être une nuance manquée par la traduction.

— Il a dit "intéressants" et pour lui ce n'était pas un bien.

— Comment est-ce que ce ne serait pas un bien de vivre une période passionnante ? Ah, vous les intellectuels, les gens de plume, il faut toujours que vous voyiez les choses sous un angle négatif.

— On est comme ça, répondit Doug en versant deux bonnes cuillerées de sucre dans son cappuccino. On voit toujours la face sombre des choses.

— Les gens en ont assez des intellectuels », dit Nigel. Un éclair passa dans son regard, comme s'il était frappé par cette brillante formule. « Un instant, je note.

— Ne laissez pas se perdre vos perles de sagesse, dit Doug qui sourit en le voyant griffonner dans un calepin.

— Avec quelques retouches, ça pourrait faire un vrai slogan. »

Ils se retrouvaient comme à leur habitude dans le café proche du métro Temple. Quelques semaines plus tôt, David Cameron s'était rendu à Bruxelles pour négocier un nouvel accord avec l'Union européenne dans l'espoir d'obtenir des concessions qui donneraient à l'Angleterre un statut exceptionnel, c'est-à-dire plus exceptionnel encore que celui qui était déjà le sien – ce qui aurait l'avantage annexe de pacifier les hordes de plus en plus audibles des eurosceptiques. Aussitôt après, il avait annoncé la date du référendum promis, ce serait le 23 juin et donc – hasard du calendrier – le deuxième jour du festival de Glastonbury.

« Ça veut dire qu'il va y avoir quelque cent mille jeunes qui ne se dérangeront pas pour voter, non ? dit Doug.

— On pourra voter par correspondance, les jeunes comme les vieux. Dave a tout prévu.

— Y compris de perdre, et que nous devions quitter l'UE ?

— Je vous parle de toute éventualité *plausible*.

— Qu'est-ce qui se passe s'il perd ? Il démissionne ?

— Dave ? Jamais ! Il n'est pas du genre à jeter l'éponge.

— Et si les résultats sont trop serrés ?

— Pourquoi est-ce que les journalistes aiment tant les questions hypothétiques ? *Et qu'est-ce qui se passe si vous perdez ? Et qu'est-ce qui se passe si on quitte l'UE ? Qu'est-ce qui se passe si Donald Trump est élu président ?* Vous vivez dans un monde imaginaire, vous autres. Pourquoi ne pas me poser plutôt des questions pratiques, comme : "Quels seront les trois points forts de la stratégie de campagne de Dave ?"

— Soit. Quels seront les trois points forts de la stratégie de campagne de Dave ?

— Je ne suis pas libre de vous faire des révélations sur ce point.»

Frustré, Doug tenta un autre angle d'attaque.

«Maintenant, supposons que le peuple vote pour le Brexit et que nous...

— Excusez-moi, je vous interromps, supposons que le peuple vote pour quoi ?

— Le Brexit.»

Nigel le regarda, ébahi. «Mais d'où sortez-vous ce mot ?

— Ce n'est pas ce que les gens disent ?

— Je croyais que ça s'appelait le Brixit.

— Quoi ? Le Brixit ?

— C'est ce que nous disons.

— Qui, nous ?

— Dave et toute l'équipe.

— Tout le monde à part vous dit Brexit. Où êtes-vous allé chercher Brixit ?

— Je ne sais pas. On croyait que c'était le terme.» Il griffonna de nouveau dans son calepin. «Brexit, vous êtes sûr ?

— Absolument. C'est un mot-valise. British Exit.

— British Exit, mais dans ce cas-là, ça donne Brixit.

— Les Grecs disent bien Grexit.

— Les Grecs ? Mais ils n'ont pas quitté l'Union.

— Non, mais ils l'ont envisagé.

— Quoi qu'il en soit, nous ne sommes pas grecs. Il nous faut un terme à nous.

— Nous l'avons, c'est Brexit.

— Et nous qui avons toujours dit Brixit...» Nigel secouait la tête en prenant d'autres notes détaillées. «Ça va faire l'effet d'une bombe à la prochaine réunion du Cabinet. J'espère qu'il ne me reviendra pas de l'annoncer.

— Bah, dans la mesure où vous êtes convaincus que ça

n'arrivera pas, vous n'avez pas vraiment besoin d'un mot pour le dire… »

Nigel sourit de plaisir en entendant cette remarque. « Bien sûr, vous avez tout à fait raison. La chose ne va pas se produire, donc nous n'avons pas besoin du mot.

— Vous voilà tranquilles, donc.

— Du reste, dans un an, ce sera oublié, cette bêtise.

— Exactement.

— Personne ne se rappellera que certains voulaient "sortir".

— Absolument. En même temps, vous savez, certains… » Doug se demandait comment formuler la chose. « Il y a tout de même quelques pointures, non ? Prenez Boris Johnson par exemple. C'est un vrai poids lourd.

— Ça n'est pas joli de se moquer de son physique, dit Nigel, même si Dave est très fâché contre lui.

— Il ne s'attendait pas à ce qu'il se déclare pro-Brexit ?

— Pas du tout.

— Le bruit court que la veille du jour où le *Telegraph* a mis sous presse, Boris avait deux articles de prêts, l'un qui plaidait la cause de la sortie de l'UE, et l'autre défendait la volonté d'y rester.

— Je n'en crois pas un mot. Boris devait avoir *trois* articles de prêts. L'un pour le *Leave*, l'autre pour le *Remain*, et le troisième expliquant qu'il n'arrivait pas à se décider. Il aime bien border ses paris.

— Et puis il y a Michael Gove, ténor dans le camp des Brexiters.

— Je sais. Dave est très fâché contre lui aussi. Heureusement, il y a encore beaucoup de conservateurs loyaux et sensés qui mesurent les avantages de faire partie de la Communauté européenne. Vous couchez avec l'une d'entre eux, si je ne me trompe. Mais vous imaginez ce que Dave ressent à l'endroit de gens comme Michael et quelques autres. C'est vrai, il est allé jusqu'à Bruxelles, il a décroché cet accord fantastique, et ils ne sont toujours pas contents.

— Beaucoup de gens n'aiment pas l'Union européenne, dit Doug, ils lui reprochent de ne pas être démocratique.

— Oui, mais la quitter serait mauvais pour l'économie.

— Ils pensent que l'Allemagne impose sa loi aux autres pays.

— Oui, mais la quitter serait mauvais pour l'économie.

— Ils considèrent qu'il y a trop d'immigrants venus de Pologne ou de Roumanie, et qu'ils font baisser les salaires.

— Oui, mais la quitter serait mauvais pour l'économie.

— D'accord, dit Doug. Je crois comprendre quels vont être les trois ancrages de la campagne de Dave. » C'était son tour de prendre des notes. « Et Jeremy Corbyn, alors ? »

Nigel prit une longue inspiration qui tenait du sifflement ; le nom lui faisait visiblement horreur. « Jeremy Corbyn ?

— Oui, quel rôle joue-t-il dans tout ça ?

— Jeremy n'est pas un sujet.

— Pourquoi ?

— Pourquoi ? Parce que c'est un marxiste. Un marxiste, un léniniste, un trotskiste et un communiste. Un maoïste, un bolchevique, un anarchiste et un gauchiste. Un socialiste pur et dur, antiroyaliste et proterroriste.

— Oui, mais par ailleurs il est partisan de rester dans l'UE.

— Ah oui ?

— Il semblerait.

— Dans ces conditions, nous sommes ravis qu'il soit de notre bord. Néanmoins je ne crois pas que Dave soit prêt à partager une plateforme avec lui.

— La question ne se pose pas. C'est Jeremy qui refuse de partager une plateforme avec Dave.

— Tant mieux. Eh bien voilà. Il est réjouissant de constater que des adversaires politiques savent dépasser les clivages pour faire cause commune et se mettre d'accord sur un point, pour une fois.

— À savoir refuser de faire plateforme commune.

— C'est ça.

— Et Nigel Farage ? »

Nigel inspira une deuxième fois avec un sifflement.

« Nigel Farage n'est pas un sujet.

— Ça en fait, des sujets qui n'en sont pas pour vous... Et pourquoi est-ce un sujet tabou ?

— Dave a trouvé une formule mémorable sur le parti UKIP et ses adeptes. Je l'ai oubliée là tout de suite, mais elle était vraiment mémorable.

— Il les a traités de dingos folklos et cryptoracistes.

— Vraiment ? Pas gentil, ça ! Mais comment voulez-vous que nous prenions Nigel au sérieux. Ou le UKIP. D'ailleurs, ils n'ont qu'un seul député.

— Oui, mais ça tient au mode de scrutin. Ils en sont à 12 % de soutien dans l'opinion, ce qui fait d'eux le troisième parti du pays en termes de popularité.

— C'est le génie de notre système parlementaire. Il empêche... c'est quoi déjà, la formule de Dave ?

— Les dingos folklos et les cryptoracistes.

— Il empêche les dingos folklos et les cryptoracistes d'avoir une vraie influence. Parce qu'enfin, pensez au nombre de dingos folklos et de cryptoracistes dans le pays. Vous imaginez le tableau s'ils avaient voix au chapitre au même titre que le reste de la population sur des sujets d'importance nationale ?

— Mais c'est précisément ce qui va se passer avec le référendum. »

Nigel soupira. « Que vous êtes négatif, Douglas. Toujours dans la pensée négative. Négativité à 360 degrés. Nous nous préparons à nous livrer à un extraordinaire exercice de démocratie directe. Allons, allons, vous qui ne vivez et ne respirez que par la politique, qui en avez fait la passion de votre vie, vous n'avez pas envie de voir cette passion partagée par vos concitoyens ? L'objectif de Dave, en l'occurrence, c'est d'engager le dialogue sur la place de la Grande-Bretagne dans l'Europe et dans le monde. Vous vous rendez compte... Pensez à Mme Jones...

— Qui ?

— Ce n'est qu'un exemple, une hypothèse d'école. Pensez à Mme Jones qui va chez le boucher un samedi matin. "Bonjour, madame Jones, dit le boucher. Je vous mets douze tranches de bacon de première qualité pour la petite famille, comme d'habitude ?" Et tout en les posant sur le comptoir pour éliminer le gras et les envelopper, il va ajouter : "Qu'est-ce que vous dites de ces tracasseries autour des barrières tarifaires, hein ? Je veux bien être pendu si ça n'a pas de retombées significatives sur le secteur des services, qui constitue 80 % de notre économie..." Et Mme Jones de répondre : "Ah mais selon les règles de l'OMC..."

— Nigel ! l'interrompit Doug, vous êtes complètement fou si vous pensez que les gens vont avoir ce type d'échanges. Il n'y a pas plus de douze personnes qui comprennent comment fonctionne l'UE chez nous, et je ne vous parle pas des conséquences de ses règles sur l'économie mondiale. Vous n'y comprenez rien, moi non plus, c'est certain, et si vous vous figurez que les gens seront mieux informés dans trois mois, alors vous croyez au Père Noël. Les gens vont voter comme ils votent toujours, c'est-à-dire avec leurs tripes. Cette campagne va se gagner avec des slogans, des accroches, à l'instinct et à l'émotion. Sans parler des préjugés que, soit dit en passant, Farage et ses dingos folklos savent très bien activer. »

Nigel se cala dans son siège, bras croisés. Son visage était empreint d'une expression de pitié sans mélange. Il tambourina du bout des doigts sur le haut de ses bras et déclara : « Douglas, Douglas, Douglas… Savez-vous depuis combien de temps nous nous retrouvons ici dans ce café, depuis combien d'années ? Presque six ans. Durant ces années, nous avons eu toutes sortes d'échanges intéressants. Et j'aime à penser qu'à bien des égards, et malgré nos différences d'option politique, d'âge, d'état de santé – vous savez de quoi je parle, je ne veux pas vous embarrasser en remettant le sujet sur le tapis, mais je vais vous laisser la carte de mon père à toutes fins utiles –, j'aime à penser que nous nous sommes liés d'une amitié sincère. Vous avez traversé tant de choses, pendant ces années. Nombre de journaux pour lesquels vous écriviez ont cessé de paraître, les commentateurs comme vous ne jouissent plus de la même influence. Et pourtant, à chacun de nos rendez-vous, lorsque nous parlons du gouvernement que j'ai le grand privilège de servir, et de ce Premier ministre avec lequel j'ai la grande chance de travailler, et oui, de considérer comme un ami en somme – chaque fois vous jouez les cassandres. Il faut toujours que vous prédisiez des échecs et des désastres. Mais David est un gagneur, Douglas. C'est un battant. Il a l'intention de se battre dans cette campagne et de la remporter. Tout comme il a remporté l'élection l'an dernier, au nez et à la barbe de tous ces marchands de malheur. En faisant mentir ces sondages débiles qui nous disaient qu'il allait perdre. C'est vrai » – il émit un rire incrédule –, « vous vous souvenez à quel point ils se sont trompés ? Qui irait encore écouter un politologue émérite ? Qui irait accorder foi aux sondages d'opinion ?

— Qui, cette fois, nous donnent une victoire du oui à l'Europe en juin... fit observer Doug.

— Ils ont bien raison, s'écria Nigel avec du triomphe dans la voix. Dave va gagner, il le faut. Il le faut parce qu'il lui reste encore quatre ans de mandature et un travail fou. Il doit aux Britanniques de poursuivre l'œuvre commencée.

— Super ! Encore quatre ans d'austérité, de coupes claires dans les services sociaux, l'aide sociale, et de privatisation larvée de la santé.

— Exactement, vous voyez bien ! Il reste tant à faire, et d'ailleurs...» Il regarda sa montre et se leva d'un bond. « Il faut que je me sauve. Vous voulez bien régler ? À charge de revanche. »

Il avait disparu. Doug paya la note et longea le quai vers Waterloo Bridge d'un pas lent, en secouant la tête. Il se disait une fois de plus qu'il ne saurait jamais prédire le tour que prendraient ces conversations. Dix minutes plus tard, son portable vibrait. Il avait reçu un SMS. Qui émanait de Nigel.

Ça alors ! Il apparaît en effet que les gens disent Brexit. Merci du tuyau !

30

Avril 2016

« Il m'arrive parfois de me demander quelle vie j'aurais eue si je n'étais pas allé à cette école », dit Benjamin.

Charlie secoua la tête et dit : « T'engage pas sur cette voie, mon pote. Avec des si... On finirait par devenir fou.

— Quand même...

— Tout finit par s'arranger au mieux. Il faut y croire. Ma rencontre avec Yasmine, par exemple, ne devait rien au hasard, c'était le destin, la destinée, la kismet.

— La kismet », répéta Benjamin, sceptique. Il but une gorgée de sa Guinness. Charlie avait déjà fini sa pinte et attendait qu'il le rattrape. Benjamin buvait lentement.

« Oui, il y a des moments comme ça dans ta vie où tout s'articule subitement. Ça ne se passe pas forcément au Pays des Merveilles. Pour moi, ça s'est passé dans une boutique Toys "R" Us, devant chez Dudley. À cheval donné, comme on dit.

— Sans doute.

— Mais pense à tout ce qui s'en est suivi. Si je n'avais pas bossé là quand elle est venue avec Aneeqa, si elles ne m'avaient pas demandé de leur attraper ce coffret de tennis de table sur le rayon du haut... Je ne serais pas sorti avec Yasmine, je n'aurais jamais emmené Aneeqa au lycée et je n'aurais jamais su qu'il y avait une fille de sa classe, une certaine Krystal, qui la détestait et qui était jalouse d'elle. Et je n'aurais jamais su que Krystal avait un père qui était comique pour enfants, lui aussi, et qui s'est mis à me détester pour la seule raison que je m'occupais d'une fille que la sienne détestait. »

Charlie avait déjà raconté cette histoire à Benjamin lors d'un de leurs premiers déjeuners. Il lui avait parlé de Duncan Field, également connu sous le nom de Dr Daredevil, qui travaillait dans le même domaine que lui et s'ingéniait à lui faire la vie dure de toutes les manières possibles depuis cinq ans. Il débarquait au théâtre pour enfants chez Woodlands pendant que Charlie faisait son numéro et il sabotait ses effets en restant discutailler dans les coulisses ; il allait même parfois jusqu'à monter sur scène sans qu'il l'y ait invité. Il se débrouillait pour savoir dans quelles fêtes d'enfants Charlie devait se produire, et il arrivait chez les gens vingt minutes avant lui en racontant qu'il était son remplaçant – moyennant quoi il accaparait le spectacle. Les deux comiques avaient des styles diamétralement opposés : le Baron Brainbox était gentil, farfelu, pédagogue, le Dr Daredevil grande gueule et mal embouché. Il axait son numéro sur des tours de magie à base de cocktails chimiques détonants, souvent au mépris des règles de sécurité, ce qui lui avait valu plusieurs interventions des pompiers. Une rivalité professionnelle exacerbée opposait les deux hommes et ils se vouaient une haine farouche.

À l'origine de leur inimitié, il y avait l'antipathie entre Krystal et Aneeqa. Cette dernière n'était pas à proprement parler la belle-fille de Charlie, même s'il parlait parfois d'elle en ces termes. Il entretenait une liaison avec Yasmine, sa mère, depuis plus de six ans, mais Benjamin s'était forgé la conviction – à entendre Charlie – que ses sentiments étaient à sens unique. Il passait quelques nuits chez elle mais elle ne lui permettait pas de s'y installer, il lui fallait donc avoir son propre appartement. Elle n'était pas facile à vivre, disait Charlie. Mauvais caractère, le sang chaud, aigrie par son divorce, aucune confiance dans la gent masculine. Elle ne travaillait pas et dépendait de lui sur le plan financier, ce qui était en soi une pomme de discorde parce qu'il avait quitté son emploi de vendeur pour réaliser son rêve de devenir comique pour enfants à plein temps et que, depuis, ils subsistaient au jour le jour. Aneeqa était une élève pleine d'avenir à la veille du baccalauréat, particulièrement douée en langues. Krystal la persécutait depuis leur premier jour en terminale et son père n'avait jamais pris la peine de la reprendre, ni de cacher son indignation devant le fait qu'une petite musulmane puisse être considérée comme une élève plus brillante ou plus remarquable que sa fille.

Avec ces données en tête et sensible à l'anxiété et à la frustration installées dans le regard de son ami derrière sa façade enjouée, Benjamin avait du mal à partager sa conviction que cette rencontre fortuite dans un magasin de jouets du Pays noir avait transfiguré sa vie. Mais il se disait qu'il changerait peut-être d'avis ce soir puisque, pour la première fois, il était invité à accompagner Charlie chez Yasmine pour dîner en famille.

« Il faut juste que j'achète deux-trois bricoles d'abord, dit celui-ci, je vais faire un saut chez Sainsbury ou ailleurs.

— Je viens avec toi.

— Non, pas la peine. Reste là et bois un autre verre.

— Sincèrement, je préférerais venir avec toi.

— Ne dis pas de bêtises. Attends-moi, j'en ai pour une vingtaine de minutes. »

Charlie s'était montré inébranlable – au point de le maintenir de force sur son siège quand il avait fait mine de se lever – si bien que Benjamin n'avait plus insisté et qu'il était allé se chercher un demi de Guinness dont il n'avait pas vraiment envie. Tout en attendant le retour de son ami, il fit quelques parties de sudoku sur son smartphone en regardant d'un œil distrait le téléviseur muet dans un coin du pub. Un homme en costume était en train de parler à la caméra tandis qu'au bas de l'écran, une bande annonçait : « Le Brexit coûterait 4 300 £ par an aux familles, selon le Trésor. » « Qu'est-ce qu'ils en savent ? » dit un homme au bar. « C'est de la foutaise ! » confirma son ami. Benjamin revint à son casse-tête. Il ne voyait dans cette campagne qu'une colossale perte de temps. Le résultat était couru d'avance et plus tôt les choses reviendraient à la normale, mieux ce serait.

Charlie reparut avec ses provisions. Ils se dirigèrent vers le parking et comme ils chargeaient les paquets, Benjamin remarqua un sac de couchage dans le coffre de son ami. Mais, fidèle à lui-même, il n'en pensa pas plus long.

Ils ne mirent pas longtemps à arriver chez Yasmine à Moseley ; une rangée de maisons modestes sur une petite avenue partant de la rue principale, encore animée au soleil de mi-avril. Comme ils attendaient sur le seuil qu'on vienne leur ouvrir, manifestement Charlie n'avait pas sa clef, ce dernier cligna des paupières dans la lumière rasante et proposa : « On pourrait prendre l'apéro au jardin, il me semble. Il fait assez doux. Qu'est-ce que tu en penses ?

— Ce serait sympa. »

Yasmine ouvrit la porte et les gratifia d'un sourire accueillant et cordial.

« Charlie m'a tout raconté sur vous, dit-elle en les précédant dans le couloir étroit. Il parle sans arrêt de son copain devenu une célébrité. Neeqs ! Neeqs, où es-tu ? Charlie et son ami sont arrivés.

— Je suis occupée, répondit une voix dans la pièce à côté.

— Pas une raison, sois polie et viens dire bonjour.

— J'ai les mains pleines de peinture. »

Yasmine se tourna vers les deux visiteurs : « Vous voyez ce qu'il faut que je supporte ? Elle ne fait jamais ce que je lui demande, et en plus elle répond ! »

Charlie fit entrer Benjamin et ils jetèrent un coup d'œil dans une petite salle à manger sombre qui donnait sur une cour-jardin. Il y trônait une table à rallonges pour l'heure couverte de petits pots de peinture et d'une feuille de papier à dessin. Penchée sur cette feuille se trouvait Aneeqa, toute petite silhouette appliquée à son travail malgré la longue et épaisse chevelure noire qui lui tombait sur le visage et en dissimulait les trois quarts pour ne laisser voir que ses sourcils froncés par la concentration.

« Salut, ma puce, dit Charlie, je te présente Benjamin.

— Salut », répondit Aneeqa sans lever les yeux. Elle s'absorbait dans un dessin au trait représentant une femme en train d'allaiter, avec au-dessus le titre *Beloved*, en lettres multicolores et ouvragées. Le dessin lui-même était énergique, simple et assuré, mais c'était la calligraphie qui retenait l'attention car elle était exécutée avec une patte et une attention au détail prodigieuses.

« Je t'ai offert son livre, tu te rappelles ? Il te l'a dédicacé. »

Aneeqa leva les yeux. Ils étaient d'un brun chaud, et sa bouche charnue, expressive.

« Ah oui ! C'est ce Benjamin-là. Salut.

— Salut.

— J'ai commencé votre livre, je ne l'ai pas encore fini.

— Tu peins pour ton cours ? demanda Charlie.

— Mmm, dit-elle en retournant à ce qu'elle était en train de faire, en l'occurrence ajouter une teinte ocrée à la pointe de la lettre V.

— C'est super !

— C'est pour une jaquette de livre.

— Eh bien voilà, dit Charlie, il faut que tu dessines celle de son prochain roman. » Puis, voyant que la conversation allait en rester là, il ajouta : « On te laisse travailler, alors.

— Ok, j'ai presque fini de toute façon.

— Viens boire un verre avec nous au jardin.

— Dans une minute. »

Ils apportèrent les provisions à la cuisine et les posèrent sur la table. Yasmine rinçait des verres dans l'évier.

« Je me disais qu'on pourrait peut-être boire un coup au jardin », lança Charlie.

Elle se retourna : « Au jardin ? Et pourquoi ?

— Parce qu'il fait si bon ce soir.

— Je viens de nettoyer le séjour, ça m'a pris presque une demi-heure. Les meubles de jardin sont crasseux. On s'en est pas servis depuis l'an dernier.

— Eh bien donne-moi un torchon, je vais les épousseter, c'est aussi simple que ça. »

Il prit un torchon dans un des tiroirs de la cuisine et sortit en sifflotant un petit air guilleret. Benjamin le voyait s'affairer par la fenêtre et remettre en place le salon de jardin en plastique. Le jardin en question ne mesurait que quelques mètres carrés et il était entièrement pavé. Demeuré en tête à tête avec Yasmine, qui regardait par la fenêtre elle aussi, Benjamin cherchait encore quoi lui dire quand elle émit un claquement de langue agacé et jeta son torchon.

« C'est pas comme ça qu'il faut faire, il sait pas s'y prendre. »

Elle sortit d'un pas martial et bientôt le ton monta entre eux. Puis Benjamin entendit qu'on entrait dans la cuisine et il se retourna. C'était Aneeqa.

« Ne vous en faites pas, lui dit-elle à propos des éclats de voix, tout est normal. C'est la norme, chez nous. »

Elle rinça ses mains couvertes de peinture dans l'eau de la vaisselle et les sécha avec un essuie-tout, puis son regard se posa sur les sacs de provisions.

« Il vaudrait sans doute mieux ranger tout ça.

— Je déballe et vous rangez, proposa Benjamin.

— Pourquoi pas. »

Tout en sortant les boîtes de conserve et les paquets qu'il tendait à Aneeqa, il remarqua un détail curieux. Charlie avait dit qu'il passerait chez Sainsbury mais les produits provenaient de tas d'enseignes différentes. Il y avait de la soupe de chez Tesco, des tomates de Sainsbury, de la viande en conserve et des haricots de chez Morrisons et de chez Lidl. Aneeqa s'aperçut de sa perplexité mais ne dit rien tout d'abord. Elle attendit d'avoir rangé plusieurs articles dans les placards.

« Il vous a sans doute dit qu'il faisait un saut au supermarché.

— Oui, pourquoi, il est allé où en fait ? »

De nouveau elle se tut. Il entrevoyait lentement la vérité.

« Vous ne fréquentez jamais les banques alimentaires ? »

Elle ouvrit un paquet de riz et en versa le contenu dans un pot. « Maman ne veut pas y aller. Elle a trop honte. Alors en principe, c'est Charlie qui s'en charge. » L'expression de Benjamin lui fit ajouter : « Il ne faut pas que ça vous choque à ce point. On en passe par là depuis deux ans, par périodes. On s'y fait.

— Mais...

— Je ne pose pas trop de questions sur les finances familiales, mais on est salement dans la merde. Maman a du mal à garder un boulot, et puis, il faut bien le savoir, on ne fait pas fortune en jonglant avec des Rubik's Cube à des goûters d'enfants.» Au jardin, la dispute continuait à faire rage. « D'où le fait qu'ils se sautent à la gorge comme ça, ces temps-ci. Quand l'argent manque, il y a de l'électricité dans l'air.

— Mais Charlie a encore de quoi entretenir un autre appartement, dit Benjamin qui revit aussitôt le sac de couchage dans le coffre de la voiture et se demanda si son ami lui avait dit toute la vérité.

— Ça, je n'en suis pas sûre. Tout ce que je sais, c'est que quand Maman l'a rencontré, il avait un boulot stable. Et puis le Baron Brainbox est entré dans notre vie, alors au début, Maman a fait avec, mais aujourd'hui, ce n'est pas l'amour fou entre eux. Malheureusement» – elle prit une boîte de poires au sirop des mains de Benjamin –, « c'est comme ça qu'elle fonctionne. Charlie est un homme adorable, il l'aime vraiment malgré la façon dont elle le traite, mais elle rêve de trouver un vieux riche qui la gâte. C'est un crève-cœur de voir ça.

— C'est triste, vraiment triste. Il n'y a pas que l'argent dans la vie, loin de là.

— Dit l'homme qui n'a jamais eu besoin d'une banque alimentaire.» Elle se dressa sur la pointe des pieds pour placer la boîte sur l'étagère du haut. Puis elle se retourna pour le regarder : « Vous n'êtes pas vraiment riche, si ? »

Benjamin hésita : « C'est tout relatif.

— Eh bien, méfiez-vous d'elle, c'est tout. Elle va monter à l'abordage et ce sera gros comme une maison. Sous le nez de Charlie, elle dira des phrases du genre : "Ouuh,

361

j'ai toujours rêvé de rencontrer un auteur, on pourrait aller boire un verre, un de ces jours." »

Benjamin, qui s'était déjà demandé ce qu'il y aurait dans les verres servis au jardin, dit : « Vous buvez tout de même, donc ?

— Moi ? De l'alcool ? » La question lui parut bizarrement personnelle, jusqu'à ce qu'elle comprenne qu'elle portait sur sa culture.

« Oh, vous voulez dire… les miens. » Une lueur moqueuse passa dans son regard. « Pardon, je n'avais pas compris.

— Je ne voulais pas…

— Certains oui, d'autres pas. » Elle eut un grand sourire. « Je sais, c'est compliqué, hein ? La vie devait être tellement plus simple dans ce pays avant qu'arrivent les bronzés. »

Benjamin s'en voulut de cette gaffe et jugea qu'un changement de sujet s'imposait. « J'aimais bien votre illustration. C'est pour le livre de Toni Morrison ?

— Oui, je ne sais pas si l'image correspond au sujet. Il faudrait déjà que je lise le livre, un de ces jours.

— Peut-être. Vous avez du talent. Et en plus vous êtes bonne en langues, m'a dit Charlie, en français et en espagnol.

— Oui. C'est ce que je voudrais faire à la fac. Et avec un peu de chance, j'espère bien y être d'ici cinq mois… »

Plus tard, pendant qu'il était au jardin avec Charlie et que Yasmine et sa fille préparaient le dîner, Benjamin répéta leur conversation à son ami. Et Charlie, qui ne cessait de le surprendre en révélant une profondeur de sentiments insoupçonnée, regarda vers le lointain, un lointain cependant quelque peu borné par les trois murs de brique qui les entouraient, et déclara : « Je ferais n'importe quoi, tu sais, pour que les rêves de cette petite se réalisent. N'importe quoi. »

Benjamin lui jeta un regard de côté et vit que ses yeux

s'étaient embués. Il allait lui répondre lorsque son portable sonna.

« Il vaut mieux que je décroche, c'est ma nièce Sophie. Elle est chez mon père ce soir. »

Sophie appelait pour dire à Benjamin de venir à Rednal au plus vite. Apparemment son père venait d'avoir une attaque, l'ambulance était en route.

31

Les cinq derniers mois avaient été calmes pour Sophie. Elle n'avait reçu aucun message officiel de son département qui lui précise si oui ou non la plainte déposée contre elle avait été maintenue. En attendant, la politique adoptée par la faculté semblait celle de la présomption de culpabilité. Son nom avait été retiré des listes de diffusion, on l'avait mise « au vert » pour une durée indéterminée. Une audience lui avait été promise et avait été annulée deux fois, la première en raison d'une grève du métro londonien, la seconde parce que sa déléguée syndicale était malade. Elle faisait de son mieux pour s'occuper mais ce n'était pas facile. Elle adaptait sa thèse pour la faire publier et tâchait de passer plusieurs heures par jour à son bureau, c'est-à-dire à la table de la cuisine. Elle rédigeait aussi une nouvelle série de conférences sans même savoir si elle les donnerait un jour. Mais le temps lui devenait un fardeau et, histoire de le meubler, elle n'était pas mécontente d'aider sa mère et son oncle en allant voir Colin aussi souvent que possible. La veille, elle lui avait proposé de passer sur les six heures du soir pour lui faire à dîner. Au bout de dix minutes ou un quart d'heure de conversation laborieuse, elle était partie à la cuisine éplucher les pommes de terre et mettre la viande au four. À son retour, elle avait proposé un verre de sherry à son grand-père et n'avait pas compris sa réponse. « Pardon, Papi ? » lui avait-elle demandé en s'approchant de lui. C'est alors qu'elle avait remarqué que son visage s'affaissait sur un côté ; il avait tenté de lui parler de nouveau mais, cette fois, il n'était sorti de sa bouche qu'un chapelet de syllabes décousues parfaitement inintelligibles mais cependant chargées d'angoisse et de panique. Elle avait appelé le 999 et l'ambulance avait mis vingt minutes à venir, ce qui lui avait donné le temps de prévenir Benjamin, qui avait quitté aussitôt la maison de son ami à Moseley. Benjamin et l'ambulance étaient arrivés à quelques secondes d'écart.

Colin avait été transporté vers une unité spécialisée dans les attaques, où on lui avait diagnostiqué un mini-infarctus, dit crise ischémique. On l'avait gardé pour la nuit. Le lendemain matin, Benjamin téléphonait à Sophie et lui annonçait avec un grand soulagement – même si ce soulagement devait être temporaire – que les symptômes de son père avaient disparu et qu'il semblait déjà en voie de récupération.

« Je m'en réjouis, dit Helena un peu plus tard ce soir-là, alors qu'elle était à table au restaurant avec Sophie et Ian, attendant les entrées. Il m'arrive de me faire du souci pour votre grand-père, vous savez. Bien sûr, on veut toujours rester chez soi le plus longtemps possible mais je me demande si les choses n'en sont pas arrivées au point où votre mère devrait envisager de le placer…

— Elle sait qu'il faudra prendre des mesures, elle va en parler avec Benjamin.

— C'est très traumatisant pour vous aussi, bien sûr. J'espère que vous avez eu un moment pour vous reposer aujourd'hui. »

Un serveur arriva avec deux coupes de champagne sur un plateau d'argent. Il offrit la première à Helena qui allait l'accepter puis se ravisa.

« Mais… nous avions commandé du vin rouge. Moi, en tout cas.

— C'est la maison qui offre, dit le serveur. Avec les compliments du directeur.

— Par exemple ! » Perturbée comme toujours devant l'inattendu, elle prit une coupe et se tourna vers son fils pour qu'il lui explique. « Tu y es pour quelque chose ?

— Je te l'ai dit, nous sommes au restaurant que dirige Lukas.

— Lukas ?

— Le mari de Grete. La jeune femme qui venait faire ton ménage. Je lui ai dit que c'était ton anniversaire quand j'ai fait la réservation.

— Ah oui… C'est trop aimable.

— Joyeux anniversaire, Helena, dit Sophie en levant sa coupe. Soixante-seize printemps. Qui le croirait ? »

Les deux femmes se mirent à boire leur champagne, Ian à boire de l'eau. Il leur avait déjà confié avoir passé une journée abominable et sa mine défaite indiquait en effet qu'il avait besoin d'un verre mais il ne touchait pas à l'alcool quand il prenait le volant.

« Ils habitent toujours le village ? demanda Sophie.

— Qui, ma chère Sophie ?

— Grete et Lukas.

— Ah… euh, oui, je crois. Je les ai vus devant le magasin il y a une ou deux semaines. Elle portait le bébé dans un de ces machins… un *papoose*, je crois qu'ils appellent ça. Ils avaient l'air très heureux. » Elle n'eut qu'une brève hésitation. Sophie connaissait la suite, qui ne se fit pas attendre : « Je suppose que de votre côté vous n'avez pas donné suite à… cette question.

— Pas ces derniers temps, confirma Sophie en secouant la tête.

— La grande ironie, dit Ian, c'est qu'en fait ce serait le moment idéal pour avoir un bébé puisque Sophie est en congé depuis si longtemps.

— C'est vrai que ce serait génial, dit-elle, des sarcasmes plein la voix. Pas besoin de congé maternité quand on peut être suspendu à plein salaire du jour au lendemain et arbitrairement.

— Je disais juste...

— C'est vraiment ce que tu penses ? Que c'est le moment rêvé pour ajouter un bébé à l'équation, pendant que l'université se demande s'il faut m'autoriser à reprendre mes cours ? »

Elle le fusillait du regard, il dut détourner les yeux.

Avant de boire une gorgée d'eau, il risqua : « C'est un malentendu qui pourrait avoir ses bons côtés. »

Il y eut un long silence rompu par Helena :

« Peut-être que ça n'arrivera jamais », conjectura-t-elle d'une voix douce.

Sophie leva les yeux.

« Peut-être que quoi n'arrivera jamais ?

— Peut-être que vous ne serez jamais autorisée à reprendre vos cours. » Pour répondre au regard incrédule de Sophie, elle ajouta : « Ça fait tout de même presque six mois. Qu'est-ce qui peut vous faire penser que...

— Les choses mettent du temps à bouger, c'est tout. Le monde universitaire est comme ça.

— Vous avez envisagé... »

Sophie la regarda d'un air interrogateur.

« Nous nous sommes demandé si vous aviez envisagé d'essayer autre chose. De changer de carrière.

— Nous ?

— Ian et moi, nous en parlions tout à l'heure. »

Sophie se tut, muette de colère.

« Laisse tomber, Maman, ça vaut mieux. J'ai déjà fait le tour de la question. »

Il était temps que les entrées arrivent. Elles furent placées sans un mot devant eux. Le serveur, habitué à ces situations, perçut tout de suite le refroidissement de l'atmosphère entre ces trois convives.

« J'ai du mal à croire que tu veuilles que j'abandonne, dit Sophie en prenant une bouchée de mousse de saumon.

— Et moi j'ai du mal à croire que tu veuilles continuer dans un milieu pareil. Tu n'as pas reçu le moindre soutien de la part de ces gens.

— Je croyais que vous alliez demander à votre oncle de contacter son ami.

— Il l'a fait. Mais l'ami lui a répondu qu'il n'avait pas barre sur les faits et gestes de sa fille. Si j'ai bien compris, ils ne se parlent quasiment plus.

— Tu devrais déjà leur avoir dit où ils pouvaient se le mettre, leur poste.

— Quoi, tout foutre en l'air ? Ça m'a pris huit ans pour arriver où je suis.

— J'en suis très conscient, je réalise toute l'énergie que tu y as mise. Mais il est toxique, le milieu où tu travailles, Sophie.

— Toxique ? Qu'est-ce qu'il y a de toxique là-dedans ?

— L'atmosphère, la mentalité des gens… c'est dingue. Ils ont perdu la boule.

— C'est un malentendu, rien de plus. Ce sont des choses qui arrivent. Et puis, de toute façon, je ne vois pas ce qu'il y a de dingue à respecter les minorités. »

Ian jeta sa fourchette sur la table, excédé.

« Mais arrête un peu d'être aussi politiquement correcte dans cette affaire, merde ! »

Sophie se carra dans sa chaise et sourit. « C'est reparti ! Je me demandais combien de temps il faudrait pour que ces deux mots fassent leur apparition dans la conversation.

— Où tu veux en venir ?

— Est-ce que tu te rends compte que tu passes ta vie à m'accuser, moi comme le reste du monde, d'être trop politiquement correcte pour ton goût, ces temps-ci ? Ça tourne à l'obsession chez toi. En plus, je soupçonne que tu ne sais même pas ce que ça veut dire.

— Je sais exactement ce que ça veut dire. Ce que tu appelles le respect des minorités consiste au fond à faire un doigt d'honneur aux autres. Très bien, continue à protéger tes précieux étudiants... transgenres de toutes les vilaines choses que l'on dit sur eux. Enveloppe-les dans du coton. Seulement quand tu as le malheur d'être blanc, de sexe masculin, hétéro, classe moyenne, il se passe quoi ? On a le droit de t'accuser de toutes les conneries possibles. »

Sa mère tiqua en entendant le mot « conneries ». Sophie réfléchit un moment et demanda : « Tu avais une réunion avec Naheed aujourd'hui, non ? Vos bilans trimestriels ?

— Ouaip.

— Ça s'est passé comment ?

— Oh mais, c'était génial. À condition d'aimer être infantilisé et traité de haut par une ancienne collègue alors que c'est moi qui devrais être assis à son bureau. Super génial.

— Voilà pourquoi tu es d'humeur exécrable. Il serait peut-être temps que tu te remettes de ce coup porté à ton ego de mâle et que tu tournes la page...

— Mon ego de mâle ? Ça faisait longtemps ! Et pourquoi

pas simplement mon ego ? Non, il faut que tu ramènes le problème au fait que je suis un homme. Tout à l'heure, tu parleras de mes privilèges de Blanc. Vas-y, dis-moi à quel point je suis privilégié, putain ! Ose me dire que les gens comme moi ne sont pas devenus des victimes dans leur propre pays ! »

Sophie lança un coup d'œil à Helena en face d'elle, qui n'en croyait pas ses oreilles et n'avait presque pas touché à son assiette. Elle eut honte, tout à coup.

« Là tu dis des bêtises. Et on ne devrait pas parler comme ça pour l'anniversaire de ta mère. Pardon, Helena.

— Non, vous ne devriez pas, dit Helena en posant ses couverts. Excusez-moi un instant, je vais chercher les toilettes. »

Elle repoussa sa chaise et se dirigea d'un pas ralenti vers le fond du restaurant. Ian et Sophie mangèrent sans un mot pendant un moment.

« Tu ne trouves pas que tu pourrais baisser d'un ton, finit par demander Sophie. Ce soir du moins, pour elle ?

— Elle est d'accord avec moi, tu le sais. Elle est de mon côté.

— Depuis quand on en est à "mon côté", "ton côté" ? »

Ian la regarda bien en face et déclara avec amertume : « Il y a des choses qui ne t'effleurent pas, hein ?

— Qu'est-ce qui ne m'effleure pas ?

— La colère qu'on éprouve devant cet air de supériorité morale qui émane de vous autres en permanence. »

Sophie l'interrompit : « Pardonne-moi, mais de qui tu parles ? C'est qui, "on", c'est qui "vous autres" ? »

Au lieu de répondre à cette question, il en posa une autre. « De quel côté tu crois que va pencher le référendum ?

— Ne change pas de sujet.

— Je ne change pas de sujet. Quelle va être l'issue, selon toi ? »

Voyant qu'il n'en démordait pas, elle gonfla les joues et dit : « Je sais pas. On va rester, sans doute. »

Il eut un sourire satisfait et fit non de la tête. « Faux. Les partisans du non vont gagner. Et tu sais pourquoi ? »

Elle secoua la tête.

« À cause des gens comme toi », conclut-il avec un accent de triomphe tranquille. Puis il répéta, l'index pointé sur elle : « Des gens comme *toi*. »

*

Helena revint des toilettes et ils réussirent à meubler l'heure et demie qui suivit de propos anodins ne prêtant pas à controverse. À la fin du dîner, Lukas vint les voir en personne, avec deux verres de porto – offerts par la maison eux aussi – et un petit *sponge cake* préparé par Grete pour l'anniversaire d'Helena. Ils le remercièrent avec effusion, mais ils étaient tous trop repus pour y toucher, si bien qu'Helena l'emporta chez elle. Puis Ian et Sophie rentrèrent à Birmingham.

Ils ne se dirent pas grand-chose dans la voiture. À quoi pensait Ian, Sophie ne pouvait que l'imaginer et, quant à elle, elle considérait toutes les heures passées, ces dernières années, en sa compagnie et celle de sa mère, à aller là où elle n'avait que faire d'être, à manger une cuisine qui n'était pas à son goût, écouter des opinions avec lesquelles elle n'était pas d'accord, avoir des conversations auxquelles elle ne trouvait aucun plaisir, rencontrer des gens avec qui elle n'avait rien de commun, le tout encadré par des navettes, des navettes perpétuelles sur ces routes, ces routes monotones entre Birmingham et Kernel Magna, aller-retour, au cœur des Midlands, ce cœur qui traversait tous les événements en battant à un pouls constant, résolu, discret et implacable. Elle pensait à toutes les heures qu'elle aurait pu passer ailleurs, avec d'autres gens, à d'autres conversations. Elle se disait que sa vie aurait été tout autre si elle n'avait pas été flashée en excès de vitesse le jour où elle roulait vers la gare de Solihull ; tout autre encore si elle n'avait pas fait cette réflexion malencontreuse à Emily Shamma à la fin d'un séminaire. Ces pensées lasses et trop familières la déprimèrent et lui donnèrent la migraine. Alors elle aurait peut-être dû être reconnaissante envers Ian quand il tenta de détendre l'atmosphère en désignant tout à coup une voiture qui les doublait : « Regarde ! »

Sophie leva la tête et ouvrit ses yeux mi-clos.

« Mmm ?

— FCI, Fédération des Crétins Indécrottables. »

Ah oui ! le jeu des plaques d'immatriculation. Il y avait une éternité qu'ils n'y avaient pas joué. Elle voulut sourire mais n'y parvint pas. Et quand il lui vint à l'esprit que les lettres pouvaient être les initiales de Fais Chier Ian, l'idée l'attrista et lui fit honte.

32

Mercredi 20 avril 2016

Lorsque Benjamin répondit au téléphone, la première chose que Lois lui dit fut : « Tu es au courant pour Victoria Wood ? »

Il lui fallut une minute ou deux pour se rappeler de qui elle parlait. Une humoriste. Qui passait beaucoup à la télévision. Très drôle. Qui composait de bonnes chansons. C'est ça.

« Non, et alors ? Elle fait une tournée ?

— Elle est morte, Benjamin. Morte, Victoria Wood.

— Ah bon ? Elle avait quel âge ? »

La voix de Lois tremblait. « Elle avait soixante-deux ans, deux ans de plus que moi seulement. Je l'adorais, Benjamin. Elle faisait tellement partie de ma vie. C'est comme si je venais de perdre ma meilleure amie ou ma sœur. »

Incapable de trouver des mots de consolation, Benjamin se contenta de penser à haute voix : « Qu'est-ce qui se passe en 2016 ? Tout le monde se met à mourir. David Bowie, Alan Rickman… »

Cependant, ce n'était pas la nouvelle que Lois voulait lui annoncer. Elle appelait pour lui dire qu'elle venait de donner son préavis à la bibliothèque d'York où elle travaillait, et revenait vivre à Birmingham.

« Il le faut. Tu ne peux plus porter à toi tout seul la responsabilité de t'occuper de Papa, ce serait injuste. J'ai donné un mois de préavis. Je pourrai chercher un nouvel emploi une fois de retour sur place. Je sais que j'ai l'air de dramatiser mais je ne suis pas optimiste en ce qui le concerne. Je pense que son état va s'aggraver. Il faut qu'on se rapproche dans une période pareille, toi et moi. C'est peut-être la fin. »

*

Jeudi 21 avril 2016

Lorsque Benjamin répondit au téléphone, la première chose que Philip lui dit fut : « Tu es au courant pour Prince ?

— Non, quoi ? Il vient de sortir un nouvel album ?

— Il est mort, Benjamin. Prince est mort. »

Benjamin n'avait jamais été un grand fan de Prince. Néanmoins, il eut les jambes coupées en apprenant que 2016 apportait la nouvelle d'une autre mort de célébrité.

« Prince, mort ? Tu me fais marcher ? Il avait quel âge ?

— Cinquante-sept ans. Notre âge, à quelque chose près.

— C'est terrible ! Qu'est-ce qui se passe, cette année. David Bowie…

— Alan Rickman…

— Victoria Wood…

— C'est à croire qu'ils sautent en marche pendant qu'il en est encore temps.

— Comme s'ils savaient quelque chose qu'on ne sait pas. »

Mais ce n'était pas la nouvelle que Phil voulait lui annoncer. Il l'appelait pour lui dire qu'une grande maison d'édition parisienne voulait acheter les droits de *Rose sans épine*. « C'est fabuleux, dit Benjamin. Tu peux les mettre en contact avec mon agente ? C'est elle qui s'occupe de ces affaires-là maintenant. »

*

Vendredi 22 avril 2016

Être amis implique aussi d'être honnêtes les uns envers les autres, et je vais vous dire le fond de ma pensée. Pour parler en toute franchise, l'issue de votre décision est du plus haut intérêt pour les États-Unis parce qu'elle a une incidence sur nos propres perspectives. Les États-Unis veulent pour partenaire un Royaume-Uni fort. Et le Royaume-Uni est à son mieux lorsqu'il aide à diriger une Europe forte. Le Marché unique apporte d'extraordinaires avantages économiques au Royaume-Uni... Nous chérissons tous notre souveraineté. Mon pays le fait savoir haut et fort. Mais il reconnaît aussi que nous renforçons notre sécurité par notre adhésion à l'OTAN. Nous consolidons notre prospérité par des organismes comme le G7 et le G20. Et je suis convaincu que le Royaume-Uni renforce notre prospérité et notre sécurité collectives par son adhésion à l'Union européenne... Il me semble possible de dire en toute bonne foi qu'un accord Royaume-Uni - États-Unis verra le jour tôt ou tard, mais il ne se produira pas à brève échéance, parce que notre propos actuel est de négocier des accords commerciaux avec le bloc représenté par l'Union européenne. Et le Royaume-Uni risque d'arriver en queue de liste. Car s'il n'est pas question de nier que nous entretenons une relation privilégiée avec lui, il est non moins vrai qu'étant donné le levier procuré par tout accord commercial, accéder à un grand marché avec de nombreux pays est infiniment plus rentable que de chercher des accords partiels.

Le président Obama avait livré ces commentaires lors d'une conférence de presse matinale à Londres, à côté de David Cameron. Gail Ransome devait faire un discours à la Chambre de commerce de Coventry et du Warwickshire le soir même, et lorsque Damon, sa plume habituelle, lui en transmit la dernière mouture en fin d'après-midi, elle découvrit qu'il avait largement cité le président des États-Unis.

Au début, elle ne réussit pas à joindre Damon. Lorsqu'ils se parlèrent enfin au téléphone, Doug était là et regardait les infos sur Channel 4 dans le séjour. Gail se replia dans le couloir, main sur l'oreille pour ne pas être gênée par le son.

« L'ennui, disait-elle à Damon, c'est que je ne suis pas sûre que ça fonctionne aussi bien que tu crois... Je ne suis pas sûre que ce soit vrai. Oui, je sais, nous aimons tous les deux Obama, mais ce n'est pas le cas de tout le monde... Oui, déjà, pour une raison évidente... N'aie pas l'air si choqué, c'est tristement vrai... Je viens juste d'observer la réaction en ligne, c'est tout. Il y a beaucoup de gens qui prennent très mal la formule "en queue de liste". Ils pensent que tout a été fait exprès, dans la mesure où Dave est à ses côtés : ils ont l'air de s'entendre comme larrons en foire. Et puis, les gens perçoivent une menace dans ce discours... Justement, oui. Une instrumentalisation de la peur... Bon, mais je veux tout de même en parler, seulement peut-être que tu pourrais mettre la pédale douce. Ne cite pas la formule "en queue de liste", et fais aussi vite que tu peux, parce que je pars dans » – elle consulta sa montre – « vingt-cinq minutes. »

Au moment où elle raccrochait, elle entendit la voix de Doug brailler dans le séjour : « BORDEL DE NOM DE DIEU ! »

Elle accourut. « Qu'est-ce que c'est ?

— Ils passent un reportage, dit-il en faisant arrêt sur image et en revenant quelques secondes en arrière. Sur les donateurs les plus généreux de la campagne pour le *Leave*. Regarde un peu. »

L'écran était figé sur l'image d'une entrée imposante, dans un quartier manifestement cossu du centre de Londres. Des colonnes grecques encadraient la porte et l'on voyait trois hommes en complet descendre le perron d'une majestueuse demeure géorgienne. L'un d'entre eux avait les joues creuses et la peau molle de l'ancien gros qui a beaucoup maigri. Ses yeux mobiles, aux aguets, étaient cerclés de coûteuses lunettes rondes à monture dorée et il était complètement chauve.

« J'ai été au collège avec ce branleur ! Bon Dieu, on pouvait pas le sentir. N'empêche que c'est lui qui rit le dernier, il paraît qu'il pèse des millions de livres aujourd'hui.

— Combien a-t-il donné ?

— Deux millions jusqu'ici. Je me demande ce qu'il a derrière la tête. Ce rapace, ce sournois. Ce jean-foutre.

— Je n'ai jamais entendu parler de lui », dit Gail en plissant les paupières pour lire la légende sur l'écran qui annonçait son nom en majuscules, RONALD CULPEPPER, de la Fondation Imperium.

*

Lundi 9 mai 2016

Ils étaient neuf autour de la table, au pub, tassés les uns contre les autres dans une promiscuité inconfortable pour Benjamin. Il éprouvait un certain plaisir à être serré contre Jennifer mais goûtait nettement moins le contact de Daniel, son collègue dégingandé, assis à sa droite. Ils étaient réunis pour fêter les trente ans de Marina, une nouvelle arrivée à l'agence. Jennifer avait beaucoup insisté pour qu'il vienne mais il commençait à le regretter.

La conversation consistant essentiellement en diverses blagues et potins internes, il écoutait d'une oreille distraite. Il n'avait pas idée de ce à quoi Daniel répondait en disant : « Bon, à les croire on va tous crever si on quitte l'Union européenne », mais cette remarque retint son attention. « Qu'est-ce que tu veux dire ? » demanda l'un d'entre eux, sur quoi Daniel expliqua que, dans l'un de ses discours de campagne, David Cameron avait prétendu, selon certains journaux du matin, que quitter l'UE pourrait conduire à la Troisième Guerre mondiale. Quelqu'un d'autre rectifia : « Je ne pense pas qu'il ait voulu dire ça. Il a seulement voulu dire qu'il n'y a pas de guerre depuis longtemps en Europe et que c'est dû en partie à l'UE. » À quoi Daniel répliqua : « Ce n'est pas ce que disent les journaux. » Benjamin glissa :

« Ses propos ont sûrement été déformés. »

Il avait parlé si bas que c'était un miracle qu'il se soit fait entendre. Mais ils l'avaient bel et bien entendu, et peut-être parce que c'étaient à peu près les premiers mots de la soirée qui sortaient de la bouche de cet inconnu timide à la chevelure grisonnante, toute la table se tut pour l'écouter.

Voyant qu'il avait subitement le champ sonore pour lui, il hésita, s'éclaircit la voix et déclara :

« On dira ce qu'on voudra, la seule chose qui intéresse les journaux, c'est le papier qu'ils en tireront. Et si l'histoire ne leur suffit pas, ils tâchent de la corser. Tout personnage public qui parle aux médias le fait à ses risques et périls. Je suis bien placé pour le savoir parce que ça m'est arrivé. En temps normal, David Cameron ne me passionne pas mais il a ma sympathie dans cette affaire parce qu'il n'est pas facile de vivre sous l'œil du public. »

Cette remarque faite, et la conversation ayant repris son cours, Jennifer lui serra le bras et, lorsqu'il se tourna vers elle, il vit qu'elle lui souriait et que ses yeux brillaient d'une lueur taquine et cependant affectueuse. « "Vivre sous l'œil du public", dit-elle. Tu es trop mignon. » Elle l'embrassa sur la bouche. Ses lèvres étaient humides, elles avaient le goût du vin. « Je t'adore, Tigre. »

Elle se leva pour aller aux toilettes en se faisant toute petite pour se faufiler devant les autres. Benjamin médita ses mots : « je t'adore ». Il était peut-être devant un grand moment ; peut-être venait-elle de lui faire une déclaration d'amour, la première. Mais d'un autre côté, dans ce cas-là, elle aurait dit « je t'aime ». Cette formule, « je t'adore », n'était-elle pas plus ordinaire, plus légère, manière de dire qu'on aime bien quelqu'un ? Il ne savait que penser.

Jennifer n'avait pas pris son portable. L'appareil se mit à vibrer sur la table devant lui ; il le saisit et vit qu'elle avait un SMS.

Suis libre jeudi, si ça te va. Bises. Robert

Ce message non plus n'était pas clair pour lui. Qui était ce Robert ? Par la suite, elle lui expliqua qu'il s'agissait d'un ancien client devenu un ami. Donc pas d'inquiétude de ce côté-là, sans doute.

*

Mercredi 11 mai 2016

Sohan était assis sur le canapé, seulement vêtu d'un T-shirt. Il avait les jambes écartées et la joue de Mike appuyée sur sa cuisse nue. Mike contemplait avec tendresse le sexe encore flasque et inerte de Sohan en lui donnant une pichenette de temps en temps pour le réveiller. Puis il l'embrassa et le prit dans sa bouche.

Pendant ce temps-là, à la télévision, Boris Johnson était en Cornouailles où il lançait le bus de campagne pour le *Leave*. Il s'adressait donc aux caméras avec une pinte de bonne bière locale à la main, devant un gros bus rouge sur lequel on avait peint quelques statistiques. Dans cette attitude, le député conservateur de la circonscription d'Uxbridge et South Ruislip rayonnait de cette bonhomie et de cette autodérision qui étaient sa marque distinctive et que le public britannique affectionnait tant – mais qui, comme toujours, mettait les nerfs de Sohan à fleur de peau.

« Trois cent cinquante millions de livres pour le système de santé ? Dans tes rêves, BoJo !

— Si tu éteignais ce truc ? dit Mike. J'ai l'intention de mettre du cœur à cet ouvrage, vois-tu. Il serait souhaitable que tu sois en état de réceptivité complète. »

Johnson était en train de dire à son interviewer que le prochain pays à intégrer l'UE serait la Turquie et que, du même coup, des millions de musulmans et de musulmanes auraient bientôt un accès illimité au Royaume-Uni.

Sohan éructa : « Mes couilles ! »

— D'accord, répondit Mike en entreprenant de lui lécher le testicule gauche, mais tu pourrais au moins dire "s'il te plaît". »

*

Dimanche 15 mai 2016

« Tu as froid ? demanda Benjamin.

— Non, répondit Colin, j'ai pas froid.

— Je me demandais pourquoi tu avais besoin de cette couverture, c'est tout. »

Depuis son retour de l'hôpital, un mois plus tôt, Colin n'avait pas quitté la maison. Il avait à vrai dire à peine bougé du séjour, ou du fauteuil devant la télévision, sinon de temps en temps, présumait Benjamin, pour aller aux toilettes ou bien se coucher. Étendue en permanence sur ses genoux, il gardait cette couverture à rayures multicolores, produit d'une phase créative de Sheila qui avait flirté avec l'art du crochet vers la soixantaine.

« Je l'aime bien, c'est une bonne couverture. » Sur ses genoux, il avait aussi un exemplaire du *Sunday Telegraph* doté de l'inévitable photo de Boris Johnson sur une demi-page, sérieux comme un homme d'État, les yeux rétrécis dans la lumière, l'esprit sur des horizons churchilliens. « Tu es allé à l'université avec lui, non ? »

Benjamin soupira. Il commençait à en avoir assez de ce mythe qui se répandait.

« Je ne le connais pas, nos chemins se sont brièvement croisés, c'est tout.

— J'ai lu cet article dans le journal, qui dit que vous étiez amis à l'université. »

Tout en pensant une fois de plus qu'il n'y avait ni rime ni

raison dans ce que son père se rappelait et ce qu'il oubliait, Benjamin tendit la main et prit le journal.

« Allons bon. Qu'est-ce qu'il raconte, cette fois ? »

Johnson établissait un parallèle entre l'UE et l'Allemagne nazie. L'une comme l'autre entretenaient le désir de créer un super-État européen sous la domination allemande par des moyens militaires dans un cas, et économiques dans l'autre. Benjamin, dont l'intérêt pour la politique avait augmenté dans des proportions exponentielles depuis quelques semaines, en fut effaré. Le débat politique était-il tombé si bas dans le pays ? Fallait-il incriminer la campagne, ou bien cet état des choses avait-il toujours existé sans qu'il y prenne garde ? Était-il désormais possible à un homme politique britannique de lancer une énormité pareille sans s'inquiéter d'une quelconque sanction ? Ou bien ce privilège était-il réservé à Johnson, avec son toupet de cheveux si attendrissant, son parler marmonnant d'ancien d'Eton et ce demi-sourire ironique aux commissures des lèvres ? Benjamin rendit le journal à son père, qui lui dit :

« Tout cet argent qu'on a dépensé pour t'envoyer là-bas, à Oxford... Ça lui a mieux réussi qu'à toi, hein ?

— Tu es sérieux ?

— Il parle en homme de bon sens. Il est presque le seul. Il nous a fallu six ans pour arrêter les Allemands dans leur élan. Et on pouvait toujours courir pour que qui que ce soit nous aide, sauf les Américains, à la dernière minute. Et regarde-les, aujourd'hui. Ils nous bousculent, ils nous disent ce qu'on a à faire. Ils rigolent de nous dans notre dos. »

Déprimant. Benjamin ne savait plus que faire quand son père tenait ce discours. « Une tasse de thé, Papa ? proposa-t-il en désespoir de cause.

— Non merci, mais si tu pouvais m'apporter un bulletin de vote par correspondance... »

382

— Un quoi ?

— Pour le référendum. Je ne suis peut-être plus d'attaque pour sortir de chez moi, mais c'est pas ce qui va m'empêcher de dire mon mot.

— Ok, bien sûr.

— Il me faut le formulaire, une enveloppe et un timbre. Tu t'en occuperas, je te prie ?

— Pas de problème. »

Il jeta un coup d'œil sur la pendule, au mur. La décence exigeait qu'il reste encore une demi-heure auprès de son père. Tout irait mieux quand Lois serait revenue.

*

Lundi 23 mai 2016

Aneeqa avait depuis longtemps passé l'âge qu'on vienne la chercher à l'école, mais de temps en temps Charlie l'attendait tout de même à la sortie : il se disait que ça lui faisait plaisir puisqu'elle ne lui avait pas demandé de cesser. Le retour en voiture chez Yasmine se déroulait toujours selon le même schéma, qui l'avait déconcerté de prime abord, amusé ensuite et qu'aujourd'hui, il acceptait tout simplement. Comme Aneeqa avait vécu toutes sortes d'expériences au cours de sa longue journée, qu'elle avait des anecdotes à raconter, et des sentiments enfermés en elle à extérioriser, elle le noyait sous un déluge de paroles qui pouvait durer un quart d'heure, un torrent fébrile qui ne lui laissait aucun temps mort pour en placer une. Puis le flot tarissait comme il avait jailli. Sans attendre de Charlie un quelconque commentaire, elle se taisait, sortait son smartphone et fronçait les sourcils sur l'écran tout le reste du trajet, en faisant défiler les messages avec un clic de temps en temps. Le retour à domicile s'achevait en silence. Charlie avait compris désormais qu'il était là pour servir d'oreille, de réceptacle passif et nécessaire à ses pensées et ses confidences, et il était heureux de remplir cet office.

Aujourd'hui, elle décrivait un accrochage avec sa professeure d'espagnol au dernier cours de la matinée – la dame était connue pour avoir des chouchous, dont Aneeqa ne faisait pas partie, et pour les traiter avec un favoritisme scandaleux.

« Et puis, à l'heure du déjeuner, on a parlé du référendum au Club des débats, rien d'étonnant jusque-là, et Krystal a pris la parole, pour le *Leave*, naturellement. Elle s'est mise à dire que la question de fond, c'était l'immigration, que c'était vraiment le problème majeur posé par l'UE, que la liberté de circulation avait été un désastre pour notre pays. À l'entendre on était pleins à craquer, on ne pouvait plus accueillir personne. Et si ça voulait dire que des Anglais ne pourraient plus s'installer à Berlin ou partir travailler à Amsterdam, eh bien tant pis, parce qu'il n'y avait que les riches et les snobs qui pouvaient se le permettre de toute façon – elle a dit que ça valait la peine de payer ce prix-là pour interdire l'entrée aux Polonais ou aux Roumains. C'est aussi le discours de Maman, si tu peux le croire ! Je pense qu'elle va voter *Leave* parce qu'elle se figure que si on vote pour empêcher les Européens de venir ici ça laissera de la place aux Pakistanais, et alors tous ses cousins pourront rappliquer. Mais au fond je ne suis même pas sûre que Krystal croie à ce qu'elle dit – je pense qu'elle répète ce que dit son père. Alors bon, tu le connais, hein ? C'est un cauchemar, ce type. M'étonne pas que vous puissiez pas vous sentir… »

*

384

Jeudi 26 mai 2016

Trois jours plus tard, des chiffres publiés par le gouvernement montraient que pour l'année le nombre de migrants au Royaume-Uni avait atteint 330 000, son record de tous les temps. Et Sophie se rendit enfin à Londres, pour assister à son audience si souvent remise.

Elle n'était pas venue dans la capitale depuis plusieurs semaines et elle n'avait pas mis les pieds au département des sciences humaines depuis près de six mois. C'était une expérience profondément déconcertante. Comme elle passait dans le couloir pour aller à son bureau, certains collègues la saluèrent d'un bref signe de tête gêné, d'autres évitèrent de croiser son regard et filèrent sans lui dire un mot. Aucun ne s'arrêta pour lui parler, lui demander comment elle allait, ce qu'elle devenait depuis la dernière fois où ils l'avaient vue. Dans son département, la disposition des salles, l'emplacement des photos et avis sur les murs, et jusqu'au dessin du soleil passant par les fenêtres sur le parquet – tout relevait de l'étrange familier.

Ce fut avec un curieux sentiment de soulagement qu'elle tourna la clef de son bureau et poussa la porte. Elle s'attendait presque à ce qu'on ait changé les serrures. À l'intérieur tout était silence et immobilité. Tout était recouvert d'une fine couche de poussière : les livres sur les étagères, la bouilloire sur la corniche de la fenêtre, le dessus de sa table, vide. Les trois plantes vertes s'étaient rabougries, mortes depuis longtemps. Elle s'affala sur le fauteuil, celui où les étudiants s'asseyaient quand elle était autorisée à donner des cours particuliers, mais se releva presque tout de suite. C'était trop déprimant d'être installée là. Elle se proposait d'aller au café de la fac, où elle avait rendez-vous avec sa déléguée syndicale, même si celle-ci ne devait arriver que dans une demi-heure.

Quatre-vingt-dix minutes plus tard, elle était de retour dans son bureau, pas plus avancée sur son avenir universitaire. Sheila, la déléguée syndicale, lui avait fait l'effet d'une personne froide, sur ses gardes, pointilleuse, adoptant envers elle une impartialité si convenue qu'elle ne lui avait guère apporté de soutien. Au cours de l'audience, elles étaient assises côte à côte à une longue table, face à quatre adversaires dont Martin Lomas et Corrie Anderton, que Sophie redoutait de rencontrer enfin physiquement. (Elle était revêche à la limite de l'impolitesse et ne regardait jamais Sophie dans les yeux mais sa connaissance des règlements universitaires et de la législation sur l'égalité des chances était impressionnante.) Sophie avait exposé sa vision des choses de son mieux, même si elle n'avait pas grand-chose à dire sauf à répéter qu'elle n'avait fait qu'une remarque étourdie qui avait été mal comprise. La partie adverse prenait des notes et posait des questions. À l'issue de cette séance de quarante minutes, Martin se borna à conclure : « Merci Sophie, on vous tient au courant. » Sheila avait quitté le bâtiment aussitôt, en laissant tout juste le temps à Sophie de lui demander son impression, à quoi elle s'était contentée de répondre : « C'est toujours difficile à dire, au fond. »

Donc, on en était là. Encore de l'incertitude, encore de l'attente.

Elle n'avait pas l'intention de s'attarder dans son bureau, voulant seulement récupérer deux ou trois bouquins pour les rapporter à Birmingham. Mais pendant qu'elle les cherchait, on frappa d'une main timide à la porte ouverte. En se retournant, elle vit Emily Shamma. Ses cheveux roux avaient poussé et lui arrivaient presque aux épaules et ses lèvres fardées de deux traînées rouge sang faisaient ressortir la pâleur de son visage.

« Bonjour, lui dit-elle.

— Bonjour, répondit Sophie.

— Je ne vous dérange pas ?

— Non pas du tout, asseyez-vous.

— Ça va, merci. Je ne reste pas. Seulement j'ai appris que vous rentriez aujourd'hui, et... je voulais vous voir. » Son accent gallois aux inflexions douces et chantantes donnait une musicalité à ce qu'elle disait. « Voilà, j'ai très mauvaise conscience après ce qui s'est passé. Quand j'ai répété ce que vous aviez dit à Corrie, ce n'était pas parce que je me sentais démolie, c'était plutôt parce que j'avais trouvé ça déplacé. Je ne me rendais pas compte qu'elle allait en faire une affaire d'État. »

Sophie sourit et murmura : « Bah, que voulez-vous... » Il n'y avait pas grand-chose d'autre à dire.

« Je ne suis même plus amie avec elle. C'est vrai, quoi, je supporte plus cette façon qu'elle a de se poser en juge sur tout. Je me sens tellement coupable envers vous à cause des problèmes que vous avez eus. »

Sophie fit un pas vers elle, dans l'intention de la serrer dans ses bras, mais elle se ravisa. Tout geste pouvait prêter au malentendu.

« Ils vont vous reprendre, non ?

— J'espère.

— C'est affreux de vous imaginer tournant comme un ours en cage chez vous.

— Écoutez, j'ai commencé un livre. Je ne sais pas si je pourrai le finir. J'ai un grand-père âgé qui a besoin de beaucoup d'attention. Et puis j'ai des demandes de la télévision.

— De la télévision ? Sympa !

— J'ai fait quelque chose pour Sky, l'an dernier, et j'ai bien accroché avec la directrice de production, de sorte que maintenant – ça date tout juste de la semaine dernière – elle me propose de présenter une série d'émissions.

— Génial !

— Bon, c'est quand même au ras des pâquerettes. Il s'agit de visiter toutes sortes de galeries européennes célèbres et de parler de toutes sortes de tableaux célèbres. Je ne m'attends pas à y laisser ma marque.

— Mais c'est déjà ça.

— C'est déjà ça. » Et sur un ton plus enjoué elle ajouta : « Et vous, alors ?

— Hmm, franchement, ça ne va pas fort. Je découvre que toute cette procédure est très difficile. Mon opération était programmée pour le mois prochain, c'était le point de non-retour, mais je l'ai repoussée sans date. Et je vais prendre une année pour moi. J'ai besoin de faire le point. »

Sophie, qui s'appliquait à parler prudemment et sans se compromettre, faillit dire : « Sage décision », mais modifia sa formule par circonspection : « Je suis sûre que votre parti sera le bon. Bonne chance. »

Emily eut un sourire triste et anxieux. « Merci. »

Elles restèrent figées quelques instants, telles deux personnes qui auraient pu être amies dans une autre vie mais se tenaient pour l'heure à distance respectueuse l'une de l'autre, ayant peur de se prendre dans les bras, peur d'extérioriser leurs sentiments, engourdies, inertes dans le peu de soleil que les vitres crasseuses laissaient filtrer en ce long après-midi d'été tiède et languide. Puis Emily déclara : « Il faut que j'y aille », et Sophie répondit : « Merci d'être venue me voir, ça me fait très plaisir, sincèrement », sur quoi elles se serrèrent la main fugacement, et Emily disparut.

Sophie prit le train de dix-sept heures quarante à Euston, et il faisait encore jour quand elle arriva à l'appartement. Ian avait préparé des pâtes, qui étaient très bonnes, et il hocha la tête avec sympathie au récit de l'audience et de l'entrevue avec Emily. Mais quand il lui apparut clairement qu'il ne pourrait rien dire pour alléger la situation ni rien faire pour aider Sophie, il en conçut de la frustration et mit la conversation sur les chiffres de l'immigration qu'on commentait dans tous les journaux et aux actualités télévisées. « 330 000, c'est beaucoup trop, répétait-il. On est pleins à craquer. Le pays est plein à craquer. Il faut faire quelque chose tout de suite. Même toi, tu dois t'en rendre compte.

— J'ai lu quelque part que c'est plutôt faute de départs que par surcroît d'arrivées », répondit-elle. Mais elle était lasse du sujet et ne se donna pas la peine d'argumenter davantage.

33

La publication de ces derniers chiffres de l'immigration eut un effet galvanisant sur la campagne du référendum. Le débat se déplaçait. Il portait moins sur les prévisions économiques, la souveraineté et les avantages de faire partie de l'UE. À présent tout tournait autour de l'immigration et du contrôle des frontières. Le ton aussi avait changé, on y entendait plus d'amertume, d'implication personnelle, de rancœur. Une moitié du pays semblait être devenue farouchement hostile à l'autre. Il y avait de plus en plus de gens qui souhaitaient désormais, comme Benjamin, en finir avec toute cette affaire lassante, malsaine et clivante et l'oublier au plus vite.

Pendant ce temps, Lois avait mis sa maison d'York en vente et s'était installée à Birmingham. Le soir du 13 juin 2016, dix jours après son retour, elle avait invité Ian et Sophie à dîner. Elle avait préparé une lasagne, ils avaient bu pas mal de montepulciano, l'humeur était joyeuse, mais après le dîner ils la virent disparaître au moment du café et, quelques minutes plus tard, Sophie la trouva au salon où elle s'était isolée pour écouter Classic FM et finir la bouteille.

« Ça va, Maman ? »

Lois leva les yeux en souriant.

« Oui, tout va bien.

— Tu ne voulais pas rester bavarder avec nous ?

— Pas vraiment. »

Sophie s'assit auprès d'elle. Sur la table basse, devant le canapé, il y avait une pile de journaux et des paperasses. Quatre feuilles de format A 4 attirèrent son attention. Elle les prit et y jeta un coup d'œil.

« Qu'est-ce que c'est ?

— À ton avis ?

— On dirait des annonces de maisons à vendre en France.

— C'est bien ça.

— Tu envisages d'acheter en France ?

— Ton père l'envisage. »

Sophie examina les brochures de plus près. Les propriétés, dont le prix tournait autour de trois cent mille euros, semblaient offrir le cadre idyllique et les proportions généreuses qui auraient coûté le double en Angleterre.

« Et alors, tu n'es pas tentée ? Tu as toujours voulu une maison en France. Tu en parles depuis des années. Et puis Papa va prendre sa retraite d'ici un an ou deux. Ce serait peut-être une très bonne idée pour l'un comme pour l'autre. »

Lois hocha la tête. « Oui, peut-être. » Mais c'était dit sans enthousiasme excessif.

Sophie s'enquit avec une pointe d'anxiété : « Tu as bien l'intention de passer ta retraite avec Papa ?

— Je n'ai personne d'autre avec qui la passer, dit Lois en buvant son vin. Et une chose est sûre, j'ai pas envie de la passer dans cette saleté de ville. »

Sophie posa la main sur le bras de sa mère. Lois se tourna vers elle. Ses yeux brillaient de larmes.

« Quarante-trois ans que cette bombe a explosé. Quarante-deux ans, six mois et vingt-trois jours. Je l'entends encore toutes les nuits. La déflagration, c'est la dernière chose que j'entends avant de m'endormir. Enfin, les nuits où je m'endors. Je n'ose pas regarder les infos à la télé, de peur qu'un événement ne me la rappelle. Je peux même pas aller au cinéma ou regarder un DVD pour le cas où j'y trouverais quelque chose, n'importe quoi, du sang, de la violence, du bruit. Tout ce qui pourrait me rappeler ce que l'être humain est capable d'infliger à son semblable. La politique fait commettre des actes terribles. » Elle s'était rapprochée de Sophie pour la regarder, une urgence s'entendait dans sa voix. « Vous êtes en crise, Ian et toi, non ?

— Pas vraiment, répondit Sophie après une courte hésitation. On va s'en sortir. On va faire la part des choses.

— La politique peut démolir les gens. C'est bête, hein ? Mais c'est vrai. C'est ce qui est arrivé à mon Malcom. C'est ce qui l'a tué. La politique. »

Il y eut un bruit, une lame de parquet qui grinçait, et les deux femmes se retournèrent. C'était Ian sur le seuil de la porte avec son mug de café à la main.

« Tout va bien ?

— Entre, dit Lois en se levant pour lui faire de la place. Assieds-toi, et dis-moi comment tu trouves ces maisons. »

*

« Ah, salut Phil, dit Benjamin. Merci de me rappeler.

— Je ne te dérange pas ? Tu as une voix bizarre.

— Je suis en voiture, je vais à la gare.

— Ah bon, tu pars où ?

— Je vais chercher quelqu'un, mon ami Charlie.

— Ah, oui. » Philip n'avait pas encore fait la connaissance de ce revenant du passé de Benjamin. « Le comique pour enfants.

— Il vient passer un ou deux jours. Il m'a téléphoné ce matin. Son coup de fil m'a fait l'effet d'un appel au secours. J'ai l'impression qu'il ne va pas fort.

— Je te sers le topo sur le clown triste ?

— Pas franchement nécessaire, dit Benjamin avec un rire sans joie.

— Bon écoute, je ne veux pas te retarder. Tu voulais me parler de quoi ?

— Je voulais seulement ton avis sur un truc que je suis en train d'écrire.

— Un truc ?

— Je ne te l'ai pas dit ? J'écris un papier sur le référendum. » Il y eut un long silence au bout du fil. « Tu es toujours là ?

— Bah, oui, je suis toujours là, c'est juste que je suis... sidéré.

— Sidéré ? Pourquoi ?

— Toi, tu écris sur le référendum ? Ça veut dire que tu vas... prendre position sur quelque chose ? »

Benjamin ne semblait pas très fixé sur ce point. « Peut-être, c'est pour une tribune, tu sais. Ils demandent aux écrivains ce qu'ils vont voter.

— Tu n'as qu'à leur dire, alors. » Puis, mû par un soupçon subit : « Ta décision est prise, ça y est ?

— Je croyais, oui. J'étais quasiment sûr que j'allais voter *Remain.* »

Philip attendit avant de le presser : « Mais ?

— Bah c'est quand même compliqué, hein ? Il y a des tas d'arguments pour et contre.

— C'est vrai.

— J'ai fait des recherches en ligne. Il y a tellement de facteurs à prendre en compte. La souveraineté, l'immigration, les partenariats commerciaux, les accords de Maastricht, le Traité de Lisbonne, la PAC, la Cour européenne, la Commission, parce que c'est vrai, quoi, la Commission a beaucoup trop de pouvoir, non ? Il y a un véritable manque de démocratie dans les institutions européennes.

— J'ai l'impression que tu as toutes les cartes en main sur le sujet. Où est le problème ?

— Je n'ai pas du tout les cartes en main. Je me noie dans les informations et les opinions contradictoires. Ça fait trois jours que je lis sur la question. J'ai quarante-sept onglets ouverts sur mon ordinateur.

— Ils veulent une contribution de quelle longueur ? Un millier de mots, deux mille ?

— Non, cinquante mots seulement. Ils ont demandé à une douzaine d'écrivains, ils n'ont pas beaucoup d'espace.

— Mais bon Dieu, Benjamin, trois jours sur cinquante mots ? C'est dingue. Ils te paient ?

— Non, je ne crois pas, j'ai oublié de demander. »

Philip perdait patience. « Fais comme tout le monde, à la fin. Vote avec tes tripes. Tu veux quand même pas te retrouver dans le camp des Nigel Farage et Boris Johnson ?

— Non, non, bien sûr.

— Eh bien voilà.

— Oui, mais ça ne suffit pas, malgré tout. C'est ridicule, tout ça. C'est tellement complexe. Comment veut-on qu'on se décide ? » Réfléchir à l'absurdité de la chose le déconcentra et il grilla un feu rouge, déclenchant un concert de klaxons furieux. « Et merde ! Je suis presque arrivé à la gare. Je me sauve.

— C'est ça. Content de t'avoir aidé. »

*

Charlie avait une mine épouvantable. Depuis trente-six heures il ne s'était pas rasé, n'avait pas dormi, ne s'était pas lavé les cheveux ni les dents, et il buvait comme un trou. Il était plus de onze heures du soir lorsqu'ils arrivèrent au moulin. Il s'empara d'une bouteille de vin blanc à la cuisine, la déboucha sans demander l'avis de son ami et l'emporta sur la terrasse. Benjamin le suivit avec deux verres. S'il y avait une lune, ce soir-là, elle était cachée par des bancs de nuages épais, et il trouvait qu'il faisait trop froid pour boire dehors.

« Elle m'a encore lourdé, dit Charlie lorsqu'ils furent assis à table. Et elle dit que c'est définitif cette fois.

— Tu peux rester ici un moment. »

Visiblement, Charlie n'écoutait pas. « Il va falloir que je trouve un point de chute.

— Tu peux rester ici. Ce n'est pas la place qui manque.

— Comment veux-tu que je trouve ? Je gagne que cinquante livres par semaine en ce moment. Et ils veulent pas me verser d'indemnités tant que j'ai un revenu.

— Tu peux rester ici tant que tu veux.

— J'ai toujours voulu qu'on forme une famille, tu vois ? Je nous ai toujours vus comme une famille. Nous trois. C'était tout ce que je voulais. Mais elle voit pas les choses comme ça. Elle les a jamais vues comme ça. Elle est furieuse qu'on soit si proches, Neeqs et moi. Elle croit qu'on est ligués contre elle ou je sais pas... pire encore. Elle est parano, agressive, elle est terriblement malheureuse et, comme d'habitude, ça retombe sur moi.

— Elle pourrait peut-être se faire aider. Par un professionnel.

— C'est pas près d'arriver. Elle veut pas m'écouter. Elle veut même pas me laisser revenir à l'appartement.

— Elle ne peut pas t'empêcher de voir Aneeqa, ni de l'aider, si c'est ce que tu veux.

— Neeqs sera à la fac en moins de deux. À Glasgow, c'est là qu'elle s'est inscrite. À Glasgow, putain ! À des milliers de kilomètres !

— Alors c'est peut-être qu'elle n'a plus besoin de toi. Peut-être qu'il est temps de lâcher tout ça.

— Putain de... SALOPE ! ! » dit Charlie en s'emparant de son verre de vin. Il le serra si fort et d'une main si mal assurée que le verre se brisa. Il y avait du sang partout et Benjamin dut courir chercher la trousse à pharmacie. Il persuada Charlie qu'il était temps de se coucher, et quand il passa la tête par la porte de sa chambre, une demi-heure plus tard, il le trouva profondément endormi, affalé sur le lit tout habillé, lumières encore allumées.

Le lendemain matin de bonne heure, mercredi 15 juin, il se mit à pleuvoir dru. Il était déjà une heure de l'après-midi quand Charlie émergea. Benjamin lui fit à manger mais quand ce fut prêt il avait disparu. Il regarda partout. Son sac était encore dans sa chambre, mais lui demeurait introuvable. Une heure plus tard, il envoyait un SMS à Benjamin pour lui dire de ne pas s'inquiéter : il était sorti faire un tour et serait rentré pour dîner. La pluie tombait toujours, sans désemparer. Assis devant la fenêtre, Benjamin regardait par la vitre constellée de gouttes la rivière monter, ses eaux écumantes se précipiter furieusement dans le chenal artificiel du moulin comme une file de banlieusards à bout de nerfs qui tenteraient de se glisser à travers les portillons d'une station de métro bondée. Avec le martèlement de la pluie et le fracas de la rivière en musique de fond, il écrivait et réécrivait son papier pour le journal dans sa tête et s'inquiétait pour Charlie. En fin d'après-midi, il tâcha de se changer les idées en mitonnant un curry élaboré.

Lorsque Charlie revint, à six heures, il était évidemment trempé jusqu'aux os. Il monta prendre un long bain chaud et se changer. Au dîner, il était beaucoup plus calme que la veille, Benjamin commençait même à trouver qu'il était *trop* calme. Il avait manifestement sombré dans une dépression profonde et parlait très peu, ce qu'il disait tournant exclusivement autour de l'argent. « Je pensais que marcher m'aiderait à mettre mes idées au clair, mais tout se ramène à une question d'argent. Sans argent je ne peux pas m'en sortir. Et c'est comme ça depuis des années. Des années de merde. On arrête pas de me dire que ça va s'arranger, qu'il y a une lueur au bout du tunnel. Seulement il est long, ce putain de tunnel. Elle est où, cte putain de lumière ? Six ans que je bosse comme un forçat. Six ans dans les goûters. Ct'enfoiré de Duncan Field gagne trois fois plus que moi, quatre fois. Les gosses préfèrent toujours voir ses bombes fumigènes et ses explosions. Je me demande bien pourquoi je me décarcasse. » Après une longue pause, il regarda Benjamin d'un œil suppliant et demanda : « Je peux avoir un verre, mon pote ?

— Tu crois pas que tu as assez bu hier ?

— Oh, allez, rien qu'un tout petit ? »

Benjamin acquiesça. « Sers-toi. »

Charlie se versa un whisky.

Benjamin se retira de bonne heure. Charlie dit qu'il allait se coucher aussi, mais qu'il voulait d'abord téléphoner à Yasmine. Même au fond de sa salle de bains, Benjamin entendait la conversation s'envenimer ; c'était à celui des deux qui gueulerait le plus fort. La dispute se termina par un grand choc (Charlie reposait violemment l'appareil sur la table ?), puis il y eut le bruit d'une porte qui s'ouvrait et se refermait. Benjamin alla dans sa chambre, ouvrit la fenêtre et regarda au-dehors. Encore une nuit sans lune. Il pleuvait toujours à torrents. Il distingua la haute silhouette lourde et floue de Charlie qui arpentait la cour au-dessous de lui. Et puis, brusquement, délibérément, l'homme se percha sur le mur de la terrasse. Il se tenait là, sous la pluie battante, fixant les eaux écumeuses du courant puissant.

« Charlie ! hurla Benjamin. Qu'est-ce que tu fous ? Descends de là ! »

Charlie ne bougea pas. Indifférent à la pluie qui le trempait de la tête aux pieds, debout sur le mur, il étira les bras comme pour trouver son équilibre, ou alors pour sauter.

« Charlie ! »

Vingt, trente secondes s'écoulèrent.

« Charlie, descends ! »

Lentement, comme s'il entendait la voix de Benjamin pour la première fois, il tourna la tête. Il leva les yeux vers son ami. Son visage était pâle et hagard. Des larmes ruisselaient sur ses joues.

Ils se dévisagèrent ainsi une minute ou davantage, Benjamin suppliant, Charlie le regard fixe et aveugle, tel un somnambule dans son rêve. Puis, prudemment, il se retourna, se pencha en avant et atterrit d'un bond sur la terrasse. Il y resta, accroupi tête dans les mains, jusqu'à ce que Benjamin descende en faisant résonner l'escalier métallique, lui passe un bras autour de l'épaule et l'aide à rentrer.

*

Le lendemain matin à neuf heures, Charlie était levé et habillé. Benjamin faisait des œufs au plat à la cuisine quand il apparut dans l'encadrement de la porte, manteau sur le dos et sac de voyage à la main.

« Il est temps que je te fiche la paix, dit-il.

— Et tu iras où ?

398

— Je pense que je vais me poser chez ma mère quelque temps. »

Benjamin acquiesça.

« Prends un petit déjeuner et je te conduis à la gare.

— Non ça va, je vais aller au village à pied et je prendrai le premier bus. Il ne pleut plus, c'est déjà ça.

— C'est vrai. »

Ils s'étreignirent.

« Merci pour tout, mon pote. »

Après son départ, Benjamin alluma la télévision. Elle était sur BBC News. Il la laissa en fond sonore toute la matinée. La chaîne donna un reportage sur Nigel Farage, qui dévoilait la nouvelle affiche de campagne pour le *Leave*. On y voyait une longue queue sinueuse de jeunes gens, majoritairement des hommes, majoritairement foncés de peau. Tout les désignait comme des migrants. Barrant l'image en majuscules rouges, la formule : « LE POINT DE RUPTURE ». Et en plus petits caractères : « L'UE nous a abandonnés », puis : « Nous devons nous libérer de l'UE et reprendre le contrôle de nos frontières. »

La xénophobie crue et assumée de l'image fit littéralement frémir Benjamin. C'était ce qu'il avait vu de plus abject dans cette abjecte campagne. Décidant de ne plus perdre de temps sur sa déclaration publique, il oublia toutes les formulations nuancées et équitables qu'il tentait de trouver ces derniers jours et tapa illico un message de cinquante mots bien sentis qu'il envoya par mail au journal.

Le téléphone sonna, c'était son père. Malgré ses difficultés d'élocution depuis sa mini-attaque, il était impossible d'ignorer la note d'enjouement inhabituelle dans sa voix.

« Devine d'où je viens.

— Comment ça, d'où tu viens ? Tu n'es pas sorti de chez toi tout de même ?

— Si.

— Pour quoi faire ?

— J'ai voté. J'ai pris le formulaire que tu m'avais donné, je l'ai complété, et je l'ai posté. »

Benjamin fut horrifié. « Mais Papa, tu n'aurais jamais dû aller à pied tout seul jusqu'à la boîte aux lettres. Lois ou moi, on s'en serait chargés. Les médecins ont dit qu'il ne fallait pas que tu forces.

— Mais c'était il y a des semaines.

— Qu'est-ce que tu as voté ? demanda Benjamin qui était déjà à peu près fixé sur la réponse.

— J'ai voté *Leave*, évidemment. » Puis, sur un ton de défi : « Tu en étais sûr, non ?

— Et Sophie, alors ?

— Quoi Sophie ?

— Tu sais bien qu'elle voulait que tu votes l'inverse. C'est son avenir, tu vois. C'est elle qui devra vivre avec le plus longtemps.

— C'est une fille bien mais elle est naïve. Je lui rends service. Elle me remerciera un jour.

— Enfin, passons… comment est-ce que tu te sens, après cette marche ?

— Un peu fatigué. Je pense que je vais m'asseoir un moment.

— D'accord. Lois vient sur le coup de quatre heures, c'est bien ça ?

— Parfait, je vais faire la sieste, et puis on prendra le thé.

— Ok, au revoir, Papa.

— Au revoir, mon fils. »

Démoralisé par cet échange, Benjamin revint à la télévision. Farage posait devant l'affiche, rayonnant, sourire aux lèvres, plaisantant avec les diverses équipes de cameramen. En fond d'écran défilaient les tweets du matin.

L'un d'entre eux venait de l'écrivain Richard Harris, et disait :

Quel référendum nauséabond. C'est l'événement politique le plus déprimant, le plus clivant, le plus piégeux que j'aie connu. Puisse-t-il ne jamais y en avoir d'autre.

Amen, pensa Benjamin.

*

En début d'après-midi – qui était celui du 16 juin 2016 –, Lois écrivait la liste des courses dans sa cuisine. Elle se proposait de passer au Marks & Spencer de Longbridge en allant chez son père. Le poste était branché sur Radio 2 mais elle y prêtait une oreille distraite. Il diffusait une musique d'ascenseur et elle avait renoncé à écouter les infos car elle en avait par-dessus la tête du référendum, comme tout le monde apparemment.

Peu après deux heures, pourtant, l'irruption d'une nouvelle donna un coup d'arrêt à son après-midi. Une députée venait d'être agressée dans sa circonscription. L'attentat avait eu lieu dans la rue, alors qu'elle se rendait à la bibliothèque où elle devait assurer une permanence.

Lois n'avait jamais entendu parler de cette députée. Elle s'appelait Jo Cox. Elle représentait la circonscription de Batley et Spenborough dans le Yorkshire. C'était une jeune femme. L'agression paraissait sauvage. Coups de couteau et coups de feu. En se jetant sur elle, l'agresseur aurait crié des propos échevelés et incohérents qui deviendraient sous la plume des journalistes : « L'Angleterre d'abord, c'est pour l'Angleterre. » Un passant qui s'était précipité au secours de la députée avait reçu un coup de couteau à son tour.

L'agresseur était parti d'un pas tranquille mais quelques minutes plus tard, il s'était rendu à la police. Quant à Jo Cox, elle avait été transportée d'urgence à l'hôpital dans un état critique.

À cette nouvelle, Lois fut prise d'une nausée, d'un vertige et d'une immense fatigue. Elle éteignit le poste et alla s'allonger sur le canapé du séjour. Au bout de quelques minutes, elle éprouva une soif féroce et un début de migraine. Elle retourna à la cuisine, but un verre d'eau fraîche, puis avala deux analgésiques et ralluma la radio. On n'en apprit pas davantage sur la députée blessée, sinon que la police donnerait une conférence de presse peu après cinq heures.

Tremblant de tous ses membres, Lois plaça son ordinateur portable sur la table de la cuisine, l'alluma et googla Jo Cox. Mariée, mère de famille, deux enfants. Quarante et un ans, quarante-deux dans une semaine. Députée populaire, élue pour la première fois un peu plus d'un an auparavant, venue grossir le groupe travailliste. Fondatrice du groupe parlementaire Les Amis de la Syrie. Partisane du oui à l'Europe. Travaillait à un rapport intitulé « Géographie de la haine antimusulmans ».

Lois savait qu'il ne fallait surtout pas qu'elle imagine les détails de l'agression mais c'était plus fort qu'elle. Un jour ordinaire – s'il en existait encore dans ces temps extraordinaires –, une activité de routine, se rendre à la bibliothèque par une rue familière, en compagnie de son directeur de cabinet et de son travailleur social. Et puis les coups de couteau, les coups de feu, la panique. Le quotidien subitement annulé, vidé de son sens par cette violence imprévisible, meurtrière. *Cette nuit de novembre 1974...* Lois se leva vite, trop vite, puis ferma les yeux et chuta, à demi évanouie... Petit à petit la pièce redevint nette dans sa vision. Elle s'appuya à la table de cuisine. À en juger par la description de l'agression, il paraissait difficile que la victime en réchappe, mais en même temps il était invraisemblable de se faire tuer dans des circonstances pareilles. Une députée, qui commençait sa journée un jeudi comme tous les autres à l'heure du déjeuner – invraisemblable. Lois s'accrochait à cet espoir, pleinement consciente qu'il était irrationnel, pour meubler les minutes interminables avant les déclarations de la police.

Elle alluma la télévision à cinq heures. La conférence de presse débuta deux minutes plus tard. Une policière entre deux âges, le cheveu roux et rare sévèrement rabattu sur le front, tâchait de couvrir de son timbre grave et monocorde le crépitement des flashes.

« Juste avant treize heures, Jo Cox, députée de la circonscription de Batley et Spenborough, a été agressée sur Market Street à Birstall. J'ai maintenant la grande tristesse de vous annoncer... »

Lois étouffa un cri et serra les paupières.

« Qu'elle a succombé à ses blessures. »

« Non, non, non, non, NON ! » gémit-elle en se jetant sur le canapé, le corps secoué de sanglots. « Non ! », répétait-elle sans cesse. « Non, non, NON ! » Puis elle se leva et engueula l'écran : « Bandes d'abrutis ! » Elle alla à la fenêtre en deux enjambées, considéra la rue tranquille et cria plus fort que jamais : « Bande d'abrutis, vous laissez faire ! » Elle s'approcha de la table basse, s'empara d'un journal et le roula en une boule qu'elle lança contre la télévision ; elle passa les quelques minutes suivantes à donner des coups de pied dans les meubles, jeter les coussins en l'air, cogner dans les murs à coups de poing. Elle cassa un vase, inondant le tapis. Combien de temps dura la crise, elle n'aurait su le dire. Elle finit par perdre connaissance.

Il était six heures moins dix quand elle entreprit de faire le ménage. C'était une activité singulièrement calmante, et elle avait presque fini lorsque Christopher rentra.

« Qu'est-ce qui s'est passé ? » demanda-t-il en découvrant l'état de la maison et celui de sa femme. Il la serra fort dans ses bras et elle se remit à trembler en lui demandant : « Tu n'es pas au courant ?

— Pour la députée ? Si, je suis au courant. »

Il l'embrassa sur le crâne, inhalant le parfum de sa chevelure. Il savourait le rare plaisir de la sentir s'accrocher à lui. « C'est triste, hein ? Je sais ce que tu éprouves. Je sais ce que ça fait remonter. »

Ils restèrent embrassés quelques instants, jusqu'à ce que Lois ait à peu près retrouvé son calme. Elle s'assit à la table de la cuisine, lui restant debout au-dessus d'elle, lui caressant les cheveux.

« Comment allait ton père ? demanda-t-il enfin. Je ne m'attendais pas à ce que tu rentres aussi tôt.

— Papa ? Oooh merde, je l'ai complètement oublié.

— Ah bon ? Et il n'a pas téléphoné ?

— Non. Il vaut mieux que j'y aille tout de suite.

— Je viens avec toi, je ne veux pas que tu prennes le volant dans l'état où tu es.

— Je comptais acheter à manger en route.

— Allons chez lui d'abord, je pourrai toujours faire un saut dans une boutique une fois là-bas. »

Lois alla chercher son manteau dans la penderie et dit distraitement : « Comment j'ai pu l'oublier... » Elle jeta un dernier coup d'œil au poste de télévision avant de l'éteindre. « Pauvre femme... pauvres enfants...

— Tu penses qu'on devrait l'appeler ?

— Hein ? » Elle se retourna vers Christopher et mit un moment à saisir la question.

« Non, je l'appellerai de la voiture. »

Mais il n'y eut pas de réponse. Et lorsqu'ils arrivèrent à Rednal, Lois mit le nez aux carreaux du séjour pour découvrir que Colin n'était pas dans son fauteuil habituel. Elle tourna la clef dans la serrure et le trouva, étendu de tout son long dans l'entrée, face contre terre, tout à fait inerte et – elle le comprit aussitôt – tout à fait mort.

Sa course jusqu'à la poste l'avait achevé. Il était allongé là, elle l'apprit par la suite, depuis une heure de l'après-midi. La mort était survenue plusieurs heures plus tard. Ce qui voulait dire qu'elle aurait sans doute pu le sauver si elle n'avait pas oublié sa visite.

TROISIÈME PARTIE

LA VIEILLE ANGLETERRE

Ce qui me surprend régulièrement quand
je me déplace dans la circonscription, c'est
que nous avons bien davantage de traits
d'union et de points communs que de divergences.

JO COX,
discours inaugural au Parlement
britannique, le 3 juin 2015

34

Septembre 2017

Là, tout en haut de Beacon Hill, quand l'automne arrivait, il ne s'annonçait pas par des changements de couleur. Les bois entourant le sommet de la colline, chauve comme une tonsure de moine, étaient composés de sapins, de pins et autres conifères. Il fallait avancer jusqu'au sentier longeant la corniche et contempler les greens et les fairways du golf municipal en contrebas pour apercevoir la cime des sycomores, des érables et des chênes à présent patinés de cuivre et d'or, qui marquaient la fin de l'été et le lent passage des saisons. Là, en ce vendredi de septembre tranquille et quasi silencieux, sous un ciel bleu sans nuages, Benjamin et Lois se tenaient solennellement côte à côte et se préparaient à rendre un dernier hommage à leurs père et mère.

Colin avait laissé des instructions très précises sur ce qu'il fallait faire de ses cendres. Comme il avait conservé celles de sa femme dans une urne sur la cheminée pendant plus de six ans, il avait stipulé dans ses dernières volontés qu'on les mêle aux siennes et qu'on les disperse ainsi tout en haut de Beacon Hill, point culminant des Lickey, à quelque deux kilomètres de la maison de Rednal où ils avaient passé toute leur vie commune. Il avait également demandé que la dispersion ait lieu un 15 septembre, date anniversaire de leur mariage. Mais il n'avait pas précisé l'année. Et la malchance avait voulu que le 15 septembre 2016, Benjamin soit terré dans un trou perdu en Écosse, où il passait une semaine éprouvante en compagnie d'une douzaine d'apprentis poètes et romanciers qui s'étaient départis d'une somme coquette pour s'imprégner de sa science d'écrivain. Heureusement, en 2017, ce jour-là, ainsi que les trente précédents et suivants, était resté vierge dans son agenda. Quant à Lois, qui avait fini par accepter un nouvel emploi de bibliothécaire dans une des facultés d'Oxford et faisait donc la navette tous les jours entre les deux villes, elle estimait que la circonstance justifiait un après-midi de congé.

Et c'est ainsi qu'ils se tenaient, frère et sœur, sur une colline peuplée de souvenirs, et contemplaient un panorama qui n'avait guère changé en quarante et un ans, depuis l'époque où Benjamin entraînait Lois dans de longues promenades afin de la faire sortir des quatre murs de sa chambre d'hôpital. Il l'abreuvait de petites histoires sur ce qui se passait à l'école et tentait de la faire réagir en douceur, de l'aider à oublier, ne serait-ce que quelques heures, l'horreur de l'attentat du pub. Certes, les trois tours d'aluminium blanc du nouvel hôpital Queen Elizabeth dominaient aujourd'hui l'horizon lointain, ce qui n'était pas le cas en 1976, et, détail plus spectaculaire, il n'y avait plus d'usine à Longbridge ; elle avait été remplacée ici et là par des maisons, des boutiques, des bâtiments universitaires, et carrément rayée de la carte ailleurs, laissant de grosses cicatrices affreuses sur le paysage. Mais à cela près, le panorama était le même, qui s'étendait vers Waseley Country Park et Frankley Beeches, vers les Clent Hills et Hagley et, au-delà, vers le Pays noir. Sa permanence était réconfortante, signe d'immobilité et de continuité dans un monde qui leur semblait changer trop vite pour qu'ils le comprennent. Ils avaient beau se sentir jeunes de cœur, un passant aurait vu en eux des personnes âgées, Benjamin avec sa chevelure argentée, Lois avec ses mèches grises et sa silhouette qui commençait à se voûter. Elle venait d'avoir soixante ans quelques mois plus tôt.

Benjamin tira une enceinte portable de la poche de son manteau, la plaça sur un banc de bois et inséra son iPod Classic dans le dock. Il avait déjà cherché dans la liste le morceau qu'il avait choisi dans la perspective de cet instant et il ne lui restait plus qu'à appuyer sur *play*. Il avait mis le volume fort, il lui était bien égal qu'on l'entende ou qu'un témoin assiste à la cérémonie. Presque aussitôt, les accords tendres et modaux s'élevèrent, anglais dans la fibre. Benjamin ferma les yeux et se perdit quelques secondes dans la musique, musique qu'il avait entendue des milliers de fois sans jamais pouvoir s'en lasser, musique qui lui parlait de la manière la plus subtile et la plus persuasive de ses racines, de sa conscience de lui-même, de son attachement profond à ce paysage et à ce pays. Il se retourna vers sa sœur, dans l'espoir d'être en phase avec elle, d'un signe qu'elle éprouvait la même chose, mais elle avait des préoccupations plus pratiques.

« J'arrive pas à ouvrir ce fichu couvercle.

— Ça ne m'étonne pas. Il n'a jamais dû être ouvert depuis qu'ils l'ont mise là-dedans. Donne, je vais essayer. »

Au prix d'un effort certain, il réussit à ouvrir les deux urnes. Lois tenait celle de Sheila et Benjamin celle de Colin – à moins que ce ne fût l'inverse : comme elles venaient toutes deux de la même entreprise de pompes funèbres, il n'en était pas sûr à cent pour cent. Au fond, ça n'avait guère d'importance.

« On y va ? demanda Benjamin qui tenait les cendres de son père prêtes devant lui.

— On n'a rien apporté à lire.

— Pourquoi ? Tu veux passer le reste de l'après-midi ici ?

— Mais non, à lire maintenant ! Un poème, je ne sais pas...

— Ah. Eh bien, tu n'as qu'à penser à quelque chose que tu as envie de te dire à toi-même. Essaie d'improviser.

— D'accord », répondit Lois sans conviction.

Benjamin remit le début du morceau. Les accords s'élancèrent de nouveau et le violon entreprit sa lente ascension vers le ciel.

« Alors voilà, dit Lois. Au revoir, Maman. Tu as été une mère merveilleuse pour nous tous. Tu nous as donné tout ce que nous pouvions vouloir. »

D'un geste ample et puissant, elle projeta l'urne en avant et répandit son contenu dans les airs. Après avoir énoncé un bref « Au revoir, Papa », Benjamin fit de même et c'est alors qu'il se produisit un miracle de synchronie parfaite, rarement au rendez-vous dans la vie de la famille Trotter. Une bouffée de vent s'empara des cendres et les emporta vers le ciel où, sous les yeux de Lois et Benjamin, elles dansèrent, virevoltèrent et se mêlèrent en une spirale floue puis furent cueillies par la bouffée suivante, séparées, disséminées dans toutes les directions, avant de se poser sur les ajoncs, la bruyère, l'herbe haute, le sentier, ou bien de disparaître à leur vue pour rentrer chez elles, comme mues par un instinct animal, dans la direction de cette maison où Sheila avait été si heureuse, ou dans celle de l'usine évanouie où Colin avait passé tant d'heures productives. Et la musique suivait sa voie, calme et résolue, le violon montait,

montait telles ces cendres jusqu'à n'être plus qu'un point dans le ciel bleu, trop minuscule et trop éloigné pour que le voient encore les deux silhouettes devant le banc.

Enfin, frère et sœur s'assirent pour écouter les dernières minutes du morceau, peu désireux de parler tout d'abord. Puis Lois dit, en se tamponnant les yeux avec un mouchoir en papier : « C'est beau. Comment ça s'appelle ?

— "L'essor de l'alouette".

— Tu es fort, toi, de t'être rappelé leur morceau de musique préféré », dit Lois, la voix tremblante et des larmes plein les yeux.

Benjamin sourit : « Pas le leur, le mien. L'un des miens. Tu te rappelles avoir entendu un de nos parents dire qu'il aimait tel ou tel morceau ? »

Lois y réfléchit et fit non de la tête. « Tu as raison, ni lire un livre, ni aller à une expo. » Puis, tout à coup, un souvenir lui revenant : « Papa aimait bien "Birdie Song", malgré tout.

— Oui, c'est un fait. »

Ils s'esclaffèrent et, entre deux rires, Lois articula : « Oh mon Dieu, tu te rappelles qu'il le mettait pour Noël, et qu'il paradait dans le séjour en battant des bras pour faire la poule ?

— Comment l'oublier ? » dit Benjamin. Il était en deuxième année à Oxford à l'époque, et assister à ce numéro improvisé, fût-ce dans l'intimité du cercle familial, était resté l'un des moments les plus mortifiants de sa vie.

« Bon, je suis contente que tu n'aies pas choisi de le passer cet après-midi. Ç'aurait été... déplacé.

— Quoique... suggéra Benjamin en écoutant le violon tournoyer et virevolter pour imiter subtilement les ellipses de l'alouette, à mieux y réfléchir, c'est bien un "Birdie Song", ce qu'on écoute ici. Mais en version beaux quartiers. »

Ils se turent et Benjamin laissa ses pensées vagabonder sur le cours de la mélodie. Il pensait à Vaughan Williams, qui concevait la musique comme l'« âme d'une nation ». Il avait exhumé quantité de vieux airs folkloriques anglais, œuvré à arracher toute une tradition à l'oubli, et pourtant, il n'y avait nulle contradiction, pas même de tension entre ce profond patriotisme culturel et ses autres convictions politiques libérales et progressistes. Benjamin songeait que son pays, son pays clivé par la crise, avait aujourd'hui grand besoin de figures comme Vaughan.

Les pensées de Lois suivaient un cours tout autre.

« Ils ont fait un bon couple, hein ? On peut au moins le leur accorder.

— Hmm ?

— Papa et Maman.

— Ah oui, je le crois. Je ne dirais pas que c'était… la passion, mais ça n'était sans doute pas dans leur tempérament.

— Meilleur que le mien, quoi qu'il en soit. »

Benjamin lui jeta un coup d'œil aigu. C'était la première fois qu'il l'entendait dire quelque chose de ce genre. La déclaration lui fit un choc.

« Je me sens si coupable envers Chris, je le plains tellement. Il est resté attaché à moi depuis le début. Il sait très bien qu'il n'est pas l'homme de ma vie. Que je ne me suis jamais consolée de la mort de Malcom. Personne ne pouvait prendre sa place. Je n'aurais pas dû faire semblant… Il a eu une vie de merde à cause de moi. »

Benjamin essaya de formuler une réponse. Les mots ne lui venaient pas. Lois se tourna vers lui et poursuivit :

« On a toujours cru que c'était toi qui faisais une fixation sur ton obsession amoureuse. Que tu en étais resté aux années soixante-dix. Mais c'était moi, en fait, depuis toujours. Toi, tu as tourné la page. » Convulsée par un san-

414

glot soudain, elle se pencha en avant et se recroquevilla.
« Il faut que je tourne la page, Ben. Il le faut. »

Il lui posa une main sur le dos et le frotta mollement.

« Mais... tu as un nouveau boulot, non ?

— Je ne veux pas passer le restant de mes jours à me
terrer dans une bibliothèque. J'en ai marre.

— D'accord, mais c'est un début.

— Un début ? J'ai soixante ans ! Passé l'âge des débuts... »

Elle regardait devant elle. Cherchant peut-être des yeux,
songeait Benjamin, la découpe lointaine de l'hôpital de
Rubery Hill où elle avait été jadis internée. Il avait été
démoli dans les années quatre-vingt-dix.

« Ça va tout de même mieux, reprit-elle. Depuis un an
seulement, à peu près. Je crois qu'avec l'affaire Jo Cox, j'ai
refait surface, d'une certaine manière. J'ai réalisé que je
ne pouvais pas continuer à réagir comme ça. Ce qui s'est
passé à Londres, ce matin... Je l'ai appris par la radio. Je
l'ai accepté. Ça ne m'a pas secouée. »

Benjamin s'était posé la question. Une bombe avait
explosé dans le métro, à la station Parson's Green le matin
même, faisant plus de vingt blessés hospitalisés essentiellement pour des brûlures. C'était le genre d'incident qui
bouleversait gravement Lois d'ordinaire.

« Ce qui est arrivé à Malcom – et à moi – remonte à plus
de quarante ans. Je ne veux plus... en être prisonnière.

— Tant mieux, dit Benjamin. Bravo.

— Et puis ce n'est pas juste pour Chris. Il faut que je me
sépare de lui, aussi. »

Benjamin en prit note et hocha gravement la tête. Ça
faisait beaucoup à la fois.

« Tu me parais décidée, en tout cas.

— Je le suis. Ce ne sera pas facile, et ça prendra du
temps. Je n'y arriverai pas toute seule. J'ai besoin d'aide. »

Leurs regards se croisèrent. En cet instant, ils avaient seize et dix-neuf ans, et ils se trouvaient sur cette même colline, main dans la main, un jour d'automne comme celui-ci, un jour qui semblait remonter à un passé infiniment lointain et qui cependant, pour l'un comme pour l'autre, était éternellement présent.

« De ton aide », compléta Lois.

35

De : Emily Shamma
Envoyé : Lundi 2 octobre 2017, 11 : 33
À : Sophie Coleman-Potter
Objet : La semaine prochaine

Chère Sophie,
Je suis ravie que vous ayez repris vos cours, et j'ai sincèrement
hâte de travailler avec vous ce trimestre. Ce message pour vous
dire que mon opération si longtemps différée est prévue pour ce
jeudi (5 octobre). Comme ils vont sans doute me garder au moins
une semaine en convalescence, je risque de manquer le premier
séminaire sur le Modernisme américain, le 11.
Toutes mes excuses.
Et puis, en ce qui concerne la date de notre tête-à-tête, je souhaite
ici exprimer une préférence absolument catégorique et définitive
pour le 24 octobre.
Bien à vous,
Emily

*

Six jours plus tard, le 8 octobre, Sophie agissait sur l'inspiration du moment. Les dimanches étaient restés les jours

les plus bizarres pour elle, ceux où elle était à deux doigts d'éprouver le manque de Ian et l'envie de lui faire signe. Comble de l'ironie, à vrai dire, dans la mesure où elle lui en voulait justement de lui avoir fait passer ces dimanches matin toute seule à la maison pendant qu'il jouait au golf puis déjeunait avec sa mère. Mais il est vrai que même ces jours-là, elle avait toujours la perspective de son retour en fin d'après-midi et du dîner qu'ils partageraient le soir. Ici, à Hammersmith, elle n'avait rien pour couper sa journée, et les dimanches lui semblaient traîner en longueur, vides et informes. D'habitude, elle avait hâte de quitter la minuscule maison qu'elle partageait – à prix d'or – avec trois colocs. Sa chambre, où tenaient tout juste un lit à une place, un bureau et une commode sans le moindre espace de circulation, ne recevait le soleil que vers deux heures de l'après-midi, si bien qu'elle sortait le matin se promener le long du fleuve quand il faisait beau, ou bien s'attabler dans un Starbucks ou un Pret dans le cas contraire. Les salles de lecture de la British Library étant fermées, elle ne pouvait s'y réfugier. Elle avait bien essayé une ou deux fois d'aller à l'université, mais le dimanche, le département des sciences humaines offrait un aspect désolé, silencieux et désert. Il lui arrivait de voir Sohan et Mike, mais ils étaient souvent occupés, et elle prenait conscience que, tout en adorant Londres, elle y avait peu d'amis. Ses colocs étaient plutôt sympathiques, mais elle n'avait pas grand-chose en commun avec eux, et puis ils avaient une dizaine d'années de moins qu'elle. À trente-quatre ans, elle avait passé l'âge de vivre en colocation, or c'était la seule solution pour habiter Londres avec un salaire de maître de conf.

Ce dimanche-là, à la pensée qu'Emily Shamma se relevait d'une intervention sérieuse dans un hôpital situé à quelques centaines de mètres de chez elle, elle avait le cœur lourd. Il était probable qu'elle ne manquerait pas de visites, mais elle s'était mis en tête d'aller la voir personnellement. Elle gardait un doux souvenir de leur dernière conversation dans son bureau, plus d'un an auparavant, et elle ne l'avait pas revue depuis. (Emily l'avait dit en passant ce jour-là, le processus de transition était pénible et elle avait décidé de se mettre en congé d'études pour un an.) C'est ainsi qu'à deux heures de l'après-midi, elle arriva à l'hôpital de Charing Cross nantie d'une boîte de chocolats belges. Elle se dirigea vers l'accueil, en se faisant la remarque que les rez-de-chaussée des hôpitaux britanniques ressemblaient de plus en plus à des galeries marchandes, et fut promptement orientée vers le service où Emily se trouvait.

Elle la trouva assise dans son lit, les yeux fermés. La jeune fille était plus pâle que jamais, sa chevelure un peu rousse aplatie contre l'oreiller, emmêlée et moite. Elle respirait fort. Sophie, la croyant profondément endormie, se préparait à repartir sur la pointe des pieds en laissant les chocolats sur la table de chevet lorsque Emily ouvrit les yeux. Surprise, elle ne parut pas la reconnaître tout d'abord. Puis elle eut un sourire las et tâcha de se redresser tant bien que mal avec une grimace de douleur.

« Bonjour, dit-elle, quelle bonne surprise ! »

Sophie posa les chocolats sur la table et annonça : « Je vous ai apporté ça », comme si c'était le but premier de sa visite. « Tout s'est bien passé ? Comment vous sentez-vous ?

— Je suis dans un sale état. Mais merci de vous en inquiéter. » Elle vit que Sophie hésitait à prendre une chaise. « Asseyez-vous, je vous en prie.

— Je vous ai réveillée ?

— Non, je ne dors pas vraiment, pas beaucoup en tout cas. » Son sourire devenait plus assuré, plus vaillant. « Ça

419

me fait très plaisir de vous voir. J'espère que vous n'êtes pas venue me donner un devoir, ou du travail. »

Sophie se mit à rire. « Surtout pas. Mais ça m'ennuyait d'arriver à l'improviste. Je me disais que vous aviez peut-être des foules de visites.

— Ma mère est venue de Cardiff. Elle ne devrait pas tarder. Mais les médecins m'ont déconseillé de voir trop de monde. Ils disent que j'ai surtout besoin de repos.

— Je ne vais pas rester longtemps.

— Ça me fait plaisir de vous voir », répéta Emily.

Sophie tendit la main pour presser la sienne. Elle était très froide. C'était l'instant de proximité, de solidarité qu'elle voulait partager avec Emily depuis qu'elle était venue dans son bureau s'excuser et lui offrir son soutien. Elle garda sa main quelques secondes et songea pour la première fois qu'elle ne savait pas grand-chose de cette étudiante attachante et énigmatique qui avait involontairement fait dérailler sa carrière.

« C'est de là que vous êtes alors, de Cardiff ? »

Emily acquiesça. « C'est mon nom qui vous intrigue, sûrement ? C'est un nom arabe. Mon père est arrivé d'Irak dans les années quatre-vingt pour faire des études d'architecture. Il a rencontré ma mère à la fac de Cardiff, et voilà. Ils se sont mariés et il est resté. En fait je m'appelle Al Shamma'a. » Elle accentuait la dernière syllabe en la prolongeant. « Tout le monde écorche mon nom, je ne prends même plus la peine de rectifier.

— Et donc vous êtes… ?

— Moitié arabe, moitié galloise. Mon prénom était Emlyn, au départ. Emlyn Al Shamma'a. On en a plein la bouche. »

L'effort de parler semblait la fatiguer. Elle tendit la main vers un verre et Sophie le remplit avant de le lui passer. Elle n'en but qu'une toute petite gorgée et le lui rendit.

« Je n'ose pas boire trop. J'ai peur d'avoir envie de faire pipi.

— C'est douloureux, j'imagine ?

— Il n'y a pas que ça. Je m'en fiche partout. Je veux dire... comment on dirige le jet ? »

Sophie ne s'attendait pas à être entraînée sur ce terrain aussi vite. « Question d'habitude, je suppose. On s'y fait sans doute.» Puis elle risqua : « Vous avez d'autres...

— Questions paravaginales ? Non, là tout de suite, non.»

Sophie la vit grimacer de nouveau. « Vous devez être à vif.

— C'est parce que j'ai deux dilatateurs, pour empêcher que ça se referme.

— Ououh...

— Je dois les garder vingt minutes, cinq fois par jour.

— Ooh, ma pauvre. Ça doit faire l'effet de...

— Et si nous lâchions le sujet de mon nouvel appareil génital, qu'en dites-vous ?

— Bonne idée.

— J'ai vu une partie de votre émission de télévision. C'était super. Vous êtes très bonne devant la caméra.

— Merci.

— J'espère que ça a fait plaisir à la fac. C'est une façon de redorer son blason, il me semble.

— C'est drôle que vous disiez ça. On vous a expliqué pourquoi Coriandre avait été déboutée ?

— Non.

— À moi non plus. J'ai seulement reçu un message m'informant que le jury avait statué en ma faveur et que tous mes cours étaient par conséquent remis au programme. C'était moins d'une semaine après que je leur ai dit que j'allais présenter une série d'émissions à la télévision. Coïncidence, peut-être...

— Waouh… Les gens sont sans vergogne.

— Vous avez l'air épuisée. Il est peut-être temps que je m'en aille.

— Je me sens lessivée, c'est vrai. On a l'impression qu'on ne va jamais remarcher, manger, faire quoi que ce soit normalement. Mais c'est agréable d'avoir de la compagnie. Les hôpitaux sont de tels lieux de solitude. Vous êtes la première personne à qui je parle aujourd'hui, mise à part l'infirmière passée changer mon goutte-à-goutte.

— Vous aussi, vous êtes la première personne à qui je parle. »

La phrase allait au-delà du simple constat. Elle avait davantage l'accent d'une confidence – et Emily, malgré son état de fatigue, était assez intuitive pour s'en rendre compte.

« Ah ? J'ai toujours supposé… » Elle avait peur de dépasser les bornes. « … Je ne sais pas… que vous aviez une famille, quoi. Un mari, des enfants. Que vous aviez tout ça pour vous soutenir.

— J'ai bien un mari mais il ne vit pas avec moi en ce moment. Nous nous sommes provisoirement séparés pour prendre du recul.

— Oh, je suis désolée. C'est arrivé quand ?

— Ça doit faire dans les neuf mois. Je dis "pour prendre du recul" mais, pour tout dire, je crois que ce provisoire est en train de s'installer dans la permanence.

— Vous avez essayé de vous faire aider par un conseiller conjugal ?

— Oh mais oui. Une conseillère qui gère un problème spécifique. Les conséquences du Brexit. »

Emily eut un petit rire incrédule, et aussitôt elle porta la main à son entrejambe en grimaçant de douleur.

« Merde, dit-elle quand le spasme fut passé. Ça m'a fait

trop mal. Rappelez-moi qu'il ne faut plus que je rie. Il n'y a pas de quoi rire d'ailleurs. Mais, sérieusement, c'est un motif ?

— Et comment.

— C'est pour ça que vous vous êtes séparés, votre mari et vous ?

— Plus ou moins. C'est fou, non ? »

Elle était prête à en dire davantage mais Mme Shamma faisait son entrée. Sa chevelure et sa carnation rappelaient celles de sa fille : même rousseur, même pâleur. Sophie se demanda pourquoi le père d'Emily ne l'accompagnait pas ; la situation le mettait-elle mal à l'aise ? Le désaveu de ses parents pouvait-il avoir contribué au stress d'Emily l'année précédente ? Sa mère était d'humeur pétillante, volubile, pleine de sollicitude. Sophie se présenta et s'attarda les deux ou trois minutes de courtoisie, puis elle prit congé. Enhardie par sa conversation avec Emily, elle l'embrassa sur la joue avant de partir et lui murmura :

« Vous ne vous en rendez peut-être pas compte pour le moment, mais vous allez être magnifique. »

*

Ensuite, en proie à toutes sortes de réflexions, elle flâna le long du fleuve et se dirigea vers l'est, du côté de Fulham. La Tamise était haute, ses eaux d'un gris-brun claquaient, gonflées, contre les quais. Des mouettes tournoyaient en criant. Le trafic fluvial était poussif. Elle ne savait pas vraiment où ses pas la portaient, ni ce qu'elle ferait une fois sur place. Ce désœuvrement semblait un aspect de sa vie inédit mais désormais récurrent.

Elle repensa au moment où son échange avec Emily avait été interrompu. Elle avait dit la vérité : d'un point de vue rationnel, quel qu'il soit, le déclencheur de sa séparation avec Ian pouvait paraître délirant. Un couple peut décider de se séparer pour toutes sortes de raisons : l'adultère, la cruauté, la violence domestique, le manque de vie sexuelle. Mais une divergence d'opinions sur l'appartenance de la Grande-Bretagne à l'Europe ? La chose paraissait absurde. Elle l'était. Et pourtant, au fond d'elle-même, Sophie savait que ce n'était pas tant une raison qu'un point de bascule. Elle trouvait que Ian avait réagi si bizarrement à l'issue du référendum, par un triomphalisme si infantile, avec une espèce de joie mauvaise (il ne cessait de répéter le mot « liberté » comme s'il était le citoyen d'un minuscule État africain qui aurait enfin arraché son indépendance à l'oppresseur colonial) que, pour la première fois, elle réalisait clairement qu'elle n'entendait plus rien aux idées et aux sentiments qui étaient les siens. En même temps, ce matin-là, l'impression s'était aussitôt imposée à elle qu'une partie minime mais significative de sa propre identité, cette identité moderne, stratifiée, multiple, lui était retirée.

Dès la première séance, une semaine plus tard, Lorna, leur conseillère conjugale, leur expliqua que beaucoup des couples qu'elle recevait en ce moment avaient mentionné le Brexit comme un facteur clef de leur dérive.

« En général je commence par poser la même question à chacun. Sophie, pourquoi en voulez-vous tellement à Ian d'avoir voté non à l'Union européenne. Et vous, Ian, pourquoi en vouloir autant à Sophie d'avoir voté oui. »

Sophie réfléchit avant de répondre.

« Je crois que c'est parce que je me suis dit qu'il n'était pas aussi ouvert que j'aurais cru, à titre personnel. Que pour lui, le premier modèle des relations humaines se ramenait à l'antagonisme et à la compétition, et non à la coopération. »

Lorna avait hoché la tête et s'était tournée vers Ian, qui avait répondu :

« Son vote me dit qu'elle est très naïve. Elle vit dans sa bulle et n'accepte pas que les autres puissent penser autrement qu'elle. Et ça lui donne une posture. Une posture de supériorité morale. »

Sur quoi Lorna avait conclu :

« Ce qui est intéressant dans vos réponses, c'est qu'aucun de vous deux n'évoque la politique. Comme si le référendum n'avait pas porté sur l'Europe. Peut-être qu'il s'est passé quelque chose de bien plus fondamental et personnel dans vos vies. Ce qui veut dire que votre problème pourrait bien ne pas se laisser résoudre facilement. »

Elle avait proposé un protocole de six séances, mais la suite prouva qu'elle avait été optimiste. Ils en prirent neuf avant de reconnaître leur échec et de jeter l'éponge.

36

Doug devait se rappeler le 24 juin 2016 comme le jour où trois choses s'étaient produites.

On avait annoncé que les Britanniques s'étaient prononcés contre l'adhésion à l'Europe.

David Cameron avait démissionné de son poste de Premier ministre.

Nigel Ives avait cessé de le rappeler au téléphone.

Seize mois plus tard, il tentait toujours d'obtenir un nouveau rendez-vous avec l'insaisissable sous-directeur adjoint de la communication. Il avait l'aide de Gail, qui le croisait parfois en train de courir comme un dératé dans les couloirs du palais de Westminster ou le QG du Parti conservateur. Mais le jeune assistant l'évitait avec un art consommé et la seule info qu'elle ait jamais pu communiquer à Doug, c'était qu'il lui semblait sous pression.

Ce fut donc avec une surprise considérable qu'il reçut au matin du 16 octobre 2017 un SMS de Nigel lui disant simplement :

On se retrouve à l'endroit habituel jeudi ? 11 heures ?

*

Le café proche du métro Temple inspirait à Doug des sentiments très semblables à ceux de Benjamin et Lois devant le panorama de Beacon Hill : il y avait quelque chose de profondément rassurant dans le fait qu'il changeait si peu. Alors même que la capitale, voire le pays tout entier, était envahie par les mêmes chaînes de cafés, l'établissement servait encore des pains ronds au bacon, des sandwiches au bœuf salé et du cappuccino mousseux, sans la moindre concession au décaféiné-lait de soja. On aurait dit qu'il conservait un coin de l'Angleterre remontant aux années soixante-dix, ou plus loin encore, ce qui lui donnait un charme bien à lui, Doug lui-même ne l'aurait pas nié.

« Bonjour, Douglas. »

Le ton était désabusé et sans ressort. Doug leva les yeux de son carnet et vit Nigel s'asseoir en face de lui. Il avait perdu le teint frais et rose de la jeunesse. Une barbe de plusieurs jours mangeait ses joues pâles, son nœud de cravate était fait à la va-vite, on aurait dit que sa tignasse n'avait pas vu le peigne depuis des semaines. Il se mit à boire avec gratitude le café que Doug lui avait déjà commandé.

« Ça fait plaisir de vous voir, Nigel. Enfin !

— Oui, ça fait un moment, n'est-ce pas ? Ça remonte à quand, la dernière fois ?

— Il me semble que ce devait être un mois ou deux avant le référendum.

— Ah oui… »

À ces trois mots « avant le référendum », une lueur mélancolique et presque inspirée passa dans les yeux de Nigel. Il regardait derrière l'épaule de Doug, comme vers un passé éloigné, des temps meilleurs, d'avant la chute, une ère d'innocence, d'insouciance, de joie simple et enfantine.

« Dans les seize mois.

— Ah bon ? Seize mois seulement ? Ça paraît plus loin, beaucoup, beaucoup plus loin. » Il secoua la tête avec tristesse.

« Alors, demanda Doug, qu'est-ce qui me vaut ce rare privilège ?

— Eh bien je vais être honnête avec vous, Douglas. Car quoi que vous pensiez de moi par ailleurs, j'ai toujours été honnête. Gardez ce que je vais vous dire pour vous, mais je vais sans doute quitter mon poste. J'ai pensé qu'il serait bien qu'on bavarde une dernière fois.

— Vraiment ? Ça veut dire que vous allez avoir une promotion, j'espère ?

— Non, malheureusement. Je crois qu'il est temps que j'abandonne la politique. Pour voir si l'herbe est plus verte ailleurs.

— Bah, vous en aurez profité.

— Sans doute, répondit Nigel avec une conviction modérée. Mais avant, je voulais mettre les choses au clair.

— Allez-y.

— Soit. Depuis le référendum, vous tenez sur David Cameron des propos qui, selon moi, toutes choses égales et sans entrer dans le détail, me semblent assez injustes.

— Allons donc !

— Vous avez dit qu'il était le plus mauvais Premier ministre que vous ayez connu, par exemple.

— J'ai dit ça, moi ?

— Vous l'avez traité d'incompétent irréfléchi protégé par son airbag de richesse et de privilège.

— Un peu dur, peut-être.

— Vous avez écrit que "le grand espoir blanc du conservatisme moderne n'était finalement rien d'autre qu'un imbécile narcissique, faible, lâche et malfaisant".

— Ouais, c'est une formule qui vaut son pesant d'or.

— Sauf que vous vous trompez. L'avenir reconnaîtra les années Cameron comme une grande époque. Je le crois sincèrement.

— Ah oui ?

— C'était un radical. Un modernisateur. Un homme doué d'une vision et d'un grand courage moral et personnel.

— Vous trouvez courageux d'avoir démissionné au lendemain du référendum en laissant les autres gérer la casse ?

— Il montre par là qu'il est un homme de principes. Un homme qui tient ses promesses.

— Mais il avait promis de ne pas démissionner s'il perdait le scrutin.

— Et un homme prêt à changer d'avis quand les circonstances l'exigent. »

Nigel parlait avec beaucoup de passion. Il fit pitié à Doug, tout à coup.

« Et vous êtes toujours en contact, lui et vous ?

— Je n'aime pas m'imposer. J'ai l'impression qu'il ne faut pas que je le dérange. Il est devenu quelqu'un d'autre depuis sa démission. Très humble. Contemplatif. Il s'est rendu compte que l'heure était venue de prendre des décisions majeures concernant le reste de sa vie.

— Par exemple ?

— Eh bien, il s'est acheté un abri de jardin.

— Ah oui, j'ai lu ça.

— Cet achat a constitué une étape importante pour lui. Vous n'imaginez pas combien il a changé depuis.

— Je veux bien le croire ! Vingt-cinq mille livres, j'espère qu'elle est agréable, sa cabane !

— Douglas, reprit Nigel en le fixant d'un œil solennel,

il est magnifique, cet abri de jardin. Et ce qu'il y fait est magnifique.

— À savoir ?

— Il y écrit ses Mémoires. L'histoire du référendum. La *véritable* histoire du référendum. Ce sera son cadeau au monde.

— Son cadeau ? Vous voulez dire qu'il va diffuser son bouquin à titre gracieux ? »

Nigel sourit. L'espace d'un instant, on aurait pu croire qu'il allait relever cette pique. Mais il ne semblait plus en avoir l'énergie.

« Je crois comprendre qu'il a déjà fait des conférences sur le sujet aux États-Unis, poursuivit Doug. Pour la modique somme de cent vingt mille dollars de l'heure, selon les journaux ?

— Ce que racontent les journaux britanniques est très rarement vrai, Douglas, vous n'êtes pas trop mal placé pour le savoir. Et moi qui les ravitaille en anecdotes depuis tant d'années, je sais de quoi je parle. »

Autrefois, songea Doug, Nigel disait ces choses comme s'il ne percevait pas à quel point il se nuisait à lui-même. À présent, il faisait l'effet d'un homme qui exprime simplement une vérité mélancolique. Peut-être pourrait-il lui arracher quelques révélations puisqu'il était d'humeur à se mettre à table. C'était la première fois qu'ils se voyaient depuis que Theresa May était devenue Première ministre dans le chaos qui avait suivi le référendum. Peu de journalistes s'étaient montrés capables de voir ce qu'elle avait dans le ventre à ce moment-là. On avait du mal à comprendre comment quelqu'un d'aussi attaché à l'adhésion à l'Europe avait pu accomplir sans bavure un virage à cent quatre-vingts degrés et accepter la responsabilité de mener son pays au Brexit. Doug tenait-il une chance de se rapprocher de la clef du mystère ?

Il se pencha en avant. « Allez, Nigel, une faveur, la dernière. Dites-moi comment c'est, comment c'est en vrai. »

Nigel lui lança un regard interrogateur.

« Comment c'est ?

— De travailler pour Theresa. Elle est comment ? C'est une telle énigme, cette femme. Aucun d'entre nous n'arrive à comprendre ce qu'elle veut, ce qu'elle pense, ce qu'elle croit vraiment. »

Devant cette question, Nigel changea aussitôt d'attitude. Il retrouva son vieux quant-à-soi, s'auréola de mystère.

« Theresa est... très différente de Dave.

— Oui ?

— Je dirais que c'est une femme... pleine de contradictions.

— Par exemple ?

— Eh bien, elle est très ambitieuse, mais assez prudente tout de même. Elle se fait son idée et en même temps elle se fie beaucoup à ses conseillers. Elle croit en un leadership fort, mais considère aussi qu'il faut suivre la volonté du peuple.

— Ah, la volonté du peuple, je me demandais quand cette formule allait ressortir.

— On l'entend beaucoup au QG du parti, ces temps-ci. »

Il eut l'air déprimé, de nouveau. Doug en profita pour demander :

« Le moral est bon ? En général, je veux dire.

— Un moral... d'acier, dit Nigel en déglutissant avec effort. C'est une période passionnante, de toute évidence. La Grande-Bretagne est à un tournant, et nous sommes à l'épicentre du... à... l'épicentre du maelström qui... est en train de transfigurer la réalité politique de ce qui est... une conséquence très sismique où... les plaques tectoniques de notre histoire nationale se déplacent d'une façon... métamorphique, et donc, être témoin de... »

Il s'interrompit brusquement. Son regard se vida de toute expression. Ses épaules s'affaissèrent. Il contempla la surface mousseuse de son café une bonne minute. Enfin, il leva les yeux et les mots qu'il articula parurent à Doug les plus sincères qui aient jamais passé ses lèvres.

« On est dans la merde.

— Pardon ?

— On est dans la merde jusqu'au cou. C'est le chaos. On court dans tous les sens comme des poulets sans tête. C'est le grand n'importe quoi. On est dans la merde in-té-grale. »

Doug sortit précipitamment son portable et se mit à enregistrer.

« Officiel ?

— On s'en fout. On est dans la merde, alors quelle importance ?

— Quel chaos ? Qui court comme un poulet sans tête ?

— C'est le chaos dans tous les sens du terme, et tout le monde court. Personne ne s'attendait à ce résultat. Personne n'était prêt. Personne ne sait ce qu'est le Brexit. Personne ne sait comment s'y prendre. Il y a un an et demi, ils disaient tous "Brixit". Personne ne sait ce que Brexit veut dire.

— J'aurais pensé que Brexit voulait dire Brexit...

— Très drôle. Et vous le voyez comment ?

— "En rouge, blanc et bleu" », cita Doug, puis, comme il prenait de nouveau Nigel en pitié – il lui paraissait si désemparé –, il ajouta : « Mais enfin, ils ont forcément des tas de conseillers politiques, d'experts...

— D'experts ? répéta Nigel avec amertume. On ne fait plus confiance aux experts, vous l'avez oublié ? La chaîne du commandement est simplissime. Chacun reçoit ses instructions de Theresa, qui reçoit les siennes du *Daily Mail*. Ajoutez un ou deux think tanks qui sont tellement fanas du libre-échange qu'on ne leur permettrait même pas de…

— Ces think tanks, demanda Doug, sa curiosité aiguisée, il n'y en aurait pas un qui s'appellerait la Fondation Imperium, par hasard ?

— Oh mon Dieu, dit Nigel en se prenant la tête à deux mains. Ils sont tout le temps sur notre dos, ceux-là. Ils viennent à toutes les réunions. Ils nous bombardent de tableaux Excel. La volonté du peuple, tu parles ! Les voilà, les cinglés qui ont pris le pouvoir.

— Cameron leur aurait mieux tenu tête, vous croyez ?

— Cameron ? répondit Nigel avec une grimace. Quel crétin. Quel connard de première, authentique et garanti sur facture. Le voilà qui écrit ses Mémoires dans sa cabane, putain. Regardez-moi un peu le bazar qu'il laisse derrière lui. Nous voilà tous à couteaux tirés. Les étrangers se font insulter dans la rue. Ils se font agresser dans le bus, on leur dit de retourner dans leur pays. Celui qui essaie de prendre un peu de recul se fait traiter de traître et d'ennemi du peuple. Cameron a cassé le pays, Doug. Il a cassé le pays, et puis il s'est barré.»

Il t'a cassé avec, on dirait, pensa Doug, qui prit un Kleenex dans sa poche et le tendit à Nigel, lequel se tamponna les yeux pendant quelques secondes. Ses mains tremblaient.

Pas tout à fait sûr que c'était le moment de solliciter une faveur, mais certain que l'occasion ne se représenterait jamais, Doug demanda avec douceur : «Vous ne détiendriez pas un petit dossier sur ces gens ? La Fondation Imperium, je veux dire. Rien que vous puissiez me montrer ? »

Nigel déclara sans un battement de cils : « Faire fuiter des documents confidentiels ? C'est ce que vous me demandez ? »

Doug eut honte de lui-même et changea de sujet aussitôt. « Quoi qu'il en soit, je comprends pourquoi vous avez envie de vous sortir de là. Je suis sûr que vous allez trouver le parfait créneau, dans les RP, la publicité, peut-être ? Le marketing, la formation aux médias, ces domaines-là ? »

Le visage de Nigel changea de manière déconcertante. Un éclair passa dans ses yeux, mais cette fois, c'était plutôt un éclair d'amusement. Doug crut aussi voir une ombre de sourire flotter sur ses lèvres.

« Qu'est-ce que j'ai dit ? Ce sont des suggestions tout à fait pertinentes, non ? »

Nigel secoua lentement la tête : « J'en ai une bien meilleure.

— Et vous m'en parleriez ? »

Nigel regarda à droite et à gauche, puis par-dessus son épaule, et approcha son visage de celui de Doug.

« Je vais faire le tour du monde. » Et, à l'instant où Doug allait approuver de la tête et lui dire « Ça me paraît une bonne idée », il ajouta avec une note de triomphe irrépressible : « En ballon. »

Voyant qu'il avait réduit son interlocuteur à un silence ahuri, Nigel se leva et se mit en devoir de déclamer, pour lui-même et pour Doug tout d'abord, puis à la cantonade, pour les autres clients médusés : « Ah oui ! C'est ça la vraie vie. Survoler les pics altiers des Pyrénées, suivre le cours du Gange, qui roule en majesté vers le delta du Bengale. » Il se contorsionnait pour enfiler sa veste, dont les manches étaient retournées. « Fini les bobards aux journaux, fini de cracher les foutaises que les politiciens ont trop honte de proférer eux-mêmes ! Je suis libre ! Libre, vous dis-je ! Libre de prendre comme un oiseau mon essor vers l'immensité du ciel. »

Sous les yeux de plus en plus inquiets des consommateurs, il ouvrit la porte du café et sortit à grandes enjambées. Doug ébaucha un au revoir de la main, mais déjà

Nigel ne le regardait plus. La dernière image que le journaliste garda de la source à laquelle il avait si longtemps fait confiance fut celle d'une silhouette qui gesticulait en s'éloignant, les bras encore prisonniers des manches de la veste récalcitrante croisés sur sa poitrine. Allez savoir pourquoi, cette posture lui évoqua la camisole de force.

37

Octobre 2017

Ben ?

… des moments de la vie qui valent un empire, oui, je me rappelle cette formule, elle vient d'un roman de Fielding, *Amelia,* celui que personne n'a lu, personne sauf moi, bien entendu, et de toute évidence elle est ironique, Fielding, qui est tout le contraire d'un sentimentaliste, tourne en dérision le personnage qui la prononce, n'empêche qu'il y a quelque chose de merveilleux dans cette formule, quelque chose qui me plaît beaucoup, mais ce que je commence à me demander avec l'âge, c'est si ces moments ne sont donnés qu'à la jeunesse, s'ils constituent une expérience qu'on ne vit qu'à l'adolescence, au début de la vingtaine, ou disons à la puberté, phase qui s'est beaucoup prolongée chez moi, d'ailleurs qui sait si j'en suis sorti, mieux vaut pas trop spéculer sur ce chapitre, mieux vaut pas s'aventurer par là, mais la question se pose tout de même pour moi, est-ce que je vais en connaître encore, de ces moments, comme le lendemain du premier soir où j'ai couché avec Cicely, par exemple, ce matin où je me trouvais au Grapevine à finir ma bière tout seul, avec un torrent de pensées qui jaillissaient dans ma tête et, rétrospectivement, c'était peut-être le comble du bonheur pour moi, parce que après je ne l'ai plus revue pendant Dieu sait combien d'années, mais est-ce que j'étais au comble du bonheur de façon plus générale, est-ce qu'il m'est arrivé de retrouver un pareil bonheur dans ma vie, autrement dit, est-ce que j'ai connu mon apothéose à dix-huit ans, voilà la question cruciale mais c'est peut-être plus complexe, plus nuancé parce qu'il y a quand même plusieurs formes de bonheur, il y a des formes de bonheur peut-être pas aussi intenses mais plus pénétrantes, plus durables, et c'est peut-être ce que je ressens à présent à Balliol, dans la cour d'honneur, où je regarde par-delà le terrain de croquet mon ancien escalier en me disant, bon, d'accord, j'ai cinquante-sept ans mais il est probable que ces dernières années ont été les meilleures de ma vie, je vis seul, je vis confortablement, je vois des amis, Cicely a cessé de m'obséder, et puis j'ai réussi à publier mon livre, il y a eu ce coup de chance, j'ai eu des réactions de lecteurs, de vrais, d'authentiques lecteurs, des lettres et des mails, ils sont venus me voir lors d'événements, sacrément excitant de savoir qu'il y a des gens, ne serait-ce qu'une poignée, qui ont été touchés par ce que j'ai écrit, et puis cet effet étrange d'avoir retrouvé Jennifer, et plus étrange encore de sortir avec elle, non, quand on a passé le cap de la cinquantaine on ne dit plus sortir, d'avoir une liaison avec elle, même si c'est une relation un peu particulière, je ne prétendrais pas que nous éprouvions l'un pour l'autre des sentiments très forts, j'ai cru un temps qu'elle m'avait dit qu'elle m'aimait mais j'avais mal compris, je le réalise à présent, et puis il y a aussi un détail un peu contrariant, je crois qu'elle couche sans doute de temps en temps avec quelqu'un d'autre, un dénommé Robert, mais en fait, curieusement, ça ne me dérange pas trop parce que je n'ai pas envie de passer vingt-quatre heures sur vingt-quatre avec elle, c'est sympa de la voir de temps en temps, et la baise est bonne, mieux que bonne à vrai dire, géniale, c'est vrai quoi, qui aurait cru qu'à cinquante-sept ans j'aurais connu le meilleur de ma vie sexuelle, ça je n'en reviens pas, mais même ainsi, ce que je vis avec Jennifer n'est pas comme ce que Doug connaît avec Gail, mettons, parce que c'est tout de même incroyable de les voir ensemble, ces deux-là, après tant d'années où il a couru après les grandes bourgeoises de Sloane Square, il semble enfin avoir trouvé une partenaire sur la même longueur d'onde que lui, comme quoi il n'est pas nécessaire de partager les opinions politiques de quelqu'un pour en tomber amoureux, c'est d'ailleurs plus ou moins ce que j'ai cru quant à Sophie et Ian, seulement leur couple s'est cassé la figure, hein, ça n'a pas marché entre eux, finalement, mais il se peut que leurs différences aient été trop profondes, à moins qu'il ne se soit passé d'autres choses que je ne saurai jamais, c'est bien dommage qu'ils se soient séparés, je sais combien Sophie tenait à ce que ça marche, et je m'inquiète pour elle, je l'avoue, maintenant qu'elle se retrouve seule avec le sentiment que toutes ses amours sont vouées à l'échec, mais enfin elle ne va pas tarder à rencontrer quelqu'un, c'est une femme qui a de la force, indiscuta-blement, il n'y a qu'à voir comment elle a survécu à des ennuis professionnels qui en auraient brisé d'autres, mais Sophie est plus forte que ça, elle a tenu bon, et si j'ai un reproche à faire à Doug, du reste, c'est qu'il aurait pu se bouger un peu plus du côté de Coriandre, il a beau dire qu'elle ne l'écoute jamais, c'est tout de même sa fille, il doit bien rester un canal de communication entre eux, j'aurais vraiment dû lui en dire un mot l'autre soir, pourquoi est-ce que je n'arrive pas à affronter mes amis sur les choses qui m'importent ? Ce n'est pas d'aujourd'hui, je suis lâche, à bien des égards, moralement lâche, mais il faut tout de même reconnaître que quand on est chez les gens, invité, assis à leur table, en train de faire honneur aux plats qu'ils ont préparés, il faudrait être un ours mal léché pour se mettre à critiquer la manière dont ils élèvent leurs enfants, surtout que Doug et Gail m'ont été d'un grand secours au dîner, ils m'ont aidé à résoudre mon problème actuel, et pourtant quel sujet barbant, je n'avais pas l'intention de l'aborder et je n'avais pas prévu d'obliger toute la compagnie à écouter ma complainte, un nouveau livre à remettre dans moins de six mois, alors même que je n'ai pas la moindre idée de ce dont il parlera, on aurait très bien pu changer de conversation mais, non, tout le monde s'est intéressé à mon affaire ou a fait semblant et, finalement, on a eu un échange des plus intéressants, du moins c'est ce qu'il m'a semblé, sur le fait de savoir ce qu'un écrivain devait faire et ne pas faire en une période comme la nôtre, est-ce que l'écrivain doit être *engagé**, je crois que c'est ce qu'on dit en français, ou vaut-il mieux qu'il demeure une sorte d'« immigrant intérieur », replié sur lui-même pour échapper à la réalité, auquel cas il ne s'agirait pas seulement d'une échappatoire en fait, mais d'une manière de réagir, de créer une réalité de rechange, quelque chose de solide, de consolant, et quand j'ai exprimé cette idée, Doug a ri en disant, Toi, bien sûr, ce sera ton choix, c'est tout toi, il faut croire que je me suis un peu cabré, quarante ans qu'il me fait chier en me reprochant de ne pas m'intéresser à la politique, pour autant qu'il sache, et en tout cas pas comme lui, mais lui ça a toujours été son obsession, d'après moi, en tout cas pour une fois j'ai décidé de ne pas m'écraser, et donc j'ai dit que je ne voulais pas que mon prochain livre soit comme le précédent, entièrement personnel et autobiographique, que je voulais élargir mon champ de manœuvre, écrire sur l'état dans lequel notre pays s'est mis en quelques années, et Doug y a réfléchi un moment et puis il a dit, Très bien, pourquoi tu n'écris pas sur l'époque où tu as rencontré Boris Johnson à Oxford, et j'ai cru qu'il voulait m'enquiquiner de nouveau parce que c'est devenu une vanne ces temps-ci, le fait que j'aie partagé un couloir de Balliol avec Boris Johnson pendant trois semaines à l'automne 1983 et qu'on se croisait sur le chemin des toilettes, alors j'ai dit, Mort de rire, mais Doug a affirmé qu'il était sérieux, et il m'a dit, Non, penses-y, tu as assisté là au début de quelque chose de capital, c'était le début de la phase où toute une génération d'étudiants conservateurs a pris le contrôle du syndicat, ils sont tous devenus amis – et rivaux, naturellement, mais surtout amis – et ils allaient mettre en scène leurs petites rivalités politiques pendant les débats du syndicat étudiant, et s'empoigner sur des questions comme celle de savoir si Margaret Thatcher était la plus grande Première ministre britannique de tous les temps, s'il fallait rester dans l'UE ou pas, et, bien entendu, beaucoup d'entre eux ont intégré le Bullingdon Club par la même occasion, et quand ils ne jouaient pas à diriger le pays dans la chambre des débats à Oxford, ils se bourraient la gueule et vandalisaient les restaurants en laissant leurs parents payer l'addition et il faut les voir, trente ans plus tard, David Cameron, qui était à Oxford dans les années quatre-vingt, et Michael Gove, Oxford années quatre-vingt, Jeremy Hunt, Oxford années quatre-vingt, George Osborne, Oxford quelques années plus tard, ces petits cons, c'est Doug qui le dit, pas moi, ils se sont tous connus là-bas et maintenant ces abrutis contents d'eux, persuadés que tout leur est dû, c'est toujours Doug qui parle pas moi, les voilà aux manettes, et ils continuent à jouer des coudes pour garder le pouvoir, et à se livrer leurs guéguerres, la seule différence c'est qu'on n'est plus dans la chambre des débats à Oxford mais sur la scène nationale, et il faut que ce soit ces types-là qui régissent notre vie et qui la réorientent, avec leurs querelles fratricides débiles, qu'on ait voté pour eux ou pas, alors, ça ferait pas un sujet de roman ? Bien entendu, Gail était tout ce qu'il y a d'horrifiée parce qu'il parlait de certains de ses collègues mais elle l'a pris du bon côté, et je ne serais pas surpris qu'elle ait été d'accord sur pas mal de points, alors, même si je suis resté plus que sceptique sur le moment, le résultat c'est que me voici quelques jours plus tard revenu à Oxford, ville que j'ai réussi à éviter à de rares exceptions près depuis mes années d'étudiant, mais il est vrai que ma sœur y vit aujourd'hui, elle a enfin quitté Chris, elle loue un tout petit studio sur Cowley Road, et j'ai rendez-vous avec elle, d'ailleurs elle va arriver d'un instant à l'autre, et ce retour est une expérience particulière pour moi, douce-amère, je dirais, parce que la ville a quelque chose de singulier dans le télescopage du passé avec le présent, que je ne me souviens pas d'avoir observé ailleurs, je crois que c'est la façon dont les chaînes d'enseignes et de restaurants, ces lieux omnibus qui font que toutes les villes se ressemblent et produisent le même effet, sont ici allées se nicher à l'intérieur d'édifices vénérables si pleins de charme, se blottir le long des bâtiments universitaires, qui sont si beaux, si anciens, ce qui donne aux lieux une atmosphère étrange et composite, et du coup, oui, c'est la ville idéale pour s'abandonner à ses souvenirs et laisser le passé envahir le présent, ce que je fais cet après-midi, un après-midi d'automne, de surcroît, saison où tout fane et flétrit pour le commun des mortels, mais qui est pour un universitaire d'Oxford le temps du renouveau, la nouvelle année qui commence, un temps d'espoir et d'ouverture, et là, dans la cour d'honneur, moi qui regarde par-delà le terrain de croquet mon ancien escalier, c'est ce que j'éprouve, je ressens des frémissements, du moins les frémissements de la créativité, mais je ne crois pas que je vais prendre le chemin que Doug m'indique, ce n'est pas pour moi ce genre de chose, si quelqu'un doit écrire un livre qui raconte comment le pays est aujourd'hui encore dirigé par une bande de rejetons des *public schools* qui se sont tous fait les dents ici à Oxford, ce doit être lui, moi il faut que j'écrive quelque chose de plus personnel, « Parlez de ce que vous connaissez », c'est le précepte majeur et premier du romancier débutant, non ? mais pas au sens littéral, autrement dit je n'ai pas l'intention de parler d'un vieillard, bon d'accord pas tout à fait vieillard encore, disons un homme griffé par le passage du temps, planté dans la cour d'honneur d'Oxford en train de se remémorer ses années étudiantes sur le mode « *Mais où sont les neiges d'antan** » ou quelque chose d'approchant, moi, il faut que je voie plus loin que mon nombril, alors je sais à quoi je vais m'attaquer, à Charlie ! Eh oui, à l'histoire de Charlie Chappell et de son amère rivalité avec Duncan Field qui l'a mené en prison, bien sûr je vais changer les noms, tout ce qu'il faut, mais je pense tenir une piste, là, il y a un roman en germe, et puis s'il n'y en a pas, eh bien il n'est peut-être pas nécessaire que j'écrive un deuxième livre tout compte fait, peut-être que mon histoire avec Cicely était la seule que j'avais à raconter, auquel cas il faudra simplement que je rembourse mon avance et que je trouve autre chose à faire, non seulement parce que je finis par n'avoir plus de sous, mais aussi parce que je n'ai pas exercé un vrai métier, ni produit une contribution significative depuis presque…

… *Benjamin !*

*

Il se retourna, Lois était à côté de lui.

« Tu ne m'entendais pas ? Je te cherche depuis un temps fou ! »

38

La première semaine de novembre 2017, Charlie vint au moulin du Shropshire pour discuter avec Benjamin du roman à écrire sur sa vie.

Sa courte incarcération avait pris fin en juillet, il avait maigri et pris un coup de vieux par rapport à la dernière fois que Benjamin l'avait vu, mais sa bonne humeur semblait intacte. Interdit à vie de travailler avec des enfants au Royaume-Uni, il demeurait indompté, malgré la fin de sa carrière de clown. Une ouverture surviendrait, et paradoxalement, ces trois mois de cabane lui avaient fait du bien. Il avait eu le temps de réfléchir, il ne ressentait plus les effets corrosifs de la colère et de l'amertume qui l'avaient rongé tant d'années. Benjamin comprenait qu'il voyait la vie comme une succession d'aléas qu'on ne pouvait ni prévenir ni maîtriser, si bien qu'il ne restait plus qu'à les accepter et tâcher d'en tirer parti autant que faire se pouvait. C'était une saine conception des choses mais qu'il n'avait jamais réussi à faire tout à fait sienne, pour sa part.

Charlie était littéralement emballé à l'idée d'être immortalisé dans la prochaine œuvre de Benjamin. Il avait apporté une chemise bourrée de paperasses pour l'aider dans sa recherche.

« J'ai pris des tas de notes, dans la perspective du procès et quand j'étais en cabane. Et puis je tiens un journal avec quelques intermittences depuis des années.

— Brillante idée ! Ça va m'être sacrément utile. Mais bien sûr, il faut que je raconte l'histoire avec mes propres mots.

— Naturellement, je comprends. Mais je peux peut-être te faire quelques suggestions ?

— Bien sûr.

— Tu vois, si c'était moi qui l'écrivais, ce bouquin, je commencerais par là, dit-il en tirant un bout de papier de la chemise. Pour chatouiller la curiosité du lecteur. »

Benjamin prit le papier qu'il lui tendait et se mit à lire. C'était un article découpé dans un journal local, le *Bromsgrove Advertiser*, daté du 7 septembre 2016.

« Ce serait comme un prologue, pour exposer ce qui s'est passé », ajouta Charlie, avant de remonter le fil du récit proprement dit.

Benjamin acquiesça : « Bien vu. »

L'article disait :

CASTAGNE CHEZ LES CLOWNS

Le goûter d'anniversaire tourne au petit théâtre des horreurs : samedi après-midi, deux amuseurs rivaux en sont venus aux mains sous les yeux effarés des enfants.

Dr Daredevil, le chouchou des petits (également connu sous le nom de Duncan Field), se livrait aux bouffonneries qui sont sa marque de fabrique à l'occasion des 9 ans de Richard Parker à Alvechurch, lorsque son confrère, le Baron Brainbox (également connu sous le nom de Charlie Chappell), s'est présenté sur les lieux. Les deux clowns auraient été engagés en même temps par erreur.

Selon des témoins, ils se sont retirés à la cuisine pour régler leur différend, mais quelques minutes plus tard, ils se sautaient à la gorge. Le jeu de mains avait tourné au jeu de vilains, et la police a été appelée sans délai.

D'après les déclarations de Susan Parker, maman du petit Richard, « c'était l'horreur, les enfants s'amusaient comme des petits fous à fabriquer des bombes puantes, et voilà que tout à coup, panique, ils se sont mis à pousser des cris, et avant que j'aie compris ce qui se passait, il y avait deux chaises de cassées à la cuisine et quelques-unes des plus belles pièces de ma vaisselle ».

M. Field, qui souffre d'une fracture de la mâchoire entre autres blessures, devait expliquer par la suite : « Il s'agit d'une agression sauvage et gratuite, cet homme a toujours été jaloux de moi sur le plan professionnel. Croyez bien que je vais déposer plainte et porter la chose devant la loi. »

Si l'on en croit M. Chappell, la rixe n'aurait cependant rien à voir avec une rivalité professionnelle et résulterait d'un « différend sur le Brexit ».

Moralité, qui trop entarte à vue se retrouve… en garde à vue.

Le jeu de mots fit tiquer Benjamin. « Mumph… il va falloir retravailler la dernière ligne.

— Absolument. Mais tu pourrais reproduire l'article, non, comme ouverture, qu'est-ce que tu en penses ?

— Fameuse idée.

— Et puis retour en arrière, tu passerais au récit de ma rencontre avec Yasmine et Aneeqa, et à l'origine de notre inimitié, à Duncan et moi.

— Je vois, oui. En partant de votre rencontre au magasin de jouets.

— C'est ça. »

Benjamin se mit à écrire dans son carnet, puis il s'arrêta, stylo entre les dents.

« Qu'est-ce qu'il y avait chez Aneeqa qui t'ait inspiré

une telle complicité avec elle ? Tu saurais le mettre en mots ?

— Bouge pas, dit Charlie, qui fouilla de nouveau dans la chemise. J'ai écrit un truc là-dessus dans mon journal. Ça date de...» (Il tira une paire de lunettes de sa poche et lut ses gribouillages :) « 2015. Ça t'ennuie si je te le lis ?

— Vas-y, dit Benjamin qui se carra dans son siège.

— Ok.» Charlie s'éclaircit la voix et lut :

Elle va avoir dix-huit ans demain. C'est peut-être parce que je n'ai pas d'enfants à moi que je me suis mis à la considérer comme ma propre fille. Et c'est peut-être parce que je me suis mis à la considérer comme ma fille que Yasmine éprouve une telle jalousie à nous voir ensemble, au point qu'elle n'arrive pas à s'en cacher. Pas moyen d'aborder le sujet. S'il y a une chose que j'ai découverte ces dernières années, c'est qu'avec les meilleures intentions du monde il est impossible de dire avec tact à une femme qu'elle sous-estime sa fille.

Il est trois heures de l'après-midi par un beau dimanche de septembre, elle est assise au jardin. Le soleil brille sur elle, filtré par les branches du sumac, il chatoie sur sa chevelure, il s'empare de sa couleur noire et l'entoure d'une auréole de lumière, il y pose des nuances de brun foncé et de brun clair, foncé comme la coiffeuse en acajou dans la vieille chambre de Maman, clair comme le sable de la plage à marée basse, lors d'un été qui se perd dans la mémoire.

«Joli», dit Benjamin comme Charlie s'arrêtait pour prendre son souffle.

Elle lit un volume de poèmes de Lorca, en espagnol. Comme j'adore l'entendre parler espagnol, je lui demande de m'en lire quelques vers. Elle lit : « Por las ramas indecisas, iba una doncella que era la vida. Por las ramas indecisas. Con un

447

espejito reflejaba el día que era un resplandor de su frente limpia. » *Sa voix fait une drôle de musique, drôle parce que son accent habituel disparaît, cet accent qui la rattache à Birmingham, son berceau, et l'accent qui le remplace est tout autre, insolite : il sonne exotique et beau à mes oreilles. Je lui demande de me traduire ces vers, elle fronce les sourcils un instant et, après mûre réflexion, elle dit : « Par les branches indécises, allait une fille qui était la vie. Par les branches indécises. Elle reflétait le jour avec un miroir minuscule qui était la splendeur de son front sans nuages. »*

Après, je n'arrive plus à me sortir ces vers de la tête. « Une fille qui était la vie », c'est ainsi que je vois Aneeqa. Ainsi que je vois la femme qu'elle deviendra quand elle quittera la maison, sa mère, cette ville, pour réaliser son rêve, son rêve de liberté. La liberté de vivre où bon lui semble, de parler les langues qu'elle aime. Je vois cette belle musulmane, fille de parents pakistanais, qui vivra à Séville ou Grenade ou Cordoue et parlera un espagnol parfait, et je me dis que nous avons un brillant avenir devant nous si c'est ce que nous choisissons de devenir, des gens qui ne seront plus prisonniers des liens carcéraux du sang, de la religion, de la nation. Pour moi, elle est le symbole de cet avenir. Mais en même temps, je ne veux pas la rétrécir, la réduire à un symbole parce qu'elle est quelque chose de bien plus important : un être humain, une personne qui pense, ressent, aime, libre de ses choix, de suivre sa voie, sans avoir de comptes à rendre à qui que ce soit. Tout comme la fille du poème. Une femme qui « reflète le jour avec un miroir minuscule, qui est la splendeur de son front sans nuages ».

Charlie posa le carnet et retira ses lunettes. Son débit s'était ralenti, sa voix avait tremblé sous l'effet de l'émotion.

« Mais bon Dieu de bon Dieu, Charlie, dit Benjamin après un temps, c'est superbe. Je n'aurais jamais cru que, enfin, je ne m'attendais pas... Où tu as appris à écrire comme ça ? »

Charlie haussa les épaules. « J'ai toujours lu des tas de bouquins. Depuis que je suis tout petit. Pourquoi ? Tu trouves que ça va ?

— Je trouve que c'est fantastique. Tellement émouvant. Je me demande ce qu'elle dirait si elle le lisait.

— Je pense pas qu'elle le lira.

— Mais, mais... ça t'ennuierait si je mettais le passage dans mon livre tel quel ? »

Charlie sourit : « Non, bien sûr, mon pote. Tout ça, c'est à toi. Fais-en ce que tu veux. »

On allait sur une heure de l'après-midi, ils entrèrent dans la cuisine manger un morceau. Lois était passée pendant le week-end. Dans le sillage de sa séparation avec Christopher, elle se polarisait sur la cuisine, et comme celle de Benjamin était beaucoup plus grande que sa kitchenette à Oxford, elle rendait visite à son frère chaque fois qu'elle pouvait. Le congélateur était donc plein de ses soupes et de ses plats cuisinés. Benjamin remplit deux bols de soupe épicée à la tomate et aux lentilles et, tout en coupant quelques morceaux de pain aux céréales (également confectionné par sa sœur), il demanda à Charlie :

« Alors, comment elle s'en sort, à la fac ?

— Très bien, je crois. Elle a de bonnes notes partout. Et elle va passer l'année prochaine en Espagne.

— Formidable. Et elle peint toujours ?

— Oui, encore un peu. Elle a collaboré à une fresque, je crois, pour le syndicat étudiant. Je pense que c'est ce qui l'a empêchée de devenir folle quand elle vivait avec sa mère, tu vois. Un talent pareil, c'est précieux en cas de problèmes. La colère, la frustration trouvent une soupape. C'est ce qu'il me faudrait, à moi. Ça vaut toujours mieux que de cogner les gens. Même s'il l'avait pas volé, ce salaud.

— Tu es prêt à me raconter ce qui s'est passé ?

— Mangeons d'abord. »

Ils écoutèrent les grands titres de l'actualité sur Radio 4. La rubrique principale était consacrée à la tournée en Asie du président Trump, qui était déjà arrivé en Corée du Sud sans incident diplomatique notoire, quoique, fidèle à lui-même, il ait pris plaisir à tenir le monde entier en suspens devant l'éventualité qu'il commette une provocation délibérée ou un dérapage qui plongerait la planète dans le chaos. Au bout de quelques secondes, Benjamin s'apprêtait à passer sur Radio 3, mais il se reprit – non, c'était ce qu'aurait fait le Benjamin d'hier, celui d'avant le référendum et l'élection de Donald Trump. Le monde était en train de changer, les choses échappaient à tout contrôle par des biais imprévisibles, il était donc important de rester informé. Charlie et lui écoutèrent attentivement en silence une minute ou deux.

Enfin, Benjamin énonça : « Je l'aime pas, ce Trump, et toi ?

— Non, je peux pas l'encadrer ce mec. »

Benjamin en prit acte d'un hochement de tête. La discussion politique ainsi évacuée, il suivit son premier mouvement et changea pour une autre station, où il fut accueilli par les premières mesures du *Quintette pour clarinette* de Brahms, qui accompagna en douceur la fin de leur déjeuner.

De retour au salon, ils se rassirent face à face et Benjamin dit : « Bon, écoute, on ne va pas tourner autour du pot plus longtemps. Il faut que je te demande, qu'est-ce qui t'a pris ce jour-là ? Pourquoi cette violence ? Il y a eu une goutte d'eau qui a fait déborder le vase ?

— Beaucoup de gens de l'assistance me l'ont demandé, répondit Charlie en farfouillant de nouveau dans la chemise en carton, ils avaient tous l'impression qu'au fond de moi j'étais quelqu'un de doux et d'aimable, alors pour tenter de le leur expliquer – et de me l'expliquer à moi-même...

— Tu as écrit, peut-être ?

— Oui, c'est assez drôle, mais j'ai écrit là-dessus. »

Il venait de tirer deux ou trois feuilles et reprenait ses lunettes.

« Tu t'es fait piquer par la tarentule littéraire, dis-moi, depuis quelque temps...

— Franchement, Ben, c'est ton livre qui m'a inspiré. Tout le crédit t'en revient.

— Qu'est-ce que tu racontes ! Allez, vas-y, qu'on écoute ce qu'il y a dans ces papiers. »

Charlie s'avança sur le bord de son siège, s'éclaircit la voix de nouveau, puis se mit à lire.

17 septembre 2016
Je suis arrivé chez les gens avec dix minutes d'avance.

Soit par pessimisme naturel, soit par intuition professionnelle, j'avais l'impression bizarre que Daredevil m'avait devancé. Déjà, en deux ou trois occasions, il avait piraté ma messagerie et annulé l'un de mes engagements à son profit. Je lui avais demandé de s'expliquer, bien sûr, mais il avait toujours nié froidement. Cette fois-là, je n'allais pas le laisser s'en tirer à si bon compte. Dès que j'ai vu sa petite Vauxhall grise minable garée dans l'allée à côté des voitures de tous les parents, j'ai compris que l'heure était venue de régler nos comptes. Je sentais la colère monter en moi, mais j'étais résolu à garder mon calme et ma dignité, seulement j'étais venu en costume de scène, et, incroyable mais vrai, on a un peu de mal à se faire prendre au sérieux quand on porte un cos-

tume en tweed trop petit, un mortier de toutes les couleurs et une balle de ping-pong rouge sur le nez.

J'ai sonné à la porte d'entrée et j'avoue que je n'ai pas perdu de temps en politesses d'usage quand la mère du petit dont on fêtait l'anniversaire est venue m'ouvrir. « Où est-il ? » lui ai-je dit en la poussant pour passer. Je suis entré dans le séjour, et j'y ai trouvé Daredevil, pardi ! Au milieu d'un cercle d'enfants moroses, le vieux singe se livrait à ses vieilles grimaces, c'est le cas de le dire parce qu'il n'a rien changé à son numéro depuis quinze ans. Je l'ai empoigné par les revers de sa blouse blanche, et j'ai dit, en parlant comme mon personnage dans un premier temps : « Scrongneugneu, vieille branche, vous perdez les pédales ! »

Des enfants se sont mis à rire, parce que c'était sans doute la première chose drôle qu'ils aient entendue depuis dix minutes. Ils ont dû penser qu'ils assistaient à la naissance d'un duo. Mais Daredevil n'était pas d'humeur coopérative. « Va te faire foutre, Brainbox ! » il a dit, et cette réplique, même ces débiles de gosses ont dû comprendre qu'elle était pas dans le script d'un spectacle pour enfants, ce qui ne les a pas empêchés de rire de nouveau. « Hou ! j'ai répondu en le tirant vers moi, surveille ton vocabulaire. Il y a des enfants, ici, petit connard de mes deux.

— Qu'est-ce que tu fous là ?

— C'est moi qui ai été engagé, et tu le sais.

— Je vois pas de quoi tu parles. Sors d'ici. Tu vas faire rire de toi.

— Mais je devrais être en train de faire rire de moi ! C'est mon gagne-pain. Mais chaque fois qu'on m'engage, il faut que tu débarques et que tu me mettes des bâtons dans les roues.

— Tu serais aimable de te retirer, ces petites demoiselles et ces petits messieurs attendent qu'on les amuse.

— S'ils ont que toi à se mettre sous la dent, ils vont attendre un bout de temps, ducon. »

Ces mots ont eu l'air de le piquer au vif. Il a dit : « Puisque c'est comme ça, on va s'expliquer dehors. »

On est sortis du séjour d'un pas décidé, mais on n'était pas allés plus loin que la cuisine quand il m'a pris à partie. Il a retiré son casque de pilote de la Seconde Guerre mondiale, j'ai retiré mon mortier. Il m'a arraché la balle de ping-pong du nez et l'a lancée à l'autre bout de la pièce. Coup de chance, elle est allée atterrir sur un pot de confiture vide où elle a trembloté avec un bruit de crécelle avant de s'immobiliser. On l'a regardée tous deux les yeux ronds.

« Merde alors, joli coup ! Tu aurais voulu le faire exprès, tu aurais pas pu. »

D'une certaine façon, ce petit incident a réussi à désamorcer la tension. De son côté, du moins.

« Écoute, Charlie, il a dit en ouvrant les bras et sur un ton qui se voulait conciliant, pourquoi faut-il qu'on se dispute tout le temps ?

— Je sais pas. Parce qu'on se déteste ?

— Je te déteste pas, Charlie, j'ai pas une once de méchanceté en moi, c'est même tout le contraire. Je te plains. »

J'ai baissé la voix : « Ah oui ?

— T'es un brave type, malgré les apparences. Ça se voit à l'œil nu. Seulement voilà, tu y es pour rien, t'es un loser de la vie. »

J'ai attendu qu'il continue, j'avais du mal à respirer.

« Un gars qui sera toujours du côté des perdants, je me trompe ? Tu voudrais avoir autant de succès que moi auprès des gamins, mais tu y arrives pas. Je sais pas pourquoi, tu leur plais pas autant. C'est la vie. Peut-être qu'eux aussi comprennent que t'es un loser ? Peut-être qu'ils le sentent. C'est vrai, quoi, réfléchis. T'as pas vraiment de famille, t'as pas vraiment de maison. Tu dors dans ta bagnole un jour sur deux. Ta fille sera jamais aussi populaire que la mienne au lycée.

— C'est pas ma fille.

— Oh, c'est vrai, j'oubliais. Je me figure toujours qu'elle doit être ta fille, vu que vous êtes si proches, mais il doit s'agir d'autre chose. Qui sait, hein, Charlie, mieux vaut pas trop creuser... » Ma main droite commençait à me démanger, le long de mon corps. J'étais de plus en plus tenté de la mettre en contact franc et direct avec sa gueule. Mais quelque chose me retenait encore, si je faisais ce geste, Duncan aurait gagné.

« Krystal et Neeqs se sont jamais bien entendues, hein ? Parce que bien sûr, les gagnants et les perdants, c'est rare qu'ils s'entendent. Elles sont pas de la même race, tu vois. Il y en a une forte et l'autre faible. Tu sais ce qu'elle a jamais fait, Krystal, depuis qu'elle est bébé ? Pleuré. Elle pleure jamais, celle-là. »

Moi j'attendais la suite.

« Et au fait, Neeqs a réussi à entrer à l'université ? »

J'ai fait oui de la tête.

« C'est l'espagnol, son truc, non ? »

De nouveau, j'ai fait oui de la tête.

« Elle a été un peu perturbée par le résultat du référendum, si je comprends bien. »

Je n'ai pas répondu.

« Krystal m'a dit qu'elle pleurait le matin qui a suivi. Elle en a pleuré au lycée ! Tu le savais pas ?

— Ça ne m'étonne pas, j'ai dit. Elle a toujours eu un point de vue européen. Elle a toujours eu dans l'idée qu'elle pourrait travailler en Espagne un jour, par exemple. Ce sera beaucoup plus difficile pour elle, tout ça, maintenant.

— C'est ce que je te dis, a répété Duncan de manière exaspérante, il y a les gagnants et les perdants.

— Sauf que, dans ce cas, Krystal est tout aussi perdante. »

Il a froncé les sourcils : « C'est-à-dire ?

— C'est-à-dire que tout ce qu'Aneeqa a perdu à cause de ce vote, Krystal l'a perdu aussi. C'est pareil pour tous les jeunes. »

C'est là que Duncan a eu le sourire le plus fourbe que j'aie vu

dans ma vie. « *Ah non, justement. Krystal s'en tirera très bien.*
Mon père était irlandais, tu vois. » *Il a souri encore, histoire de*
m'aiguillonner. « *Tu le savais pas ? Eh si. On a demandé la*
nationalité irlandaise tout de suite. Elle est arrivée la semaine
dernière, on a les passeports et tout et tout. On est parés. Rien ne
change pour Krystal. Elle sera citoyenne européenne jusqu'au jour
de sa mort. » *Il m'a regardé, j'étais bouche bée.* « *Tu crois tout de*
même pas que j'aurais enlevé ça à ma fille ? »

Il a fourré les mains dans sa blouse de médecin et s'est campé
là, en me mettant au défi de répliquer. Rétrospectivement, je dois
reconnaître que de tout ce qu'il aurait pu dire pour me mettre
en rage, c'était sans doute la flèche la plus meurtrière. Il avait
ciblé mon point faible, mon talon d'Achille. Son attitude dénotait
un parfait alliage de mesquinerie, d'arrogance et d'hypocrisie. Et
comme je le regardais, des années de haine sont remontées en moi,
j'étais chaud bouillant.

« *Enfin, je me demande bien pourquoi on s'est mis à parler du*
Brexit. Quel sujet à la con ! On croirait que tout le pays a perdu
la tête. Allez, il paraît qu'il y a du jus de pomme au frigo, buvons
un coup et oublions nos di... »

Je présume qu'il allait dire divergences, mais je lui ai pas laissé
le temps de finir sa phrase. Mon premier coup de poing l'a atteint
à la joue gauche, au milieu du mot. Ce doit être le quatrième ou le
cinquième qui lui a fracturé la mâchoire. À nous deux, on avait
déjà saccagé la cuisine. La première chose qui me revienne, après
ça, c'est le bruit des sirènes de police.

Charlie posa le manuscrit et retira ses lunettes.
« Donc, c'est ce qui s'est passé, mot pour mot ?
— Mot pour mot. Pour la faire courte, disons que je
suis sorti de mes gonds. Coups et blessures volontaires,
j'ai payé la note. Si c'était à refaire, qui sait si je le refe-
rais pas ? »

Il remit les feuilles dans la chemise et fit mine de la donner à Benjamin.

« Tiens, voilà, en tout cas. Tout ça, c'est à toi. Si tu penses qu'il y a matière à un livre, fais-en ce que tu veux. »

Benjamin secoua la tête et poussa doucement la chemise vers Charlie.

« Il me semble que tu l'as déjà écrit, le livre.

— Quoi, ça ? Des élucubrations. Sans queue ni tête. Il faudrait que ce soit mis en forme.

— C'est à ça que sert l'éditeur.

— J'en ai pas, d'éditeur.

— Je vais m'en charger. »

Charlie mit un moment à mesurer la portée de ces mots. Il en rougit de gratitude. Trop ému pour regarder Benjamin dans les yeux, il lui dit : « Tu ferais ça pour moi ?

— Bien sûr. »

Charlie se leva et, d'un geste, il invita Benjamin à faire de même. Ils furent face à face, dans un instant chargé d'émotion qui déclencha une petite tempête de virilité dans un verre d'eau. Charlie tendit la main et Benjamin se disposait à la saisir, mais comme Charlie avançait déjà vers lui, il rata sa main et serra son poignet à la place. Alors Charlie passa l'autre bras autour de Benjamin, et ils cherchèrent à s'étreindre, pendant que Charlie murmurait à Benjamin qu'il n'était pas seulement son premier ami, son plus ancien, mais aussi son meilleur ami, le meilleur qu'un homme puisse rêver. Ils restèrent dans cette position, embrassés, se tapotant le dos mutuellement jusqu'à ce qu'ils s'aperçoivent qu'ils ne savaient pas vraiment comment se dégager l'un de l'autre ; ils se détachèrent donc lentement et gauchement, puis, pour rompre cet embarras, Benjamin se dirigea vers la cuisine en annonçant qu'il allait faire du café. Comme il quittait le salon, Charlie lui cria :

« Et ton bouquin à toi ? Qu'est-ce que tu vas écrire, alors ? »
Bonne question, se dit Benjamin, mais sans réponse pour
l'heure. C'est sans doute à ce moment-là, à ce moment
précis (il le réalisa par la suite), qu'il comprit avec une
clarté aveuglante que sa source de créativité s'était tarie,
qu'en racontant l'histoire de son amour pour Cicely il avait
raconté la seule histoire qu'il ait eu envie de raconter, et
qu'en conséquence il n'écrirait plus jamais. Mais il répondit simplement :
    « Bah, il va bien se présenter quelque chose. Forcément.
C'est toujours comme ça. »

39

Novembre 2017

La Grande-Bretagne avait voté. Elle avait signifié à David Cameron de prendre ses cliques et ses claques. Elle avait exprimé clairement son opinion sur l'Union européenne. Et, ce choix crucial fait, elle ne voulait plus y penser et préférait retourner à ses occupations quotidiennes en laissant la mise en œuvre à ceux qui étaient traditionnellement chargés de cette besogne : la classe dirigeante. En novembre 2017, le Projet de loi pour le retrait de l'Union européenne n'en était encore qu'au stade du Comité à la Chambre des communes. Un certain nombre de députés trublions avaient déposé plus de quatre cents amendements et de clauses nouvelles, sur lesquels il faudrait voter un par un après en avoir débattu. Ces amendements avaient pour fonction première d'empêcher le gouvernement de s'octroyer des pouvoirs trop étendus, mais il y avait aussi un détail du projet de loi qui dérangeait particulièrement les députés rebelles, et c'était la décision de la Première ministre d'imposer une date butoir – onze heures du soir le 29 mars 2019 – pour le retrait de l'Angleterre. « Il n'est nullement nécessaire de se lier les mains de façon aussi contraignante alors que nous ne savons même pas ce qui va se passer, et qu'il est tout à fait possible qu'il soit avantageux à la fois pour les Européens et les Britanniques de prolonger les négociations au-delà de cette date afin d'arriver à un accord solide », avait déclaré l'un d'entre eux. Mais l'argument ne convainquait pas certaines parties de la presse et certaines parties du public, persuadées que ces tories frondeurs avaient une tout autre idée derrière la tête, moins avouable, retourner tout bonnement le résultat du référendum.

Gail avait du mal à comprendre comment ce fantasme populaire s'était répandu. Sa propre circonscription n'y était pas imperméable, au point qu'un vendredi après-midi de novembre, elle fut obligée d'aller rendre visite au président de son association de soutien, Dennis Bryars, pour le rassurer sur ce point. Elle le trouva en train de donner à manger à ses porcs.

« Quelles bêtes magnifiques, dit Gail qui ne raffolait pas des cochons.

— C'est des beautés, hein ? répondit Dennis qui les adorait. Et ils auront encore meilleure allure frits en tranches dans votre assiette avec des champignons et des œufs brouillés. »

L'après-midi était gris et sans joie, avec un vent à glacer les os, et Gail se reprocha d'arriver comme une fleur dans un léger mackintosh. Les cochons, au contraire, logés en l'occurrence dans trente ou quarante huttes à litière de paille et calorifères en hauteur, semblaient bien au chaud. Dennis tenait à les élever de façon humaine avant de les abattre.

« Qu'est-ce que vous leur donnez ?

— Du blé, de l'orge, dit-il en éparpillant les graines au sol sous les grognements approbateurs des animaux voraces.

— Très sain, ça.

— De la thréonine, de la méta-thréonine et de la lysine HCL.

— Ce doit être très nourrissant, suggéra Gail avec moins d'assurance.

— Ça s'appelle foutre l'argent par les fenêtres, oui, si vous voulez mon avis. Dans le temps, on leur donnait que de la pâtée. Ça nous coûtait trois fois rien et c'était mieux pour l'environnement que ce truc-là, par-dessus le marché.

— Ah oui, dit Gail qui voyait venir la suite.

— Seulement bien sûr l'UE s'y connaissait mieux que nous, poursuivit en effet Dennis, et elle a pas tardé à donner son coup d'arrêt. Mais avec un peu de chance, un de ces jours, on redeviendra une nation souveraine et on pourra passer nos lois à nous. Même s'il y en a qui ont pas l'air pressés d'y être.

— Là-dessus… j'espère que le comité comprendra pourquoi je vais voter contre le gouvernement sur certains amendements.

— Il y a des hypothèses qui circulent, dit Dennis qui était passé à une autre hutte.

— Comme vous le savez, reprit Gail qui pressait le pas pour rester à sa hauteur, j'ai voté oui à l'UE pour ce qui me concerne, mais je respecte absolument l'issue du référendum.

— Que vous dites ! »

Gail sentit son pied s'enfoncer dans du mou et, en baissant les yeux, elle découvrit qu'elle venait en effet de marcher dans une grosse flaque de purin. Elle se mit à avancer à pas comptés, en frottant la tranche de sa chaussure contre le sol.

« Mais j'aurais le sentiment de manquer à mes devoirs de députée si je ne m'assurais pas que la législation était adaptée à son propos.

— La plupart de vos collègues ont l'air de la trouver adéquate.

— Oui, mais cette idée, cette idée idiote de fixer une date et de devoir s'y tenir...

— Écoutez, Gail, dit Dennis en se retournant et en posant un instant ses deux seaux, je ne vois pas les choses comme vous sur ce point. Personne ne les voit comme vous. Vous voulez défier votre propre comité de soutien, sans parler des whips, et voter en votre âme et conscience, très bien. À vous d'en assumer les conséquences.

— Les conséquences, quelles conséquences ?

— Qui vivra verra.

— Vous me menacez ? demanda Gail, incrédule. Et de quoi au juste ?

— N'oubliez pas que vous aurez besoin de notre soutien pour être investie quand on sera à la veille de la prochaine élection. Il se pourrait que d'autres candidats se présentent. »

C'est ainsi qu'elle avait pour la première fois pris conscience qu'une passe difficile s'annonçait. Plus inconfortable encore fut le lundi soir suivant, où avec ses pairs rebelles elle dut assister à une longue réunion houleuse avec les whips du parti qui menaçaient d'une façon de plus en plus explicite de leur taper sur les doigts. Et pourtant, ni l'une ni l'autre de ces épreuves ne l'avait préparée à ce qui devait se produire plus tard dans la semaine.

*

Les fonctions de Gail exigeaient qu'elle passe quatre jours par semaine à Westminster durant la session parlementaire. Edward, son fils, était à l'université, mais Sarah, sa fille, allait encore au collège à Coventry, et passait donc couramment ces quatre jours chez son père. Or cette semaine, il était en voyage d'affaires. En la circonstance, Doug proposa de s'installer dans la maison d'Earlsdon, comme il l'avait déjà fait, et d'assurer la garde de Sarah. C'était un rôle qu'il endossait avec des sentiments mitigés. Lui qui s'était révélé largement incapable de construire une relation satisfaisante avec sa propre fille avait tout d'abord été sceptique sur ses chances de succès auprès d'une autre adolescente de quatorze ans. Mais avec le temps, il se prenait d'affection pour Sarah, même s'il était difficile de dire si la réciproque était vraie. Elle n'avait pas du tout l'assurance de Coriandre, ni le même sentiment que tout lui était dû. Elle était calme, docile, studieuse et un peu vieux jeu. Elle portait un appareil dentaire et des lunettes en écaille qui lui donnaient un air de garçon manqué. Elle n'avait pas de petit ami, et s'en trouver un semblait être le cadet de ses soucis ; elle se contentait de mener une vie de bonheur domestique avec sa mère – et avec Doug s'il se trouvait là. Quelques années plus tôt, il se serait peut-être inquiété de son manque d'esprit contestataire ; aujourd'hui, il n'éprouvait que du soulagement à se trouver en présence de quelqu'un qui lui compliquait si peu la vie.

Le matin du mercredi 15 novembre, peu après sept heures, il était en train de lui préparer son petit déjeuner et son casse-croûte pour midi. Il faisait encore nuit dehors et, quoique éveillée, elle ne s'était pas encore tirée du lit. Il était en train de mélanger des pâtes froides et une salade dans un tupperware lorsque son téléphone sonna. C'était Gail, elle appelait de Londres.

« Tu as vu ? » Sa voix était tendue et mal assurée.

« Non. Vu quoi ?

— Le journal.

— Eh bien ?

— Je suis en une.

— Ah bon ? Et qu'est-ce que...

— À ta place, j'irais l'acheter tout de suite. »

Le kiosque était à deux pas. Après avoir crié depuis l'escalier à Sarah que ses céréales étaient sur la table, Doug fonça au coin de la rue. Il vit tout de suite de quoi parlait Gail. La nouvelle de sa réunion avec les whips avait fuité et l'un des journaux avait choisi de l'étaler en première page. Sa photo faisait partie des seize affichées avec la légende « Les mutinés du Brexit ».

Gros titre au vitriol. Quant à publier le portrait des députés incriminés, le geste visait sans équivoque à les identifier et les stigmatiser. Dans la division et la fièvre qui prévalaient encore en Angleterre plus d'un an après le référendum, c'était dangereux.

Voire d'une irresponsabilité colossale. Telle fut la première idée de Doug, comme il rentrait à la maison avec un exemplaire du journal sous le bras.

Sarah était dans la cuisine, elle avait fini ses céréales et tartinait un toast de Nutella. Il alla appeler Gail dans le séjour et lui dit à voix basse :

« C'est l'horreur absolue. Déjà des retombées ?

— Tu penses ! Mon compte Twitter disjoncte et je ne te parle pas des mails.

— Agressifs ?

— J'ai transféré les plus violents au bureau et ils considèrent qu'il y en a trois ou quatre qu'on devrait faire suivre à la police. Tu veux que je te les lise ?

— Je n'en meurs pas d'envie, mais vas-y.

— Ok. Donc : *Ransom* (sans e, naturellement*), espèce de salope, tu brûleras en enfer. Regarde derrière toi quand tu rentreras chez toi ce soir. T'attaques le peuple, le peuple va t'atta-*

quer. Ah, et celui-ci, qui est charmant : *N'oublie pas Jo Cox, il pourrait y en avoir une deuxième.*

— Mon Dieu ! Tu tiens le coup ? Tu… Je sais pas… tu veux que je vienne ? »

Gail soupira. « Je ne crois pas, non. Il faut que la vie continue. Je n'imagine quand même pas qu'ils vont venir chez moi, on n'en est pas là. Vérifie que Sarah va bien, c'est tout.

— Bien sûr. » Il regarda la une de nouveau, le journal étalé sur la table basse. « Je n'aurais jamais cru qu'ils iraient jusque-là, au journal.

— Je sais… C'est vrai, je n'ai jamais apprécié son positionnement politique, mais c'était un journal respectable, autrefois. Qu'est-ce qui se passe, d'après toi ?

— Je sais pas. Le pays est devenu fou.

— J'espère que ça va aller pour Sarah, au collège. Que personne ne lui dira d'horreurs.

— Ne t'inquiète pas, je veille sur elle. »

*

Dans des moments pareils, il était tentant de penser qu'une hystérie bizarre s'était emparée des Britanniques ; que le degré de folie collective atteint par chacun au cours de la campagne de 2016 n'avait pas encore diminué. Cette explication laissait cependant Doug sur sa faim. Il savait qu'une une pareille était calculée. Il savait que l'indignation qu'elle cherchait à soulever devait profiter à un bénéficiaire, non pas quelqu'un de précis, une personne, ni même un mouvement ou un parti politique clairement identifiable mais une coalition informe et disparate d'intérêts particuliers, qui prenaient garde de se découvrir trop ouvertement. La première chose qu'il fit après avoir accompagné Sarah au collège fut de s'installer à son bureau, au premier étage, pour prendre une enveloppe en papier kraft de format A4 arrivée par la poste sans mention de l'expéditeur trois jours après qu'il avait revu Nigel Ives.

Elle n'était accompagnée d'aucune note, d'aucun message d'adieu manuscrit émanant de l'excentrique informateur avec lequel il avait partagé ces dernières années tant de conversations bizarres qui tournaient en rond. Il s'agissait seulement de lui faire parvenir ces papiers, en présumant qu'il en ferait son profit. Il y avait là des notes de briefing, des brouillons de déclarations à la presse, des minutes de réunions confidentielles ; des rapports notés « secret-défense » et « non destinés à la publication ». Ces documents portaient souvent le paraphe RC, voire la signature « Ronald Culpepper ». La plupart étaient à l'en-tête de la Fondation Imperium.

Il les avait lus plusieurs fois intégralement et savait exactement où trouver celui qui semblait le plus en rapport avec les événements du jour. C'était un article de deux mille cinq cents mots à peu près, cosigné par un universitaire et un éditorialiste bien connu. Il s'intitulait *Alimenter la flamme : stratégies médiatiques pour maintenir et canaliser l'énergie qui sous-tend les résultats du référendum.*

Doug prit la première page ; l'article commençait ainsi :

Les résultats du référendum du 23 juin 2016 sur l'UE nous fournissent une opportunité capitale et inespérée de promouvoir les objectifs qu'Imperium défend depuis toujours.

La courte victoire du non à l'UE a reposé sur la coalition de divers groupes qui attendaient tous quelque chose de différent du Brexit. Certains ont voté pour rétablir la souveraineté et rapatrier les lois, d'autres pour réduire l'immigration et renforcer le contrôle aux frontières, d'autres espéraient rendre à la Grande-Bretagne le sentiment de sa valeur en tant que nation indépendante, alors que d'autres enfin – petite minorité peut-être mais il s'agit du groupe avec lequel Imperium entretient les liens les plus étroits – ont voté pour libérer l'Angleterre des taxes confiscatoires et autres régulations de l'UE et lui permettre ainsi de devenir un vrai pays de libre-échange essentiellement tourné vers les marchés asiatiques et américains.

C'est en ceci que nous tenons une opportunité de changement radical et irréversible. Cependant la fenêtre de tir est réduite, il ne faut pas la laisser se refermer. Une rupture caractérisée immédiate et totale avec l'UE aurait constitué l'issue idéale. Mais compte tenu de cette majorité réduite, il aurait été problématique de prétendre que les urnes avaient donné mandat pour le faire. Le gouvernement s'est engagé dans une période de négociations prolongée, et s'il est vrai que nous avons argumenté avec une certaine efficacité pour imposer une date butoir (le 29-03-2019, dans l'état actuel des choses), cette date devra néanmoins être suivie d'une période de transition de deux ans ou plus. Le danger majeur inhérent à un processus de retrait aussi lent et aussi progressif, c'est que l'enthousiasme du public pour le Brexit ne retombe si ses effets négatifs sur l'économie venaient à se faire sentir.

Cet article se propose de définir les mesures à prendre pour minimiser le danger en question, puis de faire ressortir l'importance de nouer des rapports d'amitié et d'alliance informelle avec la presse écrite et les médias en général, qui auront pour effet de placer la Fondation en position d'influencer la direction éditoriale et le ton. (La stratégie à adopter vis-à-vis des réseaux sociaux fera l'objet d'un autre article.) Imperium entretient déjà des relations étroites et excellentes avec nombre de rédactions de quotidiens et de tabloïds, ces contacts doivent être renouvelés de manière régulière et exploités à fond.

Notre argument central, c'est qu'il ne faut pas laisser retomber les mécontentements divers et variés qui ont conduit 51 % des votants à se prononcer pour le *Leave*, du moins pas avant que le Brexit ne soit mis en place. Ce mécontentement est en effet le carburant qui fera tourner nos programmes. Si le Brexit a été alimenté au tout premier chef par le sentiment ancré chez bien des Anglais que la classe politique les a trahis, alors ce sentiment doit être encouragé. Mieux, il peut être renforcé puisque, avec la recomposition de la courte majorité pour le *Leave* qui représente la « volonté du peuple », la colère publique va se focaliser sur les élites de la politique et des médias qui peuvent être désignées comme contrecarrant cette volonté...

*

La journée passa tranquillement dans l'ensemble. Doug s'entretint trois ou quatre fois avec Gail. Elle avait reçu quelques douzaines de tweets qu'on pouvait juger menaçants, tout comme les autres députés dont le portrait s'affichait à la une. Les policiers enquêtaient et rendraient sans doute visite à Doug plus tard. Il la remercia de l'avoir prévenu. Lorsqu'il alla chercher Sarah à la sortie du collège, il ne lui demanda pas directement si elle avait eu des problèmes au cours de la journée, mais se rassura du fait qu'elle n'en dit mot. Après dîner, elle monta faire ses devoirs dans sa chambre.

Vers huit heures et demie, on cogna vigoureusement à la porte. Doug découvrit deux policiers en uniforme sur le seuil. Invités à entrer, ils lui expliquèrent qu'il ne s'agissait que d'une visite de routine ; on leur avait signalé une quantité de messages menaçants à l'encontre de Gail Ransome aujourd'hui, ils venaient simplement vérifier s'il y avait eu une activité inusitée au voisinage de la maison et si personne n'avait reçu de coups de fil, de SMS ou de mails insolites. Pendant cet échange, Sarah était descendue de sa chambre et se trouvait à présent au pied des marches, à écouter. Les policiers la prirent à part et la questionnèrent sur sa journée en classe. Est-ce qu'une de ses amies avait parlé de la une du journal ? Est-ce qu'elle avait été victime de brimades en conséquence ?

La visite des agents dura environ un quart d'heure en tout. Quand elle s'acheva, Sarah n'avait plus envie de remonter au premier. Elle ne disait plus un mot. Elle s'assit sur le canapé du séjour, genoux écartés, en baissant le nez.

« Ça va ? » demanda Doug depuis la porte.

Elle leva les yeux : « Tu crois que je pourrais parler à Maman ? »

Doug consulta sa montre : « Elle est sans doute encore à la Chambre. Essaie peut-être de lui envoyer un SMS d'abord. »

Il alla à la cuisine pendant qu'elle envoyait le SMS. Le message eut sans doute l'effet requis, car au bout de quelques minutes il l'entendit parler au téléphone. Elle emporta l'appareil au premier sans cesser de parler à sa mère. Doug revint à son ordinateur posé sur la table de cuisine et à la pile de documents de la Fondation Imperium.

Quelques heures plus tard, peu avant minuit, un taxi s'arrêtait devant la maison, et il entendit la clef tourner dans la serrure. Il sortit dans le vestibule et vit Gail, petit sac de voyage en main, pâle et défaite.

« Salut, qu'est-ce que tu fais là ? »

Elle posa le sac et le serra contre elle puis elle l'embrassa sauvagement, passionnément sur la bouche. Cette étreinte était avide, presque fauve dans son intensité. Il ne l'avait jamais connue comme ça.

« Sarah m'a paru dans un sale état au bout du fil, expliqua-t-elle quand ils se séparèrent. Elle va bien ? »

Doug n'avait aucune envie d'avouer que dans son inquiétude, il avait omis de s'en informer et même de lui dire bonne nuit.

« Tu as pris un taxi depuis Londres ?

— Il a bien fallu. Le dernier vote a eu lieu à dix heures et demie.

— Combien ça t'a coûté ?

— Très cher. Je prendrai le train à la première heure demain, mais je ne pouvais pas la laisser toute seule ce soir. Elle a été vraiment secouée aujourd'hui. »

Elle monta directement dans la chambre de Sarah. Quand Doug passa la tête par la porte, deux minutes plus tard, Gail était assise sur le bord du lit de sa fille et lui caressait les cheveux en lui chuchotant des mots, toujours les mêmes, qu'elle répétait indéfiniment.

Puis elle leva les yeux vers lui et murmura : « Je descends dans deux minutes.

— Ok. Tu veux un verre ?

— Oui, s'il te plaît. »

Il leur versa deux whiskies et attendit qu'elle descende. Mais elle mit plus de temps qu'il n'aurait cru, si bien que pour s'occuper, il alla vider les ordures dans les poubelles, derrière la maison. Quand il revint, tout était silencieux à l'exception d'un bruit étrange qui provenait du séjour. Il ne sut pas l'identifier d'emblée. C'était un son aigu, avec un soupçon de vibrato. Il se faisait entendre par intermittence, sans schéma régulier. Il crut tout d'abord qu'il s'agissait d'une alarme électronique. Puis il comprit. C'était Gail qui pleurait. Pleurer n'était pas le mot ; elle poussait une plainte de deuil. Il entra dans le séjour et la trouva assise sur le bord du canapé, tremblante, le front posé dans une main, l'autre serrant un coussin contre elle avec des mouvements convulsifs. Quand elle le regarda, son visage n'était plus qu'un masque de chagrin et de colère.

Il lui donna le verre de whisky et elle en but une longue gorgée. Puis elle se pencha en avant et posa le visage contre lui, qui referma les bras sur elle. La plainte cessa mais elle continua de trembler sans bruit encore un moment. Il lui caressa les cheveux, puis elle s'éloigna de lui et but de nouveau.

« Je suis désolée. Qu'est-ce que tu vas penser de moi ?

— Ne dis pas de bêtises.

— Je n'ai pas de moments de faiblesse, moi. La femme d'acier, c'est comme ça qu'on m'a surnommée dans un article, une fois. Tu t'en souviens ? »

Doug sourit, c'était lui qui avait rédigé cet article, avant qu'ils se connaissent.

« Regarde dans quel état je suis ! »

C'était vrai. Doug ne l'avait jamais vue pleurer, terrible spectacle qui lui fendait le cœur. Elle était méconnaissable.

« C'est pas moi, ça, dit-elle en tirant un Kleenex d'une boîte pour essuyer ses larmes et le mascara qui avait coulé. Qu'ils me traînent dans la boue tant qu'ils veulent, mais quand tes enfants, quand ta propre fille pense que tu es en danger... »

Elle acheva de se débarbouiller. Il s'assit auprès d'elle et l'entoura de son bras. Elle se blottit contre lui, repliant ses jambes sous elle, laissant porter le poids de sa tête contre son épaule avec gratitude. Il posa les lèvres sur le haut de son crâne, inhalant son parfum, et appliqua un long baiser sur sa chevelure opulente qui grisonnait.

« Je t'aime », lui dit-il.

Elle le serra fort et répondit : « Moi aussi, je t'aime », exhalant les mots comme un soupir contre sa poitrine. Quelques minutes plus tard, elle s'était endormie. Ses larmes avaient mouillé la chemise de Doug.

40

Avril 2018

Le train quittait Londres, il filait dans la platitude anonyme du Bedfordshire, il parcourait les plaines du Lin-
colnshire pour atteindre York, traversait les villes de Thirsk
et de Northallerton pour entrer enfin dans les régions plus
sauvages et plus pittoresques du nord du Yorkshire, et la
mine de Sohan s'allongeait à mesure.

« Regarde ces maisons sinistres !

— Des maisons comme les autres, rectifia Sophie, il faut
bien que les gens habitent quelque part.

— Tout est si… vide. Ces kilomètres d'espace vide, où il
n'y a que de l'herbe.

— Ça s'appelle des champs. Des fermiers les cultivent.

— Tu ne comprends pas, je vais vivre au milieu de ça à
partir de maintenant. Tu ne vois pas comme c'est affreux ?

— Mais c'est l'Angleterre, elle te fascine. Tu en as fait
le sujet de ton livre.

— Et alors ? Ce n'est pas parce que j'écris un livre dessus que j'ai envie d'y vivre. Tu crois qu'Orwell aurait voulu
vivre dans la Zone Aérienne Numéro Un ?

— Lui il écrivait une dystopie, un cauchemar.

— Justement, ma vie tourne au cauchemar ! » Il se pencha vers elle et lui saisit le bras. « Mon mari, mon futur mari m'arrache à tout ce que j'aime, il me force à vivre parmi des inconnus, des étrangers. À des kilomètres de la civilisation. On m'envoie en exil, comme Ovide. On me chasse de la société policée.

— Ovide, on l'avait envoyé à Tomis, sur les rives lointaines de la mer Noire. Toi, tu vas à Hartlepool. Pas franchement la même chose.

— C'est exactement la même chose.

— Tu vas enseigner au département d'anglais de l'université de Durham, les mêmes petites étudiantes bon chic bon genre et issues des lycées privés que tu avais pour élèves à Londres. En plus chic, peut-être. Tu ne vas pas déchoir…

— Mais Hartlepool ? Me faire ça à moi ! Pourquoi tant de haine ? Pourquoi m'épouser s'il me déteste ?

— Tu exagères.

— Tu es déjà venue ici ?

— Non.

— C'est le noyau dur du Brexit. Ils ont voté *Leave* à 70 %.

— Eh bien, tu rétabliras l'équilibre.

— Ils pendent les singes. »

Sophie réagit enfin : « Ils pendent quoi ?

— L'histoire est connue. Un jour, à la suite d'un naufrage, la mer a rejeté un singe sur la grève et ils l'ont pris pour un Français parce qu'ils n'en avaient jamais vu, alors ils l'ont pendu.

— C'était quand ?

— Je ne sais pas… dans les années quatre-vingt. »

Elle haussa un sourcil.

« Bon, d'accord, pendant les guerres napoléoniennes. Mais le surnom de bourreaux de singes leur est resté.

— Ça va te faire du bien. Tu vas pouvoir sortir de ta

bulle londonienne, tes préjugés métropolitains en seront ébranlés. Qui sait si tu ne vas pas même te faire des amis. » Sohan fronça les sourcils mais elle savait qu'au fond de lui, il était fou de joie : Mike l'avait enfin demandé en mariage au cours du dîner qu'ils avaient fait à l'Ivy pour fêter leurs deux ans de rencontre. Aujourd'hui, six mois plus tard, ils retournaient au comté de Durham où Mike avait grandi. Pour se marier civilement tout d'abord, et pour s'y installer par la suite. Mike avait quitté son poste à la City après avoir amassé une fortune dont Sohan lui-même (qui n'avait pas accès à ses comptes) ne devinait pas le montant, et à présent, disait-il, il voulait réinjecter quelque chose dans la communauté qui l'avait élevé et qui avait été mise à genoux au cours des quarante dernières années par les ravages de la désindustrialisation. À cette fin, il démarrait sa première œuvre caritative, un trust finançant le montage d'un centre de formation aux compétences numériques. Les locaux avaient été achetés, le personnel engagé – même si l'équipe était encore loin d'être au complet –, et on prévoyait le début des cours pour l'automne 2019. Les droits d'inscription seraient symboliques, et on offrirait aux habitants de tous âges et sans prérequis une formation au développement web, au codage, à la création de contenu numérique et aux technologies émergentes. Mike avait confiance qu'avec l'aide de bons professeurs, des quinquagénaires et des sexagénaires des deux sexes, y compris ceux qui avaient peu ou pas travaillé depuis des décennies, pourraient acquérir les compétences indispensables dans l'espace de travail numérique. Tout était question d'attitude, disait-il.

« Il va falloir casser les murs et tout restructurer, leur confia-t-il plus tard dans l'après-midi comme il leur faisait visiter le centre sportif municipal désaffecté qu'il avait racheté pour loger sa nouvelle "université". Le centre a fermé il y a trois ans et il tombe tout doucement en ruine depuis. Mais j'envisage le déploiement de salles de travail, avec un digital lab, un café et peut-être un ou deux amphis pour de petites conférences.

— C'est un espace fabuleux, dit Sophie. Je vois le potentiel. »

Sohan ne disait rien.

« Qu'est-ce que tu as ? lui chuchota-t-elle comme ils retournaient au parking où les attendait la Tesla Model S de Mike. Tu pourrais faire un effort pour être encourageant.

— Je n'ai pas écouté un seul mot ! J'appréhende tellement ce soir. »

Des soirées bien différentes les attendaient en effet. Celle de Sophie se passerait au Bewes Hall, l'hostellerie où la cérémonie aurait lieu le lendemain ; elle y regarderait la télévision en profitant du service d'étage et du minibar. Pendant ce temps, Sohan ferait la connaissance des parents de Mike.

« Ils vont t'adorer, lui assura-t-elle. Tu charmerais un serpent à sonnette.

— Tu plaisantes ? Ils n'ont jamais pu accepter le fait qu'il est gay, et c'est pas demain la veille. En plus, ils sont sans doute électeurs de UKIP.

— Sans doute ? Mike te l'a dit ?

— Non, mais tout le monde vote pour eux ici, non ? »

Sophie lui lança un regard où elle espérait mettre du reproche. « Pour l'amour du ciel...

— Bon, peu importe. Le fait est qu'ils vont me détester au premier regard, je le sais. »

*

474

Le lendemain, au petit déjeuner, elle lui demanda comment les choses s'étaient passées et eut l'agréable surprise de l'entendre répondre : « Bien. Ils ont été très sympas, très accueillants, super stressés bien sûr, mais comme moi aussi… il nous a fallu quelques bières pour nous détendre. Et puis on a très bien mangé. J'avais plus ou moins espéré qu'on aurait du fish and chips avec des petits pois farineux, mais la mère de Mike avait préparé un *malu mirisata,* qui est un vrai plat sri-lankais, un curry de poisson au piment rouge. »

Sophie fut impressionnée. « Elle avait tout fait toute seule ?

— Je ne sais pas, dit Sohan dans un haussement d'épaules. Je ne mange jamais de plats sri-lankais. Je n'en avais pas mangé depuis que j'étais gosse. En tout cas, j'ai trouvé ça bon. »

Sophie leur reversa du café et étala de la confiture d'orange sur une tranche de pain grillé anémique comme on en donne dans les hôtels.

« Et donc ils admettent tranquillement le fait qu'il soit gay et tout et tout ?

— Jamais de la vie, mais ils n'y peuvent pas grand-chose, que veux-tu. C'est leur fils unique, ils ne veulent pas le perdre. »

Pendant la cérémonie, cet après-midi-là, Sophie ne put s'empêcher de les regarder, le père surtout, pour tenter de déchiffrer leurs émotions. C'était un grand costaud d'à peine soixante ans, torse large et tête rasée ou presque. Quant à la mère, elle était plus grande et plus fine, un peu sur le modèle de Mike, et une longue robe fourreau bleu marine faisait ressortir sa stature. Aucun des deux ne manifesta beaucoup d'émotion au moment de l'échange des vœux. M. Newland regardait droit devant lui par les baies vitrées de la salle de réunion de l'hôtel, jusqu'au parcours de golf, mais comme s'il ne le voyait pas ; il avait l'œil vague et on aurait dit qu'il essayait de s'imaginer ailleurs, n'importe où mais ailleurs. Sa femme, au contraire, promenait son regard sur la salle et considérait les autres invités avec inquiétude, mais une ombre de sourire passa sur ses lèvres au moment où Sohan glissait l'alliance au doigt de son fils ; elle tenta sans succès de croiser le regard de son mari. À la fin de la cérémonie, les parents se joignirent aux applaudissements avec une hésitation et un temps de retard.

Il y avait soixante, soixante-dix invités, mais Sophie n'en connaissait que très peu – une poignée de collègues de Sohan de la fac. Le dîner et la fête qui suivit lui firent l'effet d'une épreuve. Elle s'aperçut qu'elle pensait beaucoup à Ian, tout en se disant que ça ne signifiait pas forcément qu'il lui manquait en lui-même, mais plutôt qu'en cette occasion heureuse et conviviale il lui manquait le plaisir plus général d'avoir un partenaire. Quoi qu'il en soit, à onze heures, après avoir dansé une ou deux fois avec Sohan et Mike et s'être laissé traîner sur la piste par un spécialiste de l'écocritique enthousiaste mais piètre danseur, elle décida qu'elle en avait assez. Elle se fit également la remarque qu'elle buvait sans désemparer depuis douze heures et qu'elle n'allait pas tarder à perdre connaissance. Elle alla se chercher un verre d'eau au bar, et elle était en train de le boire lorsqu'elle vit passer Mike et ses parents qui se dirigeaient vers la sortie.

« On t'a présenté mon père et ma mère, Sophie ?

— Oui, nous nous sommes déjà parlé. Vous rentrez ? »

M. Newland acquiesça. « D'habitude nous sommes au lit à cette heure-ci.

— J'espère que vous vous êtes bien amusés.

— Ça a été formidable, dit Mme Newland.

— Ils font bonne figure, dit Mike en tapotant le bras de sa mère. Ce n'est pas vraiment le mariage qu'ils s'imaginaient pour leur fils.

— Il faut bien vivre avec son temps, dit son père qui paraissait nettement plus enjoué que quelques heures plus tôt.

— Je crois que je vais me coucher, moi aussi, dit Sophie. La tête commence à me tourner.

— Ne bouge pas, alors, proposa Mike. So et moi, on a notre dose aussi. Reste où tu es deux minutes, on va t'aider à monter les escaliers. »

*

Sophie était beaucoup plus ivre qu'elle ne croyait. Elle se rappelait avoir quitté la salle de bal de l'hôtel et avoir grimpé les marches avec les mariés qui la soutenaient de chaque côté. Mais elle ne se rappelait pas être entrée dans leur chambre, avoir expédié ses chaussures, s'être effondrée sur leur grand lit et s'y être endormie tout habillée. C'était pourtant ce qui avait dû se passer : quelques heures plus tard, elle se réveillait avec une migraine atroce et l'envie pressante d'un verre d'eau, pour découvrir Mike et Sohan endormis de chaque côté d'elle.

« Merde, qu'est-ce qui se passe ? » dit-elle d'une voix éraillée.

Mike se retourna et ouvrit les yeux. « Salut, tu es toujours vivante, donc ?

— Qu'est-ce que je fiche ici ?

— Bah, tu t'es évanouie et on a eu la flemme de te bouger.

— Mais c'est votre nuit de noces. Je ne peux pas dormir dans votre lit pendant votre nuit de noces.

— Ne t'inquiète pas. Tu ne nous as pas empêchés de faire quoi que ce soit.

— Tu veux dire qu'en ma présence...

— Mais non. Je veux dire qu'on n'en est plus là, So et moi. Il ne t'a sans doute pas échappé qu'on ne s'était pas mis en blanc ni l'un ni l'autre.

— Quand même...

— Demain, à cette heure-ci, on sera à Vérone. On se rattrapera, j'en suis sûr.

— J'ai besoin d'un verre d'eau. »

Elle se leva, alla à la salle de bains, se fit couler un verre d'eau froide et en but encore deux autres. Puis elle se recoucha, mais sur le bord du lit cette fois, en laissant Mike au milieu. Il s'était déjà rendormi, le bras gauche sur la poitrine de son mari. Dans le demi-jour, elle les regardait, leurs yeux clos, leur souffle régulier, la bouche entrouverte de Sohan émettant un vague ronflotement. Ils avaient l'air comblés, en paix et à l'aise l'un avec l'autre. L'envie la transperça comme une lame. Elle n'en revenait pas. Comment se faisait-il que Sohan ait conclu un mariage heureux alors qu'elle était seule ?

Il était quatre heures du matin et elle dormit par à-coups une ou deux heures, mais à six heures, elle était bien réveillée. Les mariés s'envoleraient depuis l'aéroport de Newcastle dans la matinée. Son train pour Londres partait tout juste après dix heures. Que faire en attendant ?

La perspective de prendre le petit déjeuner à l'hôtel avec les autres invités du mariage ne lui souriait guère. Elle sortit furtivement des draps, mit ses chaussures et rentra d'un pas incertain dans sa chambre. Elle fit sa valise, descendit, quitta l'hôtel et appela un taxi.

Le chauffeur la conduisit à la gare de Hartlepool mais il n'y avait encore aucun café d'ouvert, pas le moindre signe de vie nulle part. C'était un matin tiède où les rayons de soleil tentaient de percer des bancs effilochés de nuages gris aux formes mouvantes. Selon toute apparence, le seul endroit où l'on servait du café était un McDonald's. La jeune femme au comptoir lui parut sympathique et elle lui demanda s'il y avait une plage dans le coin, un endroit où s'asseoir regarder la mer. Sitôt qu'elle le lui eut demandé, elle eut honte car c'était une question qui trahissait la touriste en elle, mais elle avait tort de s'en faire : la jeune femme venait d'Europe de l'Est et lui dit que le plus commode était sans doute de prendre le bus numéro 7 jusqu'à Headland. Sophie la remercia et se dirigea vers l'arrêt, valise dans une main et café dans l'autre.

Le bus l'emmena par une deux-voies déserte, en passant devant un hypermarché Asda et un centre commercial qui lui rappela celui de la vieille usine de Longbridge. Quand on arriva à Headland, elle découvrit que le cortège de boutiques jadis élégantes, avec leurs marquises ouvragées en fer forgé, était tombé en décrépitude ; nombre d'entre elles étaient vides, à l'abandon. Une rangée de vieilles maisons toutes identiques au ras des docks était ponctuée de fenêtres condamnées par des planches. Quant aux docks eux-mêmes, ils lui parurent fantomatiques et inactifs. Certes, il était à peine plus de huit heures du matin, un dimanche, période où il est vrai que peu d'espaces urbains palpitent d'une vie intense. Mais, même ainsi, le calme avait quelque chose de surnaturel.

Il n'y avait qu'un seul endroit ouvert, un One Stop, où elle s'acheta un sandwich œuf dur cresson avant de se diriger vers le vieux mur de la ville. Elle ne croisa pas âme qui vive, pas une voiture. Entre l'épuisement et la gueule de bois, elle se sentit envahie par une impression d'irréalité. Tout à coup, elle avait le sentiment puissant que ces lieux lui étaient hermétiques, qu'elle n'avait pas accès à la vie qu'ils abritaient. Assurément, elle se trompait. La maison de son enfance n'était qu'à quelque cent cinquante kilomètres et, de toute façon, c'était l'Angleterre – son pays –, mais elle se sentait totalement étrangère à ce coin. Au cours des dix dernières années, malgré le temps passé dans les Midlands, elle avait gardé le cœur à Londres. À présent elle était londonienne de fait, et depuis Londres, elle pouvait non seulement se rendre à Paris ou Bruxelles plus vite qu'ici, mais surtout, elle se sentirait sans doute bien plus chez elle boulevard Saint-Michel ou sur la Grand-Place qu'ici, sur ce banc, à regarder par-delà les eaux anthracite de la mer du Nord les grues, les pétroliers et les éoliennes qui se dressaient à l'horizon.

Elle revit Mike et Sohan dans les bras l'un de l'autre au fond du sommeil de leur lit conjugal, et ressentit la morsure aiguë de la solitude. Elle pensa à Ian, un instant. Et puis elle pensa à un autre homme et, sans se laisser le temps de réfléchir au fait que sa démarche était vouée à l'échec, elle s'était déjà retranchée de la contemplation de cette marine austère et silencieuse qui l'entourait. Elle avait pris son téléphone et cherchait le prix des vols pour Chicago.

41

De : Sophie Coleman-Potter
Envoyé : Lundi 9 avril 2018, 11 h 49
À : Adam Turner
Objet : Vol Chicago

Cher Adam,

Waouh ! Ça fait une éternité qu'on ne s'est pas donné de nouvelles !
(Mais enfin, ça m'étonnerait qu'il s'en soit rendu compte.) En relisant
d'anciens mails à l'instant j'ai réalisé que ton dernier datait d'avril 2016.
Je t'en ai envoyé deux depuis mais ils ont peut-être fini dans les
spams. *(Eh non, il n'a pas eu envie de répondre, c'est tout.)* Il est toujours
difficile d'entretenir une correspondance virtuelle *(surtout quand l'un
des deux correspondants n'en a rien à faire)* mais avec un peu de chance,
nous allons avoir l'occasion de nous rencontrer bientôt en personne.
J'y reviens dans un instant... *(Suspense insoutenable pour lui !)*

Il faut dire que depuis mon dernier message, il s'est produit une
péripétie majeure dans ma vie, à savoir que Ian et moi nous
sommes séparés.

Beaucoup de choses ont atteint un point critique l'été 2015, et
après que nous avons consulté une conseillère conjugale pendant

plusieurs semaines, j'ai décidé de partir. D'une certaine façon, quand j'y repense, je trouve prodigieux qu'on ait pu balayer nos problèmes sous le tapis pendant si longtemps. J'ai beau considérer qu'il faut absolument tenir ses divergences politiques en lisière – ce n'est pas vraiment la mode par les temps qui courent, où tout le monde cherche querelle à tout le monde et tâche d'intimider l'adversaire en braillant plus fort que lui –, quand on partage son espace de vie avec quelqu'un et qu'on se frotte à lui vingt-quatre heures sur vingt-quatre, ça finit par ne plus fonctionner. Nous avions trop de désaccords.

Pendant ce temps, j'ai réfléchi à la façon dont tu as sauté du vaisseau universitaire il y a deux ans, et je me suis demandé à quel point il s'agissait d'une décision impromptue. Est-ce que l'idée couvait depuis un certain temps, des semaines, des mois, des années peut-être ? Je te le demande parce que je suis moi-même tentée de quitter le navire depuis peu. Depuis hier, en fait. J'ai passé les trois quarts du week-end au mariage d'un ami et, pour y assister, j'ai dû quitter Londres et lever le pied. Hier en particulier, j'ai donc eu tout loisir et toute latitude pour me poser, faire un tour d'horizon et prendre du recul. Mais ce serait fou de fonder une décision qui change la vie sur une réflexion de vingt-quatre heures, cependant. Et pourtant, plus je la retourne dans ma tête, plus elle me paraît sensée. Le métier n'est plus ce qu'il était, ou plutôt, il n'est pas ce que j'ai cru qu'il serait. Tout fait l'objet d'une transaction. Les étudiants, ou leurs parents, misent des sommes considérables au départ, moyennant quoi ils escomptent un retour sur investissement. Les jeunes profs travaillent comme des brutes pendant que la vieille génération pantoufle en attendant son pack retraite, prête à tout pour garder sa petite vie tranquille ; mon directeur de département en est un vivant exemple...

Quelles élucubrations nombriliques. *(Là ma belle, tu viens d'écrire la première et la seule phrase honnête de tout ce mail à la con.)* J'en viens à l'objet de ce message. *(Et maintenant, le mensonge, gros comment ? Allez, autant y aller à fond.)* L'une de mes amies s'est installée à Chicago en début d'année et me tanne pour que je vienne la voir. J'ai donc réservé mon vol *(non, pas encore)* et je passerai un week-end prolongé en ville à partir du vendredi 20. Est-ce que tu penses avoir une heure ou deux à m'accorder *(une nuit ou deux, je veux dire)* ? Ce serait super de se retrouver après tout ce temps. Il s'est passé des tas de choses depuis Marseille et j'ai hâte de t'entendre raconter comment tu t'accommodes de l'Amérique de Trump. *(Ben voyons, je ne pense qu'à ça. Mieux vaut envoyer ce mail avant que j'écrive des choses encore plus stupides.)*

Amitiés,

Bises

Sophie

De : Adam Turner
Envoyé : Mercredi 11 avril 2018, 7 h 22
À : Sophie Coleman-Potter
Objet : Vol Chicago

Chère Sophie,

C'est toujours super d'avoir de tes nouvelles, et je me réjouis encore plus de savoir que tu vas venir sur mon territoire. Je ne peux que m'excuser platement de mon silence impardonnable. Mets-le sur le compte des exigences de la paternité. *(Hein ? QUOI ???)*

Oui, grande nouvelle depuis notre dernier échange ! Pat et moi nous sommes mariés *(oh PUTAIN, c'est qui cette Pat ?)* et notre fille est née, avec une précipitation indécente, j'ai honte de le dire, quelques

483

mois plus tard. Nous l'avons appelée Alice, jolie convergence d'hommages, à Alice Coltrane de ma part et à Alice Walker de la part de Pat. Elle a aujourd'hui seize mois, je t'épargne les variations d'un père gaga sur ses adorables atouts, mais je te la présente en pièce jointe, tu m'accorderas bien ça ? *(J'ai le choix, peut-être ?)*

(Eh merde, il va me falloir un autre café avant d'aller plus loin.)

(Ok c'est bon. Voyons la suite.)

Je suis désolé d'apprendre les difficultés auxquelles tu as eu à faire face, tant sur le plan professionnel que personnel. Je me souviens que quand nous nous sommes rencontrés à Marseille, tu étais jeune mariée ; tu avais l'air si heureuse, si emballée. Bah, ce sont des choses qui arrivent, sans doute... Il y a plus profond, comme formule, j'en conviens, mais que dire ? *(C'est vrai, ça résume le problème.)* Sur le plan professionnel, du moins, je vais pouvoir être un peu plus encourageant. Quitter l'université a été sans conteste l'une des meilleures décisions que j'aie prises dans ma vie. Il faut dire que j'ai eu de la chance. La société productrice de jeux que j'ai intégrée se porte bien et on y aime mon travail, si bien que je suis devenu actionnaire, et c'est super. Mais l'important, c'est que je peux désormais vivre de ma créativité. J'adore ce que je fais et ça paie les factures, alors si je ne compose pas tout à fait le type de musique dans lequel j'ai grandi, il y a d'autres lieux pour la faire. J'ai formé un trio avec deux copains et on donne quelques concerts sur notre temps libre – d'ailleurs, on joue le 21, et donc si ton amie et toi n'avez rien prévu ce soir-là, vous pourriez venir nous écouter, ce serait génial ! Vous serez nos invitées, je vous mets immédiatement sur la liste.

Autant dire que tout va bien de ce côté-là, mais par rapport à la dernière phrase de ton message, je ne prétendrai pas que le climat actuel m'enchante. Comme un crétin sur deux en Amérique, Pat et moi ne nous attendions pas à ce que Trump soit élu président. Alice est née dix jours avant l'élection, et ça nous a fait tout bizarre : on nageait dans la joie et l'euphorie et crac ! ces maudits résultats sont tombés. On était là à se dire putain, qu'est-ce qui nous arrive ! On aurait cru qu'une chape de nuages descendait sur la maison et, à dire vrai, elle ne s'est pas levée depuis et je ne crois pas qu'elle se lèvera avant que notre président soit remplacé par un autre, quels qu'en soient les termes et les délais. Non pas qu'Hillary ait été une candidate idéale, loin de là, mais on pouvait lui trouver une compétence de base et une stabilité de caractère qui sont précisément ce qu'on attend d'un chef d'État. Le matin du 9 novembre, j'étais furieux et incrédule, mais c'était pire pour Pat, je crois. Impensable, la rapidité avec laquelle notre climat affectif a changé. La veille encore, on regardait Alice en s'émerveillant tout bonnement de sa fraîcheur, de son innocence, de sa fragilité. Et puis du jour au lendemain on ne pouvait plus la regarder sans être abasourdis devant l'insécurité de son avenir, on avait l'impression que notre pays et le monde entier étaient devenus tellement plus instables, menaçants et dangereux.

Bref, nous pourrons reparler de toutes ces questions quand je te verrai – dans à peine une semaine, c'est bien ça ? Tu pourras venir au concert samedi avec ton amie, et puis dimanche, vous pourriez peut-être venir déjeuner à la maison, si vous n'avez pas un programme trop chargé. Je sais que Pat serait ravie de faire ta connaissance, et, bien entendu, j'ai hâte de te montrer fièrement l'adorable Alice. :)

Dis-moi tes projets, et appelle-moi dès que tu atterris à Chicago.

À *bientôt** (l'une des rares formules françaises que je me rappelle encore).

Adam

42

Après avoir lu le mail, Sophie se coucha sur le lit étroit de sa minuscule chambre et s'y recroquevilla près d'un quart d'heure. Presque six ans qu'elle avait rencontré Adam à Marseille, mais depuis, un fantasme, un fantasme idiot et irréaliste s'était logé dans sa tête, et ce matin, elle s'en voulait terriblement non seulement de s'y être accrochée mais, comble de l'idiotie, de s'être dévoilée de manière aussi crue en passant à l'acte, ce qui lui avait attiré cette réaction élégante, pleine de tact et mortifiante.

Comment répondre ?

Trois jours plus tard, elle envoyait un nouveau mail – huit ou neuvième mouture – expliquant que son amie venait de perdre sa mère ; elle rentrait en France ce week-end et la réclamait auprès d'elle. Envoyer ce message fut peut-être le geste le plus embarrassant qu'elle ait jamais eu à faire, mais elle n'avait pas trouvé d'autre solution. Quant à la réponse d'Adam, elle se résolut à la lire en zigzag pour l'expédier aussitôt au bas de l'écran, au bout de sa liste de messages prioritaires. Du moins venait-elle d'économiser le prix du vol pour Chicago, dont elle n'avait guère les moyens présentement.

Elle prit donc un train pour Birmingham Moor Street

plutôt qu'un avion pour Chicago O'Hare. Week-end avec
Papa plutôt qu'avec Adam. Au menu du vendredi soir, plat
indien à emporter, lagers en pack de quatre et nouvelles
de la famille. Elle était si déprimée, si vidée de tout espoir
qu'elle pouvait à peine parler.
En revanche, contre son habitude, son père se montrait
bavard.
« Je mets la maison en vente, lui dit-il. Ça ne t'ennuie
pas ? »
Elle fit non de la tête.
« J'ai toujours eu l'impression qu'elle ne te plaisait pas
tellement, de toute façon.
— C'est vrai. Et tu vas t'installer où ?
— Euh...» Il respira un bon coup. « C'est l'autre nou-
velle. Je vois quelqu'un depuis un moment.
— Quelqu'un ?
— Une femme. Ça ne t'ennuie pas ?
— Tu vas vivre avec elle ?
— Oui.»
Sophie fut à la fois impressionnée et démoralisée. Son
père lui-même avait une vie amoureuse qui se portait mieux
que la sienne. « C'est allé très vite, dit-elle.
— Je sais. Ça ne t'ennuie pas ?
— Cesse de me demander si ça ne m'ennuie pas, s'il te
plaît. Pourquoi veux-tu que ça m'ennuie ? Je souhaite que
vous soyez heureux, Maman et toi.
— Tant mieux. Je le suis. Je suis très heureux.
— Comment elle s'appelle ?
— Judith.
— Qu'est-ce qu'elle fait dans la vie ?
— Avocate, spécialiste du divorce.
— Ça pourrait tomber à point nommé. »
Christopher sourit : « Et ta mère ?

« — Quoi, ma mère ?

— Elle a retrouvé quelqu'un ?

— Je ne crois pas qu'elle cherche. Ce qu'elle cherche, elle, c'est une maison en France.

— Ah bon ? » Il parut déconcerté. « L'idée n'avait pas l'air de l'emballer quand je lui en avais parlé.

— En tout cas Benjamin et elle vont s'installer ensemble. Il met le moulin en vente, ils veulent acheter une grande maison pour pouvoir prendre des pensionnaires.

— Ça va leur faire un sacré changement !

— Le changement est dans l'air du temps.

— Au moins, toi tu restes en place, tu mets un peu de continuité dans nos vies.

— Je vais quitter mon poste. Donner mon préavis. »

Christopher faillit en laisser tomber son bhaji à l'oignon. « Hein ? Pourquoi ?

— Ce n'est pas vraiment le métier dont j'avais rêvé. Ce qui me plaisait a petit à petit disparu sous la tonne de choses qui ne me plaisent pas. » Là-dessus elle tendit la main pour toucher le bras de son père, et elle ajouta, plus optimiste : « Il ne faut pas que ça t'inquiète, Papa. J'ai autre chose en tête. Tout va bien se passer. »

*

Le lendemain en fin de matinée, dans le bus qui l'emmenait au centre-ville, elle se demanda depuis quand elle s'était mise à mentir à tout le monde. Elle ne croyait pas un instant que tout allait bien se passer et elle ne risquait pas d'avoir « autre chose en tête ». Des années auparavant, à l'époque du bac, elle avait parlé de devenir psychothérapeute. Jusqu'à sa soutenance de thèse, elle avait eu cette idée derrière la tête. Lorna, la conseillère conjugale qui les avait pris en charge, Ian et elle, ne lui avait pas fait une forte impression : elle était presque sûre de pouvoir être meilleure, même si ses relations avec autrui ne semblaient pas un modèle de réussite. Mais changer de voie, à son âge ? Des années de boulot mal payé voire pas du tout la plupart du temps ? La perspective n'avait rien de réjouissant. Il serait plus facile de décrocher un poste dans un musée, une galerie, au National Trust. Ce n'était pas vraiment le genre d'objectif pour lequel elle avait travaillé toute sa vie, mais enfin, elle resterait tout de même dans le service public, plus ou moins...

Elle descendit du bus lorsqu'il arriva au centre-ville et déambula au hasard des rues bondées, bousculée par une foule avide d'acheter. Après des mois d'une météo maussade, les températures étaient montées en flèche depuis quelques jours et le soleil attirait les populations dans New Street, Broad Street et Corporation Street. Des adolescentes pâles sous leurs taches de rousseur, dénudées dans leurs gilets courts et leurs shorts en jeans, offraient un contraste saisissant avec les silhouettes noires des femmes en niqab. Sophie se détendait dans cette foule, heureuse de s'y perdre.

Mais elle n'avait nulle envie de faire des courses et ne savait pas au juste ce qui l'amenait là aujourd'hui. Depuis peu, elle se disait qu'elle devrait prendre contact avec Ian pour envisager un divorce en bonne et due forme. Elle y pensait depuis plusieurs mois, à vrai dire, mais elle reculait devant cette idée au caractère irréversible. Pour autant, c'était lâche de sa part, lâche de leur part à tous les deux, de laisser traîner la situation sans rien faire. Elle était à cinq cents mètres de son appartement, de cet appartement qu'elle avait partagé avec lui si longtemps, et il lui serait assez facile de l'appeler pour lui donner rendez-vous, his-

toire de bavarder en amis devant un café et de découvrir
où les mènerait leur conversation. Et puis, elle aurait plaisir à le revoir, par certains côtés...

Elle s'assit sur un banc de Cathedral Square et déploya
ses membres au soleil. Là, en plein centre de Birmingham,
elle réalisait qu'elle était entourée de souvenirs de lui. En
face, sur Colmore Row, se trouvait l'immeuble de bureaux
où elle avait effectué son stage de sensibilisation à l'excès
de vitesse. Derrière, sur Corporation Street, c'était la boutique de bonbons où il avait été blessé en intervenant, pendant les émeutes de l'été 2011. Repenser à cette semaine
déclencha tout un enchaînement de réflexions... Son souvenir le plus vif, plus vif même, curieusement, que celui
de sa demande en mariage, la ramenait dans la voiture en
route vers l'hôpital avec Helena, à l'instant où elle avait
senti le silence s'ouvrir comme un gouffre entre elles sur
ces mots impardonnables : « Il avait tout à fait raison, vous
savez. "Des fleuves de sang." Il est le seul à avoir eu le
courage de le dire. » Sidérant, songeait Sophie, comme
ce discours était resté dans les mémoires, comme les gens
s'accrochaient à ces formules, prononcées à l'intention
d'un auditoire de Birmingham par un enfant de Birmingham devenu homme politique. Ils y avaient vu l'expression
d'une vérité essentielle mais indicible, et le discours s'était
logé dans leur cœur comme un cancer, un abcès qui n'avait
cessé de s'infecter pendant... seigneur, cinquante ans ! Un
demi-siècle ! Pas plus tard que la semaine dernière, la BBC
l'avait rediffusé, lu par un acteur cette fois pour marquer
son cinquantième anniversaire – comme s'il méritait commémoration, s'était-elle insurgée. Elle en avait attrapé cinq
minutes à la radio, et ses clichés navrants l'avaient déprimée sur le fond, tandis que la voix nasillarde et irréelle
d'Enoch Powell, imitée à la perfection par l'acteur, la gla-

çait jusqu'aux os. Mais aujourd'hui, une idée plus guille-
rette lui venait ; elle réalisait qu'en ce jour ensoleillé d'avril,
les gens de Birmingham, les jeunes surtout, vivaient leur
vie dans une acceptation sereine et paisible de ce mélange
culturel qui, dans l'esprit étroit et mesquin d'Enoch Powell,
ne pouvait mener qu'à la violence. Elle se rappelait le scepticisme dédaigneux de Sohan lorsque, des années plus tôt,
Lionel Hampshire avait décrit ses compatriotes comme
essentiellement accueillants et accommodants, c'est-à-dire
tout le contraire de Powell, avec son racisme meurtrier
sous des dehors policés et fréquentables. Mais elle ne pouvait s'empêcher de penser qu'Hampshire avait raison, non
seulement quant aux Anglais, mais quant aux peuples du
monde en général. Autrement, quel espoir resterait-il ?

Elle s'engagea dans Waterloo Street en traversant Victoria
Square, elle passa devant l'emplacement de la vieille Bibliothèque centrale aujourd'hui disparue et du Grapevine, disparu également, pour parvenir sur Centenary Square, au
pied de la nouvelle Bibliothèque, lisse et monumentale.
Elle n'était plus qu'à une centaine de mètres de l'appartement de Ian, mais elle traversa encore le Centre international de conférences pour déboucher sur Brindley Place, où
elle s'arrêta quelques minutes observer depuis le pont les
allées et venues des gens sur les chemins de halage. Il était
midi et on commençait à chercher où se poser pour déjeuner. Elle serrait son téléphone dans la poche de son jean
et se demandait sans cesse si elle devait appeler Ian lorsque
– fallait-il y voir un signe ? – elle sentit qu'on lui tapotait le
bras et, se retournant, se retrouva nez à nez avec deux personnes qu'elle ne s'attendait pas à croiser, deux personnes
qu'elle reconnaissait mais avec qui elle n'avait plus parlé
depuis avant même sa séparation d'avec Ian, Grete, l'ex-
femme de ménage de Mme Coleman, et Lukas, son mari.

Ils étaient chargés de paquets et habillés beaucoup trop chaudement pour ce temps estival. Ils s'apprêtaient à entrer au Pizza Express pour y déjeuner et l'invitèrent à se joindre à eux.

Au cours du repas, ils s'en tinrent à des sujets sans conséquences, le beau temps, la gestion du restaurant, les nouvelles boutiques du centre-ville, et ils évitèrent de mentionner ce qui ou plutôt celle qui les avait rapprochés au départ. Pourtant, quand ils en furent au café, Sophie leur demanda s'ils avaient des nouvelles de Ian ou de Mme Coleman. Cette question eut l'air de les mettre un peu mal à l'aise.

« Franchement, expliqua Lukas, il nous arrive de croiser Helena dans le village mais on n'est pas en bons termes avec elle. Et Ian...

— J'ai l'impression qu'il ne vient plus beaucoup, ces derniers temps, dit Grete, depuis deux mois peut-être.

— Qu'est-ce qui vous fait penser ça ? demanda Sophie, car le ton de la phrase laissait supposer qu'il pourrait y avoir une raison particulière.

— Il s'est passé quelque chose, au début de l'année, expliqua Lukas, un incident odieux, qui a beaucoup secoué tous ceux qui étaient concernés.

— On y était pour quelque chose, dit sa femme. On en était la cause, à vrai dire. Et j'avoue que je culpabilise. Je pense que Ian a dû se fâcher avec sa mère, et qu'au fond, c'est à cause de nous.

— Ne dis pas ça, la reprit Lukas. Ne va pas te culpabiliser, ni nous culpabiliser. Je te rappelle que c'est toi la victime dans l'affaire. »

Ils se turent. Sophie comprit qu'on venait de soulever un sujet délicat, mais elle était dévorée de curiosité.

« Si vous ne voulez pas me raconter... leur souffla-t-elle sans en penser un mot.

— Si, si, au contraire. Il faut vraiment que vous soyez au courant, enfin, je ne sais pas où vous en êtes avec Ian, mais il me semble que ça va vous faire plaisir. »

Sophie hocha la tête en encourageant Grete du regard. Au bout d'un instant, celle-ci poursuivit :

« Bon, vous vous rappelez la supérette du village ?

— Naturellement.

— Eh bien c'est là que ça s'est passé, en février. C'était un samedi, à midi, et je me rappelle qu'il faisait assez froid, du coup il n'y avait pas beaucoup de clients, mais comme vous savez il n'y a jamais foule, dans ce magasin. Enfin, là n'est pas la question. L'histoire a commencé comme ça. On n'était que quatre, deux caissières et deux clients dont moi. L'autre était un homme de vingt-cinq, trente ans. Il devait venir d'un pub quelque part, parce qu'on voyait qu'il avait bu, et il était entré acheter de l'alcool, des cannettes de lager. Moi j'avais pris des bricoles, du dentifrice, des torchons, des trucs comme ça. Mais je dois reconnaître que je me suis mal conduite parce que j'ai fait quelque chose que je ne fais jamais, parler au téléphone tout en payant. Je dois dire que ça m'agace quand je vois les gens le faire, seulement c'était ma sœur au bout du fil, et je n'avais pas eu de ses nouvelles depuis longtemps, alors j'étais toute contente parce que je commençais à m'inquiéter. J'étais donc en train de lui parler tout en payant, puis en quittant le magasin. Dans notre langue, bien sûr.

« Pendant ce temps-là, l'autre, le jeune gars, se trouvait devant l'autre caisse et apparemment il avait un problème pour payer. La machine refusait sa carte de crédit. Il s'est mis à se disputer avec la caissière. Il n'avait pas de liquide sur lui, il n'avait que cette carte, et il a dû finir par admettre qu'il ne pouvait pas prendre ses cannettes de bière. Mais ça l'a énervé. Il a arraché la carte du lecteur, il a cogné la machine sur le comptoir, et puis, au moment où il sortait, il m'a vue. Ou plutôt, entendue. Il m'a vue me diriger vers la porte en parlant au téléphone avec ma sœur, une langue étrangère, et moi aussi je l'ai repéré. Comme il me fixait d'un sale œil, j'ai détourné le regard mais c'était déjà trop tard. Je suis sortie de la boutique, et en sortant, j'ai aperçu Mme Coleman qui venait vers moi mais on ne s'est pas dit bonjour parce que tout d'un coup, cet homme s'est mis à m'engueuler. Il a dit : "Raccroche ta saloperie de téléphone !" Et puis au moment où on s'est retrouvés devant la porte tous les deux, il m'a attrapé le bras en me criant : "À qui tu parles ? Dans quelle langue tu parles ?" Moi j'ai crié : "Lâchez-moi !" mais il n'a fait que répéter : "Dans quelle langue tu parlais ? On parle anglais, dans ce pays !" et puis il m'a traitée de sale chienne de Polonaise. Je n'ai rien dit, je n'allais pas rectifier, j'ai l'habitude que les gens me prennent pour une Polonaise, de toute façon. Je voulais juste l'ignorer, mais il ne s'en est pas tenu là, il a mis la main sur mon téléphone, il me l'a arraché, il l'a jeté par terre et piétiné. » Grete avait les larmes aux yeux et la voix qui tremblait en racontant cet incident. « Il arrêtait pas de dire Polonaise-ci et Polonaise-là. Je ne peux pas répéter les mots qu'il employait, et il m'a dit : "On n'aura plus besoin de vous supporter vous autres" (il n'a pas dit "vous autres", non plus), et puis il m'a craché dessus. Il a vraiment craché. Pas à la figure, par chance, mais… »

Toute tremblante à présent, Grete mit sa tête dans ses mains. Lukas l'entoura de ses bras. Sophie se pencha sur la table et prit sa main dans la sienne.

Ils eurent un moment l'impression qu'elle n'aurait pas la force de finir son histoire, et ce fut donc Lukas qui reprit :

« Grete a été vraiment marquée par cet épisode, vraiment secouée. C'était la première fois… Depuis le référendum on avait ressenti l'un comme l'autre un changement dans la façon dont les gens, certains en tout cas, nous parlaient, ou nous regardaient quand on parlait et même quand on parlait anglais. Mais c'était la première fois qu'il se produisait une réaction aussi agressive, aussi violente. À la fin, on s'est dit qu'on allait porter plainte. Le type était remonté dans sa voiture et il était parti sans qu'elle ait relevé la plaque d'immatriculation ni rien, mais on s'est dit qu'il serait quand même facile à retrouver. On a pensé qu'il valait quand même mieux avoir des témoins, alors on a décidé d'aller chez Mme Coleman puisqu'elle avait tout vu. En arrivant chez elle le lendemain matin, un dimanche, on a vu la voiture de Ian garée devant la maison.

— Pour parler franchement, j'étais bien contente, commenta Grete qui semblait un peu plus calme, parce que j'ai toujours trouvé qu'il était d'un contact un peu plus facile et... j'espère que vous ne m'en voudrez pas de le dire... plus cordial que Mme Coleman elle-même. C'est vrai, parce que j'ai travaillé chez elle pas mal d'années, j'y ai passé pas mal de temps, et jamais je n'ai...

— Je sais », dit Sophie.

Grete lui sourit avec reconnaissance, et poursuivit : « C'est donc Ian qui nous a ouvert la porte. Il était très content de nous voir, chaleureux, très gentil. Lui et sa mère étaient en train de prendre le thé à la cuisine. On avait notre fille avec nous, notre fille Justina, et bien qu'elle soit très sage on ne voulait pas les déranger, alors Lukas l'a emmenée dans le salon pour jouer avec elle pendant que je parlais avec Ian et sa mère. Ian m'a invitée à m'asseoir, il m'a proposé une tasse de thé, mais j'ai dit non merci, je ne restais pas. Je me suis assise à la table de cuisine entre eux, mais je n'avais pas dit trois phrases que Mme Coleman s'est mise à débarrasser la théière et les tasses pour les laver dans l'évier. Ce n'était pas qu'elle n'écoutait pas, à mon avis. C'était plutôt qu'elle savait déjà ce que j'allais dire et qu'elle voulait préparer sa réponse. J'ai raconté ce qui s'était passé à Ian, en quelques mots, du reste ils en avaient déjà parlé ensemble ; il a été très gentil, très compatissant. Alors je lui ai dit qu'on avait décidé d'aller à la police, et j'ai demandé si Mme Coleman voudrait bien se présenter comme témoin, et confirmer simplement ce qui s'était passé.

« Helena était restée près de l'évier, les mains dans l'eau, elle regardait par la fenêtre. Ian lui a dit : "Ça ne poserait pas de problème, non, Maman ? Comme tu as tout vu."

« Elle n'a pas répondu tout de suite, et elle a fini par reconnaître : "Oui, en effet."

« On attendait qu'elle en dise davantage. On a attendu très longtemps. »

Sophie elle-même attendait la suite. Malgré le bruit des couverts, les allées et venues dans le restaurant bondé, elle voyait et entendait la scène comme si elle y était : le terrible silence de la cuisine trop familière, le petit bruit de l'eau dans l'évier, les mains d'Helena qui s'affairaient. Les yeux d'Helena, si clairs, liquides, larmoyants, rivés au parterre de roses planté par son mari dans le temps, ces roses pas encore écloses, pas encore épanouies. Elle se rappelait s'être assise elle-même au jardin, le jour où elle avait fait la connaissance de la mère de Ian. Elle se rappelait avec quelle férocité la vieille femme lui avait agrippé le bras, la force et la fermeté qui passaient dans son regard – intimidantes.

« Helena a fini par parler. Elle a parlé très calmement, et avec une tristesse dans la voix. Une vraie tristesse. C'est ce qui m'a fait le plus mal, dans un sens. Elle a dit » – Grete respira un bon coup, il était clair que répéter ces mots la peinait – : « "Je pense que, tout bien considéré, il vaudrait mieux que vous retourniez chez vous, vous et votre mari."

« Sur le moment je n'ai pas compris, franchement. J'ai cru qu'elle voulait dire dans notre maison, à l'autre bout du village. Mais pas du tout. "J'ai bien peur", dit-elle (et, soit dit en passant, je suis toujours étonnée quand les Anglais emploient cette formule, comme s'ils avaient vraiment peur de dire quelque chose de désagréable, alors que c'est la personne à laquelle ils parlent qui devrait avoir peur. Curieux, ça, je ne crois pas que ça existe dans une autre langue), "j'ai bien peur que ce qui s'est produit aujourd'hui se répète continuellement sous une forme ou sous une autre. Ça devait arriver. C'est inévitable.

« — Inévitable ?" j'ai répété. Mais elle n'a plus rien dit.

« J'étais là, sur ma chaise, à essayer d'absorber ses paroles. Les mots me manquaient, en fait. Et puis, Ian a dit un truc comme "Maman, tout ce qu'elle te demande, c'est de raconter ce qui s'est passé", mais je me suis levée et j'ai dit : "C'est bon, Ian. Votre mère vient de s'exprimer très clairement. Je vois parfaitement ce qu'elle veut me dire. Je m'en vais."

« Aussitôt, je suis sortie de la cuisine et je suis entrée dans le salon où Lukas et Justina étaient en train de jouer. J'ai pris ma fille et j'ai dit "Allez, on s'en va", puis je me suis dirigée vers la porte. Lui » – elle regardait son mari – « m'a suivie sans vraiment comprendre ce qui se passait. Ian était à la porte et il a essayé de m'empêcher de partir, mais je suis passée devant lui et j'ai emmené Justina à la voiture.

— Moi aussi, je suis allé à la voiture, dit Lukas, pour essayer de comprendre de quoi il retournait, mais Grete n'a rien voulu me dire. Elle attachait Justina dans son siège de bébé sans un mot. Comme la porte d'entrée était restée ouverte, je suis retourné dans la maison. Je suis allé au bout du couloir, jusqu'à la cuisine, et là, Ian et sa mère étaient en train de se disputer méchamment.

— Qu'est-ce qu'ils disaient ? demanda Sophie.

— Je ne me souviens pas. Le ton montait. Ils ne s'engueulaient pas vraiment, mais ils étaient très en colère, c'est sûr. Ça bardait. De là à vous répéter ce qu'ils disaient... »

*

« J'ai compris que ce qui l'avait mise hors d'elle au fond, c'était le simple fait que je ne la soutenais pas, dit Ian à Sophie cette nuit-là, au lit, tout en laissant courir ses doigts délicatement sur l'arrondi de son épaule nue. C'était ce qu'elle voulait de moi. Ce qu'elle attendait. Un soutien inconditionnel. » Il l'embrassa sur l'épaule, puis sa main alla se promener sur le plateau de son ventre, où il trouva le creux délicat du nombril pour se poser enfin sur la courbe de la hanche. « Elle n'arrêtait pas de me dire : "Tu es de quel côté, alors ? De quel côté ?" C'est comme ça qu'elle voyait les choses. Dire que je ne m'étais pas aperçu qu'elle avait toujours vécu comme ça, finalement. Dans un état de guerre non déclarée. »

Sophie lui caressa la cuisse. C'était bon de le toucher de nouveau, le muscle, la peau, le duvet blond sur l'intérieur de la cuisse, et le poil plus rêche et plus noir à mesure que sa main remontait.

« Quand est-ce que tu lui as parlé pour la dernière fois ?

— Ce matin-là, il y a deux mois.

— Il va falloir rattraper ça...

— Ça se fera. Mais jamais plus » – il l'embrassa de nouveau – « nous ne serons comme avant.

— Nous non plus, dit Sophie, les battements de son cœur s'accélérant sous la main qui faisait le tour de son sein.

— Mais au moins tu es de retour, dit Ian en l'embras-

498

sant encore, puis en frottant doucement ses lèvres le long de sa mâchoire. Je me trompe ?

— On va voir. »

*

« Qu'est-ce que vous allez faire, maintenant ? demanda Sophie comme ils quittaient le restaurant pour le grand soleil du dehors.

— Maintenant ? dit Lukas en regardant sa montre. On va faire encore quelques courses, et puis on va rentrer.

— Non, pas cet après-midi, je veux dire... vous allez rester au village ?

— En fait, dit Grete, on va suivre le conseil de Mme Coleman.

— Non ! Vous ne pouvez tout de même pas partir à cause de ça.

— Ce n'est pas à cause de ça, dit Lukas. On se dit seulement...

— Ce n'est pas que l'Angleterre ne nous tienne plus à cœur, reprit Grete.

— C'est seulement qu'on a l'impression qu'il y a d'autres pays où la vie sera peut-être plus facile pour nous.

— Quels pays ?

— On ne sait pas trop. On a tout le temps de décider. On a donné notre préavis pour la maison, mais on a jusque fin août pour partir. »

Sophie les regarda, main dans la main sur le bord du canal, et elle comprit qu'elle avait affaire à deux personnes dont la décision était prise.

« C'est très triste, dit-elle.

— Pas vraiment, dit Lukas. Il est toujours bon d'avancer.

— Et vous ? » demanda Grete.

Ils l'avaient tous deux fortement encouragée, en termes on ne peut plus énergiques, à appeler Ian le plus tôt possible. Mais elle avait décidé d'agir de façon plus directe encore. Ainsi, lorsqu'ils se furent dit au revoir devant l'entrée du Birmingham Repertory Theatre, et qu'elle eut vu leurs silhouettes s'amenuiser tandis qu'ils longeaient le Hall of Memory en direction de Paradise Place, elle rebroussa chemin, passa derrière le théâtre et s'achemina lentement mais sans flancher vers l'immeuble où Ian et elle avaient passé leurs années de vie commune. Elle se rappelait bien sûr le code à quatre chiffres de l'entrée de la résidence. Elle avait gardé la clef de l'appartement, aussi. Mais elle ne s'en servit pas, cette fois-ci. Elle sonna et lorsque Ian vint ouvrir avec l'expression de surprise légèrement agacée de l'homme qu'on dérange en plein match de foot à la télévision, elle dit simplement :

« Salut, on se connaît, non ? »

43

Mai 2018

Coriandre avait passé ses examens de fin d'année et elle attendait les résultats. Peut-être dans l'idée de tuer le temps – voire, qui sait, dans un effort pour se rapprocher de son père –, elle avait fini par consentir à passer un jour ou deux avec lui et Gail dans la maison d'Earlsdon. Visite très contrainte mais au demeurant peu mémorable, caractérisée par une politesse opiniâtre de part et d'autre. À l'heure du départ, le 17 mai 2018, elle se rendit à pied avec Doug à la gare de Coventry. Elle rentrait en effet à Londres tandis qu'il se rendait à Birmingham pour assister (non sans l'ambivalence qu'on éprouve vis-à-vis de ce genre de festivités) à sa réunion d'anciens élèves de King William. Ils en avaient pour vingt minutes, sous le soleil mordoré d'une fin d'après-midi préestivale, et Coriandre démarra au pas de charge.

« Si tu ralentissais un peu, non ? dit Doug en la voyant à deux ou trois mètres devant lui. C'est à croire que tu as honte de marcher avec moi.

— J'ai honte.

— Charmant ! »

— Ça t'étonne ? C'est ton smoking. Ton habit de pingouin. Tu as l'air d'un membre encarté de la classe dominante. C'est gênant pour moi.

— Ce n'est pas ma faute si la tenue de soirée est de rigueur.

— Oh, allez ! Dans le temps, tu aurais dit "Qu'ils aillent se faire foutre" et tu te serais contenté d'un costume-cravate. C'est fou ce que tu t'es ramolli, dans ta vieillesse. »

Doug pressa le pas pour la rattraper. « Ma *maturité*, si tu permets. Je ne suis pas vieux.

— Ouais, si tu veux. »

Il passa son bras sous le sien et fut soulagé que, dans un premier temps, elle ne cherche pas à se dégager.

« Benjamin sera là ?

— Ouaip. Pourquoi, tu veux lui faire passer un message ?

— Non.

— Parce que tu peux me le confier, je le lui transmettrai, et lui le transmettra à Sophie. » Il regarda sa fille, dont le visage demeurait parfaitement inexpressif. « Tu pourrais, je ne sais pas, moi, t'excuser par exemple ?

— Si j'avais commis quelque chose de mal, je m'excuserais.

— Tu lui as volé un an de sa vie.

— Un an qu'elle a mis à profit pour écrire un livre et enregistrer des émissions de télé. Pendant ce temps-là, 70 % des trans de ce pays pensent au suicide. Je sais de quel côté je suis. Laisse tomber, Papa. C'est hors de question. »

À la gare, après qu'ils se furent dit au revoir, Doug emprunta la passerelle qui menait au quai direction Birmingham. Un train se présenta presque tout de suite mais resta sur place quelques minutes. Doug, assis côté fenêtre, eut tout loisir de voir sa fille qui attendait le sien sur le quai

502

d'en face. Sa force de caractère, son obstination, son intransigeance transparaissaient dans son attitude et sa posture, la façon dont elle plaçait les pieds sur le quai, ses yeux fixés sur l'horizon et son front légèrement froncé par l'impatience, la distance avec laquelle elle considérait les autres passagers. Il espérait qu'elle dépasse tôt ou tard sa colère contre le monde, et plus précisément le monde que sa génération à lui leur avait légué. Des excuses... Il comprenait à présent que c'était lui qui était oppressé par le sentiment d'en devoir en permanence. À elle, au tout premier chef, ainsi qu'à tous ses amis et contemporains. Avait-il, avec ses pairs, merdé à ce point ? Peut-être bien. Le pays était dans un état pitoyable, grogne, fracture sociale, politique d'austérité dont on ne voyait pas le bout. Peut-être était-il inévitable que Coriandre le méprise pour le rôle, si infime fût-il, qu'il avait joué dans tout ça. Peut-être était-il temps qu'il apprenne de sa fille, qu'il se souvienne qu'il y avait des principes intangibles et que graviter en permanence autour du centre pour se préserver une vie tranquille n'était pas forcément un noble idéal... D'un mouvement instinctif, il tira sur le nœud papillon qui lui serrait le cou. Il s'apprêtait à le dégrafer mais il se retint : geste vain s'il en était, il ne se leurrait pas.

*

Comme Doug descendait la grande allée du collège King William avec des bouffées de souvenir proustiennes à chaque pas et chaque coup d'œil, le labo des sciences à sa droite, le royaume jadis interdit du lycée de filles à sa gauche, il aperçut Benjamin quelques mètres devant qui garait sa voiture puis verrouillait la portière. Ils gagnèrent donc du même pas leur ancien réfectoire où une bannière multicolore annonçait « King William souhaite la bienvenue à la promotion 78 » et où Philip Chase et Steve Richards les attendaient déjà à l'une des longues tables, en bout de banc.

« Qui c'est, bon Dieu, tous ces gens ? » demanda Steve en considérant autour d'eux la mer de crânes dégarnis, de lunettes à monture métallique, d'épaules voûtées et de bedaines en expansion. Je reconnais personne, ils ont tous la même tête.

« Il paraît que certains profs vont venir. M. Serkis a dit qu'il serait là. »

Steve se mit à rire. « J'adore quand tu l'appelles encore "monsieur".

— Regardez, s'exclama Phil, c'est pas Nick Bond ?

— Non, c'est pas lui, c'est David Nagle. Je le reconnaîtrais entre mille.

— On va le saluer ?

— J'aime autant pas. On n'avait déjà pas grand-chose à se dire il y a quarante ans, alors aujourd'hui…

— Mais qu'est-ce qu'on est venus faire, alors ? Pourquoi on est là ? On aurait pu aller manger tranquillement dans un restau chinois.

— La voilà, dit Doug, la raison qui m'amène. »

Les autres se turent et suivirent son regard. À la porte du réfectoire, Ronald Culpepper venait de faire son entrée. Il était en grande conversation avec le proviseur actuel de l'école, qui lui parlait avec déférence en l'escortant à la place d'honneur de la table d'honneur.

« Tu as fait tout ce chemin pour écouter ce connard parler de… » Incrédule, Steve consulta le programme des réjouissances : « … des "Opportunités mondiales dans l'Angleterre d'après le Brexit" ?

— Non, je suis venu parce que j'ai l'intention de lui dire

deux mots en tête à tête à la fin de la soirée. Quant à son speech à la con, je ne sais pas ce que vous avez l'intention de faire mais moi, je ne vais pas rester l'écouter. »

Fidèle à cet engagement, dès que le dessert fut fini et que le président de la Fondation Imperium se leva, Doug donna le signal de la sortie, suivi par Philip, Steve et Benjamin, qui quittèrent le réfectoire dans un concerto pour cliquetis de couverts et grincements de banc au moment précis où Ronald Culpepper allait prendre la parole. Les cinquante ou soixante autres invités tournèrent la tête pour les voir se frayer un chemin jusqu'à la porte. Le geste était certes puéril mais il leur fit beaucoup de bien et ce fut un soulagement, après cette cuisine lourde et ce mauvais vin, de sortir au grand air profiter des derniers rayons du soleil.

Ils suivirent l'allée qui embrassait le périmètre des bâtiments scolaires ; la plupart d'entre eux dans le style *red brick* de l'entre-deux-guerres ne leur étaient que trop familiers, d'autres, bien plus récents, leur semblaient curieusement insolites, en particulier le nouveau centre de prière construit pour accueillir les 30 % d'élèves de confession musulmane. Bientôt, ils arrivèrent sur le talus gazonné qui menait aux terrains de sport où les poteaux de rugby se dressaient, fantomatiques et imposants dans le crépuscule d'été tels les vestiges indéchiffrés d'une civilisation enfuie. Ils s'assirent sur l'herbe tout comme quarante ans plus tôt, lors d'un chaud après-midi du dernier trimestre, où Doug avait apporté des cannettes de lager pour tout le monde, mais où Benjamin s'était abstenu, ne plaisantant pas avec sa conscience de préfet. Le souvenir de cet après-midi le faisait sourire en cet instant même, et l'envoyait sur les sentiers de la mémoire.

« Vous vous rappelez ? dit-il en regardant au nord le mur qui entourait la piscine extérieure nichée derrière la chapelle de l'école, ils nous obligeaient à nager à poil quand on oubliait notre maillot.

— Oh que oui, dit Phil.

— Le plus étonnant, dit Steve, c'est que nos parents laissaient faire sans protester. Aujourd'hui, on alerterait la police et les services sociaux. Du moins j'espère.

— C'est vrai, appuya Phil. Il y a tellement de choses qu'on considérait comme normales dans les années soixante-dix et qui relèveraient de la maltraitance aujourd'hui.

— Bah, on s'en est tirés sans séquelles au moins », dit Benjamin, à quoi Doug se contenta de répondre : « Ça reste à voir, non ?... », et la question plana un moment, sans réponse, sans réponse possible.

« C'est agréable de se pencher sur le passé, parfois, dit enfin Benjamin sur le mode défensif.

— La nostalgie, ce mal anglais, commenta Doug. Des obsédés du passé, les Britanniques, et regardez où ça nous a menés récemment. Il faut s'y faire, les temps changent.

— Contrairement à toi, dit Benjamin.

— Je te demande pardon ?

— Tu ne changes pas beaucoup. Tu te livres toujours à des généralisations abusives sur le caractère national anglais, à ce que je vois. "La subtilité, ce mal anglais", c'est ce que tu as dit la dernière fois.

— Quoi ? Quand est-ce que j'aurais dit ça ?

— Tu l'as dit. Il y a quarante ans, le jour où on se disputait sur la une du magazine de l'école.

— J'ai dit "la subtilité c'est le mal" ?

— Ouaip.

— Je m'en souviens, dit Phil à son tour. C'était l'époque où on avait fait ce reportage sur Eric Clapton qui s'était mis à chanter les louanges d'Enoch Powell pendant son concert à l'Odéon.

— Comment tu fais pour te rappeler un truc qui remonte aussi loin ? dit Doug. C'est bien tout le problème. Vous êtes des obsédés du passé, les gars. Vous vous en souvenez trop bien, et vous y pensez bien trop. Il est temps de bouger, il faut se consacrer à l'avenir.

— Je suis d'accord, dit Steve.

— Moi je dirige des éditions historiques, fit observer Phil, je suis bien obligé d'y penser, au passé.

— Eh bien moi ça ne m'empêche pas de regarder vers l'avenir, si vous voulez savoir, annonça Benjamin. J'ai pris une grande décision. »

Doug persifla : « Ah bon ? Tu vas t'acheter des cahiers verts à la place de tes cahiers bleus, à partir de maintenant ? »

Les autres s'esclaffèrent mais Benjamin coupa court en annonçant : « Lois et moi, on s'installe en France. » Après avoir savouré l'effet de surprise un instant, il poursuivit : « Elle a quitté Christopher. Elle ne veut plus vivre dans la région de Birmingham, elle ne veut plus rester dans ce pays. Mais elle ne veut pas être seule. Alors je lui ai dit que je partais avec elle. On va se trouver un coin en Provence – on a l'argent de la maison de Papa, plus celui du moulin. Elle veut un truc assez grand pour recevoir. Des hôtes payants. » Il considéra leurs visages l'un après l'autre. Passé le premier choc, ils s'étaient rembrunis. « Vous êtes tous les bienvenus quand vous voudrez. On vous fera des prix. »

La nuit gagnait rapidement sur les terrains de sport. Une salve d'applaudissements éclata au loin, dans le réfectoire. Doug se leva, secoua l'herbe collée au pantalon de son smoking. Il mit la main sur l'épaule de Benjamin.

« On dirait bien que tu as pris la bonne décision, mon pote. Et maintenant, excuse-moi, il semblerait que le discours soit fini et je doute que Ronnie s'éternise dans le coin. Il est temps qu'on bavarde un peu, lui et moi. Je vous rattrape, les gars. »

Comme il se dirigeait en direction des applaudissements décroissants, Steve lui lança : « Va pas faire l'imbécile ! »

*

L'instinct de Doug ne l'avait pas trompé. Ronald Culpepper, dans la splendeur de sa sveltesse nouvelle, attendait déjà devant le réfectoire, son pardessus d'été sur le bras de son habit, son crâne chauve luisant sous les lampadaires, et il chuchotait d'une voix feutrée dans son téléphone. Il appelle son chauffeur, se dit Doug, hypothèse exacte là aussi, car il se doutait qu'un tel hôte de marque n'aurait pas pris le volant, et encore moins un Uber. Une Daimler ou autre voiture prestigieuse était déjà en route pour le récupérer dans quelques minutes. Il n'y avait pas de temps à perdre.

Culpepper aperçut Doug et le reconnut alors qu'il était encore à quelques mètres de lui, et il se composa une expression de mépris résigné. C'est sans se serrer la main que les deux adversaires de toujours se saluèrent :

« Ronald, dit Doug.

— Doug, répondit Ronald.

— Tu nous quittes déjà ? Tu ne restes pas signer des autographes ?

— Si tu es jaloux qu'on se soit adressé à moi plutôt qu'à toi pour prononcer le discours, tu pourrais peut-être te demander lequel de nous deux reflète le mieux les valeurs de l'école. Toi, tout ce que tu as su faire, c'est contraindre tes amis à ce pathétique numéro d'insolence. Qui n'a impressionné personne, soit dit en passant. Les gens étaient gênés, à la limite.

— Nous sommes partis pour des raisons médicales. Nous pensions que notre tension artérielle ne résisterait pas si nous t'écoutions vingt minutes. »

Culpepper eut un sourire de pitié. « Toujours à livrer tes vieilles, vieilles batailles, hein, Doug ? Quarante ans sont passés, toi tu fais du surplace.

— Quarante ans, ce n'est pas si long à l'échelle des choses. Et puis ce n'est pas le combat qui vieillit. C'est toujours le même combat. Il ne change jamais.

— Parle pour toi. D'autres ont fait du chemin. »

Culpepper jeta un coup d'œil à sa montre. Son chauffeur tardait plus qu'il n'aurait souhaité.

« Et tu as fait du chemin vers quoi, ces temps-ci ? Parle-moi un peu de la Fondation Imperium et de ce qu'elle représente. »

Culpepper parut un instant désarçonné par cette mise en cause mais il se reprit aussitôt. « C'est un think tank très respecté. Toute information le concernant est en accès libre sur Internet.

— Qui le dirige ?

— Si tu te figures que tu vas trouver un cartel ou une conspiration louche, tu en seras pour tes frais, dit Culpepper qui s'engagea dans l'allée en direction du portail de l'école. Nous sommes tout simplement un groupe d'hommes d'affaires anglais ordinaires qui essaient autant que faire se peut de promouvoir les intérêts du pays. Même toi, tu n'y trouverais rien à redire.

— C'est vrai, rien du tout. Encore faudrait-il que j'en croie un mot.

— Ton problème, Anderton, dit Culpepper en s'immobilisant tout à coup pour faire volte-face, c'est que tu n'as jamais pris la peine de comprendre le monde des affaires, ni les ressorts du patriotisme. Ça ne fait pas recette, ces deux thèmes-là, dans la guilde des commentateurs progres-sistes. Autrement, vous vous rendriez compte que les deux peuvent tout à fait aller de pair. Parce que je les lis, tes édi-tos, tu sais. C'est toujours intéressant de voir ce que pense l'opposition. Mais ils ne m'ont jamais tellement impres-sionné, j'ai le regret de te le dire. Ton analyse est super-ficielle, et depuis le référendum, tout le monde a fini par voir ce que certains avaient décelé depuis un moment, à savoir que c'est toi et tes pairs grands pourfendeurs de l'élite qui êtes aujourd'hui la véritable élite. Si bien que les gens se retournent contre vous, et c'est bien ce qui vous chagrine. »

Doug réfléchit un moment puis il secoua la tête. « Désolé, Ronnie, mais je ne suis pas convaincu.

— Pas convaincu par quoi ?

— Tu vois, ce qu'il y a c'est que quand j'entends quelqu'un comme toi parler "des gens", mon détecteur de foutaises s'affole. Parce que, selon moi, tu as passé ta vie d'adulte à essayer de mettre le plus de distance pos-sible entre "les gens" et toi, justement. Tu prends les trans-ports en commun, tu te fais soigner à l'hôpital public, tu envoies tes gosses dans des établissements de secteur ? Sur-tout pas ! Entrer en contact avec les prolos ? Pour rien au monde. Mais le Brexit, c'est un rêve que tu caresses, Dieu sait pourquoi. Alors quand "les gens" te fournissent ce que tu appelles de tes vœux, tu les dorlotes. Tu es ravi de les utiliser comme tu utilises tout le monde. Voilà comment les individus de ton acabit opèrent. Mais j'espère que tu en es conscient, cette fois, tu joues avec le feu.

— Je joue avec le feu ! Mon Dieu, mon Dieu, tu adores dramatiser !

— Je ne dramatise pas. Nous savons tous qu'il y a beau-coup de colère dans le pays en ce moment. Or toi, pour arriver à tes fins, il faut absolument que tu souffles sur les braises. Sauf qu'il y a toutes sortes de façons de manifester sa colère. Il y a ceux qui râlent dans leur tasse de thé, qui soupirent amèrement devant le *Daily Telegraph* et qui votent pour sortir de l'Union – jusque-là, très bien. Mais voilà qu'un beau matin, d'autres sortent dans la rue avec un gilet pare-balles bourré de couteaux et poignardent leur députée, et là, ça ne va plus, tu vois ? Et plus les journaux mettent de l'huile sur le feu en parlant de "trahison" et de "mutinerie", plus un incident de ce genre risque de se reproduire. »

Ils étaient arrivés au bout de l'allée. Culpepper jetait des regards désespérés à droite et à gauche sur la rue principale, mais sa voiture n'était toujours pas en vue.

« Je ne saisis pas le rapport avec… »

Il n'eut pas le temps de finir sa phrase car Doug l'avait attrapé par son nœud papillon et le tirait sans ménagement vers lui jusqu'à ce qu'ils soient nez à nez.

« Tu sais qui est Gail Ransome, Ronnie ? Tu sais avec qui elle vit, en ce moment ? Mais oui, tu le sais. Tu sais quel effet ça fait d'avoir la femme que tu aimes qui pleure dans tes bras parce qu'elle a reçu des menaces de mort toute la journée ? Qui pleure parce que sa fille est malade de trouille ? » Il tira encore sur le nœud papillon et le tordit jusqu'à ce que la face de Culpepper tourne au violacé. « Alors ? Tu le sais ? Hein ?

— Lâche-moi, putain, espèce de brute ! »

Les mots avaient été prononcés le souffle court, d'une voix étranglée. Les deux hommes se dévisagèrent les yeux dans les yeux pendant une bonne dizaine de secondes ; le teint de Culpepper virait au grisâtre. Enfin, Doug desserra les doigts, au moment même où une grosse BMW noire se rangeait à leur hauteur le long du trottoir. Sans un mot,

Culpepper ouvrit la porte arrière d'un geste brusque et monta à bord en frottant les marques rouges et douloureuses de son cou, là où son col était rentré dans la chair. Il jeta un regard mauvais à Doug comme la voiture démarrait mais aucun des deux ne trouva une dernière flèche verbale à décocher à l'autre. L'odeur aigre de la haine plana dans l'atmosphère même après que la voiture eut disparu.

*

Pendant ce temps, Benjamin s'était assigné une mission, lui aussi, mais beaucoup plus intérieure. Reprenant le chemin gravé dans sa mémoire malgré les décennies écoulées, il pénétra dans le bâtiment principal et monta l'escalier jusqu'au couloir d'en haut où, à gauche, une petite porte cintrée menait à une nouvelle volée de marches dallées de pierre, plus raides et plus dérobées. C'était l'entrée du couloir Carlton, jadis seulement accessible aux élèves de terminale – et encore, triés sur le volet. La première salle, sur la gauche, accueillait les réunions du Carlton Club lui-même, et les happy few de ce cénacle d'élite (élus par un comité secret dont les critères ne furent jamais mis au jour) jouissaient du privilège de se détendre dans des fauteuils de cuir en parcourant des exemplaires du *Times*, du *Telegraph* et de l'*Economist* ainsi que de toute autre publication considérée en ces temps d'innocence comme une saine lecture pour les futurs leaders du pays. Aujourd'hui, apparemment, c'était devenu une simple salle de loisirs ouverte aux terminales dans leur ensemble. Benjamin passa devant d'un pas furtif et se dirigea tout droit vers deux pièces situées au bout du couloir, pièces dont un visiteur l'ayant précédé avait allumé les plafonniers. C'était là que, les vendredis après-midi, lui et ses camarades montaient le numéro hebdomadaire du journal de l'école intitulé *The Bill Board,* ce qui donnait lieu à des discussions éditoriales acharnées, Doug tenant à afficher une couleur politique marquée et Benjamin se débattant avec les questions de valeur littéraire et culturelle qui l'occuperaient sans résultat flagrant toute sa vie. La première salle était occupée en grande partie par la table rectangulaire et trapue où ils prenaient place. Il jeta un coup d'œil circulaire puis alla jusqu'à la fenêtre pour voir si la perspective lui rappellerait des souvenirs. Il n'y vit tout d'abord que le reflet d'un homme d'un certain âge, de sorte qu'il éteignit un interrupteur, geste qui plongea inopinément le couloir dans une quasi-obscurité. Passant dans la seconde pièce, il aperçut tout de suite la chaise et le bureau où il s'installait pour écrire ses critiques de livres et de pièces de théâtre. De là, on apercevait les toits de l'école et, derrière eux, les deux grands chênes qui encadraient l'allée sud, toujours fidèles au poste, imperturbables dans l'air immobile de l'été.

Il se laissa tomber sur la chaise et regarda par la fenêtre. Il ne faisait pas nuit noire, dehors ; la lumière rabattue était douce, apaisante et, au bout de quelques secondes, il se sentit envahi par la détente et le plaisir familiers de se retrouver seul. Il avait eu plaisir à voir ses amis, bien sûr, mais il préférerait toujours cette solitude. Tout las qu'il était de ses pensées, il connaissait cependant une manière de réconfort dans leur cours et leur agencement prévisibles. C'était là, dans cette chaise même, qu'il était venu s'asseoir tout seul après le départ de ses camarades, un certain vendredi frisquet de janvier 1977, jusqu'à ce qu'au bout de quelques minutes, il réalise qu'il n'était justement pas tout seul et que Cicely Boyd l'attendait dans la pièce à côté, assise ou plutôt tapie à la table éditoriale, dos à la porte, son pied nu replié sous ses fesses, sa blondeur légendaire ramassée en une queue-de-cheval qui lui tombait presque jusqu'au bas des reins. Ce qui lui avait permis de détecter sa présence, présence mémorable et qui allait changer sa vie, c'était l'odeur de sa cigarette. Le souvenir en était si puissant, l'image si intense, qu'il sentait encore l'odeur de cette fumée. Qu'il avait presque l'impression de la voir flotter dans la pièce en volutes et arabesques jusqu'au bureau et sous ses yeux...

Il étouffa un cri et se retourna brusquement. Une silhouette était assise derrière lui, sur une chaise adossée au mur. Une silhouette nébuleuse et indécise dont il ne distinguait que le cercle rougeoyant au bout d'une cigarette. Une silhouette qui prononça des mots lourds de sens, à voix basse mais avec une emphase déconcertante tandis qu'une nouvelle bouffée de fumée se répandait dans la pièce.

« Les fantômes... »

Benjamin reconnut la voix et, lorsque la silhouette se pencha en avant sur la chaise, il reconnut aussi celui qui venait de parler. C'était M. Serkis.

« Les fantômes, hein, Benjamin, répéta-t-il. À la recherche du temps perdu. »

Il fit grincer sa chaise en l'avançant jusqu'à ce que la faible clarté qui émanait de la fenêtre tombe sur son visage ridé, rassurant.

« Qu'est-ce que vous faites ici ? dit Benjamin.

— La même chose que vous, je présume. Je reviens sur les jours anciens. Je poursuis des fantômes.

— Vous m'avez fait peur.

— Pardon. Cigarette ?

— Non, merci.

— Vous n'êtes plus à l'école, on ne va pas vous consigner.

— Je ne fume pas. Je n'ai jamais fumé.

514

— Très sage. Ennuyeux comme la pluie, mais très sage. La sagesse est souvent ennuyeuse, vous l'aurez remarqué. Mieux vaut être un crétin distrayant qu'un vieux sage ennuyeux. Moi je vois à peu près vers lequel je m'achemine.» Il se leva et se mit à déambuler lentement dans la pièce obscure. «C'est donc là que tout a commencé, n'est-ce pas, Benjamin? Vous vous doutiez que vous vous y retrouveriez un jour avec votre vieux professeur d'anglais?

— Plus rien ne m'étonne, répondit Benjamin, et personne ne sait de quoi demain sera fait.

— C'est vrai. Mais je savais que vous iriez loin, tous. Je n'ai jamais eu aucun doute là-dessus.

— Ah bon? Vous trouvez que nous sommes allés loin? Doug, peut-être... nous autres, j'en suis moins sûr.

— J'ai fini par lire votre livre. Une fois les scories éliminées, c'est un vrai petit bijou que vous avez écrit là. Petit, mais parfait. Vous devriez être fier de vous.

— Ce n'est pas grand-chose, dit Benjamin avec tristesse, ça ne fait pas une trace considérable à laisser, en fin de compte. Un tout petit livre, lu par quelques milliers de personnes.

— D'autres livres le suivront.

— Je ne crois pas.

— Ça pourra prendre dix ans, vingt ans, mais vous écrirez quelque chose d'autre, ne vous inquiétez pas.

— Et en attendant, qu'est-ce que je suis censé faire?

— Qu'est-ce que vous avez envie de faire?

— Lois et moi, on part en France.

— Parfait.

— Oui, mais qu'est-ce que je vais faire une fois là-bas?» M. Serkis tira une dernière bouffée de sa cigarette et l'écrasa dans une tasse, sur le bureau de Benjamin.

515

« Vous ne m'avez pas écouté, la dernière fois que nous nous sommes vus ? Dans ce pub sinistre ?

— Bien sûr que si, je vous ai écouté.

— Je vous l'ai dit, ce que vous devriez faire. C'est le dernier mot que je vous ai dit. J'ai dit que vous devriez enseigner. »

Benjamin rit : « Je l'ai pris comme une plaisanterie.

— C'en était une. Une plaisanterie sérieuse. » Comme un silence lui répondait, il poursuivit : « Vous feriez un bon professeur, je l'ai toujours pensé.

— Qu'est-ce que j'enseignerais, en France ?

— Vous apprendriez à écrire aux gens. À écrire et à se relire. Vous savez faire l'un et l'autre. Et tout le monde veut devenir écrivain de nos jours, vous n'avez pas remarqué ? "Tout le monde porte un livre en soi." C'est une idée qui est dans l'air du temps. L'ennui, c'est que presque personne n'arrive à en accoucher, de son livre. Et c'est là que vous pouvez être utile. »

Benjamin y réfléchit un moment. L'idée lui avait paru farfelue de prime abord, mais elle tenait peut-être debout. « L'atelier d'écriture Benjamin Trotter, dit-il en pensant tout haut.

— Si j'étais vous, je chercherais un nom un peu plus accrocheur, ce ne devrait pas être trop difficile », ajouta M. Serkis. Il posa sa main entre les omoplates de Benjamin comme pour lui tapoter le dos ou le masser. « Allons voir vos amis, à présent. C'est peut-être la dernière fois que nous sommes tous réunis. Ça mérite au moins un selfie. »

44

Le Lenchford Inn se trouve sur la rive gauche de la Severn, à la sortie du village de Shrawley dans le Worcestershire. Un mardi soir de juin 2018, Benjamin et Jennifer s'y étaient donné rendez-vous pour boire un verre, qui serait leur dernier ensemble. C'était un beau soir d'été, le soleil se couchait sans hâte sur l'eau qu'il patinait d'or à l'heure où hirondelles et moineaux rasaient sa surface dans leur chassé-croisé. Après ce verre, Jennifer et Benjamin allèrent flâner sur le chemin du nord qui épousait une dérobade de la Severn. Ils ne marchaient pas main dans la main ni bras dessus, bras dessous, ce n'était pas leur genre ; mais leurs corps étaient tout proches, ce qui leur donnait une sensation de confort chaque fois que la cuisse, la taille, l'épaule de l'un venait toucher celle de l'autre au hasard de la marche. Ces collisions feutrées étaient un rappel discret et bienvenu de leur intimité.

Enfin, le cœur sombrant dans la poitrine, Benjamin fit ce qu'il ne pouvait plus remettre au lendemain, il annonça à Jennifer qu'il partait s'installer en France avec sa sœur. Elle prit la chose avec plus d'équanimité qu'il n'aurait cru.

« Ah bon, formidable ! Bien sûr, tu vas me manquer mais… félicitations ! Je suis sûre que tu sais ce que tu fais.

— J'espère que tu viendras me voir.

— Bien sûr que je viendrai. » Elle lui jeta un coup d'œil. «Je suis désolée, tu t'attendais à une réaction plus théâtrale ? Tu m'as déjà larguée, rappelle-toi, il y a quarante ans, et je n'en ai pas fait un drame non plus.» Ne supportant pas de le voir si déconfit, elle ajouta : « D'ailleurs larguer est un grand mot. On ne se voyait qu'une fois par mois, et encore. Plutôt moins ces derniers temps.

— Tu as quelqu'un d'autre, c'est ça ? »

Jennifer ralentit, inspira, puis le regarda droit dans les yeux.

« Depuis combien de temps le sais-tu ? »

Sans s'arrêter, il répondit : « Un bon moment. Il s'appelle Robert, je crois ?

— Pourquoi tu n'as rien dit, puisque tu savais ?

— Euh, sans doute parce que je me suis rendu compte qu'au fond, ça ne me dérangeait pas trop. »

Cet aveu eut l'air de blesser Jennifer plus que tout.

« Eh bien voilà, dit-elle en le rattrapant, c'est précisément là que je veux en venir, si tes sentiments ne sont même pas assez forts pour que tu en prennes ombrage, alors…

— Je pensais que nos rapports… je pensais que nous y trouvions notre compte tous les deux. »

Jennifer soupira en secouant la tête.

« Quel idiot tu es, non mais vraiment. J'en ai toujours attendu davantage ! Et quand j'ai fini par voir que ça n'arriverait jamais, alors je me suis engagée dans cette relation avec Robert. Mais pendant une éternité j'ai espéré que tu te secoues, que tu prennes une décision, quoi. Une part de moi a continué à s'accrocher à cet espoir, du reste. Voilà pourquoi je n'ai jamais dit oui à Robert quand il me demandait de l'épouser.

— Il t'a demandé de l'épouser ?

— Une bonne vingtaine de fois, oui, bien sûr.

— Et tu as refusé à cause de moi ?

— Oh Benjamin, il faut vraiment tout t'expliquer ! J'aurais fait n'importe quoi pour que tu te rapproches de moi. Je me serais mise à lire Flaubert, je n'aurais plus vu que des films sous-titrés, j'aurais appris à aimer les symphonies d'Arthur Honecker.

— Honegger », rectifia Benjamin – ça lui avait échappé.

« Je t'ai dit que je t'adorais, pour l'amour du ciel. Tu t'en souviens, quand même ?

— Oui, mais j'ai cru... j'ai cru que ça faisait partie de ce que les gens disent.

— Oui, absolument, Benjamin. Tout à fait. Ça fait partie de ces choses que les gens disent. Quand ils les pensent, en général. »

Arrivés au bord de la rivière, ils se retournèrent et se firent face. Alors, pour la première fois, Jennifer prit les mains de Benjamin dans les siennes. Elle avait les yeux pleins de larmes.

« Je m'en suis remise, Ben, ne t'en fais pas. Ou plutôt, je suis passée à autre chose. En fait, j'ai vu Robert la semaine dernière, et quand il m'a redemandé de l'épouser, je n'ai pas dit non. Je lui ai dit que j'allais y réfléchir. J'ai bien fait, il a eu l'air tellement heureux. »

Benjamin voulut sourire mais sa tentative fut si piteuse qu'il préféra prendre Jennifer dans ses bras ; elle l'enlaça à son tour, mais sans s'abandonner. Il sentait sa résistance.

« Je t'ai fait de la peine, pardonne-moi, vraiment. »

Elle s'essuya les yeux sur son épaule, et se dégagea en douceur. « Ne t'en fais pas, Tigre. Je te l'ai dit, je suis passée à autre chose. Pendant un temps, je me suis raconté que nous pourrions être des âmes sœurs, seulement voilà...

ton âme sœur, tu l'as trouvée il y a bien longtemps, et personne ne pourra prendre sa place. »

Benjamin hocha la tête. « Cicely, tu veux dire.

— Mais non, mais non, pas Cicely, répondit Jennifer. C'est de ta sœur que je parle, voyons.

— Lois ?

— Rétrospectivement, ça saute aux yeux. Au lycée, déjà, on voyait bien à quel point vous comptiez l'un pour l'autre. C'est beau de voir ça entre frère et sœur. Cette loyauté, ce soutien. C'est pour ça qu'on vous avait trouvé un surnom commun. Ben et Lois Trotter : les "Rotters". Berk Rotteur et Lois la Rotteuse. C'était bien ça, non ?

— Oui, mais je n'ai jamais pensé, jamais vu la chose en ces termes…

— Il est parfaitement logique que vous partiez ensemble. Bien plus logique que si tu restais à traîner dans les Midlands pour tenter de bricoler une histoire avec moi. »

Benjamin se pencha vers elle et l'embrassa. Elle lui rendit son baiser mais, une fois de plus, avec circonspection et réticence.

« Pardonne-moi », répéta-t-il.

Jennifer reprit la direction du pub et mit sans plus attendre la conversation sur un terrain plus pratique.

« C'est le bon moment pour s'installer en Europe ? Avec le Brexit et tout ça ?

— On a fait des recherches, pourvu qu'on s'installe avant le 29 mars de l'année prochaine, rien ne change.

— Vous avez sans doute choisi le bon moment pour vous faire la belle.

— Je ne sais pas. Je me sens écartelé. Le pays va me manquer, ma maison va me manquer, cette vie au bord de l'eau. Cette rivière… » Il considéra d'un œil mélancolique sa chère Severn sinueuse, rougeoyante sous les feux moribonds du soleil ; elle filait devant son moulin, à cinquante kilomètres de là, elle passait devant le pub, coulant sans fin son lent voyage. « Toute ma vie j'ai voulu habiter au bord d'une rivière.

— Ils en ont en France maintenant. Je l'ai lu dans le journal pas plus tard qu'hier. »

Benjamin fut heureux de l'entendre plaisanter de nouveau. Elle lui sourit et lui prit la main. Ils marchèrent ainsi sur le sentier quelques minutes. Puis il passa le bras autour de son épaule et elle se laissa aller contre lui. C'était encore mieux. Ça suffisait à lui inspirer le courage dont il avait besoin.

« Et puis je voulais te dire autre chose. »

Elle lui lança un regard interrogateur, ses yeux brillaient.

« Oui ?

— Je voulais te dire merci.

— Merci ? De quoi ?

— De... enfin, pour toute cette baise. »

La curiosité fit place à l'incrédulité. Manifestement, Benjamin n'avait pas perdu toute capacité à la sidérer.

« Je te demande pardon ?

— C'est que... je n'aurais jamais cru, enfin, à mon âge, j'avais perdu espoir, tu comprends. C'est vrai, je ne suis pas Colin Firth, moi, et je ne suis pas un bon coup. »

Jennifer rit silencieusement un bon moment. Quand elle se tourna de nouveau vers lui, ses lèvres frémissaient encore d'amusement. « Si je voulais te punir, je n'aurais qu'à confirmer, mais le fait est que tu as eu des instants d'inspiration.

— C'est vrai ? » Il l'attira à lui, l'embrassa et lui murmura à l'oreille : « Robert a de la chance. Tu as un corps absolument exquis. Merci de l'avoir partagé avec moi. »

Ils étaient là, joue contre joue, collés l'un à l'autre, leur étreinte si longue que le pêcheur assis à quelques mètres aurait pu sans peine les prendre pour mari et femme redécouvrant la fougue de leur jeunesse plutôt que pour ce qu'ils étaient, un couple d'amants à l'heure des regrets en train de se dire adieu.

45

Septembre 2018

« Je te l'ai trouvée, ta rivière », dit Lois.
Elle disait vrai. La maison était sur les bords de la Sorgue
qui, si elle ne portait pas pour Benjamin la charge sym-
bolique de sa Severn bien-aimée et ne représentait pas le
même sanctuaire de souvenirs, ne manquait certes pas de
charmes bien à elle. Cette fois encore, ils avaient élu domicile dans un moulin. Depuis des temps immémoriaux, on
l'appelait simplement Le Vieux Moulin, et il était niché au
creux de la Sorgue, non loin de sa source à Fontaine-de-
Vaucluse, embrassé si étroitement dans une boucle qu'on
l'aurait dit planté plutôt que construit, comme s'il avait
poussé avec les saules et les magnolias alentour. Benjamin
et Lois en avaient pris possession à la mi-août, et même
s'il était en bon état, les trois dernières semaines avaient
été intenses et tendues, avec un ballet quotidien d'ouvriers
recevant souvent des instructions approximatives dans le
français hasardeux des nouveaux propriétaires. Les choses
s'étaient arrangées au bout de la première semaine, avec
l'arrivée de Grete et Lukas. Grete parlait bien français,
et elle avait accepté de prendre l'entretien des lieux en

charge. Lukas avait l'intention de chercher du travail à Avignon, qui n'était pas loin ; en attendant, il se mettait à la disposition de Benjamin pour l'aider à résoudre les nombreuses questions pratiques qu'il appréhendait par-dessus tout. Avec leur petite Justina, ils allaient habiter la dépendance de trois pièces toute proche de l'habitation principale.

En cet après-midi torride et sans air, Lois trouva son frère appuyé à la rambarde rouillée qui figurait une frontière entre la terrasse et la Sorgue nonchalante aux eaux gris-vert. Il avait un verre de bière à la main, et il émanait de lui une même nonchalance.

« Tu prenais une pause ? » lui demanda-t-elle avec un soupçon d'agacement dans la voix. On était vendredi, Le Vieux Moulin devait ouvrir à ses hôtes le dimanche soir.

« Une bière en vitesse, c'est tout

— Il reste encore beaucoup à faire.

— Je sais, donne-moi vingt minutes, pas plus.

— Il n'y a toujours pas de courant dans les chambres du haut, nulle part.

— C'est sûrement un fusible, je m'en occupe.

— Bon, moi je remonte finir de mettre des draps sur les lits.

— Ok, ne t'inquiète pas, je te rejoins dans vingt minutes. »

Une fois sa sœur disparue à l'intérieur, Benjamin s'as-sit à la vieille table en fer forgé. C'était celle qu'il avait apportée du Shropshire, celle qui avait été le témoin de tant de conversations avec la famille et les amis au fil des années, de tant d'heures solitaires aussi, passées à écrire et contempler le paysage. Il n'avait pu se résoudre à l'abandonner en Angleterre. Il but une gorgée et poussa un petit soupir d'aise. En renversant la tête, il éprouva toute la chaleur du soleil d'après-midi. Fabuleux. On n'avait pas ça, dans les Midlands. Il ferma les yeux et écouta la rivière suivre son cours placide. Il venait à peine de se perdre dans cette musique douce lorsqu'un autre bruit, moins apaisant, lui parvint aux oreilles, de plus en plus fort. C'était le ronflement d'une voiture qui approchait par la longue allée ombragée de peupliers. Bientôt, elle entra dans la cour principale et une voix familière se fit entendre, qui lançait depuis le vestibule : « Il y a quelqu'un ? »

C'était Sophie. Elle eut vite fait de trouver son oncle sur la terrasse et, après les embrassades, elle alla tout droit à la rambarde et s'y appuya pour regarder la rivière en s'exclamant : « Mais quelle merveille !

— Je vais te faire faire le tour du propriétaire dans une minute. Bois un coup d'abord. Tu as l'air d'avoir chaud. Tu as fait bon vol ? La route a été longue, depuis Marseille ?

— Non, pas trop. Une heure et demie à peu près, et de l'autoroute presque tout le temps.

— Je vais te chercher une bière. »

Ils restèrent assis au soleil quelques minutes à savourer leurs bières et échanger les nouvelles. Il en oublia que sa sœur était en haut, au travail.

« Alors, vous êtes parés pour accueillir les premiers stagiaires ? demanda Sophie.

— Pas tout à fait, il reste encore deux ou trois choses à faire. Et de toute façon il n'y en a qu'un.

— Un seul ?

— Les réservations tardent un peu, pour ne rien te cacher. C'est toujours comme ça, au début, sans doute. Je suis sûr qu'on va monter en puissance. Évidemment, on aurait gagné à ce que Lionel Hampshire soit là pour l'ouverture. Merci de l'avoir contacté, au fait.

— Il ne vient pas ? Il m'avait répondu un mail enthousiaste pourtant.

— Ah pour être enthousiaste il l'était. Je vais te faire voir sa lettre. »

Il alla chercher une feuille à la cuisine et la tendit à Sophie. Elle retira ses lunettes de soleil et se mit à lire.

Cher Monsieur Trotter

M. Hampshire a bien reçu l'aimable invitation transmise par votre nièce et lui proposant d'être l'hôte d'honneur à l'inauguration de votre atelier d'écriture.

Il aimerait tout d'abord vous en remercier sincèrement, et vous dire qu'il sera ravi de l'accepter sur le principe. Européen convaincu, qui déplore le chemin politique pris par son pays ces deux dernières années, il applaudit le geste de coopération anglo-française représenté par votre centre.

M. Hampshire serait disposé à séjourner trois ou quatre jours au Vieux Moulin autour du dimanche 16 septembre, comme précisé. Il serait prêt à donner lecture d'extraits de son œuvre (durée 45 minutes) aux conditions suivantes :

— Voyage en première classe de Londres à Avignon pour lui et son assistante (moi-même).

— Transfert en voiture d'Avignon au Vieux Moulin.

— Chambre double avec vue sur la rivière pour lui ainsi qu'une autre semblable pour son assistante.

— Repas sur place et table ouverte aux restaurants du coin.

— Exemplaires de ses livres en vente pour les stagiaires, dans leurs éditions française et anglaise. Il se fera un plaisir de les signer.

— Excursions à Aix-en-Provence et Manosque à la charge du Vieux Moulin.

— Honoraires : 10 000 euros, payables par transfert bancaire avant l'arrivée.

Espérant que ces termes vous agréent, M. Hampshire se réjouit de cette visite et attend un prompt retour de votre part.

Bien à vous,

Ella Buchanan

Sophie siffla doucement et lui rendit la lettre
« Quoi, tu es en train de me dire que ces termes ne t'agréent pas ?

— Hélas, non. Lois n'a pas eu l'air de penser qu'il serait bien raisonnable de flamber notre budget annuel sur un seul invité célèbre.

— Comment lui donner tort ? Tiens au fait, je devrais aller lui dire bonjour. Elle est dans les parages ?

— Elle est là-haut. Dis-lui que je monte dans deux minutes m'occuper de l'électricité.

— Ok.» Sophie se disposait à faire la commission lorsque Grete sortit de la cuisine avec un seau et une serpillière. Elles se saluèrent avec chaleur, comme deux vieilles amies.

«Ah, mais vous êtes superbe, dit Grete en la tenant à bout de bras. Je ne vous ai jamais vu aussi bonne mine.

— Je suis d'accord», dit Benjamin. Et comme elles se tournaient vers lui, il ajouta : « Tu t'es un peu remplumée, et ça te va bien.»

Sophie préféra ne pas relever cette remarque, et Grete lui demanda : « Vous n'êtes pas fatiguée du voyage ?

— Pas vraiment. Et vous, comment va ? Et Lukas et Justina ?

— Très bien, on va tous très bien. Je crois qu'on va se plaire, ici. Ils viennent de partir en ville, à Avignon, faire des courses, acheter de la peinture. Il veut repeindre la grange.»

Dans cette effervescence – Grete qui lessivait la terrasse, Lukas et Justina en expédition, Lois qui faisait les lits, Sophie qui ouvrait sa valise –, décompresser tenait du miracle. Et pourtant, après s'être versé une autre bière et avoir laissé le soleil cogner quelques minutes encore sur ses paupières closes, Benjamin sombra petit à petit dans une agréable torpeur. Il était même sur le point de s'endormir lorsqu'il entendit une autre voiture dans l'allée.

Deux minutes plus tard, Charlie apparaissait sur la terrasse.

« Ah ! s'exclama Benjamin en se levant, tu as trouvé, alors.

— Salut, mon pote. » Charlie le serra dans ses bras.

« Ouais, sans problème. Ça fait une tirée depuis Calais quand même. Une sacrée tirée, même. Mais alors quel endroit, dis donc, c'est absolument splendide. »

Aneeqa était restée en retrait. Benjamin lui serra la main, pris d'une timidité subite. C'était seulement la deuxième fois qu'il la voyait. Elle avait beaucoup mûri, c'était désormais une très belle femme.

« Bienvenue au Moulin, leur dit-il. Nous sommes heureux de vous avoir avec nous. Restez aussi longtemps qu'il vous plaira.

— Il faut qu'elle soit à Ségovie mardi, expliqua Charlie, et on mettra dans les deux jours pour y aller. Mais on va rester jusqu'à lundi si on ne dérange pas.

— Pas du tout ! Allez, je vais vous apporter quelque chose à boire. »

Il servit une bière à Charlie et un citron pressé à Aneeqa. Quelle aubaine, songeait-il, qu'il soit en mesure de leur offrir une étape sur ce voyage au long cours. Aneeqa allait entamer une année d'études en Espagne, et Charlie avait proposé de l'emmener en voiture, pour le pur plaisir de profiter de sa compagnie cinq ou six jours, semblait-il. Ils paraissaient fatigués de leur long voyage, néanmoins, de sorte que Benjamin les dirigea bientôt vers leurs chambres.

« Ma sœur est quelque part là-haut, je ne sais pas au juste où elle a décidé de vous mettre, il suffira de le lui demander. »

Il envisagea bien de descendre à la cave jeter un coup d'œil au tableau électrique, mais il n'avait pas encore réussi à s'accorder ses vingt minutes de pause. Avec ces deux interruptions, il avait tout juste pu se poser cinq minutes. Curieusement, pourtant, son verre était vide. Il s'en versa donc un autre et se rassit à la table en fer forgé. Le soleil perdait son intensité à présent, et l'ombre du plus gros saule de la rive s'allongeait sur la terrasse. Il faisait une température idéale à cette heure-ci. S'il ne trouvait pas l'inspiration dans des conditions pareilles, il ne la trouverait jamais. Dieu merci, Grete avait fini de laver la terrasse, et il n'y avait plus rien qui vienne entraver le cours de ses pensées ni perturber sa tranquillité. Du moins jusqu'à ce qu'il entende au loin une nouvelle voiture arriver par l'allée bordée de peupliers.

Quelques minutes plus tard, deux personnes paraissaient sur la terrasse, Claire Newman, l'une de ses plus anciennes camarades de King William, et son mari, Stefano. Ils venaient de Lucques par La Spezia, Gênes, Nice, Cannes et Aix.

Claire et Benjamin ne s'étaient pas revus depuis une quinzaine d'années. C'était sur un coup de tête qu'il l'avait invitée à la soirée d'inauguration. « Après tout, à l'échelle de l'Europe, nous sommes presque voisins de palier désormais », lui avait-il dit dans un mail facétieux, sans s'attendre qu'elle se laisse convaincre par l'argument. Or elle était bel et bien venue. En tout point fidèle à son souvenir d'ailleurs : cheveux gris coupés court, une coupe élégante qui la faisait paraître plus jeune, bien plus jeune que lui ou Lois, des pommettes impeccables, des pattes-d'oie et des rides du sourire qui mettaient en valeur ses yeux largement fendus. Après l'avoir tendrement embrassée sur la joue et s'être dégagé de la longue poignée de main virile de Stefano, Benjamin alla à la cuisine ouvrir une bouteille de prosecco en leur honneur. Il héla Lois depuis le rez-de-chaussée, mais apparemment elle ne l'entendit pas. Il apporta tout de même quatre verres sur la terrasse, dont le quatrième demeura vide. Claire, Stefano et lui trinquèrent donc tous trois en se souhaitant « Santé ! » et Claire le considéra de cet œil pénétrant qu'il se rappelait si bien (et qui lui avait toujours fait un peu peur) en lui disant : « Ben, tu as une mine superbe, mais ce qu'on veut tous savoir, nous, c'est ce qui se passe en Angleterre en ce moment, bon sang ! Les Italiens pensent que les Britanniques ont perdu la boule. »

*

Le lendemain matin, Sophie trouva Aneeqa assise sur la berge, en face de la maison. Elle avait un carnet de croquis ouvert sur ses genoux et achevait un dessin délicat de la roue du Vieux Moulin et du poétique fatras de ses dépendances en pierre claire sous un entrelacs de lierre et de bougainvillées.

« C'est ravissant, dit Sophie. On m'avait bien dit que vous étiez douée.

— J'ai mes éclairs d'inspiration, répondit Aneeqa en penchant la tête sur le côté pour observer son œuvre et conclure par-devers elle qu'elle était assez réussie.

— J'ai peut-être du travail pour vous. Vous croyez que vous pourriez nous peindre un panneau ?

— Quel genre de panneau ?

— Il nous faut quelque chose pour remplacer celui-là. »

Sophie désignait l'arcade à l'entrée de l'allée, sur laquelle, bien des années auparavant, on avait cloué un rectangle de bois aujourd'hui vermoulu qui portait inscrit en majuscules délavées : Le Vieux Moulin.

« Ah bon ? Ça ne manque pourtant pas d'un certain... cachet d'époque.

— Ce n'est pas le panneau qu'il faut changer, c'est le nom.

— Qu'est-ce qu'il a qui ne vous plaît pas, le nom ?

— Le Vieux Moulin ? Difficile de faire plus plat que d'appeler un vieux moulin "Le Vieux Moulin".

— C'est vrai. Vous avez une meilleure idée ?

— Oui, je crois. »

Aneeqa eut une moue. « Vous avez la peinture qu'il faut ? Les pinceaux ?

— Sans doute pas, mais comme je retourne à Marseille cet après-midi, je suis sûre que je trouverai, si vous me dites de quoi vous avez besoin.

— À moins que je vienne avec vous ? Je meurs d'envie d'y aller. Ça vous ennuierait ?

— Pas du tout. »

Pour tout dire, Sophie était contente d'avoir de la compagnie. Si elle éprouvait une envie irrésistible de retourner sur les lieux, de s'accorder un coup d'œil nostalgique sur les îles du Frioul, elle redoutait aussi vaguement cette expédition. Si bien qu'après qu'elles eurent laissé derrière elles la fraîcheur et la quiétude du moulin, roulé quatre-vingt-dix minutes torrides et éprouvantes dans la circulation dense de l'A55, après qu'elles se furent rafraîchies à la terrasse d'un bar cours Julien, que Sophie se fut réadaptée à l'énergie urbaine de Marseille, au bruit et à la musique omniprésents, aux murs tagués, aux jeunes sur leurs skateboards, aux rappeurs et artistes de rue, à l'odeur astringente des épices d'Afrique du Nord, après qu'elle se fut remémoré toute cette ambiance, et après qu'elles eurent déniché un magasin de fournitures pour artistes un quart d'heure avant la fermeture (Aneeqa avait tout juste eu le temps de rafler ce dont elle avait besoin) pour gagner enfin le Vieux-Port à pied et sauter dans une navette qui larguait les amarres, Sophie fut soulagée d'avoir Aneeqa auprès d'elle, de pouvoir lui parler, lui désigner les points d'intérêt de la ville, lui dire deux mots des liens particuliers qu'elle avait entretenus avec elle, au lieu de se retrouver en proie à des ruminations mélancoliques sur la semaine de l'été 2012 et les occasions qu'elle pensait encore parfois y avoir manquées.

« J'ai l'impression de marcher sur la Lune, dit Aneeqa comme elles cheminaient laborieusement dans la caillasse de Ratonneau pour gagner la calanque de Morgiret où Sophie et Adam avaient jadis pris un bain de minuit. Il était presque cinq heures de l'après-midi et il faisait toujours une chaleur accablante. Le soleil les éblouissait du haut d'un ciel bleu clair immaculé et dans la myriade d'éclats qui dansaient sur la mer.

« Ça va être délicieux dès qu'on sera dans l'eau », dit Sophie qui avait insisté pour qu'elles prennent leurs maillots de bain.

Il y avait foule de baigneurs. Après être entrée résolument dans l'eau, Sophie se dirigea comme la première fois vers l'embouchure de la crique, qu'elle se mit à traverser et retraverser d'un rocher à l'autre, d'une brasse vigoureuse. Aneeqa, comme Adam avant elle, restait là où elle avait pied, recroquevillée, toute au plaisir de sentir la fraîcheur de l'eau, sans essayer de nager ; ensuite, elles remontèrent le sentier sinueux vers la crête qui dominait la plage et Sophie reconnut le rocher plat sur lequel elle s'était arrêtée avec Adam pour bavarder. Et elles s'y reposèrent toutes deux, Sophie assise bien droite, entourant ses genoux de ses bras, Aneeqa étendue de tout son long sur le rocher, main en visière pour se protéger du soleil féroce. « Je ne suis pas habituée à une lumière pareille, dit-elle. Je pourrais m'y faire, cela dit. Avec un peu de chance, ce sera pareil en Espagne. Mais quand on a grandi à Birmingham et qu'on vient de passer deux ans à Glasgow, c'est un peu écrasant. Vous vous imaginez vivre dans une lumière pareille ? On verrait vraiment le monde, au lieu de le deviner de temps en temps à travers un voile de brouillard.

— Je sais, dit Sophie. Et pourtant je m'installe dans le Nord-Est la semaine prochaine. La lumière doit y être la plus grise du monde, et rares sont ceux qui se baignent dans la mer du Nord pour se rafraîchir.

— Vous n'avez pas l'air trop emballée, dit Aneeqa qui retira un instant sa main de sur ses yeux pour jauger l'expression de Sophie. Qu'est-ce qui vous conduit là-bas ?

— Un nouveau poste. Le mari de mon meilleur ami monte un projet humanitaire. Il fonde une faculté innovante et il m'a demandé d'être directrice d'études. Je serai chargée de définir l'emploi du temps, programmer les cours, coordonner. C'est une chance formidable, à vrai dire. Je suis très impatiente.

— Ça c'est bien. Et puis au moins, vous connaissez déjà du monde. Vous ne serez pas seule. »

Sophie sourit. « Seule, non, de toute façon. Mon mari vient avec moi. D'ailleurs, il est en train de faire les cartons dans notre ancien appartement ce week-end. C'est pour ça qu'il n'a pas pu venir.

— Belle preuve d'abnégation ! Ce doit être un chic type.

— Oui, c'est un chic type. » Pur constat, constat sans ambiguïté, et elle était consciente que dans les années à venir – et au-delà, bien au-delà, mais elle reculait devant l'idée que ce soit pour le restant de ses jours – il lui revien-

drait de s'accommoder de cet état de fait, de s'en contenter. Ces derniers mois, depuis son arrivée impromptue à
l'appartement et la réconciliation qui s'en était suivie, la
tâche lui avait paru assez facile. Le serait-elle toujours, qui
pouvait le dire ? Mais pour le moment, c'était là qu'il fallait placer sa confiance.

« Il a du travail là-bas, lui aussi ?

— Pas encore. Il va peut-être recommencer à donner des
leçons de conduite. C'est son truc, la conduite.

— Des moniteurs, il en faut.

— En attendant, il va avoir largement de quoi s'occuper, de toute façon. »

Elle regarda Aneeqa, saisie d'une envie subite de lui en
dire davantage, de s'épancher. Elle se sentait très proche,
aujourd'hui, de cette fille sympathique, réservée et de toute
évidence pleine de talent, qui avait été sa compagne impro-
visée au cours du voyage sentimental qu'elle s'était offert.
Comme il serait facile et libérateur de dire ce qu'elle avait
sur le cœur à une personne comme elle, une inconnue
compréhensive qu'elle ne reverrait sans doute jamais à l'issue de ce week-end...

Mais elle résista et s'en tint à sa résolution première :
partager son secret avec sa mère et personne d'autre, pour
le moment.

*

Le dimanche, en fin d'après-midi, Le Vieux Moulin fut
témoin d'une arrivée historique, celle du premier élève de
Benjamin.

Il se nommait Alexandre ; c'était un jeune homme de
petite taille, sérieux, qui était venu de Strasbourg en train.
Il sourit nerveusement lorsque Lois l'accueillit et observa,

éberlué, les symptômes d'une fébrilité de dernière minute autour de lui : Lukas, en train de déplacer trois planches dans le vestibule, Sophie et Claire à genoux dans la cuisine, occupées à peindre une plinthe. Lois lui adressa quelques mots de bienvenue pour le distraire de ces symptômes d'impréparation flagrante, et elle lui montra sa chambre en l'invitant à se joindre à eux pour dîner à neuf heures.

Ils étaient donc dix autour de la longue table de chêne, sur la seconde terrasse, la plus grande des deux, qui donnait elle aussi sur la rivière, au déclin du jour. Au-dessus de la table, la vigne s'enroulait à la bignone flamboyante et au plumbago sur une treille antique. Lois, Grete et Benjamin avaient préparé de grands saladiers de salade niçoise, que suivraient des marmites fumantes de ratatouille à base de légumes du marché. Sans compter d'inépuisables réserves de vin rouge. On servit ensuite des calissons et des tropéziennes, puis des vins de dessert avec du fromage, et du café pour qui en prenait, et enfin du brandy et du cognac, et même du pastis pour ceux qui n'avaient pas dit leur dernier mot, le tout dans une abondance telle qu'il était minuit passé depuis longtemps quand la fin du repas s'annonça à un horizon encore lointain.

Comme la conversation se faisait plus sporadique et moins animée et que les bougies posées sur la table et les murets autour d'eux étaient largement consumées, Claire se tourna vers Alexandre en lui disant :

« Qu'est-ce que vous espérez apprendre pendant la semaine que vous allez passer ici, dites-moi ? »

Alexandre, qui n'avait pas l'habitude de se trouver au milieu d'inconnus et qui avait parlé moins que les autres pendant toute la soirée, s'éclaircit la voix et déclara : « J'ai apporté un ensemble de nouvelles, non publiées bien sûr, et j'espère que M. Trotter pourra les lire et me dire comment les améliorer. Ce sera un honneur pour moi d'entendre l'opinion de l'auteur de *Rose sans épine*.

— C'est un livre magnifique, n'est-ce pas ? dit Lois.

— Ce que je trouve le plus émouvant dans le livre de votre frère, dit Alexandre en s'exprimant avec soin, c'est qu'il traduit le désert d'une vie entièrement construite sur l'échec. Pour moi, c'est l'histoire d'un homme qui a échoué dans tous les domaines et qui en arrive à fonder ses rêves de bonheur sur une seule femme, une seule histoire d'amour, qui va se révéler le plus cuisant de tous ses échecs. C'est une vie dépourvue de la moindre réussite, la moindre connaissance de soi, et donc, en fin de compte, du moindre espoir. »

Un silence bref mais insondable s'abattit sur la tablée à l'issue de cette analyse. Des rires nerveux se firent entendre.

« Je suis désolé, dit Alexandre. J'ai dit quelque chose de drôle ? Est-ce que mon anglais laisserait à désirer… ?

— Votre anglais est parfait, répondit Claire. C'est seulement que vous venez de faire de la vie de Benjamin le compte rendu le plus brutal qu'il ait sans doute jamais entendu.

— Oh, mais ce n'est pas ce que… »

Le silence se fit de nouveau, rompu cette fois par Benjamin lui-même.

« Assis à cette table dans ce lieu fabuleux, en compagnie de vous tous, j'ai du mal à voir ma vie comme un échec. D'ailleurs » – il s'était dressé, en équilibre précaire sur ses jambes – « je pense que l'heure appelle un discours ».

Lois et Claire se prirent la tête à deux mains. Benjamin buvait depuis plusieurs heures et ne paraissait pas en état de tenir des propos cohérents sur quoi que ce soit mais elles ne virent pas comment l'empêcher de parler.

« C'est l'histoire de six Anglais, deux Lituaniens, un

Français et un Italien qui viennent de dîner ensemble par un beau soir de septembre. Malheureusement, ce n'est pas le début d'une bonne blague, et je le regrette. Ce n'est pas non plus la première phrase de mon nouveau roman. Je le regrette aussi. En fait, je regrette de ne pas avoir de nouveau roman dont ce serait la première phrase. Mais ce que c'est, à la limite, ou plutôt ce que ça représente, ou ce que ça symbolise, devrais-je dire...

— Message reçu, dit Claire lorsqu'il devint évident qu'il ne trouverait jamais ses mots. C'est un merveilleux exemple d'harmonisation européenne.

— Exactement, s'exclama Benjamin qui frappa sur la table pour souligner son propos. Qu'est-ce qu'il pourrait y avoir de plus inspirant, quelle métaphore plus... puissante... de l'esprit de coopération... de coopération internationale qui prévaut, qui a prévalu... et devrait prévaloir si notre nation... ne venait pas de faire ce choix regrettable quoique explicable, enfin, explicable à certains égards...

— Rassieds-toi et tais-toi, lui intima Lois.

— Je refuse. J'ai quelque chose à dire.

— Alors tâche de le dire d'une manière un peu plus concise, si tu veux bien.

— La concision, c'est le mal anglais, riposta Benjamin.

— Si c'est le cas, tu me parais guéri, avec récupération maximale, dit Claire.

— Très bien, reprit Benjamin. Ce que j'ai à dire tient en trois mots.» Il marqua un temps et observa le cercle des visages pleins d'attente. Puis, sur un ton de triomphe et de défi, il lança : « Merde au Brexit ! », et se rassit sous les applaudissements.

« Alors c'est vrai, demanda Stefano au bout d'un temps de réflexion, il y a six Anglais autour de cette table et pas un qui aurait voté pour sortir ? Vous n'êtes pas un échantillon très représentatif.

— Moi j'ai failli, avoua Charlie qui était assis à côté de lui. J'étais dans une très mauvaise passe à ce moment-là. J'ai failli voter non à l'Europe ne serait-ce que pour mettre un coup de pied dans les couilles de Cameron. Benjamin m'a vu, cette semaine-là. Il sait que j'étais au plus bas. Fauché au point de dormir dans ma bagnole. Cameron et son austérité de merde ! Mais je me suis rendu compte que ce serait une manière débile de dire ce que j'avais à dire. Ça me ferait jamais le même effet que de lui foutre mon poing dans la gueule, à supposer que j'en aie l'occasion. »

Stefano commençait à le regarder de travers et à se reculer un peu dans son siège. « Oh non, ne vous méprenez pas, je suis pas un violent, moi. Je veux dire, je l'ai été, mais la prison m'a fait passer ce goût-là. »

Pas franchement rassuré par cette assertion, Stefano se borna à répondre : « Bien sûr, je comprends.

— Cameron, ce n'est jamais qu'une partie de l'histoire, poursuivit Charlie. Selon moi, tout a changé en Angleterre en mai 1979 et, quarante ans plus tard, on en paie encore les conséquences. Vous voyez, Benjamin et moi, on est des enfants des années soixante-dix. On n'était peut-être que des gosses, mais c'est dans ce monde-là qu'on a grandi. L'État-Providence, le système de santé, tout ce qu'on a mis en place après guerre. Seulement tout ça se délite depuis 1979 et continue à se déliter. Le voilà, le fond de l'affaire. Je ne sais pas si le Brexit en est un symptôme ou s'il fait diversion. Mais, en gros, le processus arrive à son terme aujourd'hui. Tout aura bientôt foutu le camp. »

À l'autre bout de la table, Aneeqa lui opposa : « Moi, je n'ai aucune envie de revenir aux années soixante-dix, très peu pour moi !

— Bon d'accord. Ç'aurait été une décennie de merde pour quelqu'un comme toi. Mais essaie tout de même de penser à ce qu'il y avait de bon. Quelque chose s'est perdu depuis, quelque chose d'énorme. »

Claire intervint à ce moment-là pour contester l'interprétation de l'histoire que venait de donner Charlie et pour faire remarquer que la décennie qu'il cherchait à idéaliser était aussi celle qui avait vu une inflation record, une grande instabilité économique et un malaise dans l'industrie. La conversation s'échauffa entre les quatre Anglais quinquagénaires, puis s'étendit au Brexit, à Donald Trump, à la Syrie, la Corée du Nord, Vladimir Poutine, Facebook, l'immigration, Emmanuel Macron, au mouvement Cinq Étoiles et jusqu'au résultat controversé de l'Eurovision 1968. Tout le monde avait son mot à dire (tel fut du moins le souvenir que Benjamin en garda) mais un par un les convives quittèrent la table pour aller se coucher. Ceux qui restaient continuèrent à boire et perdirent toute notion de l'heure, si bien qu'il ne resta plus que Benjamin et Charlie. Charlie qui s'endormait.

« Écoute, dit Benjamin, il faut que je te fasse entendre une chanson.

— Hmm ? dit Charlie qui ouvrit lentement les yeux.

— Ce que tu disais tout à l'heure, sur le monde dans lequel on vivait quand on était jeunes, et qui a disparu. J'ai une chanson à te faire écouter. Elle résume tout.

— D'accord. Amène.

— Je vais juste chercher mon iPod. »

Trouver l'iPod dans sa chambre fut facile ; trouver l'enceinte portable plus difficile ; trouver des piles pour la charger presque impossible. Quand il revint à table, une dizaine de minutes plus tard, Charlie était parti.

« Ah », s'exclama Benjamin. Il s'assit, but une gorgée

de vin et regarda autour de lui. Où étaient-ils donc passés, tous ?

Tout se taisait. Seul le clapotis de la rivière qui suivait son cours rompait le silence. Il resta quelques minutes à l'écouter. Ce son lui parut étrange, peu familier. Autre. C'était une rivière française. Il ressentit la morsure de la nostalgie, à la fois du pays où il avait grandi et de celui qu'il venait de laisser derrière lui, même s'ils n'étaient en rien identiques.

Il monta le volume et appuya sur *play* ; bientôt, la voix hantée et sonore de Shirley Collins s'élevait dans la nuit ; elle chantait la ballade que Benjamin n'avait jamais osé réécouter depuis l'enterrement de sa mère.

Adieu vieille Angleterre, adieu
Adieu richesse sonnante et trébuchante
Si le monde s'était arrêté dans ma jeunesse
Je n'aurais jamais connu ces tristesses

Il avala une dernière gorgée de vin mais il savait qu'il avait beaucoup trop bu pour la soirée et qu'il était temps de dessoûler.

Jadis j'ai bu des meilleurs fûts
De brandy et de rhum
Aujourd'hui je me contente d'un verre
D'eau claire, de ville en ville

En entendant ce couplet, il revit sa mère assise bien droite dans son lit, regardant le ciel gris par la fenêtre de sa chambre, et essayant faiblement de chanter en chœur. Une fois de plus, il se demanda si elle avait reconnu cette musique qu'elle aurait entendue quelque part. Souvenir d'enfance enfoui ?

540

Jadis je me régalais de bon pain
Du bon pain de bonne farine
Aujourd'hui je me contente de pain dur
Et m'estime heureux d'en avoir

Et puis il pensa à son père, à sa mort lamentable, à cette curieuse visite qu'il avait rendue à la vieille usine de Longbridge au cœur de l'hiver, son amertume, à l'aigreur qui l'avait rongé pendant les derniers mois de sa vie, et puis il songea au jour où il était allé avec sa sœur disperser les cendres de leurs parents, au sommet de la colline. Beacon Hill, aux premiers jours de l'automne...

Jadis je couchais sur un bon lit
Un bon lit de plumes douillettes
Aujourd'hui je me contente de paille propre
Pour me protéger du froid de la terre.

Beacon Hill, paysage de son enfance. Les glissades en hiver. Les balades en forêt le dimanche après-midi, sa main serrant fort celle gantée de sa mère. Puis lui qui courait en tête sur le sentier forestier pour se cacher et attendre ses parents dans ce curieux buisson de rhododendrons évidé au milieu qui leur faisait une maison de hobbits. Lois tapie à côté de lui. Toujours Lois, jamais Paul.

Autrefois je roulais en carrosse
Avec des domestiques pour me conduire
Aujourd'hui me voilà en prison claustré
Sans même la place de me retourner

Lois et lui suffiraient-ils à faire le bonheur l'un de l'autre, ici ? Y vivraient-ils ensemble les dix ans, les vingt ans à

541

venir ? Il avait toujours tenu pour acquis qu'il vieillirait et mourrait chez lui. Qu'il finirait forcément ses jours en rentrant au pays où il avait grandi. Mais il commençait à comprendre – enfin – que ce pays n'avait jamais existé que dans son imagination.

Adieu vieille Angleterre, adieu
Adieu richesse sonnante et trébuchante
Si le monde s'était arrêté dans ma jeunesse
Je n'aurais jamais connu ces tristesses

Comme le dernier couplet s'achevait et que les derniers échos de la musique s'en allaient flotter sur les eaux lentes, il entendit un volet s'ouvrir. En levant les yeux, il aperçut Grete qui le regardait depuis la fenêtre du premier étage de sa maisonnette.

« Jolie chanson, dit-elle. Assortie à mon humeur. »

Sans rien répondre, Benjamin hocha la tête, dans un nébuleux mélange de salut et d'assentiment.

« Et maintenant est-ce qu'on peut arrêter la musique, s'il vous plaît ? On essaie de dormir, nous. »

Le volet se referma. Benjamin arrêta l'iPod et l'enceinte portable, et il ferma les yeux.

Quand il les rouvrit, Lois était au-dessus de lui, il ne faisait plus aussi noir. Il ne savait pas combien de temps il avait dormi.

« Je sais, lui dit-il, je vais me coucher.

— Je suis venue pour te réveiller. Il faut que tu dises au revoir à Sophie. Elle ne va pas tarder à partir pour l'aéroport. »

Il suivit sa sœur dans la cuisine, où elle avait déjà préparé le café.

« Tu as veillé toute la nuit ?

542

— Sans doute.

— C'est un peu bête. Tu dois faire une séance avec Alexandre dans quelques heures.

— J'y ai pensé, répondit Benjamin en engloutissant une tasse d'espresso plus que bienvenue. Je ne peux pas lire ses nouvelles.

— Pourquoi ?

— Elles sont en français. »

Lois le regarda avec des yeux ronds. À ce moment-là, Sophie parut avec sa valise dans l'embrasure de la porte.

« On en reparle », dit Lois d'un ton où couvait la menace.

*

Sans bruit, Benjamin ouvrit la porte d'entrée et ils sortirent tous trois dans la cour. Les premières lueurs de l'aube paraissaient. Des éclats ténus de chants d'oiseaux se mêlaient déjà au murmure de la rivière. Mais plus sonores furent leurs pas dans l'allée et les roulettes de la valise que Benjamin traînait. La voiture de Sophie était garée dans la petite chicane, plus bas dans l'allée, une vingtaine de mètres après l'arche.

Comme ils passaient dessous, Sophie les arrêta et demanda :

« Vous n'avez pas lu le nouveau panneau, vous ?

— Quel nouveau panneau ?

— Aneeqa et moi, on vous a fait un petit cadeau. On a rebaptisé le moulin pour vous. J'espère que ça ne vous ennuiera pas.

— Rebaptisé, s'écria Lois. Mais pourquoi ? C'est pas bien, Le Vieux Moulin ?

— Si, si. Mais j'ai trouvé mieux. »

Sceptiques, ils passèrent sous l'arche et se retournèrent

543

pour découvrir ce dont elle parlait. Il y avait tout juste assez de jour pour lire les lettres, et quand elle vit le travail, Lois fut soufflée. Benjamin se contenta de sourire – un long sourire de fierté à son seul usage – et de serrer la main de sa nièce.

« Ça vous plaît ?

— C'est parfait, dit Lois.

— Parfait », confirma Benjamin.

Aneeqa s'était surpassée. La calligraphie était audacieuse, spectaculaire, d'une simplicité trompeuse. À y regarder de plus près, le détail était incroyablement soigné, avec des changements de texture, un effet de volume et de perspective et de subtiles nuances pour chaque lettre. Des lettres qui à elles toutes formaient :

LE ROTTERS' CLUB

Benjamin et Lois regardèrent le panneau sans rien dire et Lois passa son bras autour de la taille de son frère. Il se laissa aller contre elle. Le chant d'oiseau montait en puissance. Les rayons de soleil pointaient plus nombreux à la cime des arbres.

Ils accompagnèrent Sophie jusqu'à sa voiture, chargèrent sa valise dans le coffre, et l'embrassèrent.

« Prends soin de toi mon trésor, dit Lois, et embrasse bien Ian pour nous. Soyez prudents, tous les deux, dans ce Nord glaciaire. On dit qu'il y a des dragons là-haut.

— Que t'es bête, répondit Sophie en serrant sa mère contre elle.

— Merci pour tout, dit Benjamin, reviens vite nous voir, s'il te plaît. Et puis ne perds pas ces petits kilos, ils te vont très bien. »

Comme Sophie s'éloignait dans sa voiture sur l'allée bordée de peupliers, Lois se tourna vers son frère :

« Tu es crétin à ce point ou tu fais semblant ?

— Comment ça ?

— Sophie n'est pas en train de s'enrober, elle est enceinte. »

Il la regarda, bouche bée : « Quoi ?

— De presque trois mois. »

Il se retourna pour suivre la voiture qui s'éloignait, les mots lui manquaient encore.

« Pour être précis, elle est censée accoucher fin mars. Le 29. »

Le cœur cognant dans la poitrine, le moral en hausse à mesure que la nouvelle parvenait à sa conscience lasse et embrumée, il leva le bras en direction de la voiture et se mit à l'agiter frénétiquement. Mais sa nièce ne regardait pas dans le rétroviseur. Les yeux fixés sur la route, elle accélérait, une main sur le volant, l'autre sur son ventre renflé ; retour à la maison pour l'instant, retour au pari qu'elle avait pris avec Ian sur leur avenir équivoque et inconnaissable : leur superbe bébé du Brexit.

Cette histoire fait intervenir plusieurs personnages de mon roman *Bienvenue au club*, qui avait lui-même une suite intitulée *Le Cercle fermé*. Pendant toutes ces années, je n'avais nulle intention de continuer la série, mais en 2016, deux péripéties ont conspiré à me faire changer d'avis.

D'abord, je suis allé voir la transposition pour la scène de *Bienvenue au club*, par Richard Cameron au Birmingham Repertory Theatre. Sa lecture et le jeu brillant de sa jeune troupe m'ont fait voir dans le roman un aspect central qui m'avait échappé, et que je n'avais en aucun cas développé dans la suite, *Le Cercle fermé*, à savoir l'amour entre Benjamin Trotter et sa sœur Lois.

Ensuite, la romancière Alice Adams a parlé si chaleureusement du *Cercle fermé* lors d'un entretien en ligne que je n'ai pas pu faire autrement qu'entrer en contact avec elle. Je n'avais jamais tenu ce roman pour une grande réussite, et j'étais intrigué qu'il compte parmi ses préférés. Nous avons correspondu, nous nous sommes rencontrés, et son enthousiasme m'a persuadé de reconsidérer ces personnages abandonnés. Dans le même temps, j'étais en discussion avec mon éditrice de chez Penguin, Mary Mount, auprès de qui je testais l'idée d'un roman sur le référendum du Brexit, et j'ai bientôt eu le sentiment que je ne pourrais aborder le sujet sans ressusciter – avec ajouts – la distribution de *Bienvenue au club*.

Je peux donc dire que toutes ces personnes ont joué un rôle

crucial dans la mise au monde du roman. J'aimerais aussi remercier Fiona Fylan (qui m'a beaucoup aidé dans mes recherches sur les instructeurs des stages de sensibilisation aux excès de vitesse) ; Ralph Pite, Paul Daintry et Caroline Hennigan (lecteurs encourageants d'un livre à moitié écrit seulement) ; Charlotte Stretch (qui a fait partie des premières et des meilleures lectrices de la version achevée, sans parler de toutes les années d'amitié et de soutien que je lui dois) ; Andrew Hodgkiss, Robert Coe et Julie Coe (qui m'ont offert leurs trous de souris pour que j'y écrive en toute quiétude) ; et aussi, pour leur aide précieuse et leur inspiration, Steve Swannell, Aneeqa Munir, Vanessa Guignery, Michele O'Leary, Michael Singer, Peter Cartwright, Catherine Proust, Andrew Brewerton, Anne Philippe Besson, Julia Jordan, Philippe Auclair et Judith Hawley.

Fin 2016, lors d'une vente de charité organisée au profit de l'association Freedom from Torture, Emily Shamma a demandé qu'un personnage du livre porte son nom, et Samuel Morton, de l'association, m'a en conséquence envoyé un message sur les origines de ce nom. Je suis reconnaissant à Emily d'avoir formulé cette requête, et de porter un nom aussi intéressant. J'espère que ce que j'en ai fait lui plaît.

Les personnages de Lionel Hampshire et Hermione Dawes sont apparus dans ma nouvelle « Canadians Can't Flirt », publiée dans l'anthologie *Tales from a Master's Notebook* (Jonathan Cape, 2018). Mes remerciements vont ici à Philip Horne pour avoir commandé cette histoire, et au fantôme d'Henry James pour l'avoir inspirée.

De nombreux détails des chapitres 9 et 10 sont tirés de *Mad Mobs and Englishmen ? Myths and Realities of the 2011 Riots*, de Cliff Stott et Steve Reicher (Robinson, 2011).

L'essentiel de la partie « La joyeuse Angleterre » a été écrit à Marseille, lors d'une résidence financée par l'association littéraire La Marelle. J'aimerais remercier Pascal Jourdana de m'avoir invité dans cette ville, et pour l'amitié qui s'en est suivie ; ainsi que Fanny Pomarède qui m'a offert un espace si chaleureux et si accueillant où écrire ces premiers chapitres.

Et enfin, ma gratitude va à Tony Peake, qui est mon agent

depuis près de trente ans et mon ami cher depuis tout aussi longtemps, fameux lecteur et critique, homme généreux à tous égards : sans sa loyauté indéfectible et son soutien, ce livre – et la plupart de mes précédents – n'aurait jamais vu le jour.

Composition : Nord Compo
Achevé d'imprimer par Normandie Roto Impression s.a.s.,
le 7 octobre 2019.
Dépôt légal : octobre 2019.
Premier dépôt légal : mai 2019.
Numéro d'imprimeur : 1904845.

ISBN : 978-2-07-282952-9 / Imprimé en France.

364073